France, portrait social

Édition 2010

INSEE

Coordination	Valérie Albouy, Mathilde Clément
Directeur de la publication	Jean-Philippe Cotis
Directeur de la collection	Gaël de Peretti
Composition	**Coordination** Michèle Casaccia, Édith Houël **Maquette** Mireille Brunet, Sylvie Couturaud, Édith Houël, Catherine Kohler, Pascal Nguyen, Rose Pinelli-Vanbauce, Brigitte Rols, Pierre Thibaudeau
Couverture	**Coordination** Agnès Dugué **Conception et réalisation** Ineiaki Global Design
Éditeur	Institut national de la statistique et des études économiques 18, boulevard Adolphe-Pinard, 75675 PARIS CEDEX 14 www.insee.fr

Contribution

Insee :
Romain Aeberhardt, Valérie Albouy, Michel Amar, Séverine Arnault, Xavier Besnard, Catherine Borrel, Pascale Breuil-Genier, Pierrette Briant, Pauline Charnoz, Mathilde Clément, Georges Consales, Élise Coudin, Étienne Dalibard, Étienne Debauche, Michel Duée, Alexis Eidelman, Nicolas Frémeaux, Pascal Godefroy, Stéphane Jugnot, Roselyne Kerjosse, Bertrand Lhommeau, Stéfan Lollivier, Philippe Lombardo, Alice Mainguené, Bertrand Marc, Daniel Martinelli, Sébastien Merceron, Nathalie Missègue, Xavier Niel, Sébastien Picard, Anne Pla, Aurélien Poissonnier, Jérôme Pujol, Tiaray Razafindranovona, Hélène Thélot, Maël Theulière, Magda Tomasini

Ministère de l'Écologie, de l'Énergie, du Développement durable et de la Mer (SOeS et SEEIDD) :
Lucie Calvet, François Marical, Nathalie Morer

Ministère de l'Économie, de l'Industrie et de l'Emploi - Ministère du Travail, de la Solidarité et de la Fonction publique (Dares) :
Roland Rathelot, Véronique Rémy, Brigitte Roguet, Corinne Rouxel

Ministère de l'Éducation nationale (Depp) :
Cédric Afsa, Jean-Pierre Dalous, Florence Defresne, Martine Jeljoul

Ministère de l'Enseignement supérieur et de la Recherche (DGSIP/DGRI-SIES) :
Christine Costes, Olivier Lefebvre

Ministère du Travail, de la Solidarité et de la Fonction publique - Ministère de la Santé et des Sports - Ministère du Budget, des Comptes publics et de la Réforme de l'État (Drees) :
Vincent Bonnefoy, Emmanuel Caicedo, Marie-Cécile Cazenave, Malik Koubi, Alexis Montaut

Avertissement

Les sites internet *www.insee.fr* et *http://epp.eurostat.ec.europa.eu* pour les données internationales mettent en ligne des actualisations pour les chiffres essentiels.
Les comparaisons internationales s'appuient sur les données harmonisées publiées par Eurostat, qui peuvent différer des données nationales publiées par les instituts nationaux de statistique.

Signes conventionnels utilisés

n.d.	Résultat non disponible
///	Absence de résultat due à la nature des choses
e	Estimation
p	Résultat provisoire
r	Résultat révisé par rapport à l'édition précédente
n.s.	Résultat non significatif
€	Euro
M	Million
Md	Milliard

Le logo @ indique que les données du tableau ou graphique sont mises à jour sur le site *www.insee.fr*

Avant-propos

L'ouvrage « France, portrait social » a été créé en 1997. Depuis cette date, il est devenu un rendez-vous annuel incontournable de l'Insee avec la presse et le grand public. Complément de « L'économie française », qui traite des questions économiques générales, « France, portrait social » fournit en fin d'année un panorama de l'environnement dans lequel évoluent nos concitoyens. Composé d'une vue d'ensemble et de dossiers, complétés par des fiches thématiques, il balaie l'ensemble des sujets sociaux.

Depuis 1997, les dossiers ont traité de nombreux sujets encore d'actualité aujourd'hui. Dès sa première édition, l'ouvrage s'intéresse aux familles monoparentales, dont on reconnaît aujourd'hui qu'elles sont particulièrement exposées à des conditions de vie difficiles. Les sujets liés à l'emploi et à l'éducation sont particulièrement nombreux. Sur l'emploi, les thèmes abordés sont variés, et souvent liés à l'actualité ou à la situation économique ; sur l'éducation, les dossiers ont souvent cherché à analyser les causes de l'échec scolaire et les inégalités de réussite, lit des inégalités économiques futures. Les sujets sur les inégalités monétaires sont récurrents dans l'ouvrage, avec une prise en compte progressive des transferts en nature, démontrant qu'ils constituent la première source de réduction des inégalités une année donnée.

De nouveaux sujets au cœur du débat public actuel apparaissent au sommaire de l'ouvrage au début des années 2000 : immigration, handicap, dépendance, sécurité, retraite. Même si certains travaux n'ont pas connu à l'époque une grande publicité, on ne peut que reconnaître aujourd'hui leur caractère précurseur. Enfin, et pour la première fois en 2008, l'ouvrage s'intéresse directement au bonheur. Il s'agit là d'une contribution prémonitoire, le sujet ayant depuis été largement repris dans le rapport Stiglitz-Sen-Fitoussi. Même si la question du bien-fondé de la mesure statistique du bien-être fait parfois débat, la littérature économique a depuis longtemps montré la pertinence du sujet, en complément des revenus et des conditions de vie.

L'édition 2010 est l'occasion d'une refonte importante de l'ouvrage. Cette évolution apparaissait en filigrane de l'édition précédente qui, un an après le début de la crise, évoquait déjà ses premières conséquences sociales. Outre la reprise de cette section, le nouveau sommaire comporte des chapitres plus courts qu'auparavant, mais qui visent à donner une vue synthétique sur tout ce que l'année en cours a permis d'apprendre de nouveau sur les thèmes sociaux ; ceci afin que « France, portrait social » réponde encore davantage à sa vocation d'ouvrage de référence et de synthèse.

Dans la vue d'ensemble, on conserve donc une première partie sur les évolutions les plus récentes de la situation des personnes. Mais les chapitres adoptent une perspective plus en phase avec les points saillants du rapport Stiglitz-Sen-Fitoussi. Le chapitre sur la démographie et l'éducation vise à mieux cerner les « capabilités » des individus au sens de Sen, c'est-à-dire les inégalités liées à leur potentiel en termes de capital humain au sens large. Celui sur les salaires et les revenus quantifie non plus les potentialités mais les réalisations en termes d'inégalités observées, et porte principalement sur les inégalités monétaires. On s'efforce cette année d'expliquer comment les différentes composantes des ressources s'articulent à partir du salaire de base pour aboutir aux inégalités finales de ressources. Enfin, le chapitre sur les conditions de vie a l'ambition de fournir des éléments de synthèse sur ce qui fait la « qualité de vie » des personnes, toujours au sens du rapport Stiglitz-Sen-Fitoussi. Outre un panorama d'ensemble, la question des liens sociaux est cette année particulièrement étudiée. Dans cette nouvelle formule, les fiches thématiques se voient renforcées dans leur rôle d'information synthétique sur chaque sujet.

Cette refonte va également dans le sens des souhaits des lecteurs qui ont eu l'occasion de répondre à une enquête de satisfaction concernant l'ouvrage : davantage de synthèses, un panorama plus vaste sur les sujets sociaux, tout en conservant des dossiers thématiques permettant des approfondissements. En souhaitant que l'ouvrage réponde encore davantage aux attentes de ses lecteurs, je tiens à remercier ici tous ceux qui ont permis cette évolution, au premier rang desquels Valérie Albouy et Mathilde Clément, en charge de l'ouvrage et de ses évolutions.

Le directeur des statistiques démographiques et sociales

Stéfan LOLLIVIER

Édition 2010

France, portrait social

Vue d'ensemble

Premier bilan 2009-2010
Répercussions de la crise sur l'emploi, les salaires et les revenus   13

Portrait de la population
Un bilan démographique 2009 dans la tendance des années précédentes   27
En Europe, des dynamiques démographiques différentes   35
8 % d'immigrés et 11 % de descendants d'immigrés   39
Depuis 25 ans, combien de temps passe-t-on à l'école ?   43

Salaires et niveaux de vie
La disparité des temps annuels de travail amplifie les inégalités salariales   53
Niveaux de vie et activité   71
La redistribution en 2009   79

Conditions de vie
Une mesure de la qualité de vie   99
Qu'est-ce que le capital social ?   115
Les enfants des *baby-boomers* votent par intermittence,
    surtout quand ils sont peu diplômés   121
La pauvreté en conditions de vie a touché plus d'une personne sur cinq
    entre 2004 et 2007   133

Dossiers

Les écarts de taux d'emploi selon l'origine des parents :
    comment varient-ils avec l'âge et le diplôme ?   149
La facture énergétique des ménages serait 10 % plus faible
    sans l'étalement urbain des 20 dernières années   167
Les inégalités face au coût du logement se sont creusées
    entre 1996 et 2006   181

Fiches thématiques

1. Économie générale

1.1 - Environnement macroéconomique   198
1.2 - Opinion des ménages sur la situation économique   200

2. Population, éducation

2.1 - Démographie   204
2.2 - Population scolaire et universitaire   206
2.3 - Diplômes   208
2.4 - Dépenses d'éducation   210
2.5 - Recherche et développement   212
2.6 - Parité entre hommes et femmes   214
2.7 - Population immigrée   216

3. Travail, emploi

3.1 - Formation et emploi   220
3.2 - Population active   222
3.3 - Emploi   224
3.4 - Chômage   226
3.5 - Politiques du marché du travail   228
3.6 - Durée et conditions de travail   230

4. Salaires, niveaux de vie

4.1 - Salaires du secteur privé et semi-public   234
4.2 - Salaires de la fonction publique   236
4.3 - Revenu disponible et pouvoir d'achat des ménages   238
4.4 - Niveau de vie et pauvreté   240
4.5 - Protection sociale   242
4.6 - Consommation et épargne des ménages   244

5. Conditions de vie

5.1 - Logement   248
5.2 - Dépenses de logement   250
5.3 - État de santé de la population   252
5.4 - Dépenses de santé   254
5.5 - Culture et loisirs   256
5.6 - Communications et relations sociales   258
5.7 - Insécurité, délinquance   260
5.8 - Justice   262

6. Cadrage européen

6.1 - Démographie   266
6.2 - Éducation   268
6.3 - Emploi et chômage   270
6.4 - Salaires et revenus   272
6.5 - Protection sociale   274
6.6 - Consommation et conditions de vie   276

Annexes

Indicateurs d'inégalités sociales   281
Chronologie   287
Organismes cités dans l'ouvrage   301
Liste des dossiers antérieurs   303

Vue d'ensemble

Premier bilan
2009-2010

Répercussions de la crise
sur l'emploi, les salaires et les revenus

Mathilde Clément, Étienne Dalibard, Étienne Debauche*

Il faut du temps au système statistique pour disposer d'une information suffisamment riche pour permettre de réaliser des analyses détaillées sur les évolutions de la société française. Toutefois, on dispose sur 2009 et le début 2010 de premiers indicateurs sur l'emploi, le chômage, l'évolution globale des salaires et des revenus des ménages.

La crise économique a des répercussions fortes sur l'emploi : en 2009, l'économie française perd 257 000 emplois et le taux de chômage augmente de 1,9 point. Les jeunes, traditionnellement exposés aux retournements conjoncturels, sont particulièrement touchés. Les seniors aussi, avec une ampleur plus inhabituelle. Début 2010, une amélioration se dessine sur le marché du travail : l'emploi repart à la hausse et le taux de chômage baisse.

L'inflation est particulièrement basse en 2009 ; corrigés de l'évolution des prix, les salaires progressent finalement plus en 2009 qu'en 2008 où au contraire l'inflation soutenue avait contrebalancé les progressions salariales. Le même mécanisme explique l'évolution du pouvoir d'achat des ménages : le pouvoir d'achat par unité de consommation progresse de 0,8 % en 2009.

Il faut du temps au système statistique pour disposer d'une information suffisamment riche pour permettre de réaliser des analyses détaillées sur les évolutions de la société française du type de celles présentées dans la suite de cet ouvrage. Deux ans en moyenne sont nécessaires pour mener à leur terme les enquêtes structurelles que l'Insee et ses partenaires du service statistique public réalisent auprès des ménages[1]. Par exemple, les deux sources annuelles de référence sur les revenus et les conditions de vie des ménages, l'enquête sur les revenus fiscaux et sociaux (ERFS) et le dispositif statistique sur les ressources et les conditions de vie

---

Repères

En moyenne sur 2009, en France métropolitaine :

- 70,4 % des personnes âgées de 15 à 64 ans sont actives, 64,7 % sont en emploi.   *voir fiches 3.2*
  Le sous-emploi concerne 1,4 million de personnes.   *et 3.3*

- Le taux de chômage est de 9,1 %.
  Un peu plus de 800 000 personnes souhaitent travailler mais ne sont pas comptées
  comme au chômage en fin d'année (« halo » du chômage).   *voir fiche 3.4*

- En 2009, le taux de chômage est de 8,9 % en Europe. Il atteint 18,0 % en Espagne   *voir fiches 6.3*
  alors qu'il est de seulement 3,4 % aux Pays-Bas.   *et 6.4*

---

* Mathilde Clément, Étienne Dalibard, Étienne Debauche, Insee.
1. « Les principales étapes d'une enquête auprès des ménages », *Courrier des statistiques* n° 126, janvier-avril 2009.

des ménages (SRCV), qui exploitent toutes deux les données fiscales, délivrent mi-2010 (au moment de la rédaction de cette édition) une information jusqu'en 2008.

Néanmoins, dans certains domaines qui ont des conséquences directes sur la situation des ménages, une information est déjà disponible pour 2009 ou même début 2010. L'enquête Emploi en continu, les indicateurs conjoncturels ou les données agrégées des comptes nationaux délivrent rapidement des informations sur la situation sur le marché du travail et les évolutions globales des salaires, des prix ou du revenu des ménages. Ces informations agrégées dessinent un premier état des lieux des évolutions sociales en cours, que les enquêtes actuellement sur le terrain, permettront d'analyser ensuite plus finement.

2009 : plus fort recul de l'activité depuis l'après-guerre…

La récession entamée au printemps 2008, s'est accentuée fin 2008 et début 2009. L'activité se contracte de 2,6 % en moyenne annuelle en 2009. C'est le plus fort recul du PIB depuis l'après-guerre : lors des récessions de 1975 et 1993, le PIB avait baissé de l'ordre de 1 %. Dès le 2ᵉ trimestre 2009, l'activité repart à la hausse : en moyenne, la croissance est de 0,3 % par trimestre depuis.

… et repli historique de l'emploi

Suite au retournement conjoncturel survenu mi-2008, le marché du travail connaît en 2009 le plus fort recul de l'emploi salarié depuis l'origine des séries d'emploi en 1954 : entre le début et la fin de l'année, on compte 257 000 emplois en moins *(figure 1)*. La plupart de ces destructions ont cependant lieu au 1ᵉʳ semestre (– 219 000 emplois) et la dégradation de l'emploi s'atténue au fil de l'année 2009. Le solde des créations redevient même légèrement positif au 4ᵉ trimestre. Cette amélioration de la situation du marché du travail se confirme début 2010.

L'ensemble des secteurs marchands ont été touchés par la crise, mais les fluctuations de l'emploi salarié tiennent pour beaucoup à l'intérim, qui a servi de principale variable d'ajustement des effectifs aux variations de l'activité. Le nombre d'intérimaires a ainsi baissé dès le

1. Emploi salarié selon le secteur d'activité

en milliers, données CVS, en fin d'année

Secteur d'activité	Glissements annuels					Niveau d'emploi au 31/12/2009
	2005	2006	2007	2008	2009	
Emploi salarié des secteurs marchands non agricoles[1]	**91**	**191**	**268**	**– 190**	**– 336**	**15 854**
Ensemble industrie	– 90	– 61	– 43	– 86	– 172	3 343
dont : industrie manufacturière	*– 81*	*– 55*	*– 41*	*– 74*	*– 173*	*2 420*
Construction	47	60	59	8	– 46	1 437
Tertiaire marchand[2]	134	193	252	– 112	– 118	11 075
dont : commerce	*11*	*18*	*39*	*– 21*	*– 45*	*2 963*
intérim	*22*	*16*	*26*	*– 135*	*– 19*	*493*
Emploi salarié tertiaire essentiellement non marchand[3]	**71**	**97**	**69**	**38**	**88**	**7 545**
Emploi salarié agricole	**– 7**	**– 5**	**– 12**	**– 9**	**– 10**	**217**
Emploi salarié total	**156**	**283**	**324**	**– 161**	**– 257**	**23 616**

1. Secteurs essentiellement marchands : ensemble hors agriculture, administration, éducation, santé et action sociale.
2. Services aux entreprises et aux particuliers.
3. Y compris contrats aidés.
Champ : France métropolitaine.
Source : Insee, estimations d'emploi.

France, portrait social - édition 2010

2e trimestre 2008 : entre début 2008 et début 2009, les effectifs intérimaires ont fondu d'environ 35 %. Cependant, dès le 2e trimestre 2009, l'intérim se stabilise puis repart à la hausse. Les effectifs intérimaires ne sont toutefois pas encore revenus à leur niveau d'avant crise : ils sont 550 000 au 2e trimestre 2010 à travailler dans ce secteur alors qu'ils étaient 673 000 début 2008.

L'emploi marchand hors intérim[2] a lui aussi pâti de la crise mais moins fortement et de façon moins précoce. Si les effectifs du secteur tertiaire hors intérim ont commencé à diminuer en 2008, c'est en 2009 que la dégradation se fait véritablement sentir, avec une baisse de 99 000 emplois au cours de l'année (contre un recul de seulement 14 800 au 2e semestre 2008). La reprise dans ce secteur débute timidement fin 2009 et début 2010. Cette situation tranche avec les années 2006 et 2007 pendant lesquelles le tertiaire hors intérim était le principal moteur du dynamisme de l'emploi marchand. L'emploi industriel, qui en 2006 et 2007 avait moins baissé grâce au dynamisme économique, recule à nouveau fortement en 2008, et plus encore en 2009 (– 172 000 en 2009 après – 86 000 en 2008 et – 43 000 en 2007). L'intérim a été la première variable d'ajustement du volume de travail à la baisse d'activité dans l'industrie : en 2008, le nombre d'intérimaires effectuant leur mission dans l'industrie a baissé de 93 000 (– 31 %). En 2009 cette baisse n'est plus que de 8 000 (– 4 %). Finalement, intérimaires compris, le nombre total de personnes travaillant dans l'industrie recule au même rythme en 2008 et 2009. Mais ce ne sont pas les mêmes emplois qui sont touchés en début et en fin de crise, les formes d'emplois les plus flexibles étant les premières concernées par le retournement de la conjoncture. Fin 2009 et début 2010, alors que les effectifs industriels continuent de baisser, le nombre d'intérimaires dans l'industrie est déjà reparti à la hausse. Les effets de la crise se font sentir plus tardivement dans la construction, les effectifs ne baissant qu'à partir du 4e trimestre 2008. Sur l'année 2009, la construction perd 46 000 emplois, mais dès le 1er trimestre 2010 l'emploi se stabilise. Comme dans l'industrie, l'ajustement dans la construction s'est principalement fait *via* l'intérim : le nombre d'intérimaires en mission dans la construction a baissé en 2008 de 10,6 % et reste orienté à la baisse en 2009 (– 6 %). Au total, le cycle d'activité dans la construction apparaît en léger décalage par rapport à celui des autres secteurs.

L'ajustement du marché du travail à la contraction de l'activité est donc d'abord passé par les formes d'emploi les plus flexibles (l'intérim mais aussi les CDD), alors que les emplois stables ont été concernés dans un second temps à partir de la mi-2009. Ce mécanisme se traduit en 2008 par une augmentation de la part des emplois stables dans l'emploi, part qui passe de 77,1 % au 4e trimestre 2007 à 77,9 % au 4e trimestre 2008. Début 2009, cette part se stabilise, puis diminue à partir du 2e trimestre et tombe à 76,8 % au 2e trimestre 2010. Cette baisse de la part des CDI dans l'emploi en 2009 s'accompagne aussi d'une hausse de la part des temps partiels : 17,8 % des emplois sont à temps partiel fin 2009, contre 16,7 % fin 2008. À partir du début 2010, ces emplois à temps partiel sont aussi plus souvent subis au sens où les personnes qui les occupent déclarent plus fréquemment souhaiter travailler davantage et être disponibles pour le faire. Ainsi, le temps partiel subi concerne 27,9 % des temps partiels au 4e trimestre 2009, et 29,7 % au 2e trimestre 2010.

L'emploi ne s'est pas totalement ajusté à la baisse de l'activité

L'emploi s'ajuste habituellement avec retard aux baisses d'activité : une entreprise préférera attendre de savoir si le choc positif ou négatif d'activité qu'elle subit est durable avant d'ajuster ses effectifs. Pour un choc négatif, ceci se traduit à court terme par une baisse des

---

2. L'emploi intérimaire est un service aux entreprises, il est par conséquent comptabilisé dans l'emploi tertiaire et non dans le secteur utilisateur.

gains de productivité[3] (*figure 2*, en particulier l'année 1993). Mais cette baisse des gains de productivité ne dure en général que quelques trimestres : les destructions d'emplois suivent ensuite la contraction de l'activité, ce qui ramène les gains de productivité sur leur tendance de long terme. Les deux dernières crises (2001 et 2008) semblent néanmoins échapper à ce schéma. De plus, celle de 2008 se singularise par son ampleur, qui dépasse largement celle de 1993. En 2008, la baisse de l'activité a été beaucoup plus forte que celle de l'emploi et les gains de productivité, en glissement annuel, sont restés fortement négatifs pendant plus d'un an (du 3e trimestre 2008 au 3e trimestre 2009).

2. Emploi salarié, valeur ajoutée et productivité dans les secteurs marchands non agricoles

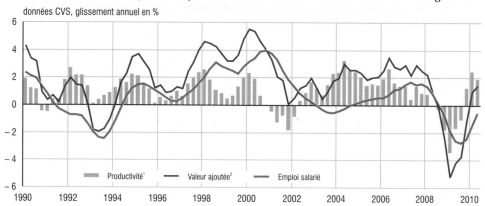

données CVS, glissement annuel en %

1. La productivité apparente du travail est définie comme le rapport entre la valeur ajoutée et les ressources d'emploi mises en œuvre pour l'obtenir.
2. Les évolutions de la valeur ajoutée sont quasi équivalentes à celles du PIB : le PIB est égal à la valeur ajoutée, augmentée des impôts moins les subventions sur les produits.
Champ : France métropolitaine, secteurs marchands non agricoles.
Note : l'emploi est ici mesuré en moyenne trimestrielle (en calculant la demi-somme de l'emploi en fin de trimestre) pour être comparable à la valeur ajoutée des secteurs marchands non agricoles, mesurée elle aussi en moyenne trimestrielle.
Source : Insee, estimations d'emploi et comptes nationaux.

L'ajustement de l'emploi à l'activité a ainsi été moins fort qu'attendu, ce qui traduit un phénomène de rétention de main-d'œuvre qui pourrait s'expliquer de différentes manières. Depuis la fin des années 1990, un certain nombre de mesures de politiques publiques ont pu modifier les modes de gestion de la main-d'œuvre des entreprises. C'est le cas des lois sur la réduction du temps de travail, de la loi Tepa sur les heures supplémentaires ou, plus récemment et pour faire face à la crise, de l'assouplissement du recours au chômage partiel. L'appareil statistique permet de suivre le nombre de personnes en situation de chômage partiel, mais plus difficilement le recours aux heures supplémentaires, ou l'impact des lois sur la réduction du temps de travail. Plus largement, le volume effectif de travail est difficile à mesurer, du fait de l'individualisation croissante des horaires de travail. Le suivi du recours au chômage partiel permet cependant d'illustrer les modifications à l'œuvre sur le marché du travail pendant la période récente, même si ce dispositif n'est bien sûr pas à lui seul responsable de l'ensemble des changements. En 2009, le chômage partiel se rapproche du niveau atteint en 1993 (*figure 3*) : au 2e trimestre 2009, 275 000 personnes sont en situation de chômage partiel, contre 300 000 en 1993. Toutefois, alors qu'en 1993 la pratique du chômage partiel était répandue, même en période de bonne conjoncture, elle ne l'est plus sur la période récente. Au 3e trimestre 2008 seulement 55 000 personnes étaient ainsi concernées par le chômage partiel.

---

3. La productivité, dite apparente, du travail est définie comme le rapport entre la valeur ajoutée et les ressources d'emploi mises en œuvre pour l'obtenir.

Début 2009, ils sont 220 000 en plus dans cette situation. Cette très forte hausse du chômage partiel reflète donc l'ampleur de l'ajustement du volume de travail à l'activité.

Les mesures de politiques publiques précédemment citées ont aussi pu favoriser, ou accompagner, des changements organisationnels, en particulier par le développement de l'annualisation du temps de travail. Les formes de contractualisation ont également connu des évolutions sensibles. À titre d'exemple, avant 1993, le nombre d'intérimaires était autour de 260 000 personnes, alors qu'en 2007 il dépasse 650 000. L'ensemble de ces changements favorise sans doute d'autres modes d'ajustement du volume de travail que ceux qui préva-laient avant les années 2000. Aujourd'hui, l'ajustement pourrait plus souvent passer par des variations du temps de travail ou peser sur les formes flexibles d'emploi. On ne dispose cepen-dant pas encore du recul nécessaire pour analyser finement ces changements et en quantifier l'impact sur la dynamique de l'emploi.

3. Évolution du nombre de personnes en situation de chômage partiel

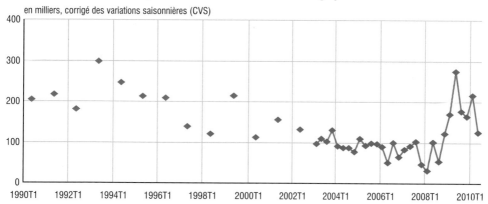

Champ : France métropolitaine.
Note : avant 2003, les données de chômage partiel mesurées par l'enquête Emploi sont en moyenne annuelle. À partir de 2003, les données sont en moyenne trimestrielle, corrigées des variations saisonnières.
Source : Insee, enquête Emploi.

Les emplois aidés soutiennent l'emploi non marchand en 2009

Les secteurs non marchands sont quant à eux particulièrement créateurs d'emploi en 2009 (+ 88 000 emplois contre + 38 000 en 2008), principalement du fait de l'augmentation du nombre d'entrées en contrats aidés. Des moyens financiers plus importants ont en effet été alloués à ces secteurs pour faire face à l'ampleur de la crise. Avec la reprise, le nombre d'entrées en contrats aidés devrait diminuer en 2010. Début 2010, l'emploi dans les secteurs non marchands serait ainsi moins dynamique qu'en 2009.

Le chômage augmente fortement en deux ans

Cette dégradation du marché de l'emploi entraîne une hausse du taux de chômage de 2,4 points entre le 1er trimestre 2008 et le 4e trimestre 2009. Cette augmentation est beaucoup plus rapide que celle qu'avait connue la France lors de la crise de 1993. Avec le début de reprise, le taux de chômage repart à la baisse début 2010.

La part des chômeurs de longue durée (depuis plus d'un an) parmi l'ensemble des chômeurs repart à la hausse : elle passe de 32,3 % au 1er trimestre 2009 à 39,1 % au

2e trimestre 2010. Cette part a fortement diminué en 2008 du fait de l'afflux massif de nouveaux chômeurs. La persistance de la crise et la difficulté croissante à retrouver du travail, ont ensuite entraîné une augmentation de l'ancienneté moyenne au chômage.

Les jeunes sont particulièrement touchés par la hausse du chômage *(figure 4)*. Ils sont généralement plus sensibles que leurs aînés aux fluctuations conjoncturelles : ils bénéficient davantage des périodes de croissance, mais pâtissent aussi plus des retournements. Entre le 1er trimestre 2008 et le 4e trimestre 2009, le taux de chômage des 15-24 ans a fortement augmenté (+ 6,4 points contre + 2 points pour les 25-49 ans). Fin 2009, le taux de chômage des jeunes atteint ainsi son point le plus haut depuis que la série existe (1975). Ce récent pic du chômage des jeunes doit cependant s'interpréter avec précaution. En effet, seule une minorité de jeunes sont présents sur le marché du travail (un peu plus d'un tiers au 4e trimestre 2009), les autres poursuivant leurs études. Avec l'allongement rapide de la durée des études initiales, la proportion de jeunes présents sur le marché du travail a nettement diminué jusqu'au milieu des années 1990. De ce fait, si l'on considère non plus le taux de chômage, mais la part des jeunes au chômage, on observe qu'au 4e trimestre 2009, 8,6 % des 15-24 ans sont au chômage, soit un point de plus que pour l'ensemble de la population. Du reste, dans les années 1980, la part des jeunes au chômage était plus importante qu'à la fin de l'année 2009.

4. Taux de chômage par tranche d'âge

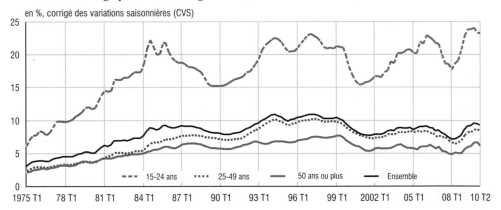

Champ : France métropolitaine, population des ménages, personnes de 15 ou plus.
Source : Insee, enquête Emploi.

Au début de l'année 2010, le taux de chômage des jeunes baisse, alors qu'il se stabilise pour les plus âgés, signe d'une amorce de reprise. Par ailleurs, la hausse du taux de chômage est plus marquée pour les jeunes hommes que pour les jeunes femmes. Entre le 1er trimestre 2008 et le 4e trimestre 2009, le taux de chômage des garçons a augmenté de 8,1 points et de 4,4 points pour les filles. Pour la première fois depuis le début de ces séries, le taux de chômage des jeunes hommes est passé au-dessus de celui des jeunes femmes. L'explication est double : d'une part les jeunes femmes sont aujourd'hui plus diplômées que les jeunes hommes ; d'autre part elles sont moins présentes dans les secteurs les plus touchés par la crise (intérim, industrie, etc.).

La hausse du taux de chômage des 50 ans ou plus au cours de l'année 2009 a, quant à elle, surpris par sa rapidité comme par son ampleur. Alors qu'au début de la crise les seniors avaient été relativement épargnés par le retournement conjoncturel, leur taux de chômage augmente fortement en 2009 (+ 1,6 point). Habituellement les seniors sont moins sensibles aux

France, portrait social - édition 2010

fluctuations conjoncturelles. Par exemple, entre le 1er trimestre 1991 et le 4e trimestre 1993 le taux de chômage de la population totale avait augmenté de 2,5 points, pendant que celui des seniors n'augmentait que de 0,7 point. La situation des seniors sur le marché du travail est cependant singulière, en particulier pour les plus âgés. En effet, malgré la crise, cette hausse du taux de chômage s'accompagne d'une poursuite de la hausse du taux d'emploi des 55-64 ans, qui augmente de 41,3 % au 2e trimestre 2008 à 42,1 % au 2e trimestre 2010. Le retournement de la conjoncture n'a pas enrayé la hausse structurelle du taux d'emploi des seniors : le taux d'emploi « sous-jacent », qui corrige des effets de structure démographique, progresse continûment depuis 2001.

Les salaires nominaux ralentissent en 2009, mais la faible inflation soutient les salaires réels

En 2008, malgré la dégradation de l'activité, la conjoncture globale des salaires est restée dynamique, en contrecoup du pic d'inflation lié à la forte hausse des prix de l'énergie et dans une moindre mesure des prix des produits alimentaires. Toutefois, en raison des délais d'ajustement des salaires à l'inflation, le pic d'inflation observé au 1er semestre 2008 n'a été répercuté que partiellement et avec retard sur les salaires : à la fin 2008, voire au début 2009. Ceci s'est traduit in fine par un ralentissement des salaires réels en 2008. En 2009, la récession s'aggrave et la situation apparaît complètement renversée. En moyenne, les évolutions nominales des salaires, celles qui sont négociées par les partenaires sociaux, ralentissent. Mais comme l'inflation est très fortement réduite, les progressions 2009 des rémunérations réelles, c'est-à-dire en euros constants, sont finalement plus importantes que celles de 2008.

En euros courants, les salaires du secteur privé ralentissent en 2009…

Deux indicateurs complémentaires mesurent l'évolution conjoncturelle des salaires au niveau agrégé. Le premier, le salaire mensuel de base (SMB) est l'indice qui retrace le salaire « de base », hors primes et à structure de qualification donnée, des salariés à temps complet. C'est un indicateur des salaires négociés par les partenaires sociaux. Le second, le salaire moyen par tête (SMPT), est le rapport de la masse salariale brute aux effectifs salariés physiques : il prend en compte l'ensemble de la rémunération, notamment les primes, l'intéressement ou la rémunération des heures supplémentaires, qui représentent 15 % de la rémunération des salariés. Le SMPT porte sur l'ensemble des salariés et est donc sensible aux modifications de structure de l'emploi salarié (hausse des qualifications ou destruction d'emplois peu qualifiés, modification de la part des temps partiels, effet des « entrées-sorties ») : ses évolutions doivent donc être analysées à l'aune de ces modifications.

En 2009, dans les entreprises du secteur privé de plus de 10 salariés, le SMB ralentit un peu : + 2,2 % après + 3,0 % en 2008. L'aggravation de la dégradation du marché du travail et le net ralentissement des prix freinent les négociations salariales, et la moindre inflation entraîne aussi une moindre revalorisation du Smic (+ 1,9 % en moyenne annuelle contre + 3 % en 2008). Le ralentissement du SMB affecte toutes les catégories socioprofessionnelles, même s'il est très légèrement plus marqué pour les ouvriers et les employés (+ 2,2 % après respectivement + 3,1 % et + 3,0 % en 2008) que pour les professions intermédiaires (+ 2,2 % après + 2,9 %) et les cadres (+ 2,1 % après + 2,7 %). Par grands secteurs, c'est dans l'industrie que ce ralentissement est le plus marqué (+ 2,1 % en 2009 contre + 3,2 % en 2008) ; il est plus modéré dans la construction (+ 2,5 % après + 3,3 %) et dans le tertiaire (+ 2,2 % après + 2,9 %). Le SMPT du secteur concurrentiel non agricole ralentit encore plus que le SMB : + 1,3 % en euros courants après + 2,8 % en 2008. Au 1er trimestre 2009 en particulier, la baisse globale des salaires est sans précédent : les primes sont bien moins élevées que les années précédentes, notamment dans le secteur financier ; le recours au chômage partiel est important (même si les mesures d'accompagnement mises en œuvre ont fortement réduit l'impact salarial de ce chômage partiel) ; les heures supplémentaires seraient moins nombreuses. Par ailleurs, le poids des temps partiels augmente un peu (*cf. supra*), avec un impact d'environ 0,2 point sur le SMPT. En revanche, les nombreuses destructions d'emplois d'ouvriers, notamment parmi les non-qualifiés, soutiennent mécaniquement la croissance du SMPT en faisant reculer le poids des faibles rémunérations.

Sur le 1er semestre 2010, la croissance du SMB resterait modérée, dans la continuité de l'année 2009 : + 0,4 % par trimestre début 2009 (en données corrigées des variations saisonnières). L'inflation soutenue, surtout au 1er trimestre, ainsi que la revalorisation de 0,5 % du Smic le 1er janvier soutiennent le SMB au 1er semestre, même si le taux de chômage encore élevé continue de peser sur les salaires. Sur le début de l'année 2010, le SMPT serait aussi plus dynamique. Cette hausse s'expliquerait en partie par un retour à la normale du niveau des primes de résultats dans le tertiaire, et notamment dans la finance, par opposition à la forte baisse du 1er trimestre 2009.

... mais ils accélèrent en euros constants

Les évolutions globales des salaires doivent cependant être mises en regard des évolutions de prix ; celles-ci ont été très contrastées sur les trois dernières années. En 2008, le renchérissement des prix de l'énergie et des produits alimentaires avaient produit une inflation forte *(figure 5)*. Cette inflation avait contrebalancé les progressions de salaires et conduit à une stabilité des salaires réels en moyenne (0,0 % pour le SMPT, *figure 6*). En 2009, c'est l'inverse qui se produit : les progressions de salaires en euros courants sont certes moins fortes qu'elles ne l'étaient en 2008, mais dans un contexte d'inflation très basse, conduisent à une accélération des salaires réels, qui progressent en moyenne de 1,3 % (pour le SMPT).

5. Évolution de l'indice des prix à la consommation (IPC)

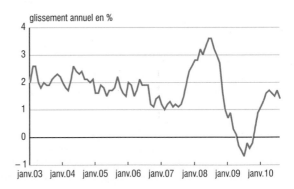

glissement annuel en %

Champ : France.
Source : Insee, indice des prix à la consommation.

Début 2010 en revanche, non seulement le SMB nominal progresse modérément, mais les prix accélèrent, notamment sur le 1er trimestre. Ainsi, en termes réels, le SMB baisse au 1er trimestre (− 0,3 %), puis augmente de 0,2 % au 2e trimestre. Le SMPT réel serait quant à lui stable au 1er trimestre, puis augmenterait au 2e trimestre.

6. Salaires et emploi salarié marchand depuis 1990

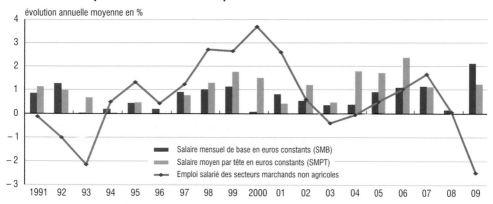

évolution annuelle moyenne en %

■ Salaire mensuel de base en euros constants (SMB)
■ Salaire moyen par tête en euros constants (SMPT)
◆ Emploi salarié des secteurs marchands non agricoles

Champ : France pour le SMPT ; France métropolitaine pour le SMB et l'emploi.
Note : dans ce graphique, on utilise comme déflateur du SMB et du SMPT l'indice des prix à la consommation (y compris tabac) de l'ensemble des ménages.
Sources : Insee, comptes nationaux et estimations d'emploi ; Dares, enquête Acemo.

Les salaires du secteur public rebondissent aussi en 2009 en euros constants

En euros courants, le SMPT des administrations publiques a crû légèrement moins vite en 2009 qu'en 2008 (+ 2,0 % après + 2,2 %). Cette évolution du SMPT résulte d'abord des revalorisations du point d'indice de la fonction publique (+ 0,5 % en juillet 2009 et + 0,3 % en octobre, soit 0,6 % en moyenne annuelle comme l'année précédente). À cela s'ajoutent l'augmentation de l'indice minimum de la fonction publique (+ 2 points) parallèlement à celle du Smic et la reconduction de la prime de Garantie individuelle du pouvoir d'achat (GIPA). En termes réels et comme pour le secteur privé, le SMPT des administrations publiques rebondit en 2009 (+ 1,9 % après – 0,6 % en 2008), grâce au reflux de l'inflation.

Le pouvoir d'achat rebondit en moyenne en 2009

L'évolution du revenu disponible brut (RDB), en euros courants, pâtit de la récession en 2009 : il augmente de + 1,0 % après + 3,2 % en 2008 et + 5,2 % en 2007. Le revenu disponible brut des ménages est un indicateur agrégé qui comprend les revenus d'activité et de la propriété perçus par l'ensemble des ménages, desquels on soustrait les prélèvements (impôts et cotisations) et on ajoute les prestations sociales et autres transferts. Il est freiné par la situation dégradée sur le marché du travail : le recul de l'emploi et le ralentissement des salaires en euros courants *(cf. supra)* pèsent sur l'évolution de la rémunération des salariés. De même, le revenu des entrepreneurs individuels recule : le repli de l'ensemble des revenus d'activité pèse sur le revenu disponible. La crise économique se répercute aussi sur les revenus du patrimoine : notamment, le solde net des intérêts reçus par les ménages se détériore fortement car la baisse des taux de marché se répercute davantage sur la rémunération des dépôts des ménages que sur les intérêts qu'ils versent sur leurs crédits, immobiliers notamment. À l'inverse, les impôts sur le revenu et le patrimoine payés par les ménages reculent nettement, suite à la baisse des plus-values mobilières de 2008, ainsi qu'à diverses mesures d'exonérations fiscales (plan de relance, loi TEPA, etc.). De plus, les prestations sociales accélèrent avec la montée du chômage et les mesures du plan de relance (crédit d'impôt ciblé sur les ménages modestes, prime de solidarité active, etc. ; voir « *La redistribution en 2009* » *dans cet ouvrage*).

Mais les évolutions du revenu disponible des ménages doivent également être mises en regard de celles des prix, et, dans un contexte d'inflation très basse, le pouvoir d'achat du revenu disponible brut (c'est-à-dire son évolution corrigée de celle des prix) est plus forte en 2009 qu'elle n'avait été en 2008. Ainsi, le pouvoir d'achat du revenu disponible brut des ménages progresse de 1,6 % en 2009, alors qu'il avait progressé de + 0,4 % en 2008 *(figure 7)*. Pour approcher une mesure un peu plus individuelle des évolutions du pouvoir d'achat des ménages, on tient compte du nombre et de la composition des ménages en rapportant l'évolution globale du pouvoir d'achat à celle des unités de consommation (UC) : le pouvoir d'achat par UC progresse moins vite que le pouvoir d'achat global en 2009 (+ 0,8 % contre + 1,6 %, après – 0,4 % en 2008).

7. Contributions à l'évolution du pouvoir d'achat des ménages

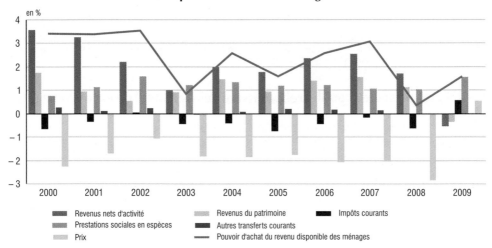

Champ : France.
Lecture : en 2009, les revenus nets d'activité contribuent pour – 0,5 point à la croissance de 1,6 % du pouvoir d'achat du revenu disponible brut des ménages.
Source : Insee, comptes nationaux, base 2000.

Début 2010, le revenu disponible progresse, porté par l'accélération de la masse salariale liée au regain de l'emploi et de l'activité. Le pouvoir d'achat accélère, surtout au 2ᵉ trimestre en raison du ralentissement des prix énergétiques.

Les ménages restent inquiets

Le message délivré par les enquêtes de conjoncture auprès des ménages avait atteint son niveau le plus négatif mi-2008. Il s'est ensuite nettement amélioré jusque fin 2009, même s'il demeure assez pessimiste fin 2009. Il diminue à nouveau depuis début 2010. Les ménages se montrent notamment pessimistes vis-à-vis des perspectives d'évolution du niveau de vie en France mais aussi de leur situation financière personnelle. Par ailleurs, même si elles se sont atténuées, les craintes des français face au chômage persistent.

À ce stade de l'analyse, on ne dispose que d'évolutions globales des salaires réels et du pouvoir d'achat. Les progressions moyennes enregistrées, principalement dues au reflux d'inflation, ne doivent pas faire oublier que la réalité des situations individuelles est plus variée. La disponibilité future de données détaillées issues des enquêtes auprès des ménages va permettre de savoir si ces évolutions sont homogènes, ou bien si certaines catégories de population ont vu leur situation financière s'améliorer ou se dégrader et dans quelle ampleur, notamment pour les personnes qui ont perdu leur emploi par exemple. Les travaux statistiques récents ont ainsi permis de quantifier la façon dont le chômage influait sur les risques d'entrée et de sortie de pauvreté[4]. ■

Pour aller plus loin

Emploi

• Les flux bruts de création et de destruction des emplois sont beaucoup plus élevés que l'évolution nette de l'emploi, car une grande partie de ces mouvements se compense à chaque instant.
« Le cycle de l'emploi : les petites entreprises ont été les premières à baisser leurs effectifs pendant la crise », *Note de conjoncture*, Insee, mars 2010.

• En 2009, 56,9 % des personnes âgées de 50 à 64 ans sont actives. Le taux d'activité des seniors a progressé continûment depuis 2001.
« Emploi et chômage des 50-64 ans en 2009 », *Dares Analyses* n° 039, juin 2010.

Chômage

• En 2007, 770 000 inactifs de 15 à 64 ans souhaitent travailler, mais ne sont pas comptés comme chômeurs au sens du BIT soit parce qu'ils ne recherchent pas d'emploi, soit parce qu'ils ne sont pas disponibles rapidement pour travailler.
« Le « halo » du chômage : entre chômage BIT et inactivité », *Insee Première* n° 1260, octobre 2009.

• Depuis 25 ans, en métropole, les taux de chômage des femmes et des hommes en début de vie active se sont rapprochés.
« Femmes et hommes en début de carrière : les femmes commencent à tirer profit de leur réussite scolaire », *Insee première* n° 1284, février 2010.

Salaires et Revenu des ménages

voir Vue d'ensemble, chapitre « Salaires et niveaux de vie ».

Et aussi

• « L'économie française - Comptes et dossiers », *Insee Références*, juin 2010.
• La « Note de conjoncture », Insee conjoncture, tous les trimestres.

---

4. « Trajectoires individuelles et pauvreté », *in* « Les revenus et le patrimoine des ménages », *Insee Références*, mars 2010.

Vue d'ensemble

Portrait
de la population

Un bilan démographique 2009 dans la tendance des années précédentes

Pascale Breuil-Genier, Anne Pla*

Avec + 350 000 habitants en 2009, la croissance démographique française reste dans la tendance des années précédentes. Elle est supérieure à la moyenne européenne et se distingue par ses facteurs : les naissances se maintiennent à un niveau élevé depuis 2006, tandis que les décès sont beaucoup moins nombreux que les naissances et, malgré le vieillissement de la population, augmentent encore peu. La hausse de l'espérance de vie (de 2 à 3 mois chaque année) parvient en effet encore à compenser l'augmentation des décès liée au vieillissement. Le solde migratoire a une contribution faible à la croissance de la population.

Pour ses 10 ans, le pacs enregistre encore une forte hausse du nombre de nouveaux contrats conclus (+ 20 % en 2009). L'intérêt des couples de sexes différents pour le pacs se confirme, là où la plupart des pays européens offrent des contrats souvent plus proches du mariage et réservés aux couples de même sexe.
La part de personnes vivant en couple continue à diminuer, mais uniquement aux âges intermédiaires. Les familles monoparentales sont de plus en plus nombreuses (une famille sur 5), tandis qu'une famille sur 13 est recomposée.

La population de la France au 1er janvier 2010 est estimée à 64,7 millions d'habitants, dont 1,9 million dans les départements d'outre-mer[1]. Cela représente 13 % de la population de l'Europe à 27, qui vient de dépasser le demi-milliard d'habitants. Cela place la France en deuxième place dans l'Europe à 27, derrière l'Allemagne (81 millions), et devant la Grande-Bretagne (62 millions) et l'Italie (60 millions).

Repères

En 2009 :
- 64,7 millions d'habitants
- 1,99 enfant par femme
- 84,5 ans d'espérance de vie pour les femmes, et 77,8 ans pour les hommes
- 2 pacs conclus pour 3 mariages
- 19,1 % des familles sont monoparentales et 7,7 % recomposées en 2006

} *Voir fiche 2.1*

---

* Pascale Breuil-Genier, Anne Pla, Insee.

1. Ces estimations prennent pour point de départ les populations légales 2007 issues du recensement, qui sont actualisées à partir des données d'état civil sur les naissances et décès, et d'estimations du solde migratoire. Tous les indicateurs démographiques sur la France présentés dans cet article résultent d'estimations réalisées fin décembre 2009 sauf précision contraire. Ils sont donc provisoires pour les années récentes.

La croissance de la population française tient essentiellement à l'excédent des naissances sur les décès

Avec 350 000 habitants supplémentaires en 2009, la population française a connu une croissance de 0,5 %, au-dessus de la moyenne européenne (0,3 %). La croissance démographique française se distingue à la fois par sa stabilité et ses facteurs. D'une part, elle est assez stable depuis une dizaine d'années, avec des taux de croissance toujours supérieurs à 0,5 %. D'autre part, elle provient principalement de l'excédent des naissances sur les décès, que l'on appelle solde naturel. La France se distingue très fortement des autres pays européens par l'importance de ce dernier : sans la France, le solde naturel de l'Europe à 27 en 2009, qui est d'un peu moins de 600 000 habitants, serait divisé par deux *(voir fiche 6.1)*. Le solde migratoire a une contribution beaucoup plus faible à la croissance démographique française.

Un maintien des naissances à un niveau élevé malgré l'évolution défavorable de la population en âge d'avoir des enfants

L'importance du solde naturel français s'explique à la fois par des naissances encore nombreuses et par un nombre de décès restant faible. Les naissances se maintiennent à un niveau élevé depuis 2006, autour de 820 000 pour la France entière, contre 800 000 environ dans les années immédiatement antérieures. Or, depuis 2006, le nombre de mères potentielles a baissé : le nombre de femmes de 15 à 50 ans a diminué de 0,9 % en 4 ans. Le nombre de naissances élevé observé depuis 2006 est donc avant tout dû à une forte fécondité, c'est-à-dire à un nombre d'enfant par femme relativement élevé : en 2009, l'indicateur conjoncturel de fécondité est estimé à 1,99 enfant par femme. Il correspond au nombre moyen d'enfants qu'aurait une femme tout au long de sa vie avec les taux de fécondité par âge observés en 2009. Cet indicateur a augmenté fortement depuis son point bas au début des années 1990 (1,68 pour la France en 1994) *(figure 1)*.

1. Indicateur conjoncturel de fécondité

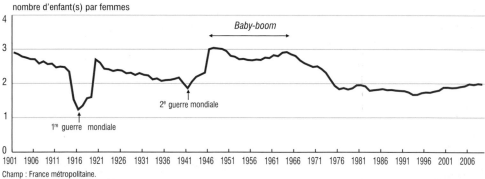

Champ : France métropolitaine.
Source : Insee, statistiques de l'état civil et estimations de population arrêtées à fin 2009.

Les évolutions de l'indicateur conjoncturel de fécondité dépendent du nombre d'enfants que chaque femme va avoir dans sa vie, mais également du calendrier des naissances. Avec le report des maternités observé entre le milieu des années 1970 et le milieu des années 1990, une baisse temporaire du nombre des naissances et de l'indicateur de fécondité a été constatée. Maintenant que ce mouvement de report prend fin, ces deux grandeurs remontent. La baisse des taux de fécondité des femmes de moins de 30 ans et la hausse de la fécondité des femmes de plus de 30 ans observées depuis le milieu des années 1970 se traduisent également par une progression de l'âge moyen à la maternité : il frise les 30 ans en 2009, tous rangs de naissance confondus. Depuis 2008, la fécondité et le nombre de naissances n'ont pas évolué de manière significative *(encadré 1)*.

Si les calendriers des naissances (et donc les nombres annuels de naissances) ont connu des évolutions marquées dans les dernières décennies, il n'en est pas de même pour la « descendance finale » des femmes. Toutes les générations de femmes arrivant à 50 ans ont eu plus de 2 enfants en moyenne (entre 2,1 et 2,2 pour les générations nées entre 1945 et 1959, les dernières à être observées de manière complète) *(figure 2)*. La France se distingue

2. Nombre d'enfants pour 100 femmes par génération

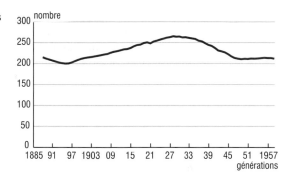

Champ : France métropolitaine.
Source : Insee, statistiques de l'état civil et estimations de population arrêtées à fin 2009.

Encadré 1

Aucun effet de la crise n'est encore visible sur l'évolution récente des naissances

Entre 2008 et 2009, le nombre de naissances a très légèrement baissé mais cette baisse n'est pas significative en regard notamment des évolutions passées. La natalité se maintient donc à un niveau élevé.

Il y a eu 824 641 naissances en 2009, d'après les données définitives publiées en juillet 2010, soit 3 763 de moins qu'en 2008. Comparer une année 2008 bissextile à une année 2009 qui ne l'est pas explique déjà une baisse de l'ordre de 2000 naissances. Le reste est lié à la baisse du nombre de femmes en âge d'avoir les enfants, et surtout à une baisse de la fécondité moyenne. En effet, d'une année sur l'autre, ce sont les variations des taux de fécondité qui jouent, plutôt que les évolutions démographiques (effectifs et structure par âge des femmes), plus lentes.

L'observation des crises économiques passées, par exemple la faible fécondité observée dans de nombreux pays juste après la crise de 1993, ainsi que certains travaux de recherche, suggèrent que l'environnement économique peut avoir un impact sur la fécondité, avec généralement un an de retard (*France, portrait social* 2009).

Si les naissances mensuelles de 2009 sont toutes du même ordre de grandeur que les naissances de 2008, à l'exception de mai (mai 2008 était en effet exceptionnellement élevé en comparaison des mois de mai des vingt années précédentes), début 2010, les naissances ne sont pas non plus très différentes de celles des deux années précédentes ; elles sont même en nombre légèrement plus élevées qu'en 2009.

Nombre de naissances en 2008, 2009 et 2010 pour chaque mois de l'année

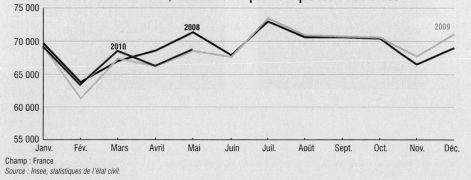

Champ : France
Source : Insee, statistiques de l'état civil.

en effet de ses voisins par un nombre plus réduit de femmes n'ayant aucun enfant (de l'ordre de 10 %, contre plus de 20 % en Allemagne) et un nombre plus important de familles nombreuses.

La sur-fécondité des mères immigrées ou étrangères n'explique que marginalement la forte fécondité française. En effet, si l'indicateur conjoncturel de fécondité des femmes de nationalité étrangère (3,51 en 2006) est supérieur à celui des françaises (1,89 pour la même année), les femmes étrangères ne représentent que 7 % des femmes de 20 à 40 ans. De ce fait, leur fécondité n'augmente la fécondité moyenne que de 0,1 enfant par femme, mais contribue à ce que la part des naissances de mère étrangère (13,2 % en 2009) soit supérieure à la part des femmes étrangères dans la population. Cette part est très variable d'une région à l'autre ; elle est maximale en Guyane où 53,5 % des bébés nés en 2009 ont une mère étrangère et en Île-de-France (26 % des bébés nés en 2009 ont une mère étrangère).

L'espérance de vie continue à progresser

L'espérance de vie a progressé de deux mois en 2009, toujours sur le rythme de deux à trois mois par an qu'elle connaît depuis au moins dix ans. En 2009, elle est estimée à 84,5 ans pour les femmes, une des plus élevées en Europe, et à 77,8 ans pour les hommes (dans la moyenne européenne).

Le nombre de décès dépend de l'espérance de vie (ou plus exactement des taux de mortalité par âge) mais aussi de la structure de la population française *(figure 3)*. Il s'élève à 548 000 pour 2009 (d'après les données définitives publiées en octobre 2010), soit un niveau proche des années précédentes. Cette stabilité apparente des décès résulte en fait de deux effets opposés : une population plus nombreuse et plus âgée a entraîné 13 500 décès supplémentaires par rapport à 2008, mais cet effet démographique a été presque compensé par la baisse de la mortalité à chaque âge[2].

3. Répartition de la population par sexe et âge au 1er janvier 2010

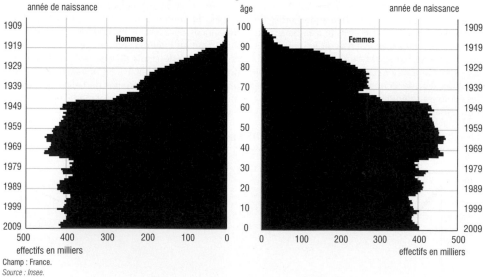

Champ : France.
Source : Insee.

---

2. La baisse des taux de mortalité par âge entre 2008 et 2009 a été mécaniquement favorisée par le fait que 2009 succédait à une année bissextile.

L'allongement de la durée de la vie et l'arrivée des premières classes d'âge du *baby-boom* au-delà de 60 ans expliquent la hausse de la part des plus de 60 ans dans la population. Cette part va encore fortement augmenter dans les années à venir avec le vieillissement des classes d'âges du *baby-boom* (nées entre 1946 et 1974) *(encadré 2)*. Le nombre de décès va donc augmenter, et le solde naturel décroître.

Encadré 2

Un tiers de la population aura plus de 60 ans en 2060

En 2060, la France métropolitaine compterait 73,6 millions d'habitants, soit 11,8 millions de plus qu'en 2007. C'est le résultat d'un exercice de projection réalisé par l'Insee en 2010 qui consiste à retenir des hypothèses sur l'évolution de la fécondité, de la mortalité et des flux migratoires d'ici 2060 et à en déduire la population correspondante. Il s'agit ici des résultats de la projection dite « centrale », obtenus en prolongeant pour la période 2007-2060 les évolutions passées sur la mortalité et en retenant des niveaux pour la fécondité (1,95 enfant par femme) et le solde migratoire (+ 100 000 habitants en plus par an) proches des valeurs actuelles. À lui seul, le nombre de personnes de 60 ans et plus augmenterait de 10,4 millions entre 2007 et 2060. En 2060, 23,6 millions de personnes seraient âgées de 60 ans ou plus, soit une hausse de près de 80 % par rapport à 2007.

L'accroissement sera le plus fort en début de période jusqu'en 2035, avec l'arrivée à ces âges des générations nombreuses issues du *baby-boom*, nées entre 1946 et 1975. Au-delà de 2035, avec la disparition des générations du *baby-boom*, la progression de la part des 60 ans et plus retrouverait un rythme plus modéré et plus conforme à celui du passé.

La progression du poids des personnes de plus de 60 ans dans la population française est inéluctable, seule son ampleur dépend des hypothèses retenues pour la projection. En effet, les personnes qui atteindront 60 ans à l'horizon 2060 sont déjà toutes nées et la plupart vivront au-delà de 60 ans. Si l'on faisait l'hypothèse, peu probable, que les risques de décès ne baisseraient plus à l'avenir, la part des plus 60 ans serait alors de 28 % en 2060, contre 22 % aujourd'hui et 32 % dans la projection « centrale ».

Part des plus de 60 ans et des plus de 65 ans dans la population

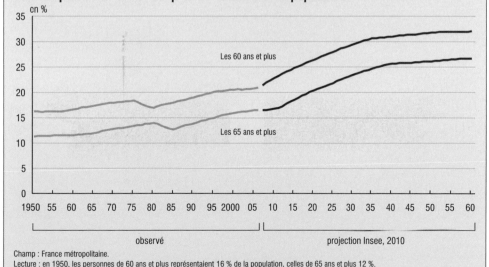

Champ : France métropolitaine.
Lecture : en 1950, les personnes de 60 ans et plus représentaient 16 % de la population, celles de 65 ans et plus 12 %.
Source : Insee, estimations de population jusqu'en 2006, projection de population 2007-2060 (scénario central).

Deux pacs conclus pour trois mariages en 2009

Avec 175 000 contrats conclus en 2009, le pacs connaît une forte hausse (+ 20 %) après une année 2008 de hausse encore plus forte (+ 40 %). C'est surtout aux couples hétérosexuels que le pacs doit ce succès (95 % des pacs conclus en 2009). Avec la Belgique ou les Pays-Bas, la France est un des rares pays européens à proposer un contrat différent du mariage (il est plus centré sur le couple que sur la famille, sur l'organisation de la vie actuelle que sur l'anticipation du futur), ouvert tant aux couples homosexuels qu'hétérosexuels. La plupart des autres pays ont proposé des contrats pour les seuls couples homosexuels, voire progressivement ou directement le mariage homosexuel. Le nombre de mariages (estimé à 256 000 en 2009) continue quant à lui à diminuer. Il y a eu en 2009 deux pacs conclus pour trois mariages.

La part de personnes vivant en couple continue à diminuer, mais cette baisse ne s'observe maintenant qu'aux âges intermédiaires. Les trajectoires conjugales et les familles poursuivent leur diversification : une famille sur 5 est monoparentale et une sur 13 recomposée. Ces transformations conjugales et familiales n'ont pas freiné la natalité dans la mesure où, en France, les parents ont des enfants dans des situations familiales variées (union officialisée ou non, famille « traditionnelle » ou non, poursuite ou non de la vie professionnelle...). Ainsi, en 2009, 53 % des enfants naissent hors mariage en France (contre, en 2008, 6 % en Grèce, 22 % en Italie ou 32 % en Allemagne). ■

Pour aller plus loin

Fécondité

- Près de 10 % des femmes nées entre 1945 et 1953 et 14 % des hommes nés entre 1943 et 1951 n'ont pas eu d'enfant.
  « Ne pas avoir eu d'enfant : plus fréquent pour les femmes les plus diplômées et les hommes les moins diplômés », *France, portrait social* 2006.

- Les premières naissances des femmes ont maintenant lieu vers 28 ans (contre 24 ans dans les années 1970 et 25 ans au début du XXᵉ siècle).
  « Pourquoi le nombre de naissances continue-t-il d'augmenter ? *Population et sociétés*, n° 454, mars 2009.

- L'apport des étrangères au taux de fécondité national est modeste (+ 0,1 enfant par femme), malgré une fécondité en hausse chez les nouveaux entrants.
  « Deux enfants par femme dans la France de 2006 : La faute aux immigrées ? » *Population et société* n° 432, mars 2007.

Mortalité

- Le nombre de décès augmente depuis 2006, du fait de la déformation de la structure par âge de la population vers des classes d'âge de plus en plus élevées. La mortalité infantile stagne tandis que celle de nos voisins européens continue de baisser.
  « Le nombre de décès augmente, l'espérance de vie aussi », *Insee Première* n° 1318, octobre 2010.

- La différence d'espérance de vie entre homme et femme (6,7 ans en 2009) se réduit. Les femmes avaient au début des années 1950 une espérance de vie voisine de celle qu'ont les hommes actuellement.
  « La situation démographique en 2008 », *Insee Résultats* n° 109, Collection société, juillet 2010.

Familles

- La proportion de jeunes de 20 à 24 ans en couple ne baisse plus. Celle des personnes de plus de 60 ans en couple continue d'augmenter.
  « Vivre en couple », *Insee Première* n° 1281, février 2010.

- 580 000 familles sont recomposées en France métropolitaine en 2006, soit 7,7 % des familles avec au moins un enfant mineur.
  « 1,2 million d'enfants de moins de 18 ans vivent dans une famille recomposée », *Insee Première* n° 1259, octobre 2009.

Évolution démographique

- « Bilan démographique 2009 - Deux pacs pour trois mariages », *Insee Première* n° 1276, janvier 2010.
- « L'évolution démographique récente en France : dix ans pour le pacs », plus d'un million de contractants, *Population* n° 3, 2009.
- « Projections de la population à l'horizon 2060 - Un tiers de la population âgé de plus de 60 ans », *Insee Première* n° 1320, octobre 2010.

En Europe, des dynamiques démographiques différentes

Xavier Niel*

Au 1ᵉʳ janvier 2010, la population de l'Europe des 27 atteint le demi-milliard d'habitants. Mais l'accroissement de la population n'est pas uniforme et la géographie démographique européenne est en train de se transformer.

En dix ans, les populations de certains pays ont vivement augmenté, d'autres ont reculé. Entre les 1ᵉʳ janvier 2000 et 2010, les populations de l'Irlande et de l'Espagne ont gagné plus de 15 %, tandis que celle de l'Allemagne a stagné (*figure 1*). Les pays les plus à l'est de l'Europe voient leur population diminuer. En termes de dynamisme de la population, depuis dix ans, la France se situe un peu au-dessus de la moyenne de l'Union Européenne, aux côtés du Royaume-Uni, du Portugal, et de l'Italie : les populations de ces pays ont toutes augmenté entre 4 % et 7 % sur dix ans.

1. Évolution de la population

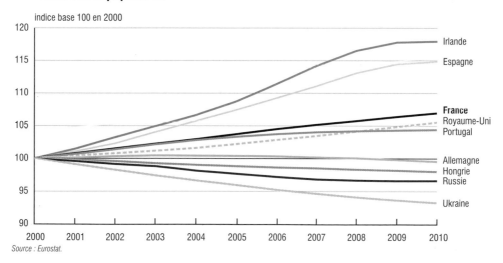

Source : Eurostat.

Ces dynamiques semblables ont toutefois comme origines des causes radicalement différentes. La très forte augmentation de la population de l'Espagne a deux origines. Essentiellement nourrie par une immigration massive depuis 2000, elle est renforcée ces dernières années par un regain de fécondité. Tout juste supérieur à 1,1 à la fin des années 1990, l'indice conjoncturel de fécondité atteint presque 1,5 en 2008 (*figure 2*). Les femmes espagnoles ont

---

* Xavier Niel, Insee.

2. Évolution de l'indicateur conjoncturel de fécondité

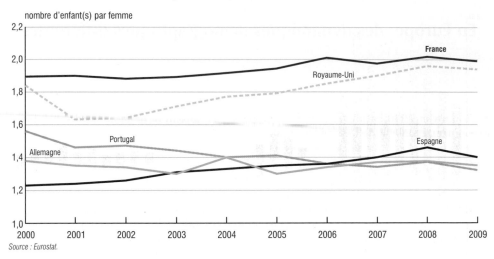

nombre d'enfant(s) par femme

Source : Eurostat.

en effet cessé de reporter à plus tard les naissances de leurs enfants : l'âge moyen des femmes à l'accouchement, le plus élevé d'Europe, a cessé d'augmenter depuis quelques années et se stabilise juste au-dessous de 31 ans. L'arrêt des reports de naissances fait mécaniquement augmenter l'indice conjoncturel de fécondité espagnol. Cet indicateur reste malgré tout assez faible au regard des autres pays européens, tout comme la descendance finale des femmes espagnoles. Le solde naturel, c'est-à-dire les naissances moins les décès, est de plus en plus important en Espagne, alors que le solde migratoire a fortement diminué en 2009 (*figure 3*).

Le Portugal a quant à lui vu sa population quasiment stagner en 2009. L'indice de fécondité portugais est faible, et contrairement à celui de l'Espagne, il tend à décroître un peu plus chaque année ; il atteint 1,4 en 2008. L'âge à l'accouchement augmente en effet plus vite que dans beaucoup d'autres pays, indiquant que les femmes portugaises ont tendance à repousser leurs projets de maternité. En particulier, la fécondité des femmes de 25 ans baisse au Portugal alors qu'elle augmente depuis quelques années en Espagne. La natalité n'a donc, à l'inverse de celle de l'Espagne, pas pris le relais d'une immigration qui se tarit depuis 2002. La différence en termes de nombre de naissances avec l'Espagne est d'autant plus remarquable que la structure par âge de leur population féminine évolue de façon très semblable : augmentation de la part des femmes de 25 à 34 ans jusqu'en 2004, et baisse depuis. L'impact de ces mouvements sur la descendance finale future des femmes portugaises reste toutefois incertain : si le report actuel des naissances est rattrapé ultérieurement, la descendance finale ne s'en trouvera finalement pas changée.

L'accélération de la croissance de la population du Royaume-Uni a en revanche pour origine le dynamisme de sa fécondité. Son indice conjoncturel de fécondité augmente vigoureusement depuis 2002 et se rapproche de celui de la France. L'augmentation des naissances est due aux plus jeunes femmes : les femmes britanniques de 20 à 24 ans ont l'un des plus forts taux de fécondité d'Europe et, contrairement à bon nombre de pays comparables, leur proportion augmente. Le solde naturel est chaque année plus important et c'est lui qui contribue à accélérer la croissance de la population car, par ailleurs, le solde migratoire reste relativement stable. Depuis trois ans, la population du Royaume-Uni rattrape ainsi celle de la France et atteint 62,0 millions d'habitants en 2010.

France, portrait social - édition 2010

3. Soldes naturels et migratoires nationaux

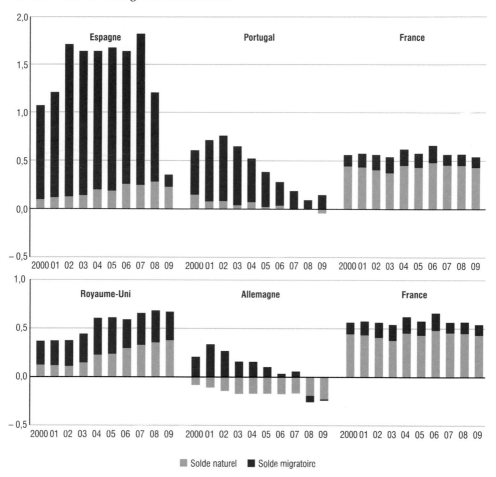

Source . France, Insee, statistiques de l'état civil et estimations de population arrêtées à fin 2009 ; autres pays, Eurostat.

En France, la fécondité est supérieure à celle des autres pays européens, mais elle reste inférieure à celle de l'Islande (qui ne fait pas partie de l'Union européenne), et très proche de celle de l'Irlande. L'essentiel de l'augmentation de la population française est dû au solde naturel : la France n'est pas un pays d'immigration massive comme l'Espagne, le Portugal ou l'Italie. En Allemagne, après avoir augmenté au début des années 2000 grâce à l'immigration, la population diminue depuis quelques années. Tout concourt à faire baisser la population : un solde migratoire négatif depuis deux ans, des décès en hausse en 2007 et en 2008, des naissances en forte baisse sur 10 ans malgré la hausse récente de la proportion de femmes de 20 à 29 ans, en général les plus fécondes. ■

Pour en savoir plus

• First demographic estimates n° 47 (décembre 2009) Eurostat, Data in focus 47/2009.

Vue d'ensemble - Portrait de la population

8 % d'immigrés et 11 % de descendants d'immigrés

Catherine Borrel, Bertrand Lhommeau*

Après une stabilisation dans les années 1990, la population des immigrés progresse à nouveau et atteint 5 millions. Par ailleurs, selon les premiers résultats de l'enquête Trajectoires et Origines, en 2008, 3,1 millions de personnes âgées de 18 à 50 ans, nées en France métropolitaine, sont enfants d'immigrés. La moitié d'entre elles ont moins de 30 ans.

Après une stabilisation dans les années 1990, la population des immigrés progresse à nouveau : en 2007, 5 millions d'immigrés vivent en France métropolitaine, soit 8 % de la population, contre 7 % en 1990. L'immigration en France est un phénomène ancien. Au début du XXe siècle, 1 million d'immigrés résident en France métropolitaine (2,5 %) ; en 1954, ils sont 2,3 millions (5 %) et 4,2 millions en 1990 (7,5 %).

En 2008, les enfants des immigrés, c'est-à-dire les descendants directs d'un ou de deux immigré(s), sont 6,5 millions, soit 11 % de la population de France métropolitaine. Parmi eux, 3,1 millions sont âgés de 18 à 50 ans. La moitié de ces derniers ont moins de 30 ans, 50 % ont deux parents immigrés, 20 % sont descendants d'immigrés uniquement par leur mère et 30 % uniquement par leur père. Ces chiffres sont issus de l'enquête Trajectoires et Origines (TeO) qui explore l'histoire migratoire des personnes et de leurs parents.

La moitié des descendants ont un parent immigré né ailleurs en Europe. Issus d'une immigration ancienne, ils sont plus âgés que la moyenne des enfants d'immigrés : les trois quarts des descendants de 46 à 50 ans ont des parents d'origine européenne, contre trois sur dix parmi les 18-20 ans. Un quart de l'ensemble des descendants est issu de l'immigration ancienne d'Italie et d'Espagne. Parmi les plus jeunes descendants, les lignées italiennes et espagnoles sont en revanche très peu présentes. La descendance d'origine portugaise est négligeable pour les naissances antérieures au milieu des années soixante. Elle a une importance plus grande parmi les descendants trentenaires en 2008. Cette vague migratoire a toutefois été très concentrée dans le temps : la part de ses descendants décroît parmi les plus jeunes. 9 % des descendants ont un parent venu d'un autre pays de l'actuelle Union européenne,

---

Repères

En France métropolitaine :
5 millions d'immigrés en 2007 dont :
- 2 millions originaires d'Europe,
- 2,2 millions originaires d'Afrique.

} *Voir fiche 2.7*

6,5 millions de descendants directs d'immigrés en 2008 dont 3,1 millions de 18-50 ans :
- 1,5 million de 18-50 ans ont un parent immigré né en Europe,
- 1,2 million de 18-50 ans ont un parent immigré né en Afrique.

---

* Catherine Borrel, Bertrand Lhommeau, Insee.

principalement la Pologne puis l'Allemagne. Ces descendants d'immigrés représentent 15 % des descendants plus âgés, mais seulement 5 % des jeunes adultes.

1,3 million de descendants âgés de 18 à 50 ans (quatre sur dix) ont au moins un père ou une mère originaire d'Afrique, venant d'Algérie (20 %), du Maroc ou de Tunisie (15 %) et, plus récemment, d'Afrique subsaharienne (4 %). 60 % des descendants d'Afrique subsaharienne ont moins de 26 ans. Dans les dernières décennies, l'horizon des origines des migrants s'ouvre au-delà de l'Europe et de l'Afrique. Parmi les descendants âgés de 18 à 20 ans, 18 % ont un parent venu d'Asie, du Moyen-Orient ou d'Amérique (parmi les 18-50 ans, ils ne sont que 8 %). Pour 2 %, leurs parents sont originaires de Turquie, pour 4 % du reste de l'Asie, essentiellement du Cambodge, du Laos ou du Vietnam, dont la migration a été concentrée entre le milieu des années 1970 et le début des années 1980. Les enfants des immigrés venus d'Asie, du Moyen-Orient ou d'Amérique forment une population très jeune : 60 % sont âgés de moins de 26 ans.

Un tiers des descendants directs d'immigrés vivent en Île-de-France

La répartition géographique des immigrés et des descendants d'immigrés est proche, mais la concentration sur le territoire de ces derniers est moins accentuée (figure). 32 % des descendants directs d'immigrés, âgés de 18 à 50 ans, sont franciliens. Les jeunes descendants d'immigrés y sont proportionnellement beaucoup plus nombreux que leurs aînés. Ainsi, 37 % des franciliens âgés de 18 à 20 ans sont descendants d'immigrés, contre 8 % des 41-50 ans. Le Nord - Pas-de-Calais est la seule région où la part des descendants parmi les plus jeunes (7 %) est légèrement inférieure à celle parmi les plus âgés (8 %).

Les flux migratoires les plus récents sont davantage concentrés sur l'Île-de-France : la région concentre les deux tiers des descendants d'Afrique subsaharienne. Cette concentration reproduit fidèlement celle des immigrés de même origine. Cependant, bien que très récente,

Répartition régionale des descendants d'immigrés selon l'origine de leurs parents

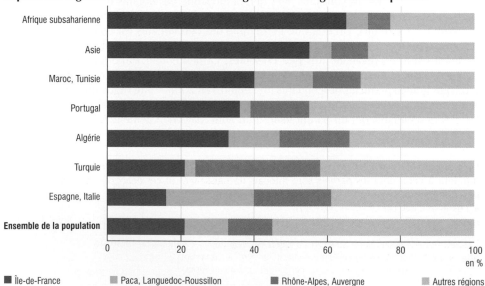

Champ : population âgée de 18 à 50 ans vivant en ménage ordinaire en France métropolitaine.
Lecture : 16 % des descendants d'au moins un parent d'origine espagnole ou italienne habitent en Île-de-France.
Sources : Ined et Insee, enquête Trajectoires et Origines 2008.

France, portrait social - édition 2010

la migration d'origine turque apparaît spécifique : seul un cinquième des descendants vit en région parisienne. Ils sont davantage présents dans les régions frontalières de l'Est de la France : un cinquième en Alsace, en Lorraine et en Franche-Comté et un tiers en Rhône-Alpes et en Auvergne.

Pour les migrations plus anciennes venues de l'Europe du Sud, les descendants sont installés majoritairement dans les régions proches du pays d'origine de leurs parents : 58 % des descendants d'Italiens et d'Espagnols vivent ainsi dans le Sud de la France. ■

Pour aller plus loin

- En 2008, 2,15 millions d'immigrés avaient un travail en France (8,4 % de l'emploi, contre 7,4 % en 2005), mais leur taux de chômage est proche du double de celui des non-immigrés.
  « L'insertion professionnelle des immigrés en 2008 », *Infos migrations* n° 14, février 2010.

- Les immigrés éprouvent souvent des difficultés avec la langue française, même si cela ne constitue pas forcément une gêne pour travailler.
  « Langue, diplômes : des enjeux pour l'accès des immigrés au marché du travail », *Insee Première* n° 1262, novembre 2009.

- Un tiers des descendants d'immigrés de 18 à 50 ans vivent en Île-de-France.
  « Être né en France d'un parent immigré », *Insee Première* n° 1287, mars 2010.

- Le niveau de diplôme des descendants directs d'immigrés est légèrement plus faible que celui des Français de parents français.
  « Les descendants d'immigrés », *Infos migrations* n° 15, juillet 2010.

- Les hommes et femmes ayant un parent immigré originaire du Maghreb ont un taux d'emploi bien inférieur à ceux dont les parents sont français de naissance, et cet écart ne s'explique que très partiellement par leur profil (diplôme, etc.).
  « Les écarts de taux d'emploi selon l'origine des parents : comment varient-ils avec l'âge et le diplôme ? », dossier de cet ouvrage.

- Un peu moins de 14 % des personnes âgées de 18 à 50 ans déclarent avoir vécu des discriminations : elles sont 26 % chez les immigrés, 24 % chez les fils ou filles d'immigrés et 10 % chez les autres.
  « Les discriminations : une question de minorités visibles », *Population et société*, n° 466, Ined, avril 2010.

Depuis 25 ans, combien de temps passe-t-on à l'école ?

Cédric Afsa, Olivier Lefebvre*

Dans les conditions actuelles de la scolarité en France, un jeune de 15 ans devrait passer encore un peu plus de 6 ans dans le système éducatif. C'est presque un an et demi de plus qu'en 1985. Cette augmentation traduit la très large diffusion du baccalauréat, suivi le plus souvent d'études supérieures.

En effet, de 1985 à 1995 le taux d'accès au baccalauréat a plus que doublé : en France métropolitaine, 29 % d'une génération obtenait le baccalauréat en 1985, 62 % dix ans plus tard. Cette démocratisation rapide s'est logiquement accompagnée d'une augmentation des durées des scolarités dans l'enseignement secondaire. La diffusion du baccalauréat a permis celle des études supérieures : ces nouveaux bacheliers ont pour la plupart continué leurs études, ce qui a contribué à augmenter d'un an environ la durée moyenne passée dans le supérieur.

Depuis 1995, la durée de scolarité dans l'enseignement secondaire a diminué, conséquence d'une fluidification accrue des parcours (moins de redoublements pour la même proportion de diplômés). Elle n'a que très peu évolué dans le supérieur mais la part d'une génération titulaire d'un diplôme de l'enseignement supérieur continue de progresser.

Aujourd'hui, un peu moins d'un quart de la population française est en train d'étudier. Sur les 64,4 millions de résidents en France métropolitaine ou dans les départements d'outre-mer, 15 millions - soit 23,3 % - sont, à l'automne 2009, scolarisés ou en apprentissage dans un établissement de formation initiale. Un peu moins de 45 % d'entre eux sont sur les bancs de l'école primaire, un peu moins de 40 % fréquentent un établissement du second degré (collège, lycée, etc.), les autres suivent des études supérieures. Le taux de scolarisation des moins de 30 ans, c'est-à-dire la part des personnes de moins de 30 ans qui sont en cours d'études initiales, s'élève à 60 %. C'est 4 points de plus qu'en 1985.

Cette augmentation globale de 4 points masque des évolutions très contrastées, au sein même du système éducatif, durant le dernier quart de siècle. C'est ce que montre l'analyse conjoncturelle de la scolarisation en France métropolitaine[1] sur les 25 dernières années,

---

Repères

- 15 millions d'élèves, apprentis ou étudiants à la rentrée 2009 en France :
  39 % des jeunes de 18 à 25 ans sont encore scolarisés.   *voir fiche 2.2*
- le taux de réussite au bac est de 86,2 % en 2009.   *voir fiche 2.3*
- la part des jeunes d'une génération qui sortent du système éducatif sans diplôme
  est de 10 %, celle qui sort diplômée du supérieur de 41 %.
- la dépense intérieure d'éducation représente 6,9 % du PIB en 2009.   *voir fiche 2.4*
- la dépense intérieure de recherche et développement représente 2,1 % du PIB en 2008. *voir fiche 2.5*

---

* Cédric Afsa, Depp ; Olivier Lefebvre, SIES.
1. Les données pour les départements d'outre-mer ne sont disponibles que depuis 2000. Par souci de cohérence sur la période étudiée, on s'en tiendra dans l'article à la France métropolitaine.

analyse qui s'appuie sur un indicateur synthétique résumant, année après année, la situation scolaire des jeunes : l'espérance de scolarité à 15 ans. L'espérance de scolarité à 15 ans estime le nombre d'années qu'un jeune de 15 ans, qui se trouve donc au terme de la scolarité obligatoire, peut espérer passer dans le système éducatif compte tenu des taux de scolarisation observés l'année de ses 15 ans *(encadré)*. De même que l'espérance de vie à la naissance estime le nombre d'années qu'un nouveau né peut s'attendre à vivre compte tenu de la situation sanitaire et sociale prévalant à sa naissance, l'espérance de scolarité à 15 ans estime la durée (résiduelle) de vie scolaire attendue ou « espérée » par un jeune de 15 ans. Cet indicateur peut évoluer sous l'effet de plusieurs facteurs : le temps mis à terminer les études secondaires, la probabilité d'engager des études supérieures, et la durée de ces études, le cas échéant. Par commodité de langage, on parlera souvent, dans cet article, de durée moyenne de scolarité ou de durée des études plutôt que d'espérance de scolarité.

Encadré

Définitions et Méthodes

Proportion de bacheliers dans une génération : proportion de bacheliers dans une génération fictive de personnes qui auraient, à chaque âge, les taux de candidature et de réussite observés l'année considérée. Ce nombre est obtenu en calculant, pour chaque âge, le rapport du nombre de lauréats à la population totale de cet âge, et en faisant la somme de ces taux. Les âges pris en compte dans ce calcul ne sont pas les mêmes pour les séries générales et technologiques que pour les séries professionnelles, compte tenu, pour ces dernières, d'une scolarité décalée d'un an et d'une répartition par âge assez différente, notamment aux âges élevés.

Mesurer la durée de scolarité

Il y a deux moyens de mesurer la durée de scolarité d'un jeune. La première consiste à observer une cohorte d'enfants nés une même année (*i.e.* une génération) jusqu'à ce que tous soient sortis du système éducatif. On en déduit la durée moyenne des études qu'ils ont effectivement suivies, durée qu'on peut comparer entre générations. L'avantage de la méthode est d'obtenir des durées réelles. L'inconvénient majeur est qu'il faut attendre longtemps, le temps que tous les jeunes concernés aient, au moins dans leur quasi-totalité, fini leurs études. Par exemple, on ne connaîtra la durée de scolarité de la génération 2007 (qui entre cette année en maternelle) qu'à la fin des années 2030.

L'autre solution est de calculer une durée de scolarité non pas d'une génération donnée mais de l'ensemble des jeunes en études une année donnée. C'est l'espérance de scolarité. Il s'agit d'une durée fictive qui s'obtient à partir des taux de scolarisation par âge. Rappelons que le taux de scolarisation à 18 ans, par exemple, s'obtient en rapportant l'effectif des jeunes âgés de 18 ans qui sont en formation initiale à l'effectif total des jeunes de 18 ans. Pratiquement, cette durée de scolarité estimée l'année *a* s'obtient simplement en additionnant les taux de scolarisation par âge observés l'année *a*. Elle s'interprète comme la durée moyenne de scolarité d'une génération fictive de jeunes qui connaîtraient tout au long de leur scolarité les taux de scolarisation par âge observés l'année *a*. Contrairement à la méthode précédente, cette méthode a l'avantage de fournir « en temps réel » un indicateur de scolarité qui revêt de ce fait un caractère conjoncturel. L'inconvénient est que la durée est fictive, qu'elle repose sur l'hypothèse – forte – que les taux de scolarisation sont stabilisés.

Au lieu de faire ce calcul sur la totalité de la scolarité, on peut calculer une durée d'études du jeune au-delà de ses 15 ans, c'est-à-dire à partir du moment où la scolarité n'est plus obligatoire. On parle alors d'espérance de scolarité à 15 ans (*figures 1 et 2*). Les termes du débat que l'on pose entre durée d'études par génération et durée d'études conjoncturelle sont les même que ceux du démographe lorsqu'il utilise l'indicateur de descendance finale (*i.e.* le nombre d'enfants qu'auront eus les femmes d'une même génération) d'une part, et l'indice conjoncturel de fécondité d'autre part.

Depuis 1985, le temps passé à l'école a d'abord nettement augmenté, mais il diminue lentement depuis une quinzaine d'années

Deux grandes périodes se dégagent sur les 25 dernières années (*figure 1*). Dans un premier temps, du milieu des années 1980 jusqu'à la seconde moitié des années 1990, la durée moyenne passée à l'école a augmenté sensiblement : elle a gagné 1,7 année sur 10 ans[2]. Il faut y voir les effets d'une politique éducative volontariste. C'est en effet au milieu des années 1980 qu'a été lancé le mot d'ordre « 80 % d'une génération au niveau du baccalauréat », qui sera repris ultérieurement dans les deux lois d'orientation de 1989 et 2005. Dans un second temps, entre la fin des années 1990 et aujourd'hui, la durée moyenne de scolarité a reculé, lentement mais régulièrement. Ce recul, somme toute modeste, ne signifie pas pour autant une baisse tendancielle du niveau d'éducation en France (*cf. infra*).

Que ce soit pour les filles ou pour les garçons, les tendances observées sont les mêmes. Néanmoins, l'espérance de scolarité à 15 ans a progressé plus vite pour les premières. En 1985, les filles avaient déjà des scolarités plus longues que les garçons mais l'écart s'est accentué sur la période. Il a doublé en 25 ans, pour s'établir aujourd'hui à 0,5 année environ au bénéfice des filles.

Aujourd'hui, un jeune de 15 ans peut s'attendre à prolonger ses études d'un peu plus de 6 ans en moyenne, dont 60 % du temps (3,6 ans) au collège ou au lycée, et 40 % dans l'enseignement supérieur[3]. Cette durée totale et cette décomposition entre temps passé dans le secondaire et temps passé dans le supérieur ont évolué au fil du temps, la part du supérieur s'accroissant sur la période.

1. Espérance de scolarisation à 15 ans selon le sexe

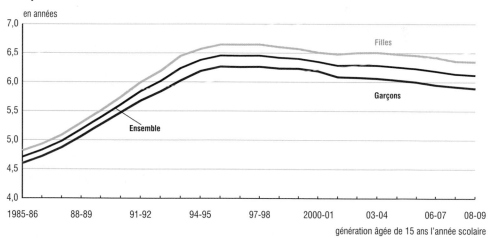

Champ : France métropolitaine.
Lecture : un élève de 15 ans scolarisé en 1985-1986 pouvait espérer passer encore 4,7 années dans le système éducatif.
Note : l'âge est défini en différence de millésime à la rentrée de l'année scolaire.
Sources : Depp ; SIES ; Insee.

---

2. Cette période a été analysée par ailleurs [Durier et Poulet-Coulibando, 2004 ; Durier, 2006].
3. Pour être précis, les apprentis du niveau secondaire sont comptabilisés avec les collégiens et lycéens, les apprentis du supérieur avec les étudiants.

Entre 1985 et 1995, de plus en plus de scolarités complètes dans le secondaire

La durée de scolarité dans le secondaire a augmenté entre le milieu des années 1980 et le milieu des années 1990 : + 0,7 année en l'espace de 10 ans (*figure 2*). Cette évolution s'explique essentiellement par deux facteurs. Le premier est l'achèvement de la « réforme Haby » qui, en 1975, instaurait le principe du « collège unique ». Le début des années 1980 marque ainsi la quasi disparition de l'orientation précoce, en fin de cinquième, vers des filières conduisant à l'apprentissage. Davantage d'élèves se sont donc présentés aux portes du lycée et y ont entamé (et terminé pour la majorité) une scolarité. Le second facteur est la mise en place en 1987 du baccalauréat professionnel qui a conduit de nouvelles générations d'élèves à prolonger leurs études secondaires.

2. Espérance de scolarisation à 15 ans dans l'enseignement secondaire ou supérieur

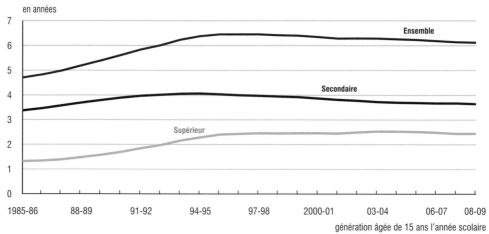

Champ : France métropolitaine.
Lecture : en 1985, un élève de 15 ans avait en moyenne devant lui 4,7 années d'études, dont 3,4 années dans l'enseignement secondaire et 1,3 année dans le supérieur.
Note : l'âge est défini en différence de millésime à la rentrée de l'année scolaire. Les valeurs peuvent être légèrement différentes de ce qui a été publié par ailleurs. L'écart s'explique par la révision des séries démographiques consécutive au changement du mode de recensement de la population.
Sources : Depp ; SIES ; Insee.

Depuis 1995, les redoublements sont moins fréquents, donc les scolarités moins longues

Plus surprenante *a priori* est la diminution tendancielle, sur les 15 dernières années, du temps passé au lycée. À première vue, elle n'est pas cohérente avec la poursuite de la baisse des sorties sans qualification du système de formation initiale (c'est-à-dire des élèves qui sortent au niveau du collège ou qui arrêtent leurs études au cours de la première année du second cycle professionnel). Leur nombre est aujourd'hui estimé à environ 5 % d'une génération, contre 8 % au milieu des années 1990 (et 25 % dans les années 1970) [Dubois et Léger, 2010]. Cette baisse devrait se traduire mécaniquement par un séjour plus long des élèves dans l'enseignement secondaire. Or, ce n'est pas ce que l'on constate. Cela étant, les effectifs en jeu (un peu moins de 40 000) pèsent peu eu égard aux quelques 2,2 millions de lycéens. En conséquence, l'effet qui serait imputable à la baisse des sorties sans qualification est probablement marginal.

La diminution du temps passé au lycée peut s'expliquer par une tendance qui, elle, joue négativement sur la durée moyenne des études dans le secondaire. Il s'agit de la baisse des redoublements, qui a été particulièrement marquée au cours des 15 dernières années, surtout dans l'enseignement général et technologique : le taux de redoublement en seconde a diminué de 5 points pour s'établir à 11,6 % en 2009 ; en terminale, il a été divisé par deux (8,6 % aujourd'hui). Ainsi, la diminution de la durée des études dans le secondaire depuis 1995 traduit avant tout une fluidité accrue des parcours. Pour autant, on ne constate pas de baisse du niveau de sortie : la part des 20-24 ans qui ont au moins un diplôme du secondaire (baccalauréat, CAP ou BEP) oscille autour de 82 à 83 %, et ce depuis une dizaine d'années. Pour mémoire, ce pourcentage s'établissait à 60 % au début des années 1980.

1985-1995 : davantage de bacheliers, donc davantage d'étudiants dans l'enseignement supérieur

Dans l'enseignement supérieur, l'espérance de scolarité résulte de deux facteurs : la probabilité d'un jeune à s'engager dans l'enseignement supérieur et la durée de ses études, le cas échéant. C'est le premier, la propension à poursuivre des études supérieures, qui a été le facteur déterminant des évolutions de l'espérance de scolarité ces 25 dernières années. Celle-ci a nettement augmenté de 1985 à 1995, suivant la diffusion très large du baccalauréat ; depuis 1995, elle est quasiment stable.

Entre 1985 et 1995, la part des titulaires du baccalauréat dans une génération (*encadré*) a augmenté très fortement : elle a doublé en 10 ans, passant de 29 % en 1985 à 62 % en 1995 (*figure 3*). Cette progression spectaculaire résulte d'une part de la création du baccalauréat professionnel en 1987 (celui-ci attire 8 % d'une génération en 1995), d'autre part de la

3. Proportion de bacheliers dans une génération

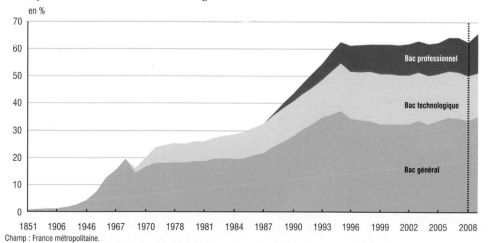

Champ : France métropolitaine.
Note : il s'agit de la proportion de bacheliers dans une génération fictive de personnes qui auraient, à chaque âge, les taux de candidature et de réussite observés l'année considérée. Ce nombre est obtenu en calculant, pour chaque âge, le rapport du nombre de lauréats à la population totale de cet âge, et en faisant la somme de ces taux. À partir de 2008, les effectifs dans une génération sont issus du recensement en continu : c'est ce que symbolise le trait en pointillés.
Sources : Depp ; SIES ; Insee.

diffusion des baccalauréats déjà existants, qu'il s'agisse des baccalauréats technologiques (18 % d'une génération en 1995 contre 10 % en 1985) ou généraux (37 % contre 20 %).

Pour la plupart, ces jeunes bacheliers ne se sont pas arrêtés au baccalauréat. Au milieu des années 1990, environ 9 bacheliers sur 10 poursuivaient leurs études au-delà du baccalauréat, essentiellement dans l'enseignement supérieur. C'était le cas pour la quasi-totalité des bacheliers généraux (96 %), pour une très large majorité des bacheliers technologiques (87 %) et pour un peu moins d'un tiers (29 %) des bacheliers professionnels [Lemaire, 2010]. Au total, un peu plus de la moitié d'une génération accédait à l'enseignement supérieur au milieu des années 1990 contre environ un quart 10 ans plus tôt. La forte hausse du nombre de bacheliers sur la période s'est donc naturellement traduite par une hausse de l'espérance de scolarité dans l'enseignement supérieur à 15 ans. De fait, celle-ci a gagné un peu plus d'un an (2,4 années contre 1,3) entre 1985 et 1995 et les effectifs du supérieur ont progressé de près de 60 %.

Depuis 1995, l'espérance de scolarisation dans le supérieur se maintient

Depuis 1995, l'espérance de scolarisation dans le supérieur a très peu évolué : en faible progression de 1995 à 2004, elle a même très légèrement baissé depuis cette date. En effet, sur cette période, le pourcentage d'une classe d'âge poursuivant des études supérieures a cessé de progresser : la probabilité d'être bachelier n'a plus augmenté et la part de ceux qui continuent leurs études dans le supérieur est demeurée constante (autour de 85 %). Ces taux restent différents selon les baccalauréats (*figure 4*) : la poursuite d'études dans le supérieur est quasi-systématique après un baccalauréat général et très fréquente après un baccalauréat technologique. Elle a continué d'augmenter après un baccalauréat professionnel (47 % des bacheliers professionnels de 2008 continuent leurs études dans le supérieur, notamment par la voie de l'alternance, contre 29 % en 1996). Toutefois, comme elle est toujours moins fréquente que pour les bacheliers généraux et technologiques, et que la part des titulaires d'un baccalauréat professionnel a régulièrement augmenté (passant de 14 % en 1995 à 20 % en 2008), le taux global de poursuite d'études dans le supérieur n'a pas progressé.

4. Évolution des poursuites d'études des bacheliers selon le type de baccalauréat

en %

	Ensemble des bacheliers			Bacheliers généraux		Bacheliers technologiques		Bacheliers professionnels	
	2008	2002[1]	1996[2]	2008	1996[2]	2008	1996[2]	2008	1996[2]
Poursuite d'études supérieures	**85**	**84**	**85**	**95**	**96**	**85**	**87**	**47**	**29**
Université (hors IUT)	31	34	40	46	56	13	20	5	6
dont : L1	*24*	*30*	*36*	*35*	*50*	*12*	*19*	*5*	*6*
PCEM/PCEP	*7*	*4*	*4*	*11*	*6*	*1*	*1*	*-*	*-*
CPGE	8	7	8	13	12	2	1	-	-
IUT	9	10	9	11	10	10	11	1	1
STS	23	24	21	8	9	46	49	39	21
Autres formations supérieures	14	9	7	17	9	14	6	2	2
dont formation en alternance	*6*	*5*	*3*	*1*	*1*	*8*	*4*	*20*	*10*
Formations non supérieures	**4**	**4**	**3**	**2**	**2**	**4**	**4**	**8**	**8**
Non poursuite d'études	**11**	**12**	**12**	**3**	**2**	**11**	**9**	**45**	**63**
Total	**100**	**100**	**100**	**100**	**100**	**100**	**100**	**100**	**100**

1. Élèves entrés en 6ᵉ en 1995, parvenus au baccalauréat en 2002 pour le plus grand nombre, et entre 2003 et 2005 pour les autres (panel 1995).
2. Élèves entrés en 6ᵉ en 1989, parvenus au baccalauréat en 1996 pour le plus grand nombre, et entre 1997 et 1999 pour les autres (panel 1989).
Champ : France métropolitaine.
Sources : DGESIP/DGRI-SIES; panel de bacheliers 2008, et suivi après le baccalauréat d'élèves entrés en 6ᵉ en 1995 (panel 1995) et 1989 (panel 1989).

Quant à la durée des études supérieures, une fois celles-ci engagées, elle est fonction du cursus choisi mais aussi de la fluidité du parcours (redoublements, réorientation, etc.), voire, conjoncturellement, de l'état du marché du travail. Il est difficile de faire la part entre ces différents facteurs dans l'évolution constatée (quasi-stabilité depuis 1995). Tout au plus peut-on constater que deux d'entre eux jouent à la hausse sur le moyen terme : les jeunes sont de plus en plus nombreux à déclarer qu'ils souhaitent mener des études longues et les cursus proposés sont plus longs qu'avant (mise en place du cursus Licence-Master-Doctorat, poursuites plus fréquentes après un diplôme universitaire technologique ou un brevet de technicien supérieur). Parallèlement, les actions menées dans le cadre du Plan Licence ou de la réforme de la première année de santé, et visant à faciliter les réorientations précoces, pourraient jouer en faveur d'une fluidification accrue des parcours.

Les durées de scolarité baissent un peu depuis 2004 mais pas le niveau d'éducation

Sur la période 1985-1995, l'augmentation du temps passé à l'école s'est traduite par une élévation assez nette des niveaux de diplômes ; c'est ce que l'on constate sur les générations qui ont terminé leurs études. Par exemple, 28 % des personnes nées entre 1966 et 1970 sont titulaires d'un diplôme du supérieur ; elles sont 42 % pour la génération 1976-1980. En revanche, la faible diminution des durées de scolarité depuis quelques années ne se traduit pas par une baisse du niveau d'éducation. Les générations plus récentes n'ont pas toutes fini leurs études mais les proportions estimées de bacheliers parmi elles ne baissent pas et la part (estimée) des diplômés du supérieur a même encore progressé d'un peu plus de de deux points depuis 2005 : elle s'élève à 44,7 % en 2008 contre 42,5 % en 2005. La relation entre le temps passé à l'école et le niveau de diplôme n'est pas linéaire : elle dépend des redoublements, des réorientations et des filières suivies. Ainsi par exemple, les filles, qui ont en espérance des scolarités à peine plus longues que celles des garçons (d'une demi-année), finissent nettement plus souvent diplômées [Lutinier, 2010] : dans les générations récentes, plus de la moitié d'entre elles finissent leur scolarité diplômées de l'enseignement supérieur, contre moins de 40 % des garçons. ■

Pour aller plus loin

- Les élèves en difficulté scolaire interrompent désormais plus tard leurs études, mais 140 000 d'entre eux sortent encore sans diplôme.
  « La baisse des sorties sans qualification : un enjeu pour l'employabilité des jeunes », *Les Notes d'Information* n°10-12, Depp, août 2010.

- Le niveau d'étude des jeunes Français a beaucoup progressé entre 1985 et 1995, et s'est stabilisé ces dernières années.
  « Les progrès de la scolarisation des jeunes de 1985 à 2003 », *in* « Données Sociales – La société française », *Insee Références, édition 2006.

- Dans les années 1980 et 1990, l'allongement de la durée des études a été plus marqué pour les filles parce qu'elles choisissent plus fréquemment des formations générales en fin de troisième.
  « Formation initiale, orientations et diplômes de 1985 à 2002 », *Économie et Statistique* n°378-379, Insee, 2004.

- L'évolution des orientations prises par les bacheliers au cours des dix dernières années se caractérise principalement par une diminution de leurs inscriptions en licence au profit d'écoles recrutant après le baccalauréat dans des domaines très variés.
  « Que deviennent les bacheliers après leur bac ? Choix d'orientation et entrée dans l'enseignement supérieur des bacheliers 2008 », *Note d'Information Enseignement Supérieur & Recherche* n° 10-06, DGRI/DGESIP SIES, 2010.

- À la rentrée 2009, on dénombrait 2 316 000 étudiants dans l'enseignement supérieur français. Ils n'ont jamais été aussi nombreux. Majoritaires parmi les étudiants, les jeunes filles présentent des taux d'accès au diplôme plus élevés que les jeunes gens.
  « Les effectifs d'étudiants dans le supérieur en 2009 : la plus forte progression depuis 1993 », *Note d'Information Enseignement Supérieur & Recherche*, DGRI/DGESIP SIES, à paraître.

- La moitié des bacheliers provient aujourd'hui de familles dans lesquelles aucun des parents n'était titulaire de ce diplôme.
  « Les bacheliers de « première génération » : des trajectoires scolaires et des parcours dans l'enseignement supérieur « bridés » par de moindres ambitions ? », *in* « France, portrait social », *Insee Références*, novembre 2009.

- Depp, *Repères et Références Statistiques*, septembre 2010.

Vue d'ensemble

Salaires
et niveaux de vie

La disparité des temps annuels de travail amplifie les inégalités salariales

Michel Amar, Pauline Charnoz, Mathilde Clément, Bertrand Marc, Nathalie Missègue*

Les inégalités salariales viennent d'abord du salaire payé pour l'emploi occupé. Le quart des heures travaillées les mieux rémunérées sont en moyenne 3 fois mieux payées que le quart des heures les moins rémunérées en 2008. Les inégalités salariales viennent aussi de la disparité des temps travaillés dans l'année : seuls un peu plus de la moitié des salariés ont travaillé à temps plein toute l'année. Si l'on tient compte de cette disparité des temps annuels de travail, les inégalités salariales apparaissent plus importantes. Le revenu salarial mesure l'ensemble des salaires perçus sur l'année. Entre 2002 et 2008, la situation relative des petits revenus salariaux s'est légèrement améliorée.

En 2007, 19 % des salariés ont perçu d'autres revenus individuels qu'un revenu salarial au cours de l'année 2007 : ils peuvent avoir occupé une activité indépendante, être partis en retraite dans l'année ou avoir été au chômage une période de l'année et avoir perçu des allocations chômage par exemple. Individuellement, les ressources des salariés peuvent être substantiellement majorées quand on prend en compte ces autres types de revenus. Le classement relatif des salariés peut alors s'en trouver modifié, même si la plupart demeurent dans le même quartile de revenu.

En 2008, en France métropolitaine, 25 millions de personnes ont été salariées dans l'année. Sur l'année, ces salariés ont occupé 26 millions d'emplois différents, d'après les déclarations annuelles de données sociales (DADS, *annexe*). Certains de ces emplois n'ont duré qu'une partie de l'année, certains sont à temps partiel. Finalement, ramenés à des emplois à temps plein toute l'année, ces 26 millions d'emplois en représentent 19 millions en équivalent temps plein (EQTP).

Repères

En 2008, dans le secteur privé et semi public :
- Un cadre à temps complet gagne en moyenne respectivement 2,7 et 2,8 fois plus qu'un ouvrier ou un employé.
- Une salariée à temps complet gagne en moyenne 19,2 % de moins que son homologue masculin.

Voir fiche 4.1

En 2008, dans la fonction publique :
- Les écarts salariaux entre les trois fonctions publiques s'expliquent en grande partie par des répartitions entre catégories socioprofessionnelles très différentes.

Voir fiche 4.2

---

* Michel Amar, Pauline Charnoz, Mathilde Clément, Bertrand Marc, Nathalie Missègue, Insee.

Les inégalités salariales viennent d'abord du salaire payé pour une heure de travail

Comme le salaire horaire, le salaire annuel payé pour un emploi en équivalent temps plein[1] constitue un premier angle d'étude des différences salariales entre salariés, selon leur âge, le type d'emploi qu'ils occupent, le secteur d'activité dans lequel ils travaillent. Il permet d'étudier comment se répartissent, en matière de rémunération, les salaires des emplois du privé comme du public[2]. En France, l'existence d'un salaire minimum implique que la rémunération minimale d'un emploi salarié est au niveau du Smic[3]. Un quart[4] des emplois en EQTP sont payés moins de 1,3 fois le Smic (1er quartile), soit moins de 15 940 euros net par an pour un temps complet sur l'année ; un autre quart sont rémunérés entre 1,3 et 1,6 Smic (médiane), un 3e quart entre 1,6 et 2,2 Smic (3e quartile) et le dernier quart plus de 2,2 Smic.

Un quart des emplois en EQTP sont rémunérés moins de 1,3 Smic

Les emplois rémunérés moins de 1,3 Smic EQTP sont plus souvent que les autres des emplois n'ayant été occupés qu'une partie de l'année ou à temps partiel. En effet, les salariés qui les occupent ont travaillé en moyenne l'équivalent de 8 mois à temps plein, et un tiers d'entre eux étaient à temps partiel (contre 17 % de l'ensemble des salariés). Ils sont rémunérés en moyenne 14 050 euros nets annuels pour l'équivalent d'un temps plein sur l'année *(figure 1)*. Ces emplois sont en majorité exercés dans le secteur privé : 87 % en EQTP contre

1. Salaire annuel moyen et volume de travail des emplois en EQTP

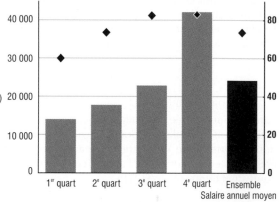

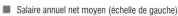
Salaire annuel net moyen (échelle de gauche)

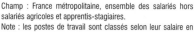
Volume moyen de travail d'un poste (échelle de droite)

Champ : France métropolitaine, ensemble des salariés hors salariés agricoles et apprentis-stagiaires.
Note : les postes de travail sont classés selon leur salaire en EQTP et partagés en quatre groupes. Le premier quart correspond aux 25 % des salaires en EQTP les plus faibles.
Sources : Insee, déclarations annuelles de données sociales (DADS) et fichiers de paie des agents de l'État.

---

1. Plus précisément, pour le calcul du salaire annuel en équivalent temps plein présenté ici, un salarié à temps complet ayant travaillé toute l'année et ayant perçu pour cela 20 000 € aura un salaire EQTP annuel du même montant. Un salarié travaillant à mi-temps toute l'année et ayant perçu pour cela 20 000 € aura un salaire EQTP de 40 000 € par an, mais il ne comptera qu'avec un poids de 1/2 car son volume de travail est égal à la moitié du précédent. Enfin un salarié travaillant à mi-temps six mois durant et ayant perçu pour cela 10 000 € aura un salaire EQTP de 40 000 € par an mais il ne comptera qu'avec un poids de 1/4. Ces pondérations inégales font que lorsqu'on étudie la distribution des salaires annualisés en EQTP en quartiles, pour le premier quartile par exemple, les 25 % des salaires annualisés en EQTP les plus faibles correspondent en réalité à 31 % des postes de travail.

2. Hors salariés des particuliers employeurs.

3. À la marge, certains emplois peuvent toutefois être rémunérés en dessous du Smic. Ce sont les apprentis, les jeunes de 16 à 25 ans en contrat de professionnalisation, les jeunes salariés âgés de moins de 18 ans et ayant moins de 6 mois de pratique professionnelle. Sont aussi exclus du champ du Smic certaines professions pour lesquelles le contrôle du temps est problématique (VRP, assistantes maternelles).

4. Lorsqu'on ordonne une distribution de salaires, de revenu salarial, ou d'autres revenus, les quartiles sont les valeurs qui partagent cette distribution en quatre parties égales. Ainsi, pour une distribution de salaires : le premier quartile (noté Q1) est le salaire au-dessous duquel se situent un quart des salaires ; le troisième quartile (noté Q3) est le salaire au dessus duquel se situent un quart des salaires. Dans l'exemple du salaire annuel en EQTP, le premier quartile vaut 1,3 Smic, la médiane 1,6 Smic et le dernier quartile 2,2 Smic.

78 % en moyenne, notamment dans le commerce et dans une moindre mesure les services marchands. Il s'agit à 50 % d'emplois d'employés (contre 29 % dans l'ensemble) et à 39 % d'emplois d'ouvriers (contre 27 % dans l'ensemble). Les salariés qui occupent ces emplois sont plus souvent des femmes (55 % contre 45 % pour l'ensemble) ainsi que des jeunes (19 % de moins de 25 ans alors qu'ils occupent moins de 8 % des emplois EQTP au total).

Les emplois rémunérés entre 1,3 et 1,6 Smic EQTP ont une durée moyenne annuelle d'environ 9,5 mois, soit trois quart d'EQTP. En moyenne, ils sont rémunérés 17 770 euros nets pour l'équivalent d'un temps plein sur l'année. La part du privé (78 %) est la même que celle observée dans l'emploi salarié total. Les ouvriers et employés y restent majoritaires (79 %) mais les professions intermédiaires y ont un poids non négligeable (20 %). Les salariés âgés de 25-39 ans y sont surreprésentés.

Les emplois rémunérés entre 1,6 et 2,2 Smic EQTP (et 22 890 euros nets EQTP par an en moyenne) ont un volume de travail moyen proche de celui d'un temps complet sur l'année : les salariés qui les ont occupés ont travaillé en moyenne 0,82 EQTP. L'emploi public y est plus fréquent (30 % en EQTP contre 22 % en moyenne), à l'inverse du commerce et des services marchands. Les emplois de professions intermédiaires dominent (42 %), mais le poids des ouvriers et des employés reste important (47 % pour les deux). Il s'agit probablement d'ouvriers ou d'employés expérimentés. Quelques emplois de cadres sont dans cette catégorie (15 %). En termes d'âge, ces emplois sont souvent occupés par des salariés d'âge intermédiaire (72 % ont 25 à 49 ans alors qu'ils occupent moins de 68 % des emplois EQTP au total).

Enfin, les emplois rémunérés plus de 2,2 Smic EQTP ont également un volume moyen de travail proche de celui d'un temps complet ayant travaillé toute l'année. Les emplois de l'industrie et du secteur public y sont plus fréquents qu'en moyenne, à l'inverse de la construction et du commerce. Il s'agit à 60 % d'emplois de cadres (alors qu'ils ne représentent que 18 % de l'emploi total) ou occupés par des salariés expérimentés (37 % ont plus de 50 ans contre 24 % dans l'ensemble). Les femmes y sont moins présentes (35 %). Il s'agit des emplois salariés les mieux rémunérés : leur salaire annuel moyen est de 3,4 Smic EQTP (24 210 euros nets par an) ce qui signifie que certains de ces emplois sont nettement mieux payés que 2,2 Smic. En effet, alors que les trois premiers quarts de la distribution des salaires sont bornés (par le Smic et par construction par les divers fractiles), celui-là n'a pas de borne supérieure ; aussi y observe-t-on une plus grande dispersion des rémunérations. Par exemple, la rémunération moyenne des hommes y est supérieure de 20 % à celle des femmes. Celle des emplois du privé est supérieure de 19 % à celle du public. Celle des plus de 50 ans est supérieure de 16 % à celle des moins de 40 ans.

Les inégalités salariales viennent aussi de la disparité des temps travaillés dans l'année

Les écarts salariaux présentés jusqu'ici (en termes de salaire en équivalent temps plein) traduisent des inégalités entre emplois, et non entre personnes. Puisque le salaire en EQTP est celui qui serait payé en échange d'un temps plein sur l'année, il ne tient pas compte du fait que les salariés n'ont pas tous travaillé le même nombre d'heures dans l'année, ni du fait que certains salariés peuvent occuper plusieurs emplois au cours d'une même année (successivement ou en parallèle). Un noyau dur, les salariés à temps complet sur toute l'année, ont été rémunérés pour environ 1820 heures : ils représentent un peu plus de la moitié de la population salariée. Mais pour les autres, les situations sont très diverses. Certains travaillent à temps partiel (près de 17 % des personnes en emploi), d'autres ont des périodes de chômage entre deux emplois, ou alors cumulent plusieurs emplois en parallèle avec plusieurs employeurs différents (les « multiactifs »). Certains rentrent ou sortent du marché du travail en cours d'année : par exemple les jeunes ayant fini leurs études et arrivant en septembre sur le marché du travail ou, symétriquement, les personnes qui prennent leur retraite en cours d'année. D'autres ne travaillent qu'occasionnellement, par exemple les étudiants l'été.

Le revenu salarial annuel[5] permet de prendre en compte l'impact de ces phénomènes sur les écarts de revenus du travail. Il mesure la somme des salaires effectivement perçus dans l'année par une personne sur les différents emplois qu'elle a pu occuper. Les écarts de revenus salariaux, c'est-à-dire de salaires cumulés sur l'année, sont par construction plus marqués que les inégalités de salaires en équivalent temps plein : aux inégalités en matière de salaire s'ajoutent celles de durée travaillée. L'écart entre le niveau en dessous duquel se situent les salaires annuels en EQTP des postes les moins payés (premier quartile à 1,3 Smic) et celui au-dessus duquel se situent les postes les mieux payés (dernier quartile à 2,2 Smic) est donc d'un rapport de 1 à 1,7 ; en termes de revenu salarial, le rapport entre le premier quartile et le dernier quartile est de 1 à 2,6. Si l'on raisonne en écarts de salaires moyens en dessous du premier quartile et au dessus du dernier quartile, les rapports sont encore plus importants. Ainsi, les emplois en EQTP les mieux rémunérés (dernier quart) sont en moyenne 3 fois mieux payés que ceux les moins rémunérés (le premier quart), tandis que les revenus salariaux les plus élevés (le dernier quart) sont en moyenne 10 fois plus élevés que ceux du premier quart. La différence se fait pour l'essentiel au niveau du premier quart. Les différences de temps de travail (nombre de jours travaillés et nombre d'heures) creusent donc nettement les écarts de salaires perçus.

Un quart des salariés ont perçu au total sur l'année moins de 0,73 Smic annuel

Un quart des salariés ont perçu moins de 9 000 euros nets au cours de l'année 2008 (soit moins de 0,73 Smic dans l'année : 1er quartile). En moyenne, ces personnes ont un revenu salarial de 3710 euros[6] *(figure 2)*. Ce sont soit des personnes qui ont un emploi stable mais à temps partiel, soit des personnes qui n'ont été en emploi qu'une partie de l'année. Les volumes d'emploi effectués sont très variables d'une personne à l'autre et les raisons qui expliquent que leurs volumes d'emploi soient faibles sont différentes (cf. *supra*) : il peut

2. Revenu salarial moyen et nombre de jours travaillés

■ Revenu salarial moyen (échelle de gauche)
◆ Nombre moyen de jours travaillés (échelle de droite)

1. On sous-estime probablement les valeurs moyennes dans le premier quart des revenus salariaux, car pour certains postes de travail la source statistique utilisée ne permet pas de repérer qu'ils ont été occupés par un même salarié (voir annexe).
Champ : France métropolitaine, ensemble des salariés hors salariés agricoles et apprentis-stagiaires.
Note : les salariés sont classés selon leur revenu salarial et partagés en quatre groupes. Le premier quart correspond aux 25 % de revenus salariaux les plus faibles.
Sources : Insee, déclarations annuelles de données sociales (DADS) et fichiers de paie des agents de l'État.

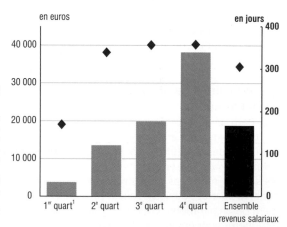

5. On passe du salaire horaire au salaire journalier en prenant en compte la quotité de temps de travail, puis au revenu salarial annuel en multipliant le salaire journalier par le nombre de jours rémunérés dans l'année et en prenant en compte l'ensemble des postes de travail que le salarié a pu occuper pendant l'année.

6. On sous estime probablement la valeur moyenne dans le premier quart de la ditribution de revenu salarial (3 710 euros) car les DADS surestiment le nombre d'individus ayant de petits revenus salariaux (annexe).

France, portrait social - édition 2010

s'agir d'entrées ou de sorties en cours d'année, de temps partiel, ou de personnes alternant périodes d'emploi et périodes de chômage. Selon les situations, le devenir de ces personnes en matière d'emploi et de revenu salarial les années suivantes sera très différent *(encadré 1)*.

Encadré 1

Que sont devenus en 2008 les salariés de 2005 aux plus faibles revenus salariaux ?

Les 25 % de salariés qui ont touché en 2005 les plus faibles revenus salariaux ne restent pour la plupart pas salariés de manière continue les trois années suivantes *(figure 1)* : huit salariés de 2005 sur dix n'ont pas travaillé continûment entre 2005 et 2008, c'est-à-dire qu'ils ont un moment cessé d'avoir une activité salariée, mais sont redevenus salariés par la suite ou bien ne sont plus salariés en 2008. Les trajectoires salariales des personnes du bas de la distribution apparaissent donc très instables. Trois ans après, en 2008, un tiers fait encore partie des 25 % de salariés qui gagnent le moins, un tiers a progressé dans la hiérarchie des revenus salariaux (passant 2 fois sur 3 dans le deuxième quartile) et le dernier tiers n'est plus salarié (la plupart ne sont probablement plus en emploi*) *(figure 2)*. Ces différentes dynamiques d'évolution du revenu salarial sont très liées aux parcours des personnes entre 2005 et 2008 ; notamment, dans certains cas, cette instabilité peut être liée à des trajectoires d'insertion.

Plus précisément, la moitié des personnes n'ont pas travaillé continûment entre 2005 et 2008, mais sont toujours salariées en 2008 (« les trajectoires incomplètes »). Ce sont à 50 % des moins de 25 ans. Pour ces personnes, la médiane du nombre de jours travaillés dans l'année passe de moins de 100 jours en 2005 à plus de 300 jours en 2008. Les interruptions de leur parcours salarié sont donc en moyenne de moins

1. Les trajectoires entre 2005 et 2008 des personnes à faible revenu salarial en 2005

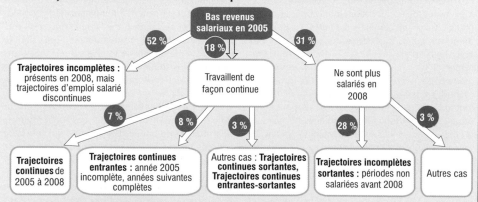

2. Position dans la hiérarchie de revenu salarial en 2005 et 2008

en %

		Quartile de revenu salarial en 2008					Ensemble
		Absent	Q1	Q2	Q3	Q4	
	Q1	31	35	23	9	3	100
Quartile de revenu	Q2	14	14	48	20	4	100
salarial en 2005	Q3	9	4	12	60	15	100
	Q4	11	2	2	7	77	100

Champ : France métropolitaine, ensemble des salariés hors salariés agricoles et apprentis-stagiaires.
Lecture : 35 % des salariés qui appartenaient au 1er quartile de revenu salarial en 2005 sont toujours dans le 1er quartile de revenu salarial en 2008.
Source : Insee, DADS et fichiers de paie des agents de l'État, exploitation au 1/12.

---

* Quand le salarié n'est plus en emploi, les données ne permettent pas de savoir s'il a une activité indépendante, ou s'il est au chômage ou inactif.

en moins longues, ce qui leur permet d'améliorer nettement leur revenu salarial en 2008. Ces trajectoires semblent donc être majoritairement des trajectoires d'insertion, plus ou moins rapides. Au niveau individuel, les évolutions de revenu apparaissent contrastées : un quart des salariés voient leur revenu salarial augmenter de moins de 30 % (en quatre ans), alors qu'il est multiplié par 7 pour un quart d'entre eux. De plus, l'évolution du revenu salarial de ces personnes est nettement moins favorable que celle des salariés qui semblent être dans des trajectoires d'insertion plus stable (ceux qui ne sont salariés qu'une partie de l'année en 2005 mais travaillent continûment par la suite, « les trajectoires continues entrantes », *figure 3*). Ainsi, même si leur situation s'améliore au bout de trois ans, ces trajectoires incomplètes heurtées les conduisent à des revenus salariaux plus faibles que pour les salariés qui travaillent continuement depuis 2005.

Parmi les salariés qui ont touché sur l'année 2005 les plus faibles revenus salariaux, un tiers ne sont plus salariés en 2008. En outre, la plupart (9/10) ont connu une ou plusieurs interruptions de leur trajectoire salariale entre 2005 et 2008 (« trajectoires incomplètes sortantes »). Relativement aux autres trajectoires des salariés aux bas revenus salariaux, les plus de 55 ans sont sur-représentés (19 %) : une partie de ces « *trajectoires incomplètes sortantes* » concerne très probablement des salariés en fin de carrière, qui ne travaillent qu'une partie de l'année car ils partent en retraite. Ils sont toutefois minoritaires et, dans ce groupe, 8 personnes sur 10 ont moins de 55 ans. Le revenu salarial moyen sur les quatre ans pour les salariés ayant des trajectoires incomplètes et qui ne sont plus salariés en 2008 est très faible (1 600 euros en moyenne par an entre 2005 et 2007), il s'agit donc de salariés connaissant de fréquentes ou longues interruptions dans leurs parcours salarié :

ils n'ont travaillé en moyenne que 220 jours sur les 4 ans (soit à peine plus de 50 jours par an en moyenne). Ces personnes sont probablement, pour la plupart, celles qui ont le plus de mal à sortir de la précarité de leur situation sur le marché de l'emploi.

Enfin, parmi les 25 % de salariés qui ont touché les plus bas revenus salariaux en 2005, deux sur dix ont travaillé sans interruption. Il peut alors s'agir de personnes qui entrent (ou reviennent) sur le marché du travail au cours de l'année 2005 : comme elles n'ont travaillé qu'une partie de l'année 2005, elles ont mécaniquement touché un revenu salarial faible, mais leur revenu salarial aura tendance à s'améliorer par la suite puisqu'elles travaillent continûment les années suivantes. Il peut s'agir aussi de personnes travaillant à temps partiel en 2005 (ce qui explique que leur revenu salarial était bas cette année là) : les trois quarts sont des femmes. Dans ce cas, l'évolution de leur revenu salarial dépend fortement de l'évolution de leur quotité de travail. Les personnes qui passent du temps partiel en 2005 au temps complet en 2008 voient logiquement leur salaire progresser fortement. Toutefois, la majorité des salariés à temps partiel en 2005 restent à temps partiel les années suivantes et l'évolution de leur revenu, quoique positive en moyenne, reste modérée. Ceux dont le revenu salarial progresse le plus sur les quatre ans sont les plus jeunes et les hommes, c'est-à-dire probablement ceux pour qui le temps partiel de 2005 était davantage une situation transitoire.

Les phénomènes d'entrées-sorties peuvent donc expliquer une partie des bas revenus salariaux d'une année. Les salariés qui touchent certains de ces bas revenus sont alors dans une situation transitoire (il faudrait cependant étudier une période plus longue pour en être certain). Toutefois, ils restent minoritaires par rapport à d'autres salariés qui semblent durablement dans une situation précaire avec un bas revenu salarial.

3. Position dans la hiérarchie de revenu salarial

en %

	Quartile de revenu salarial en 2008			
	Q1	Q2	Q3	Q4
Salariés toujours présents en 2008				
Trajectoires incomplètes	53	32	12	3
Trajectoires continues	60	28	9	3
Trajectoires continues entrantes	19	41	28	12
Trajectoires continues sortantes	81	16	3	1
Trajectoires continues entrantes-sortantes	53	33	10	4

Champ : France métropolitaine, ensemble des salariés hors salariés agricoles et apprentis-stagiaires.
Lecture : 53 % des salariés à bas revenu salarial en 2005 ayant eu une trajectoire incomplète entre 2005 et 2008 sont toujours dans le quart le plus faible des revenus salariaux en 2008.
Source : Insee, DADS et fichiers de paie des agents de l'État, exploitation au 1/12.

Les salariés qui ont les revenus salariaux les plus faibles n'ont pas tout à fait le même profil que ceux ayant les salaires annuels EQTP les plus faibles. Par rapport à ces derniers, les salariés percevant les revenus salariaux les plus faibles sont plus souvent des femmes (58 % contre 55 %), mais surtout nettement plus jeunes : le poids des moins de 25 ans y est de 37 % (contre 19 %). Le revenu salarial de ces jeunes est particulièrement bas (inférieur de 25 % à celui de leurs aînés). Deux tiers des personnes qui ont perçu un revenu salarial inférieur à 0,73 Smic annuel ont occupé un ou plusieurs emplois à temps partiel (contre 23 % pour les emplois en EQTP les plus faibles) pour une durée moyenne relativement longue (205 jours) mais avec un salaire journalier particulièrement modeste. Les autres, les salariés à temps complets, ont certes un salaire journalier plus important mais pour une période moyenne de travail nettement plus courte (3 mois). En termes sectoriels, les emplois les moins payés en salaire annuel EQTP étaient particulièrement nombreux dans le commerce alors que les salariés les moins payés sur l'année sont plus souvent dans les services marchands : environ 55 % des salariés à faible revenu salarial travaillent dans ce secteur, où le recours à des emplois courts et à temps partiel est plus fréquent. Par ailleurs, 15 % travaillent dans la fonction publique.

Un 2e quart de salariés a perçu un revenu salarial compris entre 0,73 et 1,36 Smic sur l'année, et 1,1 Smic en moyenne. Ce sont des personnes occupant souvent un emploi stable. Ils ont travaillé en moyenne 338 jours sur l'année (soit plus de 11 mois). Les femmes (55 %) et les temps partiels (un tiers) restent plus fréquents que dans l'ensemble de la population salariée, mais dans une moindre mesure que pour les revenus salariaux les plus faibles (premier quart). Contrairement à ces derniers, la pyramide des âges des salariés de ce groupe est proche de celle de la population totale. Ouvriers et employés dominent (à 82 %). Ces salariés travaillent plus souvent dans le commerce que l'ensemble des salariés, et moins souvent dans la fonction publique.

Un 3e quart des salariés a perçu entre 1,36 et 1,92 Smic dans l'année (1,6 Smic en moyenne). Ce sont des salariés encore mieux insérés que le groupe précédent, plus expérimentés, ayant travaillé quasiment toute l'année (356 jours) et nettement moins souvent à temps partiel (14 %). Il s'agit encore à 64 % d'ouvriers et d'employés, mais les professions intermédiaires sont plus fréquentes qu'en moyenne. Les jeunes y sont rares. En termes d'employeurs, industrie, construction et emplois publics y sont surreprésentés.

Enfin, dans le dernier quart, celui des salariés au revenu salarial le plus élevé, les personnes touchent un revenu salarial supérieur à 1,92 Smic sur l'année, et en moyenne de 3,1 Smic. Ces salariés sont moins souvent des femmes (35 %) et ils sont plus âgés (moins de 1 % ont moins de 25 ans et 34 % ont plus de 50 ans). La proportion de temps partiel n'est que de 13 %. Près d'un salarié sur deux est cadre. L'industrie et la fonction publique sont les principaux employeurs de ces salariés. Dans ce groupe, le revenu salarial des femmes est inférieur à celui de leurs homologues masculins, celui des cadres est nettement plus élevé que celui des autres catégories socioprofessionnelles.

Entre 2002 à 2008, la situation relative des petits revenus salariaux s'est légèrement améliorée

Les évolutions du revenu salarial sont parfois complexes à interpréter d'une année sur l'autre (encadré 2). Il est plus pertinent de regarder ses évolutions sur moyenne période. Durant la période 2002-2008, les écarts de salaires et ceux de revenus salariaux se réduisent légèrement, en termes de quartiles. En matière de salaire annuel en EQTP en euros constants, c'est-à-dire en corrigeant de l'inflation, le 1er quartile s'accroit de 2,6 % par an tandis que le dernier quartile augmente moins vite, de 2 %. Cela résulte notamment des fortes augmentations du Smic intervenues entre juillet 2003 et juillet 2005, dans le cadre de la loi « Fillon » sur la convergence des Garanties Mensuelles de Rémunération. Le rapport entre le premier quartile de salaire annuel moyen en EQTP et le dernier diminue donc légèrement (1,68 en 2008 contre 1,75 en 2002).

L'évolution du revenu salarial moyen
est parfois complexe à interpréter d'une année sur l'autre

Les variations de salaire sont souvent directement liées à l'évolution de la conjoncture : en période de bonne conjoncture, les négociations salariales conduisent logiquement à des hausses de salaire plus importantes. En revanche, les évolutions du revenu salarial moyen peuvent être complexes à interpréter d'une année sur l'autre. Parce qu'elles ne dépendent pas que de l'évolution du salaire annuel moyen, mais aussi du volume de travail, elles sont liées à l'évolution et à la composition de la force de travail. En moyenne, le revenu salarial peut ainsi évoluer de manière contre intuitive a priori avec la conjoncture : une hausse (respectivement une baisse) du revenu salarial moyen ne veut pas forcément dire qu'individuellement, les salariés voient leur revenu salarial augmenter (baisser). D'une part parce que le champ des « salariés » est mouvant. D'autre part, parce que ce champ n'évolue pas de manière instantanée avec l'emploi puisqu'il est

défini sur une base annuelle (tel qu'il est spécifié pour le calcul du revenu salarial) : toute personne ayant un revenu salarial positif sur l'année est considérée comme salariée.

Pour illustrer ces mécanismes, on s'intéresse aux évolutions du revenu salarial des salariés suivant la conjoncture du marché du travail (figures 1 et 2).

En 2002 et 2003 :
dégradation du marché du travail

En 2002, le marché du travail se retourne. Le chômage augmente de 0,4 point sur l'année et le revenu salarial moyen diminue nettement en euros constants (– 2,7 %). Les salariés touchés par la hausse du chômage courant 2002 ont un revenu salarial annuel non nul en 2002 et restent donc dans le champ des salariés pris en compte pour le calcul du revenu salarial moyen. Toutefois leur revenu salarial est faible car ils ne travaillent

1. Évolution du taux de chômage entre 2001 et 2007

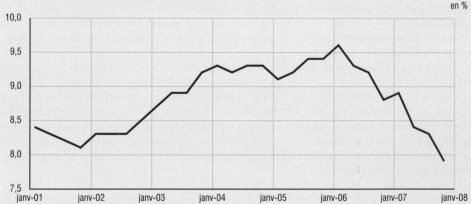

Champ : France métropolitaine, population des ménages, personnes âgées de 15 ans ou plus.
Source : Insee, enquêtes Emploi.

2. Évolution du revenu salarial

	2002	2003	2006	2007
Revenu salarial moyen	**– 2,7**	**0,0**	**0,7**	**1,1**
Q1	– 5,4	2,0	1,1	2,8
Médiane	– 0,9	– 0,2	0,8	1,9
Q3	– 0,8	0,0	– 0,2	1,1

Champ : France métropolitaine, population des ménages, personnes ayant perçu un revenu salarial positif sur l'année hors étudiants et apprentis.
Lecture : en 2002, le premier quartile Q1, niveau de revenu salarial en dessous duquel se situent 25 % des salariés, a diminué de 5,4 % par rapport à 2001.
Sources : Insee ; DGI, enquêtes Revenus fiscaux 2001-2005 - Insee ; DGFiP ; Cnaf ; Cnav ; CCMSA, enquêtes revenus fiscaux et sociaux 2005-2007.

qu'une partie de l'année. Le poids des bas revenus salariaux augmente parmi la population salariée et cela tire la distribution des revenus salariaux vers le bas. Ainsi le premier quartile Q1 (le niveau de revenu salarial en dessous duquel se situent le quart des salariés aux plus faibles revenus salariaux) diminue fortement (– 5,4 %) tandis que la médiane et le troisième quartile Q3 reculent mais dans une moindre ampleur (respectivement – 0,9 % et – 0,8 %). Ceci entraîne le revenu salarial moyen à la baisse. Si l'on prend en compte les allocations chômage qu'ont pu percevoir les salariés sur l'année, le recul du premier quartile est toutefois moindre (– 3,1 %), tandis que les évolutions de la médiane et du dernier quartile ne sont pas modifiées (– 0,9 %). Les allocations chômage jouent leur rôle d'amortisseur pour une partie des personnes qui ont moins travaillé qu'habituellement en raison de la dégradation du marché du travail.

En 2003, alors que le chômage augmente encore plus (+ 0,6 point), le revenu salarial moyen est stable par rapport à 2002. Cette stabilité du revenu salarial moyen pourrait sembler surprenante : en période de mauvaise conjoncture, on pourrait s'attendre à ce qu'il baisse, comme en 2002. En termes d'évolution globale des salaires, 2003 est d'ailleurs une année difficile. Cette stabilité moyenne du revenu salarial masque des évolutions contrastées. Les salariés qui ont perdu leur emploi au cours de l'année 2002 n'en retrouvent pas tous un en 2003 car la conjoncture reste dégradée. Ils sortent cette fois du champ des salariés, avec un an de retard par rapport à leur perte d'emploi : la part des personnes âgées de 15 à 64 ans* qui ont perçu un revenu salarial non nul sur l'année recule ainsi de 67,1 % en 2002 à 66,9 % en 2003. Le revenu salarial de ces salariés sortants étant faible en 2002 car partiel, leur sortie du champ fait reculer le nombre de petits revenus salariaux. Le bas de la distribution de revenu salarial se resserre : le premier quartile Q1 rebondit de 2,0 %**. Ce rebond n'est cependant pas symétrique à la baisse de 2002 (+ 2,0 % après – 5,4 %) : la hausse du chômage se poursuit en 2003, d'autres salariés sont à leur tour touchés et perçoivent un plus faible revenu salarial qu'habituellement, ce qui freine le rebond. Le haut de la

distribution ne subit pas cet effet mécanique et on peut plus facilement lire dans son évolution l'impact négatif de la conjoncture : la médiane baisse de 0,2 % tandis que le troisième quartile est stable. La prise en compte des allocations chômage perçues par les salariés en 2002 et en 2003 ne modifie pas la lecture : le premier quartile rebondit alors de 1,9 %. En revanche, l'évolution du revenu salarial moyen sur l'ensemble de la population âgée de 15 à 64 ans est plus intuitive (– 0,3 % en 2003), car elle lisse des variations du champ des salariés.

En 2006 et 2007 : reprise du marché du travail

En 2006, la conjoncture du marché du travail s'améliore nettement, le chômage recule. Pourtant le revenu salarial n'accélère pas : il progresse à un rythme de + 0,7 %, modéré par rapport à ce que l'on pourrait *a priori* attendre. Les personnes au chômage qui prennent un emploi salarié en cours d'année entrent dans le champ des salariés : la part des personnes âgées de 15 à 64 ans qui touchent un revenu salarial non nul sur l'année passe de 67,1 % en 2005 à 67,6 % en 2006. Ces nouveaux salariés qui ne travaillent qu'une partie de l'année freinent mécaniquement la croissance du revenu salarial moyen en 2006. Toutefois, la baisse du chômage intervenant dès le deuxième trimestre, leur revenu salarial annuel n'est pas forcément très faible car leur durée annuelle de travail a pu être relativement longue. Finalement, la distribution des revenus salariaux se resserre : le premier quartile augmente de 1,1 % et la médiane de 0,8 % tandis que le troisième quartile recule de 0,2 %. Sur l'ensemble de la population des 15-64 ans, le revenu salarial moyen augmente plus vite que sur la seule population des salariés (+ 1,8 % contre + 0,8 %), preuve que ce sont les variations du champ des salariés qui freinent leur revenu salarial moyen.

En 2007, deuxième année de nette amélioration de la conjoncture, le revenu salarial moyen accélère à + 1,1 %. D'une part, 2007 est une année favorable en termes de conjoncture des salaires. D'autre part, les personnes ayant repris un emploi stable au cours de l'année 2006 travaillent cette fois-ci toute l'année : leur revenu salarial annuel progresse alors nettement, ce qui

---

* Afin d'illustrer les phénomènes d' « entrées / sorties » du champ des salariés, on observe ce qui se passe sur un champ plus stable : la population des personnes âgées de 15 à 64 ans.

** Le passage aux 35 heures avait entraîné l'existence de plusieurs niveaux de Smic mensuel et un processus de convergence a eu lieu entre 2002 et 2005 : dans ce cadre, le Smic horaire a sensiblement augmenté en 2003 et a aussi pu contribuer à tirer le premier quartile à la hausse.

déplace vers le haut la distribution des revenus salariaux. Le premier quartile (+ 2,8 %) et la médiane (+ 1,9 %) progressent rapidement, le dernier quartile un peu moins (+ 1,1 %). La croissance est plus forte dans le bas de la distribution puisque les personnes pour lesquelles le revenu salarial annuel progresse potentiellement le plus entre 2006 et 2007 sont celles qui ont eu les durées d'emploi les plus courtes en 2006 (elles ont repris un emploi stable mais en fin d'année par exemple). Elles avaient donc touché un revenu salarial très faible en 2006, qui les situaient dans le bas de la distribution.

Cette brève analyse illustre que les évolutions du revenu salarial moyen peuvent sembler surprenantes en période de mauvaise conjoncture parce qu'elles sont en partie liées à la définition du champ des salariés ; il ne faut pas les interpréter comme des évolutions au niveau individuel. Intégrer les allocations chômage modifie peu la lecture : les variations de champ demeurent et une partie seulement des salariés sont indemnisés quand ils se retrouvent au chômage. Les mécanismes décrits sont logiquement plus visibles dans le bas de la distribution du revenu salarial puisqu'ils sont dus à des entrées ou des sorties du champ des salariés, associées à un revenu salarial faible sur l'année car partiel. Par ailleurs, selon le moment de l'année où surviennent les retournements conjoncturels sur le marché du travail, ces mouvements peuvent être encore amplifiés. Par exemple, si une baisse du chômage intervient en fin d'année, les personnes qui reprennent un emploi auront un revenu salarial annuel très faible car leur période de travail sera très courte sur l'année, ce qui freinera d'autant plus le revenu salarial moyen. Les évolutions du revenu salarial entre 2002 et 2007 sont ici expliquées de manière sommaire par ces mécanismes d'« entrées / sorties » du champ des salariés. Naturellement, d'autres phénomènes ont joué sur les évolutions du revenu salarial sur cette période. D'abord, la conjoncture des salaires a une dynamique propre, certes fortement liée à celle du marché du travail, mais avec retard. De plus, les fortes augmentations du Smic intervenues entre juillet 2003 et juillet 2005, dans le cadre de la loi « Fillon » sur la convergence des Garanties Mensuelles de Rémunération, ont également modifié le bas de la distribution des revenus salariaux (cf. *supra*).

Au cours de cette période, l'emploi ouvrier est moins dynamique que celui des employés mais le salaire moyen des ouvriers est au contraire plus dynamique que celui des employés : le poids des employés dans le 1er quart des salaires en EQTP les plus faibles s'accroît. La plus forte participation des femmes sur le marché du travail se traduit aussi par une légère augmentation de la part des femmes dans toute la distribution des salaires. Par type d'employeur, la part de l'emploi public augmente légèrement dans le 1er quart (+ 0,7 point) mais surtout recule dans le dernier quart (– 3,1 points).

À la légère amélioration relative de la rémunération des bas salaires s'ajoute une augmentation du nombre de jours travaillés pour les plus précaires (169 jours contre 162 en 2002). Le premier quartile de revenu salarial s'accroît de 3,3 % par an de 2002 à 2008. En comparaison, le revenu salarial médian et le dernier quartile augmentent à des rythmes annuels compris entre 2,2 % et 2,6 %. Les jeunes profitent un peu de l'amélioration : leur poids dans les « revenus salariaux faibles » se réduit (37 % contre 40 % en 2002).

19 % des salariés perçoivent d'autres revenus individuels en plus d'un revenu salarial en 2007

Pour étudier les inégalités entre salariés, le revenu salarial apparaît comme une mesure qui offre une vision différente de celle fondée sur le salaire en équivalent temps plein, parce qu'il prend en compte non seulement le volume d'heures de travail réellement effectué dans l'année, mais aussi le cumul éventuel, successif ou en parallèle, de plusieurs emplois salariés. En outre, les salariés peuvent percevoir d'autres ressources sur l'année que leur revenu salarial[7]. Les enquêtes Revenus fiscaux et sociaux (ERFS, *annexe*) permettent de mesurer ces autres types de ressources : 19 % des salariés perçoivent un ou plusieurs autres types de revenus individuels en plus de leur revenu salarial en 2007 *(figure 3)*. 12 % des salariés ont touché des allocations chômage à un moment ou un autre de l'année, 6 % des personnes sont parties à la retraite en cours d'année et ont touché une pension de retraite à la suite de leur revenu salarial, ou bien cumulent retraite et emploi salarié. Par ailleurs, 6 % des personnes ont soit cumulé leur activité salariée avec une activité indépendante, soit changé de statut professionnel en cours d'année (ancien salarié créant son entreprise ou une activité libérale, ancien indépendant qui s'est tourné vers le salariat)[8]. Globalement, les salaires constituent la quasi-totalité de la masse des revenus individuels perçus par les salariés. Toutefois, d'un point de vue individuel, il paraît légitime de ne pas mettre sur le même plan deux personnes de revenu salarial équivalent si l'une des deux perçoit en complément un revenu d'activité indépendante, une allocation chômage, ou une pension de retraite. Parce que leurs situations sont différentes, le niveau de revenu salarial des salariés n'est pas toujours représentatif de ce que l'on souhaiterait mesurer lorsqu'on étudie les inégalités de revenu individuel. C'est particulièrement le cas pour les personnes aux revenus salariaux les plus faibles : certaines d'entre elles ayant travaillé un faible nombre d'heures sur l'année, sont logiquement plus susceptibles d'avoir connu une autre situation que celle de salarié (soit en parallèle, soit pendant une autre période de l'année), situation qui a pu leur apporter des revenus. Ainsi, l'étude de la composition des autres revenus perçus par les salariés complète l'analyse du seul revenu salarial et modifie l'éventail des revenus.

3. Autres revenus individuels perçus par les salariés en plus du revenu salarial en 2007

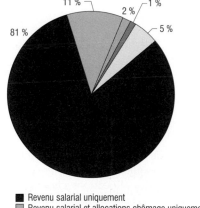

Répartition des salariés selon la composition de leur revenu individuel

11 % — 2 % — 1 %
81 %
5 %

■ Revenu salarial uniquement
▨ Revenu salarial et allocations chômage uniquement
□ Revenu salarial et d'activité indépendante uniquement
▨ Revenu salarial et pension de retraite uniquement
□ Autres compositions, plus complexes

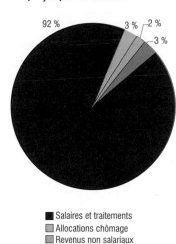

Répartition des masses de revenus individuels perçus par les salariés

92 % — 3 % — 2 %
3 %

■ Salaires et traitements
□ Allocations chômage
▨ Revenus non salariaux
■ Pensions de retraite

Champ : France métropolitaine, population des ménages, personnes déclarant des salaires et traitements en 2007, hors apprentis, étudiants et stagiaires rémunérés
Lecture : 11 % des salariés ont également perçu des allocations chômage (et aucun autre type de revenu individuel) au cours de l'année 2007. Les allocations chômage représentent 3 % des montants de revenus individuels perçus par l'ensemble des salariés en 2007.
Sources : Insee ; DGFiP ; Cnaf ; Cnav ; CCMSA, enquête Revenus fiscaux et sociaux 2007.

---

7. Ceci n'est pas seulement lié au fait que l'on définit ici les salariés de manière relativement extensive comme les personnes ayant perçu un salaire dans l'année. En effet, si l'on restreint le champ aux seuls salariés dont le salaire est la principale source de revenu individuel : 14 % d'entre eux complètent leur revenu salarial par d'autres revenus individuels [Lapinte, Vanovermeir, 2009].
8. Ces différentes situations de cumuls ou d'alternances ne sont pas exclusives les unes des autres, puisque *in fine* 5 % des salariés ont connu des situations ou parcours plus complexes *(figure 3)*. Pour l'essentiel il s'agit de la combinaison, dans l'année, d'activité salariée et non salariée suivie d'un départ en retraite.

Globalement, intégrer les revenus d'indépendants des salariés modifie peu l'échelle des revenus provenant du travail

Les personnes ayant cumulé une activité salariée et non salariée sur l'année sont plus nombreuses dans le bas de la distribution des revenus salariaux : les situations de double activité concernent 13 % des salariés à « revenu salarial faible » (inférieur au premier quartile) contre 6 % de l'ensemble des salariés. Pour ces salariés, la prise en compte des revenus d'indépendant modifie nettement la donne : leur revenu total du travail est en moyenne trois fois plus élevé que leur seul revenu salarial. Mais comme leur revenu salarial était parmi les plus faibles, 83 % d'entre eux restent dans le quart des revenus les plus faibles une fois pris en compte leur revenu d'indépendant.

Globalement, la prise en compte des revenus générés par une activité indépendante, et le passage des seuls revenus salariaux à l'ensemble des revenus du travail des salariés, modifie finalement peu l'échelle et la dispersion des revenus perçus *(figure 4)*. Les revenus du travail ne sont en moyenne supérieurs que de près de 2 % au revenu salarial, et leurs dispersions sont proches. L'augmentation est notamment à peine plus forte dans le bas de la distribution : le 1er quartile s'accroît de 2,1 %.

4. Évolution de la distribution des revenus des salariés, selon les revenus pris en compte

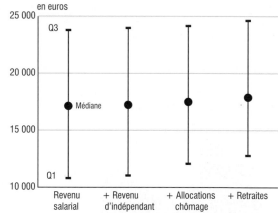

Champ : France métropolitaine, population des ménages, personnes déclarant des salaires et traitements en 2007, hors apprentis, étudiants et stagiaires rémunérés.
Lecture : le premier quartile Q1 est le niveau de revenu en-dessous duquel se situent 25 % des salariés, le dernier quartile Q3 est le niveau de revenu au dessus duquel se situent 25 % des salariés. La médiane partage la population des salariés en deux groupes égaux
Sources : Insee ; DGFiP ; Cnaf ; Cnav ; CCMSA, enquête Revenus fiscaux et sociaux 2007.

Intégrer les allocations chômage un peu plus

Une partie des salariés ont été au chômage à un moment de l'année et ne bénéficient donc pas d'une année complète de revenu salarial. C'est une autre explication à l'existence de très bas revenus salariaux. Parmi ces salariés, certains touchent des allocations chômage. Ces allocations constituent une sorte de revenu du travail différé, versé par le système d'assurance et de protection sociale après la perte d'un emploi, en « contrepartie » du versement antérieur de cotisations sociales. Il paraît légitime de les intégrer pour étudier si la distribution des revenus, ainsi que leur dispersion, est modifiée par rapport à celle des seuls revenus du travail. Il ne s'agit pas de mettre allocations chômage et revenu du travail sur le même plan : les sommes perçues au titre des allocations chômage ne doivent pas être confondues avec le revenu salarial qui est la contrepartie d'un emploi ; par ailleurs leur durée est limitée. Toutefois, toujours dans une optique « inégalités », percevoir ou pas des allocations chômage lorsque l'on est chômeur n'est pas neutre en termes de revenu.

12 % des salariés ont, en plus de leurs salaires, touché des allocations chômage au cours de l'année : cela a permis d'augmenter leur revenu moyen de 49 % par rapport au seul revenu

du travail. L'écart est beaucoup plus fort pour les salariés à faibles revenus du travail : près d'un tiers ont perçu des allocations chômage, ce qui correspond à une hausse de 94 % de leurs revenus ; 29 % ne sont plus dans le bas de la distribution des revenus une fois prises en compte ces allocations.

Globalement, intégrer les allocations chômage perçues réduit un peu l'éventail des revenus des salariés *(figure 4)*. En moyenne, pour l'ensemble des salariés, le revenu après prise en compte des allocations chômage est supérieur de moins de 3 % au revenu du travail seul, mais le bas de la distribution des revenus intégrant revenus du travail et allocations chômage est plus resserré que celui des revenus du travail. Le premier quartile de revenu y compris allocations chômage est supérieur de 9 % au premier quartile de revenu du travail, ce qui conduit à un rapport entre la médiane et le premier quartile de 1,45, contre 1,56.

Individuellement, intégrer les retraites change la donne

6 % des salariés touchent également une pension de retraite dans l'année, soit qu'ils sont partis en retraite au cours de l'année, soit qu'ils cumulent activité salariée et retraite. On peut considérer qu'ils tirent artificiellement vers le bas la distribution des revenus du travail. Les sommes perçues par les salariés à faible revenu du travail partis en retraite ne représentent, en moyenne, que 58 % de celles de leurs confrères qui n'ont pas pris leur retraite. En comptant les pensions de retraite perçues par ces salariés, leurs ressources personnelles sont nettement supérieures : elles sont multipliées par quatre en moyenne. Ils disposent d'un revenu individuel deux fois plus élevé, en moyenne, que les autres salariés à bas revenu du travail.

Au total, l'intégration des autres types de revenus individuels accroît sensiblement les plus bas revenus salariaux, même si ceux-ci demeurent pour la plupart assez faibles

Si l'on tient compte, *in fine*, de l'ensemble des revenus liés à l'activité professionnelle présente et passée des salariés (revenu salarial, revenus d'activité indépendante, allocations chômage et pensions de retraite), les ressources des salariés sont accrues de 8 % en moyenne. Pour les revenus salariaux les plus bas, l'accroissement est plus marqué : le 1er quartile augmente de 18 % dès lors que l'on passe du seul revenu salarial à l'ensemble des revenus individuels *(figure 4)*. Les écarts de revenus intégrant les salaires, les revenus d'indépendant, les allocations chômage et les retraites sont ainsi un peu moins marqués que les écarts de revenus salariaux : le rapport entre le dernier quartile et le premier quartile passe de 2,2[9] en termes de revenu salarial à 1,9 en termes de revenu liés à l'activité professionnelle présente ou passée, la contribution essentielle provenant des allocations chômage.

Les ressources des salariés peuvent ainsi être substantiellement majorées quand on prend en compte les autres types de revenus individuels. Le classement relatif des salariés peut alors évoluer, même si la plupart demeurent dans le même quartile de revenu : « seuls » deux salariés à bas revenus salariaux sur dix améliorent leur position dans l'échelle des revenus liés à l'activité professionnelle présente ou passé *(figure 5)*. À l'autre bout de l'échelle (le quart des revenus salariaux les plus élevés), un salarié sur dix passe alors dans le quartile inférieur. ■

---

9. L'enquête Revenus fiscaux et sociaux ici utilisée ne retrace pas les inégalités de revenu de façon rigoureusement identique à la source administrative, en raison de la difficulté à repérer les plus faibles durées d'emploi. C'est pourquoi le rapport interquartile de revenu salarial est différent dans ERFS et dans la source administrative : voir Annexe.

5. Quartile de revenu lié à l'activité professionnelle passée ou présente des salariés, en fonction de leur quartile de revenu salarial

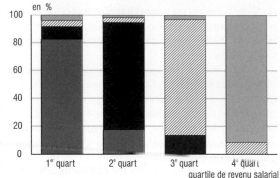

Quartile de revenu lié à l'activité professionnelle passée ou présente :
■ 1ᵉʳ quart   ■ 2ᵉ quart   ▨ 3ᵉ quart   ▨ 4ᵉ quart

Champ : France métropolitaine, population des ménages, personnes déclarant des salaires et traitements en 2007, hors apprentis, étudiants et stagiaires rémunérés.
Lecture : parmi le quart des salariés aux revenus salariaux les plus faibles, 83 % restent dans le quart des revenus les plus faibles en termes de revenus liés à l'activité professionnelle passée ou présente (revenu salarial + revenu d'activité indépendante + allocations chômage + retraite).
Sources : Insee ; DGFiP ; Cnaf ; Cnav ; CCMSA, enquête Revenus fiscaux et sociaux 2007.

Pour aller plus loin

- La confusion entre les notions de salaire et de niveau de vie est fréquente et peut faire croire qu'une augmentation des salaires aurait pour conséquence directe une amélioration, de même ampleur, du niveau de vie des salariés.
  « Du revenu salarial au niveau de vie » *in* « Les revenus et le patrimoine des ménages », *Insee Références*, mai 2009.

- Compte tenu de la forte hausse des prix à la consommation, le salaire net moyen pour un temps complet du secteur privé et semi-public a augmenté de 0,7 % entre 2007 et 2008 en euros constants, soit 1,1 point de moins qu'entre 2006 et 2007.
  « Les salaires dans les entreprises en 2008 : une hausse conséquente contrebalancée par l'inflation », *Insee Première* n° 1300, juin 2010.

- En 2007, 1 % des salariés à temps complet, les mieux rémunérés du secteur privé, perçoivent un salaire annuel moyen de 215 600 euros. C'est sept fois plus que la moyenne des salariés à temps complet.
  « Les très hauts salaires du secteur privé », *Insee Première* n° 1288, avril 2010.

- L'écart entre le salaire perçu et celui que les salariés jugeraient « normal » pour leur travail est important : la moitié des salariés l'évaluent à plus de 330 euros mensuels.
  « En 2007, le salaire était la première source d'insatisfaction vis-à-vis de l'emploi », *Insee Première* n° 1270, décembre 2009.

et aussi
- « Les salaires en France », édition 2010, *Insee Références web*, février 2010.
- « Bas salaires et marché du travail », *Économie et Statistique* n° 429-430, Insee, août 2010.

ANNEXE

Le niveau et l'évolution des revenus salariaux selon les sources : enquête et source administrative

Habituellement, les études publiées par l'Insee sur les salaires s'appuient sur deux sources administratives, les déclarations annuelles de données sociales (DADS) et les fichiers de paie des agents de l'État, dont les caractéristiques, de champ notamment, diffèrent de celles des enquêtes Revenus fiscaux et sociaux (ERFS).

Les déclarations annuelles de données sociales

La déclaration annuelle de données sociales (DADS) est un formulaire administratif que doivent remplir chaque année tous les employeurs (sauf les particuliers), y compris les entreprises du secteur public et les administrations publiques, à destination des administrations sociales et fiscales. Les employeurs communiquent *via* ces déclarations la masse des traitements qui sont versés, les effectifs employés et le montant des rémunérations salariales perçues par chaque salarié. Le champ des DADS exploitées par l'Insee recouvre l'essentiel des secteurs privé et semi-public. Sont éliminés du champ : les agents des organismes de l'État, titulaires ou non, les activités extraterritoriales et les établissements implantés à l'étranger employant des salariés qui relèvent de la sécurité sociale française mais exercent leur activité hors de France. Par ailleurs, les services domestiques ne sont pas couverts par la source DADS dans le cas où l'employeur est un particulier.

Les fichiers de paie de la fonction publique d'État

Les fichiers de paie de la fonction publique d'État constituent la source de référence sur les rémunérations des agents de l'État, titulaires ou non, sans aucune restriction sur les services dans lesquels ils exercent leur activité (civils ou militaires, contrats aidés, salariés des établissements publics, etc.).

Ces deux sources administratives, exhaustives sur leur champ, sont utilisées par l'Insee pour mesurer les niveaux des salaires et des traitements. La plupart des résultats proviennent cependant en général d'une exploitation au 1/25 ou au 1/12.

Les enquêtes Revenus fiscaux (ERF) et Revenus fiscaux et sociaux (ERFS)

Les enquêtes Revenus fiscaux (ERF) s'appuient sur un échantillon représentatif des ménages dits « ordinaires » en France métropolitaine, issu de l'enquête Emploi en continu depuis 2002, et sur leurs déclarations fiscales. Ces dernières comprennent en particulier les « salaires et traitements » perçus par les salariés au cours de l'année. Une nouvelle série d'enquêtes, appelées enquêtes Revenus fiscaux et sociaux (ERFS), démarre à partir des revenus 2005[13]. Outre le fait qu'elle intègre des améliorations méthodologiques (portant sur les prestations sociales et les revenus de produits financiers), les montants de revenus, notamment les salaires, sont désormais pré-remplis dans la déclaration fiscale. Ces données sont transmises chaque année par les tiers déclarants : entreprises, organismes sociaux et caisses de retraite. Cette nouveauté permet d'assurer depuis cette date une meilleure comparabilité entre les données d'enquête et celles émanant des sources administratives puisque leur origine est désormais la même.

---

13. Comme lors de toute rénovation, les revenus 2005 sont disponibles à la fois avec l'ancienne (ERF) et la nouvelle enquête (ERFS). Pour mesurer les évolutions de revenus, il faut alors prendre en compte d'une part les évolutions jusqu'en 2005 dans la série des ERF et d'autre part l'évolution depuis 2005 selon la série des ERFS.

Mesurer un revenu salarial comparable entre source administrative et enquête

Le rapprochement des DADS et des fichiers de paie de la fonction publique d'État permet d'affecter à chaque salarié l'ensemble des salaires qu'il a effectivement perçus au cours de l'année, même s'il a cumulé un emploi dans la fonction publique et un autre dans le privé. La source résultant de l'appariement des DADS et des fichiers de paie des agents de l'État sera dénommée ici « source administrative » par commodité. Les enquêtes Revenus fiscaux et sociaux (ERFS), sources de référence sur les revenus et les niveaux de vie, indiquent également le montant des salaires perçus (et déclarés à l'administration fiscale) par chaque salarié au cours de l'année, qu'il ait ou non cumulé plusieurs emplois.

La confrontation de ces sources, qui fournissent deux approches du revenu salarial, suppose une mise en cohérence préalable de ce qui est mesuré. Dans les deux sources, les revenus salariaux sont annuels. Les salaires dans la source administrative sont nets de toutes cotisations y compris CSG et CRDS et sont par conséquent comparables. Les salaires issus directement des ERFS diffèrent par l'intégration de la CSG non déductible et de la CRDS[14], mais ces cotisations sont retirées ici pour comparer les sources. De plus, ce rapprochement est mené en conservant dans les ERFS tous les individus percevant un revenu salarial positif (définition large des salariés[15]) pour s'approcher au mieux du champ de la source administrative. Des restrictions de champ sont cependant opérées afin que le champ d'exploitation de l'enquête soit plus comparable au champ d'exploitation habituel des DADS[16]. Sont ainsi exclus des deux sources, les salariés agricoles ainsi que les apprentis, et les stagiaires rémunérés.

Des niveaux de revenu salarial un peu plus élevés dans les ERFS

En 2007, de même que les années précédentes, les revenus salariaux nets provenant de l'ERFS sont supérieurs à ceux recensés par la source administrative *(figure 1)*. Le revenu salarial médian calculé à partir de l'ERFS dépasse ainsi de 5 % celui de la source administrative. Cependant, plus l'on monte dans la hiérarchie des revenus salariaux, plus les écarts entre les deux sources sont faibles (l'écart sur le 3e quartile est de 3 %).

1. 1er quartile, médiane et 3e quartile de revenu salarial en 2007 selon la source

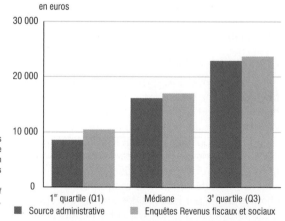

Champ : France métropolitaine ; ensemble des salariés hors apprentis, stagiaires rémunérés et salariés agricoles pour la source administrative ; population des ménages, personnes ayant perçu un revenu salarial positif sur l'année hors apprentis, stagiaires rémunérés et salariés agricoles pour les ERFS.
Sources : Insee, déclarations annuelles de données sociales (DADS) et fichiers de paie des agents de l'État - Insee ; DGFiP ; Cnaf ; Cnav ; CCMSA, enquête revenus fiscaux et sociaux 2007.

---

14. Le « revenu déclaré » de l'enquête est celui qui figure sur la déclaration de revenus remise par les contribuables à l'administration fiscale et inclut donc les cotisations sociales imposées à l'impôt sur le revenu (la CSG non déductible et la CRDS qui est toujours imposable).

15. On garde ici les individus qui ont déclaré un autre statut « principal » (étudiant, non-salariés notamment).

16. Cf. en particulier « Les salaires en France », *Insee Références web*, édition 2010, fiches thématiques.

Les différences les plus importantes se situent dans le bas de la distribution. En effet, le 1er quartile provenant de la source administrative est de 1 870 euros annuels inférieur à celui d'ERFS en 2007 et la dispersion des bas salaires y est plus marquée.

Les écarts trouvent notamment leur origine dans des différences de champ que l'on ne peut pas corriger. Ainsi, par construction, sont exclus de l'enquête les salariés ne vivant pas en ménage dit « ordinaire », comme les sans-abri et les personnes vivant en foyer de jeunes travailleurs, ainsi que celles vivant dans des ménages dont la personne de référence est étudiante, qui sont plus souvent des salariés à faible revenu. La non-prise en compte de certains salariés à faible revenu salarial conduit ainsi à surestimer le niveau du quartile le plus bas tel qu'il ressort de l'enquête. Les DADS, quant à elles, ne couvrent pas les personnels de maison. Joue également le fait que des contraintes particulières, liées à l'utilisation statistique de sources à vocation administrative, contribuent aux écarts par rapport aux données d'enquête. Ainsi, dans l'exploitation statistique qui en est faite, les DADS et les fichiers de paie de l'État ne tiennent pas compte des rappels de rémunération des années précédentes. Par ailleurs, les individus ayant une situation peu stable sur le marché du travail et ayant occupé plusieurs emplois moyennement ou faiblement rémunérés sur l'année ne sont pas toujours très bien identifiés dans les DADS et l'agrégation de leurs différents salaires perçus sur l'année n'est pas toujours possible. Les périodes d'emploi de ces salariés n'ont été prises en compte que lorsque ces derniers étaient correctement identifiés. Dans ce cas, le montant du revenu salarial ne correspond en fait qu'à une fraction du revenu de l'année. Les DADS surestiment alors le nombre d'individus ayant de petits revenus salariaux, ce qui a pour conséquence de déplacer le premier quartile vers le bas.

Les écarts entre sources se réduisent depuis 2005

Au cours de la période 2002 à 2007, l'ampleur des écarts de revenu salarial entre les deux sources varie un peu, mais les quartiles de revenus salariaux sont toujours supérieurs dans ERFS *(figure 2)*. Cependant, sur la période la plus récente (2005-2007), les écarts entre l'ERFS et la source administrative diminuent, et particulièrement dans le bas de la distribution, là où ils étaient le plus marqués. L'écart de revenu salarial dans le bas de l'échelle s'est en effet réduit de 8 points en deux ans.

2. Écarts de revenu salarial entre les deux sources

en %

	ERF 2002	ERF 2005[1]	ERFS 2005[1]	ERFS 2007
1er quartile (Q1)	22,9	30,8	29,9	21,8
Médiane	5,2	5,3	5,5	5,3
3e quartile (Q3)	3,3	3,6	4,1	3,4

1. En raison des améliorations méthodologiques apportées à l'enquête en 2005, les écarts de l'ancienne série d'enquête (ERF de 2002 à 2005) avec la source administrative sont présentés ainsi que ceux de la nouvelle série (ERFS de 2005 à 2007).
Champ : France métropolitaine ; ensemble des salariés hors apprentis, stagiaires rémunérés et salariés agricoles pour la source administrative ; population des ménages, personnes ayant perçu un revenu salarial positif sur l'année hors apprentis, stagiaires rémunérés et salariés agricoles pour les ERF/ERFS.
Sources : Insee, déclarations annuelles de données sociales (DADS) et fichiers de paie des agents de l'État - Insee ; DGI, enquêtes Revenus fiscaux ERFS 2002-2005 - Insee ; DGFiP ; Cnaf ; Cnav ; CCMSA, enquêtes revenus fiscaux et sociaux 2005-2007.

Des évolutions d'inégalités salariales convergentes dans les deux sources

De 2002 à 2007, les évolutions observées dans les deux sources sont relativement parallèles dans le haut de la distribution et pour l'évolution médiane. En revanche, pour certaines années intermédiaires, les taux d'évolution annuels peuvent diverger dans le bas de la distribution. Pour autant, sur la période récente (2005-2007) la tendance d'évolution est comparable dans les deux sources *(figure 3)*. De plus, *in fine*, malgré quelques petites différences de champs résiduelles, les deux sources délivrent le même diagnostic en termes d'évolution des inégalités salariales.

3. Évolution des quartiles de revenu salarial et valeurs des rapports interquartiles selon la source

Quartiles	Source	2002	2005	2007
		Indices d'évolution, base 100 en 2002		
1er quartile	Source administrative	100	100,7	109,9
	ERF et ERFS 2007	100	107,2	116,0
Médiane	Source administrative	100	106,4	113,0
	ERF et ERFS 2007	100	106,5	113,0
3e quartile	Source administrative	100	105,4	111,4
	ERF et ERFS 2007	100	105,7	110,2

Rapport interquartile	Source	2002	2005	2005	2007
		Valeurs des rapports			
Q3/Q1	Source administrative	2,80		2,93	2,67
	ERF 2002-2005 ; ERFS 2005-2007	2,36	2,30	2,35	2,27
Q3/Q2	Source administrative	1,45		1,43	1,42
	ERF 2002-2005 ; ERFS 2005-2007	1,42	1,41	1,42	1,39
Q2/Q1	Source administrative	1,94		2,05	1,88
	ERF 2002-2005 ; ERFS 2005-2007	1,66	1,65	1,66	1,63

Champ : France métropolitaine ; ensemble des salariés hors apprentis, stagiaires rémunérés et salariés agricoles pour la source administrative ; population des ménages, personnes ayant perçu un revenu salarial positif sur l'année apprentis, stagiaires rémunérés et salariés agricoles pour les ERFS.
Sources : Insee, déclarations annuelles de données sociales (DADS) et fichiers de paie des agents de l'État - Insee ; DGI, enquêtes Revenus fiscaux ERFS 2002-2005 - Insee ; DGFiP ; Cnaf ; Cnav ; CCMSA, enquêtes revenus fiscaux et sociaux 2005-2007.

Niveaux de vie et activité

Valérie Albouy, Philippe Lombardo, Magda Tomasini*

Le niveau de vie d'une personne repose en partie sur ses revenus individuels, et dépend donc de sa situation d'activité. Si elle ne vit pas seule, les caractéristiques des personnes avec qui elle vit (présence d'enfants, activité du conjoint, etc.) déterminent également son niveau de vie, notamment par le biais de leurs ressources, supposées mises en commun.

Ainsi, les personnes en emploi ont un niveau de vie plus élevé que la moyenne, parce qu'elles touchent un revenu de leur travail, mais aussi parce que plus de la moitié ont un conjoint en emploi. À l'inverse, un tiers seulement des personnes au chômage ont un conjoint en emploi. Les retraités tirent quant à eux bénéfice du fait qu'ils ont moins de personnes à charge dans leur ménage et des revenus du patrimoine plus élevés. Ils ont un niveau de vie proche de celui des actifs.

Entre 1996 et 2008, les niveaux de vie moyen des personnes en emploi et des retraités ont augmenté au même rythme ; celui des chômeurs à un rythme légèrement inférieur. Celui des inactifs (hors retraités et étudiants) a quant à lui, progressé moins vite que la moyenne.

Le niveau de vie d'une personne est calculé à l'échelon du ménage auquel elle appartient. Il ne repose pas uniquement sur ses ressources individuelles (salaires, indemnités chômage, retraite, pensions alimentaires, rentes viagères), mais dépend aussi des ressources des éventuels autres membres de son ménage. Il est aussi lié à la composition de ce ménage (nombre d'adultes et d'enfants) puisque celle-ci détermine une partie de ses ressources *via* certains transferts sociaux (impôts et prestations), mais aussi ses dépenses : la vie au sein d'un ménage permet de réaliser des économies d'échelles (logement, équipement, etc.). Le niveau de vie des personnes d'un même ménage correspond donc aux ressources totales du ménage (son revenu disponible[1]) divisées par le nombre d'unités

---

Repères

En 2008 :
- La moitié des personnes ont un niveau de vie inférieur à 18 990 euros par an (1580 euros mensuels) ;
- Les 10 % des personnes les plus modestes ont un niveau de vie inférieur à 10 520 euros par an ;
- Les 10 % des personnes les plus aisées ont un niveau de vie supérieur à 35 550 euros par an ;
- 7,8 millions de personnes sont pauvres : 13 % de la population.

Voir fiche 4.4

---

* Valérie Albouy, Philippe Lombardo, Magda Tomasini, Insee.
1. Le revenu disponible du ménage est la somme de l'ensemble des revenus de ses membres, après redistribution, c'est-à-dire après prise en compte des principales prestations sociales et paiement des impôts directs.

de consommation[2] (UC) qui le composent. Par construction, tous les membres d'un même ménage ont le même niveau de vie. En France métropolitaine, le niveau de vie médian est de 18 990 euros par personne et par an en 2008, selon l'enquête Revenus fiscaux et sociaux (ERFS). Il correspond à des ressources totales annuelles de 18 990 euros pour une personne seule (1 UC) et de 39 880 euros pour un ménage composé d'un couple et de deux enfants de moins de 14 ans (2,1 UC).

Entre 1996 et 2008, les inégalités de niveaux de vie semblent avoir peu évolué au regard des indicateurs usuels d'inégalités. En particulier, le rapport entre le niveau de vie plancher des 10 % de personnes les plus aisées et le niveau de vie plafond des 10 % de personnes les plus modestes diminue même légèrement de 3,5 à 3,4. En réalité, les inégalités s'accroissent légèrement par le haut, voire le très haut de la distribution. En 2008, les 10 % de personnes les plus aisées détiennent 24,3 % de la masse des niveaux de vie. Cette part a augmenté continûment entre 1996 et 2008 et valait 22,5 % en 1996 (*figure 1*). La part détenue par les 20 % de personnes les plus modestes a très légèrement augmenté au cours de la période, passant de 8,9 % à 9 %. Ce sont les personnes de niveau de vie intermédiaire (du 3e au 9e décile) qui voient leur part diminuer de 1,9 point. Plus précisément, cette augmentation des inégalités « par le haut » serait au bénéfice des très hauts revenus : les 1 % les plus aisés. Entre 2004 et 2007, les revenus moyens des très hauts revenus ont augmenté plus rapidement que ceux de l'ensemble de la population [Solard, 2010] et des travaux universitaires ont montré le dynamisme de ces revenus sur plus longue période [Landais, 2007].

1. Concentration des masses de niveau de vie par décile en 1996 et 2008

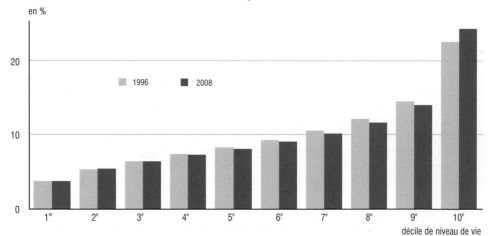

Champ : France métropolitaine, personnes vivant dans un ménage dont le revenu déclaré est positif ou nul et dont la personne de référence n'est pas étudiante.
Lecture : si l'on ordonne les personnes selon leur niveau de vie, les déciles les séparent en dix groupes d'effectifs égaux. En 2008, les 10 % de personnes les plus aisées (10e décile) détiennent près de 25 % de la masse totale des niveaux de vie.
Sources : Insee ; DGI, enquête Revenus fiscaux et sociaux rétropolée 1996 - Insee ; DGFiP ; Cnaf ; Cnav ; CCMSA, enquête Revenus fiscaux et sociaux 2008.

---

2. À lui seul, le revenu disponible ne permet pas rendre compte des « économies d'échelle » réalisées au sein d'un même ménage, à travers le partage des pièces communes (cuisine, salle de séjour, etc) ou d'équipements divers (réfrigérateur, lave-linge, etc.). Il est dès lors plus pertinent de rapporter ce revenu disponible au nombre d'unités de consommation (UC), plutôt qu'au nombre de personnes du ménage. Ainsi, pour calculer le niveau de vie des personnes au sein d'un même ménage, on utilise l'échelle d'équivalence des UC qui attribue 1 UC au premier adulte du ménage, 0,5 UC à toute personne supplémentaire de 14 ans ou plus, et 0,3 UC à tout enfant de moins de 14 ans. Cette échelle d'équivalence, dite de l' « OCDE modifiée », a été estimée à partir de l'analyse de la consommation de ménages de compositions différentes.

Les retraités ont un niveau de vie proche de celui des actifs

En 2008, sur l'ensemble de la population, moins de la moitié des personnes sont actives (46 %) : 42,4 % sont en emploi et 3,6 % sont au chômage selon l'enquête ERFS[3]. Les autres sont inactives : retraités (21,5 %), enfants, étudiants ou stagiaires non rémunérés (25 %), ou personnes dans l'impossibilité ou ayant fait le choix de ne pas travailler (7 %). Les actifs occupés sont ceux qui, en moyenne, ont le niveau de vie le plus élevé : 24 110 euros par an (figure 2). Ils ont un niveau de vie nettement supérieur à celui des chômeurs (15 720 euros par an). Le niveau de vie des retraités est proche de celui des actifs (respectivement 22 520 et 23 460 euros). En revanche, celui des autres inactifs (hors enfants et étudiants), composés majoritairement de femmes au foyer mais aussi de personnes dans l'incapacité de travailler, est sensiblement inférieur (18 590 euros) : ils ont des ressources propres très faibles, voire nulles, et ne vivent pas forcément avec des personnes aux revenus très élevés. Les moins de 18 ans ont aussi un niveau de vie inférieur au niveau de vie moyen de la population. D'un point de vue monétaire, un enfant entraîne un coût financier alors qu'il ne contribue pas directement aux ressources du ménage : avant prestations et impôts directs, le niveau de vie des familles est donc inférieur à celui des ménages sans enfants. Les transferts sociaux, notamment par le biais des prestations familiales et du quotient familial, atténuent cependant sensiblement cet écart.

2. Niveaux de vie selon l'activité en 2008

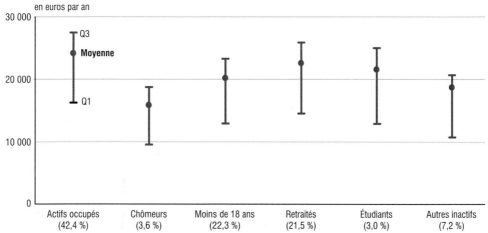

Champ : France métropolitaine, personnes vivant dans un ménage dont le revenu déclaré est positif ou nul et dont la personne de référence n'est pas étudiante.
Lecture : si l'on ordonne les personnes selon leur niveau de vie, les quartiles les séparent en quatre groupes d'effectifs égaux. Le quart des personnes aux niveaux de vie les plus faibles ont un niveau de vie inférieur à Q1 ; le quart des personnes aux niveaux de vie les plus élevés ont un niveau de vie supérieur à Q3. Ainsi, un quart des personnes en emploi ont un niveau de vie inférieur à 16 200 euros, un quart des chômeurs ont un niveau de vie inférieur à 9 500 euros.
Note : les chiffres entre parenthèses indiquent la part de chaque sous-population dans la population totale.
Sources : Insee ; DGFiP ; Cnaf ; Cnav ; CCMSA, enquêtes Revenus fiscaux et sociaux 2008.

---

3. Il s'agit de l'activité au sens du Bureau international du travail, mesurée au 4e trimestre 2008 (voir fiche 3.2). Ces chiffres concernent les personnes vivant dans des ménages de France métropolitaine dont la personne de référence n'est pas étudiante. Ne font pas partie des ménages les personnes vivant dans des habitations mobiles ou dans des communautés (foyers de travailleurs, maisons de retraites, résidences universitaires, etc.).

Le niveau de vie dépend aussi de la composition du ménage

Le niveau de vie d'une personne dépend de ses ressources individuelles propres, mais aussi de la composition de son foyer et des ressources des éventuels autres membres de ce foyer. Quand on calcule le niveau de vie d'une personne, on admet que tous les membres du ménage (donc toutes les personnes qui habitent ensemble) mettent en commun leurs ressources et leurs dépenses. On suppose donc qu'il existe une solidarité complète au sein du ménage : les personnes aux ressources propres faibles peuvent avoir grâce aux personnes avec qui elles vivent un niveau de vie élevé ; à l'inverse, les personnes aux ressources propres élevées peuvent avoir un niveau de vie relativement faible si leur ménage comprend de nombreuses personnes à charge. Pour un même revenu individuel, le niveau de vie d'une personne est donc très variable. Par exemple, 33 % des personnes qui ont des ressources individuelles proches d'un Smic annuel[4] ont un niveau de vie les situant dans le premier quart des niveaux de vie les plus faibles, 34 % dans le deuxième quart, 22 % dans le troisième quart et 11 % dans le dernier quart des niveaux de vie les plus élevés. En revanche, des revenus individuels élevés garantissent davantage un maintien dans le haut de la distribution des niveaux de vie. Ainsi, les personnes dont les ressources individuelles avoisinent un montant équivalent à 3 Smic annuels, et qui sont largement dans le quart le plus élevé des revenus individuels[5], se situent aussi pour une large majorité dans le dernier quart de la distribution des niveaux de vie (à 76 %). Toutefois, 20 % d'entre eux sont dans le troisième quart.

La « redistribution financière » au sein des ménages dépend de leur composition ; seuls sont bien sûr concernés les ménages d'au moins deux personnes. La possibilité de compter sur l'apport financier des autres personnes du ménage est d'autant plus importante que le nombre d'adultes, et plus encore celui des apporteurs de ressources dans le ménage est grand. De plus, l'ampleur de cette redistribution au sein des ménages peut être limitée par l'homogamie sociale[6]. Trois quarts des chômeurs ne percevant aucun revenu individuel (c'est le cas d'un peu plus d'un quart des chômeurs) restent dans le premier quart des niveaux de vie. Les chômeurs ont des possibilités de solidarité familiale moins élevées que les personnes en emploi par exemple : lorsqu'ils ont des revenus individuels annuels positifs mais inférieurs à un demi Smic annuel, ils sont comparativement plus souvent dans le premier quart des niveaux de vie (à 72 %) que les personnes en emploi (53 %).

Les chômeurs ont moins souvent un conjoint que les personnes en emploi

Finalement, une personne en emploi apporte en moyenne un peu plus de la moitié du revenu disponible du ménage dans lequel elle vit. Par ailleurs, elle a un conjoint dans 71 % des cas, lui-même en emploi près de 8 fois sur 10. Ainsi, si les actifs occupés sont ceux qui ont les niveaux de vie en moyenne les plus élevés, c'est à la fois parce qu'ils tirent des revenus de leur emploi et qu'ils ont souvent un conjoint en emploi. Les structures familiales évoluent mais, entre 1996 et 2008, la part des personnes en emploi qui partagent leur vie avec une autre personne en emploi reste, l'un dans l'autre, stable : la part des personnes en emploi vivant en couple diminue certes de 3 points, mais parmi les personnes vivant en couple, celle des personnes dont le conjoint est en emploi augmente de 5 points, en lien avec la hausse de l'activité des femmes.

---

4. La fourchette retenue ici est de 10 % en plus ou en moins de ce Smic annuel.
5. Il faut avoir un revenu individuel supérieur à 1,9 Smic annuel pour être dans le quart des personnes aux revenus individuels les plus élevés.
6. Le fait de se mettre en couple avec une personne du même milieu social, donc susceptible d'avoir des ressources individuelles d'un niveau équivalent au sien.

Les ressources individuelles d'un chômeur, plus limitées, ne représentent en moyenne qu'un quart du revenu disponible de son ménage. Les prestations sociales en représentent quant à elles 13 %. Elles sont d'un montant plus élevé que celles perçues par le ménage d'une personne en emploi par exemple et représentent une part plus élevée des ressources de son ménage puisque celles-ci sont plus faibles. Bien sûr, ces moyennes rassemblent des situations individuelles très variées et la possibilité de compter sur l'apport financier des autres personnes du ménage dépend de la composition de ce dernier : seuls 37 % des chômeurs ont un conjoint en emploi. De plus, notamment parce que la part des jeunes est élevée parmi les chômeurs (41 % ont moins de 30 ans), 24 % vivent chez leurs parents. Leur situation de chômeur les empêche alors la plupart du temps de quitter le foyer familial et même s'ils bénéficient de la solidarité de leurs parents, ils vivent dans des ménages où le niveau de vie (17 750 euros) est nettement inférieur au niveau de vie moyen.

Les retraités ont quant à eux des revenus individuels plus faibles que les personnes en emploi (en moyenne 16 340 euros perçus par an, contre 22 570 euros pour les actifs occupés, *figure 3*) mais vivent aussi au sein de ménages sensiblement plus petits (comportant donc moins d'UC : 1,4 UC en moyenne contre 1,8) et disposant de revenus du patrimoine plus élevés que les ménages avec des personnes en emploi (6 650 euros contre 3 690 euros). Leur niveau de vie est donc finalement moins éloigné de celui des personnes en emploi que ne le sont leurs revenus individuels.

3. Du revenu individuel au niveau de vie en 2008 selon l'activité

en euros

	Actifs occupés	Chômeurs	Étudiants	Retraités	Autres inactifs	Moins de 18 ans
Revenu individuel perçu (a)	22 570	7 760	900	16 340	4 440	///
Salaires et traitements	*19 800*	*4 400*	*620*	*440*	*2 630*	*///*
Allocations chômage et préretraites	*350*	*2 810*	*40*	*120*	*1 460*	*///*
Revenus d'indépendants	*2 010*	*80*	*0*	*120*	*130*	*///*
Pensions et retraites	*410*	*470*	*240*	*15 660*	*220*	*///*
CSG non déductible et CRDS (b)	790	190	20	370	120	///
Revenu individuel (1)=(a+b)	**23 360**	**7 950**	**920**	**16 710**	**4 560**	**///**
Revenus individuels perçus des autres personnes du ménage (c)	18 700	16 800	45 990	10 970	22 540	38 180
CSG non déductible, CRDS (d)	640	540	1 560	310	710	1 300
Revenus individuels des autres personnes du ménage (2)=(c+d)	**19 340**	**17 340**	**47 550**	**11 280**	**23 250**	**39 480**
Revenus non individualisables du ménage¹ (3)	**3 480**	**2 150**	**5 550**	**6 520**	**5 370**	**3 250**
dont : revenus du patrimoine	*3 690*	*2 360*	*5 920*	*6 650*	*5 380*	*3 300*
Prestations sociales (4)	**1 780**	**3 940**	**2 990**	**590**	**4 570**	**5 300**
Impôts (5)	**– 4 400**	**– 1 850**	**– 5 450**	**– 3 250**	**– 3 010**	**– 3 310**
Revenu disponible (6)=(1+2+3+4+5)	**43 560**	**29 530**	**51 560**	**31 850**	**34 740**	**44 720**
Niveau de vie	**24 110**	**15 720**	**21 470**	**22 520**	**18 590**	**20 160**
Nombre moyen d'unités de consommation	*1,82*	*1,83*	*2,40*	*1,40*	*1,90*	*2,23*

1. Les revenus non individualisables du ménage comprennent les revenus du patrimoine et les revenus perçus à l'étranger auxquels on soustrait les pensions alimentaires versées.
Champ : France métropolitaine, personnes vivant dans un ménage dont le revenu déclaré est positif ou nul et dont la personne de référence n'est pas étudiante. En particulier la colonne "Étudiants" du tableau ne couvre qu'une partie des étudiants.
Lecture : en 2008, le revenu individuel moyen des actifs occupés s'élève à 23 360 euros annuels soit 22 570 euros nets de CSG non déductibles et de CRDS, qui se décomposent en 19 800 euros de salaires, 350 euros d'allocations chômage et préretraites, 2 010 euros de revenus d'indépendants et 410 euros de pensions. Les revenus individuels des autres personnes du ménage sont en moyenne de 19 340 euros. En prenant en compte les autres revenus du ménage (revenus non individualisables, prestations sociales) et en retirant les impôts payés par le ménage, le revenu disponible moyen est de 43 560 euros.
Sources : Insee ; DGFiP ; Cnaf ; Cnav ; CCMSA, enquêtes Revenus fiscaux et sociaux 2008.

Les niveaux de vie des personnes en emploi et des retraités ont augmenté au même rythme entre 1996 et 2008

Quelle que soit leur situation vis-à-vis du marché du travail, les personnes vivent dans des ménages plus petits en moyenne qu'en 1996. L'arrivée de nouveaux retraités avec des droits plus élevés que leurs prédécesseurs contribue à maintenir une croissance de leur niveau de vie moyen proche de celui des personnes en emploi, durant la période 1996-2008 : + 1,5 % en moyenne par an en euros constants (*figure 4*). Celui des enfants a augmenté à un rythme légèrement supérieur (+ 1,6 % en moyenne par an) et celui des chômeurs à un rythme légèrement inférieur (+ 1,4 %). Comme la part des chômeurs parmi les actifs a diminué pendant cette même période, l'évolution du niveau de vie moyen de la population active augmente plus vite que chacune de ses composantes (+ 1,6 %). Le niveau de vie des autres inactifs majeurs non étudiants augmente significativement moins vite que la moyenne (+ 1,2 % annuel). ∎

4. Évolution des niveaux de vie selon l'activité

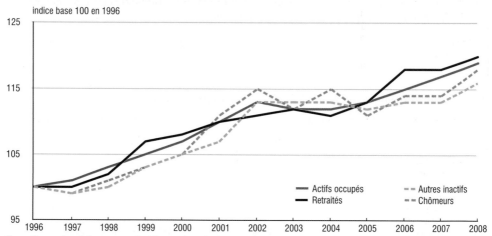

Champ : France métropolitaine, personnes vivant dans un ménage dont le revenu déclaré est positif ou nul et dont la personne de référence n'est pas étudiante.
Lecture : les niveaux de vie sont basés à 100 en 1996. Ainsi, les courbes retracent seulement des évolutions et non pas des niveaux.
Sources : Insee ; DGI, enquêtes Revenus fiscaux et sociaux rétropolées 1996 à 2004 - Insee ; DGFiP ; Cnaf ;Cnav ; CCMSA, enquêtes Revenus fiscaux et sociaux 2005 à 2008.

7,8 millions de personnes sont pauvres en 2008 en France métropolitaine

Le taux de pauvreté monétaire mesure la proportion de personnes ayant un niveau de vie inférieur au seuil de pauvreté. Le seuil traditionnellement retenu par l'Insee et l'Observatoire national de la pauvreté et de l'exclusion sociale (Onpes) correspond à 60 % de la médiane des niveaux de vie. Le taux de pauvreté au seuil de 60 % de la médiane est de 13 % en 2008, soit 7,8 millions de personnes qui ont un niveau de vie inférieur à 950 euros par mois (seuil de pauvreté). À titre de comparaison, au 1er janvier 2008, le plafond du RMI pour une personne seule est de 450 euros par mois et de 670 euros par mois pour une personne seule avec un enfant ou un couple sans enfant. En 2008, parmi les personnes vivant en dessous du seuil de pauvreté, la moitié a un niveau de vie inférieur à 743 euros mensuels. Le taux de pauvreté est stable depuis 2005, aux alentours de 13 %.

La pauvreté monétaire mesurée par l'Insee est relative dans le sens où elle s'appuie sur un seuil entièrement dépendant de la distribution des niveaux de vie de l'année considérée. Une approche de la pauvreté monétaire absolue nécessiterait de définir un revenu minimum en deçà duquel il ne serait pas décemment possible de vivre. On ne dispose pas en France d'un tel revenu minimal, compte tenu des nombreuses hypothèses normatives qu'il nécessite et qui devraient faire l'objet d'un consensus social.

En 2008, 9,5 % des personnes actives ont un niveau de vie inférieur au seuil de pauvreté alors que 15,1 % des inactifs sont dans cette situation. Parmi les actifs, le risque de pauvreté est 4,9 fois plus élevé pour les chômeurs que pour ceux qui sont en emploi : pour les chômeurs, le taux de pauvreté est ainsi de 35,8 %. Le risque de pauvreté est de 29,3 % pour les inactifs non étudiants ni retraités. Toutefois, occuper un emploi ne met pas à l'abri de la pauvreté : 1,9 million de personnes en emploi vivent en dessous du seuil de pauvreté. Par ailleurs, le taux de pauvreté des enfants est de 17,3 % : 2,3 millions d'enfants sont pauvres.

Le taux de pauvreté des retraités a beaucoup diminué ces 30 dernières années avec l'arrivée à la retraite de générations ayant des droits à retraite complets. Le risque de pauvreté des retraités est aujourd'hui de 9,9 %, mais il varie beaucoup selon l'âge : les retraités les plus âgés sont issus de générations qui n'avaient pas forcément beaucoup de droits à la retraite et où les femmes n'avaient pas toujours travaillé. Le veuvage accentue le risque de pauvreté : le taux de pauvreté des plus de 75 ans est ainsi de 12,7 %.

Pour aller plus loin

Revenus et niveaux de vie

« Les revenus et le patrimoine des ménages », édition 2010, *Insee Références,* mars 2010 :

• Le niveau de vie connaît deux phases de forte progression au cours de la vie ; la première, entre 23 et 31 ans, puis la seconde, entre 46 et 55 ans.
« Niveau de vie par âge et génération entre 1996 et 2005».

• Entre 2004 et 2007, les revenus moyens des 1 % les plus riches ont augmenté plus vite que ceux de l'ensemble de la population
« Les très hauts revenus : des différences de plus en plus marquées entre 2004 et 2007 ».

• En 2007, le revenu disponible moyen des immigrés est de 25 390 euros par an contre 33 270 euros pour les ménages non immigrés.
« Niveau de vie et pauvreté des immigrés en 2007».

et aussi

• «Top Incomes in France : booming inequalities ? » Camille Landais, École d'Économie de Paris, juin 2008.

• Les principaux indicateurs d'inégalité et de pauvreté entre 1996 et 2008.
« Les niveaux de vie en 2008 », *Insee Première* n° 1311, septembre 2010.

Consommation des ménages

• Les ménages les plus modestes se signalent par la forte part des dépenses consacrée à l'alimentation et la part plus faible dédiée aux loisirs et à la culture.
« Les inégalités entre ménages dans les Comptes nationaux : des écarts plus marqués sur les revenus que sur la consommation », *Insee Première* n° 1265, novembre 2009.

La redistribution en 2009

Vincent Bonnefoy, Marie-Cécile Cazenave, Alexis Eidelman, Tiaray Razafindranovona*

Dans un souci de réduction des inégalités, les administrations publiques attribuent des aides au logement et des allocations familiales, assurent des minima sociaux aux ménages les plus modestes et font peser une charge d'impôts plus forte sur les ménages les plus aisés. Ces transferts modifient le niveau de vie des ménages.

En moyenne en 2009, les 20 % des personnes aux niveaux de vie les plus faibles ont bénéficié d'un complément de ressources de l'ordre de 50 % portant leur niveau de vie moyen à 11 000 euros annuels. Pour les 20 % les plus aisées, le niveau de vie est de 42 000 euros, inférieur de 20 % au niveau de vie avant redistribution. Le rapport entre ces niveaux de vie passe de 7,4 avant redistribution monétaire à 3,8 après. Les prestations sociales réduisent davantage les inégalités que la fiscalité. La redistribution a par ailleurs été légèrement renforcée en 2009 par des mesures exceptionnelles dites « anti-crise ».

La fiscalité et les prestations sociales ne sont pas les seuls outils de réduction des inégalités. Les administrations publiques redistribuent aussi une partie des recettes sous forme de prestations « en nature ». Les deux principales, en termes de budget, sont les dépenses d'éducation et les dépenses de santé. Ces prestations « en nature » augmentent la consommation des ménages, donc implicitement leurs revenus, et concourent aussi à réduire les inégalités. Cette forme de redistribution est conséquente : si l'on prend en compte des services publics (santé et éducation) dans le niveau de vie des ménages, le rapport entre le niveau de vie « corrigé » des 20 % les plus riches et celui des 20 % les moins aisés n'est plus que de 2,7. Ces services publics réalisent ainsi la moitié de la réduction totale des inégalités de niveau de vie.

L'année 2009 marque la poursuite de la crise économique et de ses effets sur le niveau de vie des personnes. Par ses mécanismes redistributifs, en redirigeant une partie des richesses vers les personnes les moins dotées initialement, le système socio-fiscal joue en 2009 un rôle majeur dans une économie fragilisée où les pertes d'emploi sont nombreuses. Ce rôle a d'ailleurs été renforcé par des mesures exceptionnelles dites « anti-crise », destinées à atténuer les pertes de niveau de vie des ménages touchés par la crise. L'année 2009 a aussi été celle de la généralisation du revenu de solidarité active (rSa) à partir du mois de juin.

Le modèle de microsimulation *Ines* permet d'analyser et de mesurer l'importance des transferts entre ménages, et de dresser un bilan du système redistributif en 2009 *(encadré 1)*. Il détermine ce que chaque ménage verse d'un côté et reçoit de l'autre, en simulant l'ensemble des transferts sociaux et fiscaux sur un échantillon représentatif de l'ensemble des personnes vivant dans un ménage ordinaire[1] de France métropolitaine.

---

1. Les personnes vivant dans des habitations mobiles ou résidant en collectivité (foyers de travailleurs, maisons de retraite, résidences universitaires, maisons de détention) sont considérées comme vivant « hors ménages ordinaires ».

---

* Vincent Bonnefoy et Marie-Cécile Cazenave, Drees ; Alexis Eidelman et Tiaray Razafindranovona, Insee.

La redistribution se mesure en comparant les niveaux de vie avant et après prise en compte des prélèvements et des prestations sociales

Dans un premier temps, l'analyse est limitée à la fiscalité directe et aux prestations sociales « en espèces ». Le champ de la redistribution examinée ne concerne que la redistribution des revenus réalisée par la fiscalité directe et les prestations sociales dont l'objectif principal est de réduire les écarts de niveau de vie entre ménages (prestations familiales, allocations logement, minima sociaux). Sont ainsi exclues de l'analyse les prestations dont l'objectif premier est de maintenir le niveau de vie des personnes lors de la survenance du risque qu'elles couvrent : en particulier, les systèmes de retraite et d'assurance chômage ne sont pas pris en compte ici et les indemnités correspondantes (allocations chômage, indemnités journalières, pensions de retraite) sont comptabilisées en amont de la redistribution, dans les revenus initiaux. En conséquence, les prélèvements affectés à ces prestations (cotisations retraite, chômage, etc) sont aussi traités en amont du champ de la redistribution étudiée ici.

La redistribution monétaire est mise en œuvre par deux types de transferts. Les prélèvements sociaux et fiscaux directs comprennent les cotisations dites « redistributives » (logement, famille, taxes diverses au titre des transports et de l'apprentissage), la Contribution au remboursement de la dette sociale (CRDS), la Contribution sociale généralisée (CSG) hors maladie[2], l'impôt sur le revenu et la taxe d'habitation. Une partie de ces prélèvements est redistribuée aux ménages sous forme de prestations sociales ; sont pris en compte ici les prestations familiales, les aides au logement, les minima sociaux en vigueur l'année 2009, et l'allocation personnalisée d'autonomie (APA) destinée aux personnes âgées dépendantes *(encadré 1)*. En 2009, s'ajoute aux prestations, la composante dite « activité » du revenu de solidarité active (rSa) *(encadré 2)*. Au-delà des transferts monétaires pérennes, des mesures d'aides ponctuelles sociales et fiscales ont été prises en 2009 afin de limiter les effets de la crise économique sur les ménages modestes. En montants, les prélèvements directs pris ici en compte sont plus de deux fois plus élevés que les prestations sociales incluses dans l'analyse. En effet, ils servent aussi à financer d'autres modes d'intervention de l'État, comme les services publics ou les dépenses de fonctionnement.

Pour mesurer l'impact des prélèvements et des prestations sur la répartition des richesses, le revenu avant redistribution d'une personne ou d'un ménage (c'est-à-dire avant d'acquitter les prélèvements et de bénéficier des prestations sociales) est comparé au revenu après redistribution *(encadré 3)*. Ce revenu après redistribution est aussi appelé revenu disponible. Cependant, un même revenu disponible ne représente pas le même niveau de vie pour une personne qui vit seule et pour une famille nombreuse. Pour passer de la notion de revenu disponible à celle de niveau de vie, on rapporte le revenu disponible au nombre d'unités de consommation du ménage (UC) ou équivalents adultes[3]. Par extension, le revenu avant redistribution par équivalent adulte est appelé niveau de vie avant redistribution.

---

2. La CSG maladie étant affectée au financement des dépenses de santé, on ne l'inclut pas dans le champ de la redistribution tant que l'on ne prend pas en compte les prestations de santé.

3. L'échelle conventionnellement utilisée est celle de l'Insee-OCDE selon laquelle le premier adulte du ménage compte pour 1, les autres personnes de 14 ans ou plus pour 0,5 et les enfants de moins de 14 ans pour 0,3. Il est implicitement supposé que tous les membres du ménage disposent du même niveau de vie. On considère donc que les membres d'une famille de trois enfants (de moins de 14 ans) ayant un revenu mensuel total de 2 400 euros (prestations comprises et impôts déduits) ont le même niveau de vie que celui d'une personne seule ayant un revenu total de 1 000 euros.

Le modèle *Ines*

Le principe de la microsimulation consiste à appliquer la législation socio-fiscale à un échantillon représentatif de la population. Le modèle de microsimulation *Ines*, développé par la Drees et l'Insee, est adossé à l'enquête Revenus fiscaux et sociaux qui réunit les informations sociodémographiques de l'enquête Emploi, les informations administratives de la Cnaf et le détail des revenus déclarés à l'administration fiscale pour le calcul de l'impôt sur le revenu. L'échantillon est représentatif de la population vivant en France métropolitaine dans un logement ordinaire (logement non collectif).

Les données de l'enquête Revenus fiscaux et sociaux de 2007 sont recalées afin de refléter la situation en 2009. En particulier, la structure de la population est calée sur celle de 2009 selon différents critères sociodémographiques et économiques. De même, les revenus fiscaux sont actualisés de manière à refléter les évolutions des différentes catégories de revenus (salaires, pensions de retraite, revenus agricoles, revenus du patrimoine, etc.) entre 2007 et 2009.

On calcule pour chaque ménage les différents transferts monétaires (selon sa composition familiale, l'activité de ses membres et son revenu imposable). Le modèle *Ines* ne tient pas compte des changements de comportement des ménages en matière de fécondité ou de participation au marché du travail que pourraient induire les évolutions des dispositions de la législation socio-fiscale. L'étude menée correspond ainsi à une analyse statique des transferts monétaires qui permet d'évaluer, au premier ordre, dans quelle mesure les transferts modifient à une date donnée la distribution des richesses.

Ines simule les prélèvements sociaux et fiscaux directs, comprenant les cotisations dites « redistributives » (logement, famille, taxes diverses au titre des transports et de l'apprentissage), la CRDS, la CSG hors maladie, l'impôt sur le revenu et la taxe d'habitation.

Les prestations sociales simulées comprennent :
– les aides au logement ;
– les minima sociaux en vigueur en 2009 : il s'agit du revenu minimum d'insertion (RMI) et de l'allocation pour parent isolé (API) remplacés à partir du 1er juin 2009 par le revenu de solidarité active (rSa) dans sa partie dite « socle », de l'allocation pour adulte handicapé (AAH) et de ses compléments, des allocations du minimum vieillesse et de l'allocation supplémentaire d'invalidité (ASI)[1] ;
– depuis le 1er juin 2009, le rSa dans sa partie dite « activité », c'est-à-dire versé en complément des revenus d'activité perçus ;
– l'allocation personnalisée d'autonomie (APA) destinée aux personnes âgées dépendantes ;
– les prestations familiales, composées des prestations familiales légales (hors allocation de logement familial, regroupée avec les autres allocations de logement, hors allocation pour parent isolé, intégrée aux minima sociaux, et hors allocation journalière de présence parentale) auxquelles sont ajoutées les aides à la scolarité (bourses d'études secondaires). Ces prestations sont distinguées selon qu'elles sont attribuées *sous conditions de ressources* (prime à la naissance ou à l'adoption et allocation de base de la prestation d'accueil du jeune enfant (PAJE), complément familial, allocation de rentrée scolaire (ARS) et bourses du secondaire) ou *sans conditions de ressources* (allocations familiales (AF), complément libre choix d'activité (CLCA) de la PAJE, allocation de soutien familial (ASF), allocation d'éducation de l'enfant handicapé (AEEH), complément mode de garde (CMG) de la PAJE).

L'inobservabilité dans l'enquête des paramètres nécessaires au calcul de certaines prestations limite le champ de la redistribution examiné. Les principales omissions concernent l'allocation unique dégressive pour les chômeurs en fin de droits, le dispositif d' « intéressement » pour les allocataires du RMI et de l'API reprenant un emploi, la règle du cumul intégral du rSa et des revenus professionnels lors de la reprise d'un emploi, les taxes et aides locales (en dehors de la taxe d'habitation) et l'impôt de solidarité sur la fortune. Du fait de la non-prise en compte de ce dernier, le dispositif de bouclier fiscal qui limite les impôts directs payés par le contribuable à hauteur de 50 % de ses revenus n'est pas simulé. Le modèle de microsimulation couvre toutefois 90 % des prestations sans contrepartie.

---

1. Les 3 minima sociaux restant (l'Allocation de solidarité spécifique, l'allocation temporaire d'attente et l'allocation équivalent retraite) sont comptabilisés dans le revenu net, au sein des revenus de remplacement. Ils sont donc, de fait, inclus dans le revenu disponible mais pas identifiés comme appartenant au champ des minima sociaux.

Le système socio-fiscal assure un transfert monétaire des plus aisés vers les plus modestes

L'objectif premier de la redistribution est une répartition plus équitable des richesses entre ménages modestes et ménages aisés, quelle que soit leur composition. Cette redistribution verticale est opérée par des niveaux différenciés de prélèvements et prestations selon le niveau de vie des ménages. Afin d'analyser la redistribution verticale, les personnes sont classées par ordre croissant de niveau de vie avant redistribution et séparées en cinq groupes d'effectifs identiques (comprenant donc chacun 20 % de la population), appelés quintiles. Le cinquième quintile de la population regroupe ainsi les 20 % de personnes disposant du niveau de vie avant redistribution le plus élevé, tandis que les 20 % les plus modestes sont classées dans le premier quintile.

Globalement, le système opère une redistribution verticale substantielle. L'ensemble des prélèvements et prestations réduisent les inégalités initiales de niveau de vie. Ainsi, si le niveau de vie moyen avant redistribution du dernier quintile est 7,4 fois plus élevé que celui du premier quintile, après transferts il ne l'est plus que 3,8 fois. Le niveau de vie moyen du quintile le plus modeste de la population passe ainsi de 7 210 euros par an avant redistribution à 11 060 euros après prélèvements et prestations, soit un accroissement de 53,4 %. Pour les plus aisés, le niveau de vie est de 42 290 euros, inférieur de 20,4 % au niveau de vie avant redistribution. En moyenne, la redistribution modifie moins fortement les niveaux de vie des personnes situées dans le milieu de la distribution des revenus. Pour les personnes du deuxième quintile, le niveau de vie reste pratiquement inchangé tandis que pour ceux des troisième et quatrième quintiles, les niveaux de vie diminuent respectivement de 7 % et 12,4 %.

Les prélèvements et prestations sociales opérant cette redistribution sont inégalement concentrés selon les niveaux de revenu de la population *(figure 1)*. Du côté des prélèvements, l'impôt sur le revenu est nettement plus concentré sur les plus aisés que ne le sont les cotisations sociales redistributives, les contributions sociales et la taxe d'habitation. Ainsi, les deux derniers quintiles de niveau de vie avant redistribution acquittent 90 % de la masse totale d'impôt sur le revenu prélevée en 2009. En comparaison, ils paient de l'ordre de 70 % des cotisations redistributives ou des contributions sociales, et 65 % des sommes prélevées au titre de la taxe d'habitation.

Encadré 2

La montée en charge du volet « activité » du rSa

Le bilan redistributif est modifié par la généralisation du Revenu de solidarité active (rSa) au 1er juin 2009. Le rSa se compose d'une partie appelée « socle », qui résulte de la fusion du RMI et de l'API, réalisée à droit constant, n'entraînant quasiment pas de changement pour les personnes éligibles. Plusieurs changements législatifs concernent toutefois la transition entre l'API et le rSa « socle », comme le relèvement de l'âge limite des enfants à charge de 20 à 25 ans et la suppression des majorations d'allocations familiales dans l'évaluation des ressources. Ces modifications entraînent toutes choses égales par ailleurs une hausse des personnes éligibles au rSa « socle » dans son volet isolement.

Sa deuxième composante, appelée rSa « activité » constitue un complément de revenus pour les travailleurs à revenu modeste et varie en fonction de la configuration familiale, des revenus d'activité et des autres ressources du foyer [Bonnefoy, Buffeteau et Cazenave, 2009]. Comme c'est le cas lorsque de nouvelles prestations sont instaurées, on peut s'attendre à ce que le rSa « activité » connaisse une montée en charge relativement lente ; lenteur que l'on peut imputer à un recours très progressif des personnes éligibles parce qu'elles méconnaissent leurs droits, par crainte d'une éventuelle stigmatisation ou encore du fait du caractère très détaillé des procédures administratives. Dans les faits, depuis la mise en place du rSa « activité », le nombre de bénéficiaires augmente de mois en mois. En fin d'année, il est toutefois loin d'atteindre le nombre de personnes éligibles tel qu'estimé par les modèles de microsimulation. La Cnaf dénombre en effet 580 000 foyers bénéficiaires du rSa « activité » au 31 décembre 2009 [Cazain et Siguret, mars 2010] quand, d'après le modèle *Ines*, 2,0 millions de foyers seraient potentiellement éligibles sur le quatrième trimestre de l'année 2009[1].

Pour les autres prestations, le modèle *Ines* ne simule pas le non-recours : il assimile les personnes potentiellement éligibles à des bénéficiaires *(encadré 1)*. Mais le non-recours est tel pour le rSa « activité » que l'on fait une exception : le nombre de bénéficiaires du rSa « activité » dans le modèle *Ines* a ainsi été calé sur celui recensé par la Cnaf[2].

Le rSa « activité » aurait ainsi bénéficié à environ 960 000 foyers en 2009, redistribuant un peu moins de 600 millions d'euros, pour un montant moyen de 620 euros annuels. À titre de comparaison, hors montée en charge (en supposant un taux de recours de 100 %) et considéré sur une année pleine, le rSa « activité » aurait pu être perçu par environ 2,6 millions de foyers pour une somme totale distribuée de près de 3,2 milliards d'euros. Fortement concentré sur les 20 % de personnes les plus modestes du point de vue du niveau de vie avant redistribution (son bénéfice ne s'étend d'ailleurs pas au-delà du 1er quintile), le rSa « activité » améliore, en moyenne, leur revenu net de 0,9 %. Relativement aux autres prestations, il opère donc en 2009 une redistribution assez faible en direction des personnes modestes. Si l'on peut attendre un impact redistributif plus marqué en 2010 grâce à des taux de recours plus élevés, cette redistribution se fera en partie au détriment de l'impact de la PPE. Le rSa « activité » représente en effet une avance sur la PPE à percevoir l'année suivante : les personnes éligibles aux deux dispositifs ne percevront *in fine* que le rSa « activité », et une PPE dite « résiduelle » lorsque les droits à PPE sont supérieurs au rSa déjà perçu. Cet effet n'a pas été pris en compte ici dans la mesure où la prime pour l'emploi et le rSa « activité » se cumulent en 2009.

---

1. Les chiffres donnés par la Cnaf correspondent à un stock de bénéficiaires en fin de mois alors que ceux issus de la microsimulation s'apparentent à l'ensemble des foyers qui bénéficient du rSa au moins une fois au cours du trimestre. Du fait des entrées et sorties du dispositif, ces chiffres sont donc difficilement comparables. De ce fait, c'est essentiellement à l'ordre de grandeur qu'il faut s'attacher.

2. Un nombre de foyers bénéficiaires du rSa « activité » correspondant aux effectifs observés par la Cnaf est tiré au sort parmi les foyers potentiellement éligibles, des probabilités de tirage différentes étant affectées selon le montant des droits simulés, sous l'hypothèse que le recours au rSa« activité » est plus élevé chez les foyers ayant des droits plus importants.

Les cotisations sociales redistributives sont des prélèvements proportionnels, assis sur les revenus d'activité. Ils représentent toutefois une part un peu plus importante du revenu net[4] du dernier quintile (8,6 %) que du premier (5,8 %) en raison d'allégements de cotisations sociales patronales sur les bas salaires et d'un taux d'emploi moins élevé parmi les personnes situées en bas de l'échelle des niveaux de vie *(figure 2)*. Les contributions sociales ont une base d'imposition plus large, puisque les revenus de remplacement (chômage, retraite) et de patrimoine y sont aussi soumis. Comme les cotisations sociales, les contributions sont légèrement progressives, c'est-à-dire légèrement plus élevées (en proportion du revenu) pour les niveaux de vie plus élevés. En effet, les personnes en bas de l'échelle disposent plus souvent de revenus de remplacement (indemnités chômage, retraite) parfois exonérés[5].

Encadré 3

Le champ et les concepts de la redistribution

En amont : chômage, vieillesse et maladie

Dans son sens le plus large, la redistribution s'opère à travers l'ensemble des prélèvements sur les ressources des ménages et l'ensemble des prestations qui leur sont versées, que celles-ci soient octroyées sous forme monétaire ou en nature (services publics). Le champ de la redistribution étudiée ici correspond à la redistribution des revenus opérée par la fiscalité directe et les prestations sociales (prestations familiales, allocations logement, minima sociaux). Sont exclues de l'analyse les prestations sociales dont l'objectif premier est de maintenir le niveau de vie des personnes lors de la survenance du risque qu'elles couvrent (retraite, chômage) : les indemnités correspondantes (allocations chômage, pensions de retraite) sont comptabilisées comme des revenus primaires en amont de la redistribution *(figure 2)*.

Les prélèvements à la source affectés au financement des systèmes de retraite et d'allocation chômage ne sont donc pas inclus dans le bilan redistributif, puisque les contreparties associées (retraites, allocations chômage) sont considérées dans cette étude comme des revenus initiaux et non comme des transferts sociaux. Ces instruments ne pèsent pas uniformément sur tous les revenus et ne sont donc pas neutres en matière de redistribution (voir l'article dans FPS édition 2009 : « Les mécanismes de réduction des inégalités en 2008 »).

Des extensions possibles : services publics et impôts indirects

Au-delà de la redistribution telle que définie ici, les ménages bénéficient d'un certain nombre de services rendus par les administrations publiques (services d'éducation, logements sociaux, remboursement des soins de santé, etc.) qui contribuent à l'amélioration de leur niveau de vie. Comme cela est montré en fin d'article, étendre à ces services publics le champ de la redistribution souligne leur importance en matière de réduction des inégalités.

Par ailleurs, lors de l'utilisation de leur revenu disponible, les ménages acquittent des impôts sur la consommation et sur l'investissement (taxes sur les transactions immobilières et sur les gros travaux), qui, s'ils dépendent uniquement de la consommation et nullement du niveau de ressources des ménages, réduisent sensiblement leur niveau de vie. L'analyse redistributive de ces impôts n'est pas simple, notamment parce qu'il n'est pas immédiat de déterminer quel est l'élément taxé. Par exemple, quand on la compare aux revenus des ménages, la taxe sur la valeur ajoutée taxe moins les ménages aisés (du fait qu'ils épargnent une partie de leurs revenus). Mais cela peut être nuancé quand on réintègre dans l'analyse les taxes auxquelles sont (ou seront) soumis les revenus financiers.

---

4. Le revenu net est le revenu après prélèvements à la source : c'est donc le revenu effectivement perçu par les ménages.

5. Pour la CSG, les revenus d'activité sont soumis au taux de 7,5 %, les revenus du patrimoine (hors intérêts de certains livrets d'épargne qui s'en trouvent exonérés) au taux de 8,2 % tandis que pour les indemnités d'assurance maladie, les pensions de retraite et d'invalidité le taux est de 6,6 % et pour les allocations chômage le taux est de 6,2 %. Les taux sur les revenus de remplacement peuvent en outre être réduits à 3,8 %, ou supprimés dans certaines situations (85 % des chômeurs et 40 % des retraités sont totalement exonérés de CSG). Le taux de CRDS est le même quel que soit le type de revenu, il est fixé à 0,5 %.

Schéma récapitulatif des différents concepts de revenu et contours du champ de la redistribution

Revenu « superbrut »

– Cotisations chômage, vieillesse et
maladie, CSG maladie

Revenu avant redistribution monétaire

– Cotisations et contributions sociales
redistributives prélevées à la source
(CSG hors maladie, CRDS, etc.)

Revenu net

**Champ
de la
redistribution
monétaire**

= Revenus effectivement perçus (revenus d'activité salariée et
indépendante + revenus de remplacement + revenus du patrimoine
+ pensions alimentaires)

– Prélèvements fiscaux (impôt sur le revenu,
taxe d'habitation)
+ Prestations familiales, aide au logement
et minima sociaux

**Revenu après redistribution monétaire
= revenu disponible**

+ Transferts en nature des administrations
publiques vers les ménages (Services de
santé et d'éducation, logements sociaux, etc.)

Revenu ajusté

– Prélèvements sur la consommation
et sur l'investissement

**Revenu « final »
= revenu après redistribution corrigé des transferts
« en nature » et des impôts indirects**

1. Concentration des différents transferts en fonction du revenu avant redistribution

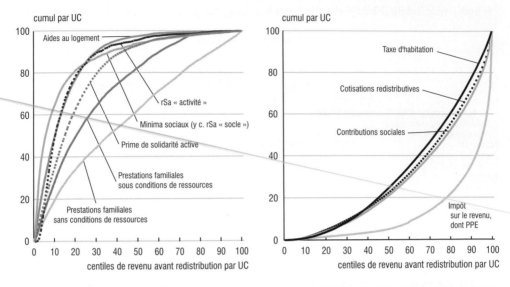

Champ : personnes vivant en France métropolitaine dans un ménage ordinaire dont le revenu net est positif ou nul et dont la personne de référence n'est pas étudiante.

Lecture : la concentration des différents transferts est comparée grâce à une pseudo-courbe de Lorenz qui représente la part de chaque transfert prélevé ou versé aux personnes en dessous d'un certain seuil de revenu par unité de consommation (UC). Les personnes sont classées des plus pauvres aux plus riches selon le revenu net par UC de leur ménage (axe des abscisses) et on lit (axe des ordonnées) quelle part de chaque transfert reçoit (ou paie) les x % de personnes aux revenus nets par UC les plus faibles. On peut ainsi lire sur la pseudo-courbe de Lorenz de l'impôt sur le revenu que les 50 % de la population aux revenus les plus faibles s'acquittent de moins de 10 % de la masse de ce prélèvement.

Sources : Insee ; DGFIP ; Cnaf ; Cnav ; CCMSA, enquête Revenus fiscaux et sociaux 2007 (actualisée 2009), modèle Ines, calculs Drees et Insee.

Les personnes plus aisées ont à l'inverse plus de revenus du patrimoine, soumis à des taux de CSG plus élevés que les autres sources de revenus. L'impôt sur le revenu est nettement plus progressif : sauf cas rares, les personnes des deux premiers quintiles sont non imposables[6]. L'impôt sur le revenu représente en moyenne 1,1 % du revenu net des personnes du troisième quintile, 3,4 % de celui du quatrième et 10,4 % de celui du dernier. La prime pour l'emploi, qui vient en déduction de cet impôt, modifie peu la distribution des revenus en faveur des ménages modestes : elle améliore de 1,9 % en moyenne le niveau de vie des personnes appartenant au premier quintile.

Les prestations sociales sont inégalement modulées selon le revenu et par voie de conséquence diversement concentrées dans la population. Les minima sociaux, destinés à garantir un minimum de ressources, sont les plus concentrés sur les personnes aux revenus les plus faibles. 65 % des minima sociaux sont versés aux 10 % des personnes au niveau de vie avant redistribution le plus faible. Les allocations logement et le rSa « activité » sont aussi très concentrés sur les bas revenus : les trois quarts sont versés au premier quintile. Destinées à aider les familles avec enfants, les prestations familiales, même quand elles sont modulées selon le revenu, sont les moins ciblées sur les bas revenus. Les prestations familiales sous conditions de ressources sont moins concentrées sur les bas revenus que les allocations logement par exemple : les conditions de ressources associées à ces prestations ne sont pas toujours très restrictives.

---

6. Le calcul de l'impôt sur le revenu se fait au niveau du foyer fiscal, dont les contours ne correspondent pas forcément à ceux du ménage. Une personne peut donc être dans un foyer fiscal acquittant l'impôt sur le revenu et vivre au sein d'un ménage modeste.

2. Montants moyens par équivalent adulte et poids des prélèvements et des prestations simulés en 2009

montant en euros, part dans le revenu net en %

	Quintiles de niveau de vie avant redistribution					Ensemble de la population
	1er	2e	3e	4e	5e	
Revenu avant redistribution (A)						
Montant par équivalent adulte	7 210	15 030	20 770	27 800	53 140	**24 790**
Part dans le revenu net	*107,9*	*108,7*	*110,7*	*112,1*	*112,4*	***111,3***
Cotisations redistributives (famille, logement)						
Montant par équivalent adulte	− 380	− 850	− 1 420	− 2 150	− 4 060	**-1 770**
Part dans le revenu net	*− 5,8*	*− 6,1*	*− 7,5*	*− 8,7*	*− 8,6*	***− 8,0***
Contributions sociales (CSG hors maladie, CRDS)						
Montant par équivalent adulte	− 140	− 350	− 600	− 860	− 1 780	**− 750**
Part dans le revenu net	*− 2,2*	*− 2,5*	*− 3,2*	*− 3,5*	*− 3,8*	***− 3,4***
Revenu net						
Montant par équivalent adulte	6 680	13 830	18 760	24 800	47 300	**22 270**
Part dans le revenu net	*100,0*	*100,0*	*100,0*	*100,0*	*100,0*	***100,0***
Impôt sur le revenu (avant PPE)						
Montant par équivalent adulte	30	30	− 210	− 840	− 4 940	**− 1 180**
Part dans le revenu net	*0,5*	*0,2*	*− 1,1*	*− 3,4*	*− 10,4*	***− 5,3***
dont crédit d'impôt « anticrise » 2009[1]						
Montant par équivalent adulte	0	30	70	20	0	**20**
Part dans le revenu net	*0,0*	*0,2*	*0,4*	*0,1*	*0,0*	***0,1***
Prime pour l'emploi (PPE)						
Montant par équivalent adulte	130	150	120	60	20	**100**
Part dans le revenu net	*2,0*	*1,1*	*0,6*	*0,2*	*0,0*	***0,4***
Taxe d'habitation						
Montant par équivalent adulte	− 60	− 190	− 310	− 390	− 600	**− 310**
Part dans le revenu net	*− 0,8*	*− 1,4*	*− 1,6*	*− 1,6*	*− 1,3*	***− 1,4***
Prestations familiales sans conditions de ressources[2]						
Montant par équivalent adulte	1 060	610	570	520	460	**650**
Part dans le revenu net	*15,9*	*4,4*	*3,1*	*2,1*	*1,0*	***2,9***
Prestations familiales sous conditions de ressources et aides à la scolarité[3]						
Montant par équivalent adulte	610	280	200	140	10	**260**
Part dans le revenu net	*9,1*	*2,3*	*1,1*	*0,6*	*0,0*	***1,1***
Aides au logement						
Montant par équivalent adulte	1 210	280	50	20	10	**310**
Part dans le revenu net	*18,2*	*2,0*	*0,3*	*0,1*	*0,0*	***1,4***
Minima sociaux[4]						
Montant par équivalent adulte	1 090	130	60	30	20	**270**
Part dans le revenu net	*16,3*	*1,0*	*0,3*	*0,1*	*0,0*	***1,2***
Allocation personnalisée d'autonomie (Apa)						
Montant par équivalent adulte	170	100	40	20	10	**70**
Part dans le revenu net	*2,6*	*0,7*	*0,2*	*0,1*	*0,0*	***0,3***
rSa « activité »						
Montant par équivalent adulte	60	10	0	0	0	**10**
Part dans le revenu net	*0,9*	*0,1*	*0,0*	*0,0*	*0,0*	***0,1***
Prime de solidarité active[1]						
Montant par équivalent adulte	70	30	10	0	0	**20**
Part dans le revenu net	*1,0*	*0,2*	*0,0*	*0,0*	*0,0*	***0,1***
Prime versée aux familles modestes[1]						
Montant par équivalent adulte	30	20	10	0	0	**10**
Part dans le revenu net	*0,5*	*0,2*	*0,0*	*0,0*	*0,0*	***0,1***
Revenu disponible (B)						
Montant par équivalent adulte	11 060	15 300	19 310	24 360	42 290	**22 460**
Part dans le revenu net	*165,6*	*110,6*	*102,9*	*98,3*	*89,4*	***100,9***
Taux de redistribution (B-A)/A	**53,4**	**1,8**	**− 7,1**	**− 12,4**	**− 20,4**	**− 9,4**

1. Fait partie des mesures spécifiques à l'année 2009 destinées à atténuer les effets de la crise économique sur les ménages modestes. Ces mesures sont détaillées dans l'encadré 1.
2. Allocations familiales, allocation de soutien familial, allocation d'éducation de l'enfant handicapé, complément de libre choix d'activité, aide à la famille pour l'emploi d'une assistante maternelle agréée et son complément, allocation de garde d'enfant à domicile, complément de libre choix de mode de garde et subventions publiques pour la garde d'enfants en crèches collectives et familiales.
3. Complément familial, socle de la prestation d'accueil du jeune enfant, allocation de rentrée scolaire, bourses du secondaire.
4. Revenu minimum d'insertion et allocation pour parent isolé pendant les 5 premiers mois de l'année, puis composante « socle » du revenu de solidarité active, minimum vieillesse, allocation supplémentaire d'invalidité, allocation pour adulte handicapé et son complément.
Champ : personnes vivant en France métropolitaine dans un ménage ordinaire dont le revenu net est positif ou nul et dont la personne de référence n'est pas étudiante.
Lecture : les personnes du 3e quintile de niveau de vie avant redistribution ont acquitté en moyenne 210 euros d'impôt sur le revenu, ce qui a amputé leur niveau de vie net de 1,1 %.
Sources : Insee ; DGFIP ; Cnaf ; Cnav ; CCMSA, enquête Revenus fiscaux et sociaux 2007 (actualisée 2009), modèle Ines, calculs Drees et Insee.

Enfin, logiquement, les prestations familiales sans conditions de ressources sont réparties plus uniformément dans les différentes classes de revenus ; elles sont un peu plus concentrées dans le bas de la distribution des revenus car les familles, du fait de la charge de leurs enfants, y sont plus présentes (surtout les familles nombreuses, qui reçoivent plus de prestations). Sauf exception[7], ce sont les seules prestations que les personnes du dernier quintile de niveau de vie peuvent percevoir.

La répartition des familles dans la distribution des niveaux de vie explique qu'en moyenne, les personnes du premier quintile perçoivent des montants de prestations familiales sans conditions de ressources deux fois supérieurs à celles du dernier. Rapportées à leurs ressources, comparativement plus faibles, la différence s'accentue : ces prestations représentent 16 % du revenu net des personnes du premier quintile ; en revanche, elles ne modifient que marginalement celui des personnes plus aisées. Les minima sociaux et les aides au logement représentent quant à eux respectivement 16 % et 18 % du revenu net des personnes classées dans le premier quintile.

Soulignons enfin l'importance des minima sociaux dans le niveau de vie des 20 % de personnes les plus modestes en 2009 par rapport à l'année précédente. Ces personnes reçoivent en moyenne 1 090 euros au titre des minima sociaux contre 920 euros en 2008 ; ils représentaient alors 14 % de leur revenu net [Marical, 2009]. Ce poids accru des minima sociaux est une des conséquences de la crise économique, les minima sociaux jouant le rôle d'amortisseur en dernier recours. On peut aussi l'imputer à la revalorisation de certains minima, les allocations du minimum vieillesse ayant augmenté de 6,9 % en 2009, et l'allocation adulte handicapé de 4,4 %.

Les prestations réduisent davantage les inégalités de niveau de vie que les prélèvements

Les prélèvements et prestations ne contribuent pas tous à même hauteur à la réduction globale des inégalités de niveau de vie. L'efficacité redistributive d'un transfert, c'est-à-dire sa capacité à corriger les inégalités de revenu, dépend de deux paramètres. Le premier est sa progressivité. Un prélèvement est progressif si son taux augmente avec le niveau de vie. Une prestation est généralement progressive : même forfaitaire, elle représente mécaniquement une part de moins en moins élevée d'un revenu quand il augmente ; mais il le sera encore plus si elle est diminue avec le revenu. Le second élément important pour déterminer l'efficacité redistributive d'un transfert est son poids dans le revenu : un transfert très progressif mais d'une masse financière négligeable ne réduira quasiment pas les inégalités. La prise en compte de ces deux éléments (poids du transfert et progressivité) permet d'isoler la contribution (en %) à la réduction des inégalités de chaque transfert (figure 3).

Globalement, les prestations réduisent plus les inégalités de niveau de vie que les prélèvements. Elles contribuent à la réduction des inégalités à hauteur de 63 % contre 37 % pour l'ensemble des prélèvements. Bien que peu concentrées sur les titulaires des bas revenus, les prestations familiales sans conditions de ressources participent pour près de 17 % à la réduction des inégalités de niveau de vie. En effet, la masse budgétaire qui leur est allouée (40 % de l'ensemble des prestations sociales) leur confère un pouvoir redistributif important. Les allocations familiales contribuent à elles seules pour 11 % à la réduction des inégalités.

Les prestations familiales sous conditions de ressources opèrent une redistribution notable, bien que leur masse financière soit beaucoup plus faible (15 % de l'ensemble des prestations sociales) que les prestations familiales sans conditions de ressources : elles contribuent pour 10 % à la réduction des inégalités de niveau de vie. De même, les aides au

---

7. Les écarts entre contours des foyers comptant pour les prestations et ceux des ménages peuvent conduire à ce que des personnes touchent des prestations logement alors qu'elles vivent dans un ménage aisé.

logement et les minima sociaux représentent un poids financier plutôt faible, mais du fait de leur concentration importante sur le bas de la distribution, réduisent notablement les inégalités de niveau de vie. Ils contribuent respectivement à hauteur de 17 % et 15 % à la réduction des inégalités de niveau de vie.

Le rSa « activité » est très concentré sur les bas revenus mais ne distribue sur l'année 2009 qu'un montant global faible relativement aux autres transferts : il n'a été mis en œuvre qu'à partir de juin et la montée en charge du dispositif est plus lente que prévue. Aussi, ne contribue-t-il à la réduction des inégalités de revenu qu'à la marge[8] (moins de 1 %).

Du coté des prélèvements, l'essentiel de la réduction des inégalités de niveau de vie est réalisé par l'impôt sur le revenu, qui pourtant n'occupe qu'une place limitée (en masse) parmi les prélèvements étudiés. L'impôt sur le revenu (y compris PPE) réalise 80 % de la réduction des inégalités de niveau de vie opérée par les prélèvements, alors qu'il représente à peu près un quart de ces prélèvements, en masse. La PPE, en tant que crédit d'impôt sur le revenu, améliore son pouvoir redistributif et pèse à elle seule pour 3 % dans la réduction des inégalités.

3. Contribution des différents transferts à la réduction des inégalités de niveau de vie en 2009

	Part du transfert dans le revenu disponible (en %)	Progressivité du transfert	Contribution à la réduction des inégalités (en %)
	(A)	(B)	(C)
Prélèvements	**− 17,4**	**1,9**	**36,8**
Cotisations redistributives (famille, logement)	− 7,9	0,5	4,7
Contributions sociales (CSG hors maladie, CRDS)	− 3,3	0,7	2,6
Impôt sur le revenu (net de PPE)	− 4,8	5,6	29,7
dont : *impôt sur le revenu (avant PPE)*	*− 5,3*	*4,6*	*26,7*
prime pour l'emploi (PPE)	*0,4*	*6,4*	*3,0*
crédit d'impôt 2009	*0,1*	*4,0*	*0,5*
Taxe d'habitation	− 1,4	− 0,2	− 0,2
Prestations	**7,1**	**8,1**	**63,2**
Prestations familiales sans conditions de ressources	2,9	5,3	16,9
dont : *allocations familiales*	*1,7*	*6,2*	*11,3*
Prestations familiales sous conditions de ressources et aides à la scolarité	1,1	8,2	10,2
dont : *socle de la Paje*	*0,6*	*6,7*	*4,7*
complément familial	*0,2*	*9,5*	*2,2*
Aides au logement	1,4	10,9	16,8
Minima sociaux (y. c. rSa « socle »)	1,2	11,2	14,6
Apa	0,3	8,6	2,8
rSa « activité »	0,1	10,6	0,8
Prime de solidarité active	0,1	9,6	1,1
Niveau de vie	**100,0**		**100,0**

Champ : personnes vivant en France métropolitaine dans un ménage ordinaire dont le revenu net est positif ou nul et dont la personne de référence n'est pas étudiante.
Lecture : les prestations représentent en moyenne 7,1 % du niveau de vie et contribuent pour 63,2 % à la réduction des inégalités.
Note : la colonne (A) représente le rapport moyen entre le revenu ou le transfert considéré et le revenu disponible. La colonne (B) estime la progressivité de chaque transfert, via la différence entre le pseudo-Gini du transfert et le Gini du revenu initial (multiplié par dix pour plus de lisibilité) : plus la valeur est grande, plus le transfert est progressif. La colonne (C) estime les contributions (en %) de chaque transfert à la réduction des inégalités. Ces contributions sont égales pour chaque transfert à son indice de progressivité multiplié par son poids relatif dans le revenu disponible.
Sources : Insee ; DGFIP ; Cnaf ; Cnav ; CCMSA, enquête Revenus fiscaux et sociaux 2007 (actualisée 2009), modèle Ines, calculs Drees et Insee.

---

8. Selon le modèle Ines, si l'ensemble des personnes éligibles au rSa « activité » en faisait effectivement la demande et si le rSa « activité » était versé sur une année pleine, la part du rSa « activité » dans la réduction des inégalités serait de 4 %.

Du fait de leur faible progressivité, l'impact des cotisations et contributions sociales redistributives sur la réduction des inégalités est de faible ampleur. Les cotisations redistributives (familles, logement) contribuent pour 5 % à la diminution des inégalités. D'un poids plus faible et avec une progressivité encore moins marquée, les contributions sociales (CSG hors maladie et CRDS) ne contribuent qu'à hauteur de 3 % à la réduction des inégalités de niveau de vie. Enfin, la taxe d'habitation - acquittée par 83 % des ménages - n'est pas progressive : les montants prélevés augmentent moins que proportionnellement au revenu. Son incidence sur la réduction des inégalités est donc légèrement négative (– 0,2 %).

Les effets des mesures ponctuelles liées à la crise

Dès le début de l'année 2009, des mesures ponctuelles ont été prises afin de venir en aide aux personnes touchées par la crise *(encadré 1)*. Parmi ces mesures, le crédit d'impôt sur le revenu, ciblé sur les premières tranches d'imposition, redistribue selon le modèle *Ines* un peu moins d'un milliard d'euros sur le champ des ménages ordinaires[9]. Il concerne environ 5 millions de ménages pour un montant moyen par ménage bénéficiaire de 190 euros. Ciblé sur les contribuables modestes, ce dispositif ne concerne pas les personnes appartenant au dernier quintile de la distribution des niveaux de vie. Toutefois, ne pouvant profiter qu'aux foyers imposables, il ne bénéficie pas aux personnes appartenant aux 20 % les plus pauvres. Compte tenu de l'influence du quotient familial (le revenu net imposable déterminant l'éligibilité au dispositif étant calculé par part, et non pour le foyer) et de l'effet de composition des ménages[10], la mesure est finalement concentrée sur les personnes du 3e quintile et touche même certaines personnes appartenant au 4e quintile. Ce faisant, il exerce une redistribution verticale limitée.

D'après le modèle *Ines*, la prime de solidarité active d'un montant de 200 euros a redistribué un peu moins de 900 millions d'euros à environ 4,5 millions de ménages[11]. Ciblée sur les bénéficiaires de minima sociaux, elle bénéficie essentiellement aux ménages appartenant au 1er quintile de niveau de vie, représentant 1 % de leur revenu net en moyenne.

La prime forfaitaire de 150 euros pour les familles modestes a concerné selon le modèle *Ines* environ 2,7 millions de ménages pour un montant global d'environ 420 millions d'euros[12]. Réservée aux bénéficiaires de l'allocation de rentrée scolaire, cette prime concerne, elle aussi, en majorité les ménages du 1er quintile de la distribution des niveaux de vie. Elle vise un objectif de redistribution tout à la fois verticale et horizontale. Moins généreuse que la prime de solidarité active, son poids dans le revenu net des ménages du 1er quintile est plus faible (moins de 0,5 %).

La contribution de ces dispositifs à la correction des inégalités est somme toute assez limitée : à eux trois, ces dispositifs participent à hauteur d'environ 2 % à la réduction totale des inégalités de niveaux de vie. Pour des raisons techniques ou parce qu'elles n'entrent pas directement en compte dans le champ d'analyse, certaines mesures sociales n'ont pas été prises en compte dans cette étude. Il s'agit de la prime de 500 euros versées par Pôle Emploi à partir d'avril 2009 aux travailleurs précaires perdant leur emploi et n'ayant pas acquis de droits à l'allocation d'aide au retour à l'emploi ainsi que le versement sous conditions de bons d'achat de services à la personne.

---

9. Cette mesure était précisément estimée à 1,0 milliard d'euros dans la loi de finances rectificative pour 2009.
10. Rappelons que du fait de contours différents entre le foyer fiscal et le ménage, une personne peut appartenir à un foyer fiscal modeste mais à un ménage aisé.
11. Le coût total de la prime de solidarité active s'est élevé à 850 millions d'euros.
12. Pour une dépense totale initialement estimée à environ 450 millions d'euros.

Des transferts importants en direction des familles

La modification de la répartition des richesses opérée par la redistribution peut aussi répondre à un objectif d'équité horizontale, c'est-à-dire de répartition plus équitable entre des ménages de ressources équivalentes, mais de taille différente. C'est pourquoi la législation socio-fiscale présente des avantages qui compensent en partie la baisse de niveau de vie inhérente aux charges de familles : au-delà des prestations familiales qui leur sont spécifiquement destinées, les enfants sont pris en compte tant dans le calcul des prélèvements (dispositif du quotient familial, demi-part supplémentaire accordée aux parents isolés) que dans celui des prestations (calcul du RMI puis du rSa par exemple). La redistribution horizontale ainsi opérée est importante *(figure 4)*.

Alors que le niveau de vie moyen des ménages sans enfants est réduit de 13 % par les différents mécanismes de redistribution, passant de 27 390 euros à 23 960 euros, celui des ménages avec enfants ne baisse que de 6 %. Les ménages sans enfants ayant en moyenne des revenus plus élevés que les ménages avec enfants, la redistribution verticale leur prélève plus d'argent. Cela n'explique qu'une partie de la différence de taux de redistribution entre ces deux populations ; en effet les mécanismes de redistribution associés à la présence d'enfants ont, eux aussi, un impact notable sur les niveaux de vie. Cet impact dépend de la configuration du ménage et des dispositifs qui lui sont dédiés. Ainsi, le niveau de vie d'un parent isolé augmente de 18 %, du fait notamment de l'API (relayée par le rSa) et de la demi-part fiscale supplémentaire accordée. Le niveau de vie moyen des ménages avec un enfant de moins de trois ans augmente de 4 % grâce à la Prestation d'accueil du jeune enfant et à ses compléments. Enfin, les familles nombreuses voient leur niveau de vie augmenter de 8 % grâce à l'octroi du complément familial et de la part fiscale supplémentaire à partir du troisième enfant. Mais pour les familles monoparentales comme pour les familles nombreuses, le niveau de vie après redistribution reste inférieur à la moyenne.

4. Redistribution et configuration familiale

	Niveau de vie avant redistribution (en euros)	Niveau de vie après redistribution (en euros)	Taux de redistribution (en %)
	(A)	(B)	(B-A/A)
Ménages sans enfant			
Ensemble	**27 390**	**23 960**	**– 13**
Couples	30 380	26 190	– 14
Personnes seules	22 590	20 380	– 10
Ménages avec enfants[1]			
Ensemble	**22 750**	**21 430**	**– 6**
Couples	24 410	22 480	– 8
Parents isolés	12 890	15 180	18
Familles nombreuses[2]	17 950	19 310	8
Familles avec au moins un enfant de moins de 3 ans	20 820	21 740	4
Familles avec uniquement des enfants de plus de 3 ans	22 630	21 180	– 6

1. Enfants de moins de 21 ans et gagnant moins de 55 % du Smic.
2. Les familles nombreuses sont des familles de trois enfants ou plus.
Champ : personnes vivant en France métropolitaine dans un ménage ordinaire dont le revenu net est positif ou nul et dont la personne de référence n'est pas étudiante.
Lecture : avant redistribution, le niveau de vie des personnes seules est en moyenne de 22 590 euros ; il est de 20 380 euros après redistribution, soit une diminution de 10 %.
Sources : Insee-DGI, enquête Revenus fiscaux et sociaux 2007 (actualisée 2009), modèle Ines, calculs Drees et Insee.

Les services fournis par les administrations publiques constituent des transferts « en nature » en direction des ménages

L'analyse des inégalités s'effectue en premier lieu au regard des revenus et des transferts monétaires susceptibles de les réduire (cf. *supra*), mais la mise à disposition d'un réseau routier, la gratuité de l'école publique ou de soins médicaux, par exemple, sont également des transferts des administrations publiques vers les ménages et peuvent, eux aussi, réduire les inégalités. Quand on limite l'étude de la redistribution aux seuls transferts monétaires, attribuer une allocation de rentrée scolaire est un élément redistributif alors qu'offrir des livres scolaires ne l'est pas : pourtant, dans la mesure où l'allocation de rentrée scolaire doit permettre d'acheter ces livres, les deux situations devraient en théorie avoir le même impact sur les inégalités.

Étendre le champ d'analyse de la redistribution aux services publics apparaît donc naturel mais soulève une difficulté technique. Comment comparer ces services fournis par les administrations publiques à des revenus ? Autrement dit, quelle valeur monétaire attribuer à un service, que par définition, on ne paie pas ? On fait ici le choix de valoriser les transferts en nature à leur coût pour l'État, traduisant l'idée que lorsque l'État fournit à un ménage un service qui lui coûte 100 euros, il s'agit de la même redistribution que s'il avait versé directement les 100 euros.

Cette méthode de valorisation des transferts en nature ne peut s'appliquer que lorsque l'on peut « individualiser » le transfert, c'est-à-dire déterminer quelle part du coût public revient à chaque personne. Cela n'est pas toujours aisé ; il est par exemple difficile de savoir qui reçoit quoi quand l'État construit une route ou assure la sécurité d'un lieu. Ces éléments sont collectifs et ne sont pas orientés vers des personnes qui en tireraient un bénéfice privé, si bien qu'il apparaît logique de les exclure de l'analyse. Les services fournis par les administrations publiques intégrés dans l'analyse ont un coût qui dépend du nombre de personnes qui en bénéficient. Par exemple, le budget de l'éducation dépend du nombre d'élèves et le budget de la santé dépend du nombre de malades et donc de la taille de la population. Ces services publics sont dits « individualisables », et, comme un bénéficiaire du service augmente le coût pour l'administration publique de ce service, on peut considérer que ce surcroît de dépense est le transfert alloué à cet individu.

Deux transferts en nature sont ici étudiés : le service d'enseignement (l'Éducation nationale) et le service de santé[13]. D'autres transferts en nature pourraient être intégrés (logement, subventions des transports collectifs, etc.) mais les transferts liés à l'éducation et à la santé sont de loin les plus importants en termes de budget. Ils suffisent, comme nous le verrons plus loin, à montrer l'importance des services publics dans la redistribution.

Le coût d'une année d'étude est estimé à partir du niveau et de la filière d'enseignement de chaque personne fréquentant un établissement scolaire. Si l'on raisonnait sur l'ensemble des revenus et des transferts reçus au cours d'une vie, on affecterait à chaque personne les transferts liés à sa propre éducation. Mais puisque l'on s'intéresse ici aux transferts de la seule année 2009, le service d'éducation, valorisé à son coût pour l'année 2009, est alloué au ménage qui est en charge de la personne scolarisée. Notons que le transfert dépend fortement du niveau dans la scolarité : si un élève de primaire coûte en moyenne 5 300 euros aux administrations publiques, ce montant est de 7 300 euros pour un élève de collège et autour

---

13. Concernant les dépenses de santé, seule la prise en charge par l'Assurance maladie des dépenses de soins est comptabilisée. Les indemnités journalières, c'est-à-dire les revenus payés aux salariés en arrêt maladie en remplacement de leur salaire, ne sont pas inclus dans l'analyse et restent inclus, comme les autres revenus de remplacement (retraite, chômage) dans les revenus initiaux. Deux arguments justifient ce choix : le premier est technique (on ne sait pas les isoler des revenus initiaux) et le deuxième est un souci de cohérence (pour être cohérent avec le traitement des autres revenus de remplacement). La prise en compte de ces indemnités journalières ne changerait pas fondamentalement l'analyse (elles représentent moins de 6 % de la dépense courante de santé ; voir « Les comptes nationaux de la santé en 2008 »).

de 10 000 euros s'il est au lycée. Dans le supérieur, la famille d'un élève de BTS et de CPGE reçoit un transfert d'environ 13 000 euros alors qu'il est de 8 500 euros pour celle d'un enfant fréquentant l'université[14].

La prise en charge par l'assurance maladie d'une partie du coût des dépenses de soins correspond à un service d'assurance. On ne considère pas ici que les malades sont les seuls bénéficiaires des remboursements de soins, mais que chacun est couvert par une assurance publique. La valeur implicite de cette assurance est estimée en fonction du sexe et de l'âge des personnes[15] : il s'agit de l'ensemble des dépenses de santé dont ont bénéficié les personnes d'âge et de sexe donnés, rapportées à cette population.

Les transferts en nature sont peu ciblés mais très redistributifs

Les transferts liés à l'éducation et à la santé ne sont pas aussi ciblés sur une zone de l'éventail des niveaux de vie que ne le sont, en général, les transferts monétaires. L'ensemble des personnes, quel que soit leur niveau de vie, en bénéficie.

L'assurance maladie étant universelle, les transferts correspondants, en montants, sont quasi uniformément répartis entre les différents quintiles de niveau de vie. Ce sont les personnes âgées (principales consommatrices de soins) qui reçoivent le service de santé le plus important dans l'imputation réalisée : les personnes de plus de 70 ans reçoivent 5 200 euros et celles entre 60 et 70 ans 2 800 euros *(figure 5)*. La proportion de plus de 70 ans est moins élevée dans le premier quintile (20 % contre 32 % dans le deuxième quintile de niveau de vie, et 21 % en moyenne) ce qui explique que les personnes du premier quintile reçoivent en moyenne moins de transferts en nature liés à la santé que les autres.

Les cotisations maladie et la CSG maladie sont, comme les autres cotisations et contributions sociales, légèrement progressives : elles représentent 17 % du revenu net des personnes les plus aisées (le dernier quintile) et 11 % du premier quintile. Les cotisations maladie sont assises sur les revenus d'activité et les personnes sans emploi sont plus nombreuses au sein des quintiles du bas de l'échelle des niveaux de vie : les prélèvements affectés à l'assurance maladie sont donc, relativement au niveau de vie, légèrement plus élevés pour les personnes aisées.

5. Montants moyens des transferts en nature par équivalent adulte

	Quintiles de niveau de vie avant redistribution					Ensemble de la population
	1er	2e	3e	4e	5e	
Cotisations maladie et CSG maladie						
Montant (en euros)	− 740	− 1 700	− 2 770	− 4 100	− 8 080	**−3 480**
Part dans le revenu net (en %)	*− 11,1*	*− 12,3*	*− 14,7*	*− 16,5*	*− 17,1*	*− 15,6*
Santé						
Montant (en euros)	2 900	3 340	3 140	3 000	3 070	**3 090**
Part dans le revenu net (en %)	*43,5*	*24,1*	*16,8*	*12,1*	*6,5*	*13,9*
Éducation						
Montant (en euros)	3 870	2 670	2 350	2 160	2 070	**2 620**
Part dans le revenu net (en %)	*57,9*	*19,3*	*12,5*	*8,7*	*4,4*	*11,8*

Champ : personnes vivant en France métropolitaine dans un ménage ordinaire dont le revenu net est positif ou nul et dont la personne de référence n'est pas étudiante.
Lecture : les personnes du 3e quintile de niveau de vie avant redistribution ont reçu en moyenne 2 350 euros de transfert en nature lié à l'éducation ce qui augmente leur niveau de vie net de 12,5 %
Sources : Insee ; DGFIP ; Cnaf ; Cnav ; CCMSA, enquête Revenus fiscaux et sociaux 2007 (actualisée 2009), modèle Ines, calculs Drees et Insee ; Insee, enquête Santé 2002-2003 ; Drees, comptes de la santé 2008 ; Depp, compte de l'éducation 2008.

---

14. Calcul de la DEPP, Compte de l'éducation 2008.
15. Cette estimation est réalisée à partir de l'Enquête Santé 2002 et des comptes de la santé effectués par la Drees. On a choisi ici de ne retenir comme critère de valorisation de l'assurance maladie que l'âge et le sexe des personnes. On aurait aussi pu retenir le niveau de vie : le montant des remboursements de soins par les régimes obligatoires n'est pas constant dans l'échelle des niveaux de vie, il diminue [Caussat et al., 2005]. On trouvera une discussion de l'impact de cette hypothèse dans Marical, 2007.

Les personnes du premier quintile de niveau de vie reçoivent un transfert en nature d'éducation plus élevé que les autres quintiles. Les familles avec enfants sont plus nombreuses dans les premiers quintiles (42 % dans le premier quintile alors que la moyenne générale est de 31 %). Cette sur-représentation des familles dans le bas de la distribution des niveaux de vie est cependant légèrement compensée par le fait que les enfants des familles plus aisées font des études plus longues et parfois plus coûteuses.

L'objectif des transferts en nature s'exprime davantage en termes d'égalité que de redistribution : égalité de l'accès à l'éducation et aux soins, quelles que soient les ressources des ménages pour ce qui concerne les transferts liés à l'éducation et à la santé. Si ces transferts sont également répartis en montants dans l'éventail des niveaux de vie, une fois rapportés à ce niveau de vie, ils représentent une part mécaniquement plus importante dans le budget des plus modestes que dans celui des plus aisés. À ce titre, ils réduisent les inégalités de niveaux de vie et sont redistributifs.

Les transferts « en nature » d'éducation et de santé réalisent 50 % de la réduction des inégalités

Le rapport entre le niveau de vie moyen des 20 % les plus riches et des 20 % les moins aisés, qui passe de 7,4 avant redistribution à 3,8 après redistribution monétaire, passe à 2,7 lorsque sont aussi pris en compte les transferts en nature : ces derniers sont donc un outil puissant de redistribution.

Participant pour plus de 52 % à la réduction des inégalités, les transferts en nature sont très redistributifs même s'ils sont finalement bien moins ciblés que les transferts monétaires *(figure 6)*. L'explication réside dans l'importance des masses financières en jeu : ils représentent un transfert plus de trois fois et demi plus élevé que les prestations monétaires. Les transferts liés à la santé sont plus importants en masse que ceux liés à l'éducation, toutefois ils sont plus uniformément répartis dans la population. Santé et éducation ont ainsi pratiquement la même contribution à la réduction des inégalités : la santé contribue pour 25 % à la réduction des inégalités et l'éducation y participe à hauteur de 27 %. Dans le champ de la redistribution élargie, les contributions des prélèvements et des prestations monétaires sont respectivement de 21 % et 27 %. ■

6. Contribution des transferts monétaires et en nature à la réduction des inégalités de niveau de vie en 2009

	Part du transfert dans le revenu « ajusté » (en %)	Progressivité du transfert	Contribution à la réduction des inégalités (en %)
	(A)	(B)	(C)
Transferts monétaires			
Prélèvements	26,2	1,3	20,7
dont cotisations maladie et CSG maladie	*12,3*	*0,7*	*4,8*
Prestations	5,6	8,1	27,2
Transferts en nature			
Santé	11,0	3,9	25,3
Éducation	9,3	4,8	26,9

Champ : personnes vivant en France métropolitaine dans un ménage ordinaire dont le revenu net est positif ou nul et dont la personne de référence n'est pas étudiante.
Lecture : les prélèvements représentent en moyenne 26,2 % du revenu «ajusté» et contribuent pour 20,7 % à la réduction des inégalités.
Note : la colonne (A) représente le rapport moyen entre le revenu ou le transfert considéré et le revenu "ajusté" (après imputation des transferts en nature). La colonne (B) estime la progressivité de chaque transfert (c'est la différence entre le pseudo-Gini du transfert et le Gini du revenu initial multiplié par dix plus par plus de lisibilité) : plus la valeur est grande, plus le transfert est progressif. La colonne (C) estime les contributions (en %) de chaque transfert à la réduction des inégalités. Ces contributions sont égales pour chaque transfert à son indice de progressivité multiplié par son poids relatif dans le revenu disponible.
Sources : Insee ; DGFIP ; Cnaf ; Cnav ; CCMSA, enquête Revenus fiscaux et sociaux 2007 (actualisée 2009), modèle Ines, calculs Drees et Insee ; Insee, enquête santé 2002-2003 ; Drees, comptes de la santé 2008 ; Depp, compte de l'éducation 2008.

Pour en savoir plus

- Amar E., Beffy M., Marical F. et Raynaud E., « Les services publics de santé, éducation et logement contribuent deux fois plus que les transferts monétaires à la réduction des inégalités de niveau de vie », in « France, portrait social », *Insee Références*, édition 2008.
- Bonnefoy V., Buffeteau S. et Cazenave M. -C., « De la prime pour l'emploi au revenu de solidarité active : un déplacement de la cible au profit des travailleurs pauvres », in « France, portrait social », *Insee Références*, édition 2009.
- Cazain S. et Siguret I., « Le nombre d'allocataires du revenu de solidarité active au 31 décembre 2009 », *l'e-ssentiel* n° 96, mars 2010.
- Cazain S. et Siguret I., « Le nombre d'allocataires du revenu de solidarité active au 31 mars 2010 », *l'e-ssentiel* n° 99, juin 2010.
- Caussat L., Le Minez S., Raynaud D., « L'assurance maladie contribue-t-elle à redistribuer les revenus ? », *Dossiers Solidarité Santé* n° 1, 2005.
- Fenina A., Le Garrec M. -A. et Duée M., « Les Comptes nationaux de la santé en 2008 », *Document de travail* Série Statistiques n° 137, 2009.
- Le Laidier S., « Les transferts en nature atténuent les inégalités de revenus », *Insee Première* n° 1264, 2009.
- Marical F., « En quoi la prise en compte des transferts liés à la santé modifie-t-elle l'appréciation du niveau de vie ? », in « France, portrait social », *Insee Références*, édition 2007.
- Marical F., « Les mécanismes de réduction des inégalités de revenus en 2008 », in « France, portrait social », *Insee Références*, édition 2009.

Vue d'ensemble

Conditions de vie

Une mesure de la qualité de vie

Valérie Albouy, Pascal Godefroy, Stéfan Lollivier*

Peut-on mesurer la qualité de la vie ? De nombreuses dimensions entrent en compte qui ne se limitent pas aux aspects purement matériels ou monétaires. Le concept de « qualité de vie » est plus large que le niveau de vie ou que les conditions de vie matérielles, il prend également en compte les conditions de travail, le degré d'insertion sociale, la santé et l'éducation, si les personnes sont particulièrement exposées économiquement (au chômage par exemple) ou physiquement, etc. Cet article propose une première mesure de la « qualité de vie ».

Qu'est-ce qui fait le bien-être ? La question peut sembler naïve, et la poser à des économistes peut paraître surprenant. Pourtant de nombreuses voix insistent sur la nécessité de faire des analyses, y compris chiffrées, sur ce sujet a priori très personnel. « France, portrait social » avait déjà abordé cette question en consacrant un dossier à la question de savoir qui se déclarait heureux [Afsa C. Marcus V., 2008]. On y apprenait qu'au cours de la vie, le sentiment de bien-être commençait par décliner entre 25 et 40 ans environ, pour amorcer ensuite une nette remontée conduisant à son apogée au cours de la soixantaine. Cette « courbe du bonheur » ne se superposait pas avec la courbe d'évolution des revenus moyens : il pouvait y avoir un décalage entre les ressources financières, c'est-à-dire les « moyens » dont disposent les personnes, et leurs « résultats » en matière de bien-être.

Cette étude concernait le bien-être ressenti, c'est-à-dire la satisfaction générale des personnes sur leur vie à un moment donné. Ce bien-être ressenti est généralement mesuré en demandant aux personnes interrogées de choisir un niveau de satisfaction. En l'occurrence, dans l'étude sur le bonheur, la question posée était : « Dans l'ensemble, êtes-vous très satisfait, plutôt satisfait, pas très satisfait ou pas du tout satisfait de la vie que vous menez ? ». D'autres questions sont parfois posées, notamment dans des enquêtes couvrant plusieurs pays (*encadré 1*).

Pour mesurer le bien-être, une autre approche consiste à mesurer la qualité de vie d'une personne, c'est-à-dire évaluer sa situation dans plusieurs dimensions (d'un point de vue matériel, en matière de santé, de conditions de logement, d'insécurité, etc.) puis en déduire si elle est en position d'avoir une qualité de vie « satisfaisante ». Pour la distinguer de l'analyse précédente, on qualifie parfois cette méthode d'approche « objective » de la mesure du bien-être, car elle est fondée sur des critères précis et mesurables. Les facteurs pris en compte ne se limitent pas aux aspects purement matériels (ou monétaires). Le concept de « qualité de vie » est donc plus large que le niveau de vie ou que les conditions matérielles d'existence qui sont utilisées pour mesurer la pauvreté en condition de vie (voir l'article intitulé « La pauvreté en conditions de vie a touché plus d'une personne sur cinq entre 2004 et 2007 » dans cet ouvrage). Pour mesurer cette dernière, l'Insee s'appuie sur une liste de questions portant sur les contraintes budgétaires, les retards de paiements, les restrictions de consommation et les difficultés de logement éventuels des personnes. Quand on s'intéresse à la qualité de vie, on cherche en plus à mesurer la situation des personnes en matière de conditions de travail, d'accès aux loisirs, leur degré d'insertion sociale, s'ils sont particulièrement exposés économiquement (par exemple à une baisse brutale de revenus) ou physiquement, etc.

---

* Valérie Albouy, Pascal Godefroy, Stéfan Lollivier, Insee.

Qualité de vie « ressentie » : comment les Européens jugent-ils leur qualité de vie ?

Dans les enquêtes internationales, quatre dimensions principales sont fréquemment étudiées pour évaluer la qualité de vie « ressentie » :
- le bien-être, ou la satisfaction sur la vie en général ;
- la satisfaction sur des aspects spécifiques, comme le niveau de vie, les relations personnelles, les services publics ;
- la confiance que l'on a dans l'avenir, ou celle que l'on accorde aux autres individus, aux institutions, etc.
- la cohésion sociale, mesurée par les tensions perçues entre groupes sociaux, par âge, par catégorie sociale, selon le revenu, les origines géographiques etc.

Ces thématiques sont abordées en particulier dans l'enquête européenne sur la qualité de vie. Cette enquête a été conduite en 2003 et 2007 par la fondation européenne pour l'amélioration des conditions de vie et de travail (*Eurofound*). Interrogeant 1 000 personnes de 18 ans ou plus en face à face dans chaque pays, cette enquête couvre les pays de l'Union européenne ainsi que la Bosnie-Herzégovine, l'ancienne République yougoslave de Macédoine, la Turquie et la Norvège. Les résultats présentés ici sont issus des publications de l'*Eurofound*.
Entre 2003 et 2007, les résultats sont relativement stables. L'amélioration de la qualité de vie est plus sensible dans les nouveaux États membres.

Le bien-être subjectif

Mesuré sur une échelle de 1 à 10, le sentiment de satisfaction globale est généralement moindre dans les nouveaux États membres.

Indicateur de satisfaction globale en 2003 et 2007

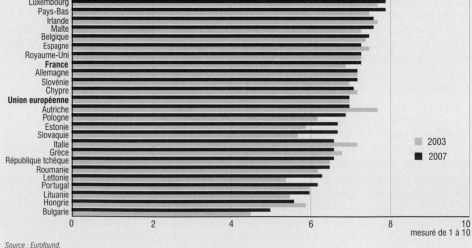

Source : Eurofound.

La satisfaction en matière de niveau de vie

Le classement des pays est proche de celui obtenu pour la satisfaction globale. La satisfaction en matière de niveau de vie, mesurée sur une échelle de 1 à 10, a surtout progressé pour les nouveaux États membres.

Indicateur de satisfaction en matière de niveau de vie

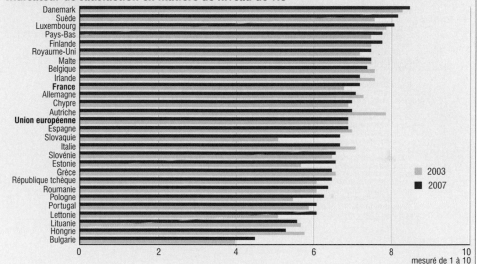

Les tensions entre groupes sociaux

Dans la plupart des pays, moins de 20 % des personnes déclarent percevoir beaucoup de tensions entre hommes et femmes ou entre classes d'âge. En revanche, de l'ordre d'un tiers des personnes déclarent beaucoup de tensions entre riches et pauvres, entre ouvriers-employés et cadres ou entre groupes ethniques. Entre 2003 et 2007, la part des personnes déclarant « beaucoup de tensions » entre les trois groupes cités a baissé en Europe de 4 à 6 points selon le groupe.

Part des personnes déclarant beaucoup de tensions entre groupes sociaux en 2007

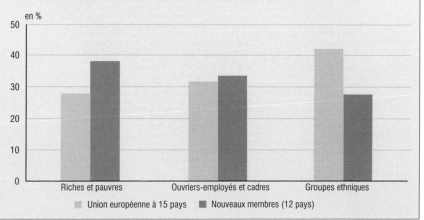

Les tensions entre groupes ethniques sont davantage marquées dans les pays de l'Europe des 15, notamment aux Pays-Bas, en Italie et en France, qu'au sein des nouveaux entrants, la Hongrie et la République tchèque se distinguant toutefois.

Part des personnes percevant beaucoup de tensions entre groupes ethniques en 2007

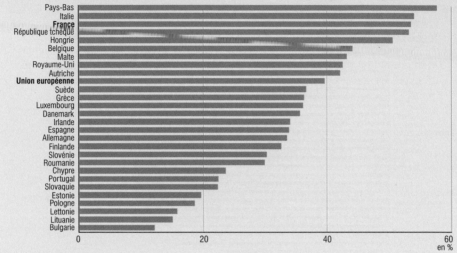

Source : Eurofound.

La confiance dans les institutions politiques

Mesurée sur une échelle de 1 à 10, elle est supérieure dans l'Europe des 15, et particulièrement dans l'Europe du nord.

Indice moyen de confiance des personnes dans le gouvernement, le parlement national ou les partis politiques

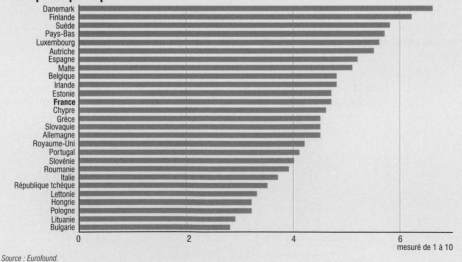

Source : Eurofound.

France, portrait social - édition 2010

L'éventail des caractéristiques objectives à prendre en compte est donc large et relativement compliqué à définir car tout choix repose implicitement sur des jugements de valeur. La Commission pour la Mesure des Performances Économiques et du Progrès Social (Commission « Stiglitz-Sen-Fitoussi ») s'est penchée sur cette question. Son rapport publié en 2009 recommande de prendre en compte dans la qualité de vie, en plus des conditions de vie matérielles, la santé et l'éducation, les conditions de vie quotidienne (notamment en termes d'emploi et de logement), la participation au processus politique, l'environnement social et naturel des personnes et les facteurs qui définissent leur sécurité personnelle et économique.

L'édition 2010 de « France, portrait social » consacre trois articles à certaines de ces dimensions. Un premier article étudie la pauvreté en conditions de vie et montre que celle-ci concerne des personnes dans des situations (familiales, d'emploi, en termes de cycle de vie) contrastées. Selon ces situations, la nature, l'ampleur et la durée des privations matérielles sont différentes. Le deuxième article s'intéresse à la participation au processus politique. Cette participation s'exprime notamment par la participation électorale, qui a tendance à reculer ces dernières années dans les pays développés. Ce recul est souvent interprété comme un manque de confiance à l'égard des institutions publiques. L'article montre que ce déclin de la participation électorale, surtout marqué parmi les jeunes générations, est plutôt le signe d'un changement dans leur façon de voter : les jeunes votent davantage par intermittence. Enfin, le troisième article s'intéresse aux liens sociaux. Le rapport de la Commission « Stiglitz-Sen-Fitoussi » souligne que les personnes qui bénéficient de liens sociaux nombreux « évaluent positivement leur vie, car parmi les activités personnelles les plus agréables, nombreuses sont celles qui impliquent des relations sociales. Les avantages des liens sociaux s'étendent à la santé et à la probabilité de trouver un emploi, ainsi qu'à certaines caractéristiques du cadre de vie (par exemple le taux de criminalité et la qualité des écoles de quartier)».

Santé, amis, argent, sécurité, etc. : les facteurs intervenant sur la qualité de vie sont multiples

Ces articles thématiques ont trait à des aspects importants de la qualité de vie. Mais l'un des enjeux d'une approche multidimensionnelle de la qualité de vie est *in fine* d'en fournir une vision synthétique. Nous nous y essayons ici en prenant en compte 9 aspects de la qualité de vie, pour lesquels des mesures statistiques sont d'ores et déjà disponibles : les conditions de vie matérielles, les contraintes financières pesant sur les personnes, leur santé, leur niveau d'éducation, les conditions de travail, la participation à la vie publique, les contacts avec les autres, la sécurité économique et la sécurité physique (*Annexe*). La plupart des indicateurs correspondants sont calculés à partir des données du dispositif SRCV (*encadré 2*).

La prise en compte de la plupart de ces dimensions correspond aux recommandations de la Commission « Stiglitz-Sen-Fitoussi », et pour la plupart, leur conséquence sur la qualité de vie est relativement intuitive. Par exemple, le niveau d'éducation joue sur la qualité de vie, au-delà de son effet sur les carrières professionnelles et les revenus futurs. Les contacts sociaux interviennent dans la qualité de vie directement, étant le plus souvent source de satisfaction, mais ils constituent aussi une ressource pouvant être mobilisée dans la plupart des dimensions de la vie. Les travaux sur le bien-être soulignent aussi que l'incertitude vis-à-vis de leur situation économique future a un effet négatif sur la qualité de vie des personnes concernées. Le risque concerne théoriquement tous les facteurs pouvant conduire à une brusque perte de revenu ou de statut dans l'avenir, c'est-à-dire pour les personnes en emploi, la maladie, la maternité et le chômage, ou pour les actifs et les retraités les incertitudes pesant sur les systèmes de retraite. Pour l'instant, la seule mesure retenue ici est le risque de se retrouver au chômage dans l'année qui vient.

Les données

Elles sont principalement issues de l'enquête SRCV (Statistiques sur les ressources et les conditions de vie). Celle-ci correspond à la partie française de l'enquête européenne SILC (Statistics on Income and Living Conditions) coordonnée par Eurostat et dont la gestion et la collecte sont assurées en France par l'Insee. Nous utilisons les données des années 2006, 2007 et 2008, y compris les modules français de l'enquête (dits bloc « indicateurs sociaux »), introduits en 2008 et administrés en même temps que le questionnaire européen. Chaque année, et successivement, un questionnaire portant sur la participation sociale, la vie associative, ou sur les contacts avec les proches est posé. Un questionnaire annuel sur les conditions de travail a également été ajouté dans la partie française du questionnaire en 2008. Enfin, chaque année, un module européen vient compléter le questionnaire. Celui de 2006 portait sur la participation sociale.

Chaque année, en plus des caractéristiques des personnes et des ménages, on dispose d'informations mises à jour sur les privations et les difficultés subies. Mais dans certains cas (qualité du logement, difficultés budgétaires, restrictions de consommation), les questions sont posées à une seule personne du ménage. Dans l'article, nous faisons le choix de nous placer au niveau individuel. Nous reportons donc sur chaque adulte enquêté de 16 ans ou plus les difficultés supportées par le ménage, ce qui revient, faute d'information individuelle *ad hoc* sur ces difficultés, à faire une hypothèse d'équirépartition de ces difficultés entre les personnes. S'il paraît vraisemblable pour les difficultés de logement, ce postulat pourrait l'être moins pour les restrictions de consommation [Godefroy, Ponthieux, 2010].

Enfin, la Commission souligne que la nature des activités exercées quotidiennement par les personnes a une influence non négligeable sur leur bien-être personnel. Toutefois, résumer dans un indicateur unique la « qualité » des activités quotidiennes est un exercice difficile. Dans une certaine mesure, le goût de chacun pour des activités est une affaire personnelle, qui varie donc considérablement d'une personne à l'autre, et appliquer une norme moyenne n'a guère de sens. Au-delà des goûts, la nature des activités exercées dépend de la position des personnes dans le cycle de vie, de leur situation familiale, de leur activité professionnelle, etc.

Il est donc difficile de trouver un indicateur de mesure de la qualité des activités personnelles qui tout à la fois s'applique à tous et soit pertinent pour chacun. Pour les actifs occupés, mesurer la « qualité » de leur emploi par leurs conditions de travail paraît logique compte tenu de l'importance de cette activité dans leur vie. De plus, la mesure de la qualité des emplois a fait l'objet de réflexions anciennes dont on peut recueillir les fruits. Cependant, avec ce choix, la qualité des activités personnelles n'est mesurée ici que pour les personnes en emploi. L'un des prolongements possibles serait à l'avenir de compléter la mesure dans cette dimension pour d'autres personnes.

On mesure chaque dimension de la qualité de vie *via* plusieurs indicateurs

La mesure des situations dans chacune des dimensions de la qualité de vie repose sur plusieurs indicateurs (*Annexe*). Par exemple, la mesure des conditions de vie matérielles est appréhendée par 9 indicateurs relatifs aux conditions de logement, et par 13 indicateurs relatifs aux restrictions de consommation (en matière d'alimentation, de biens durables, de vacances, etc.). Les conditions de travail sont quant à elles décrites au travers de 12 indicateurs (existence de conflits, surcharge de travail, horaires atypiques, etc.). Le nombre d'indicateurs dépend bien sûr de l'information disponible : concernant la santé, seuls deux indicateurs, relativement généraux, sont utilisés. De même, en matière d'éducation, seule l'absence de diplôme et de formation professionnelle récente est mesurée alors que l'on pourrait envisager, dans des prolongements futurs, d'intégrer une mesure des compétences des personnes (en compréhension écrite et orale et en numéracie).

Pour chacun des aspects de la qualité de vie, on considère qu'une personne n'atteint pas un niveau « standard » si elle fait l'expérience d'un nombre de difficultés supérieur à un seuil. Chaque seuil est fixé de façon arbitraire [Lollivier, Verger, 1997] : la méthodologie employée est identique sur ce point à celle utilisée pour la pauvreté en conditions de vie, dont le seuil est choisi de manière à ce que, globalement, la proportion de personnes pauvres en conditions de vie soit proche de celle pauvres au sens de la pauvreté monétaire [Guio, 2009].

Le niveau de vie : révélateur d'une situation défavorable dans presque toutes les dimensions

Certaines personnes, ou certains groupes sociaux, ont davantage de risques de cumuler des désavantages dans plusieurs dimensions. C'est le cas des personnes aux niveaux de vie les plus bas. Par rapport à l'ensemble de la population, les 25 % de personnes aux niveaux de vie les plus faibles (premier quartile Q1) encourent un plus grand risque de difficultés dans toutes les dimensions de la qualité de vie (*figure 1a*), tandis que les 25 % de personnes les plus aisées (dernier quartile Q4) présentent un risque plus faible dans toutes ces dimensions. En moyenne, les personnes d'un niveau de vie faible sont donc désavantagées dans toutes les dimensions. Elles font face à une plus grande contrainte financière (par définition) mais aussi à des conditions de vie matérielles nettement moins bonnes, une santé plus dégradée et un niveau d'éducation plus bas. Elles ont aussi en moyenne des conditions de travail plus difficiles, des niveaux de sécurités économique et physique plus faibles, moins de contacts avec autrui et sont plus en retrait de la vie publique. Le risque relatif d'être, pour chacune de ses dimensions, dans le groupe des personnes « désavantagées » est souvent 1,5 à plus de 2 fois plus élevé quand on est dans le quart le plus pauvre de la population. À l'inverse, les personnes les plus aisées financièrement cumulent en moyenne des avantages dans toutes les dimensions précédentes, sauf en matière de sécurité physique. Au-delà du constat d'un désavantage des personnes aux bas niveaux de vie dans presque toutes les dimensions, l'ampleur de ce désavantage est variable : il est logiquement plus important en matière de conditions de vie matérielles ou financières, assez marqué en matière de santé, de niveau d'éducation, de relations sociales ou d'insécurité économique, mais moins net en matière d'insécurité physique, de participation à la vie publique ou de conditions de travail.

Les situations des jeunes (16-29 ans) sont plus contrastées (*figure 1b*) : ils ont d'une part des conditions de vie matérielles et financières nettement plus défavorables que le reste de la population mais présentent des niveaux d'éducation et de santé meilleurs, et ont plus de contacts sociaux. À l'inverse, les plus de 60 ans ont une santé plus dégradée mais aussi moins de contacts avec les autres et surtout, un niveau d'éducation beaucoup plus faible que le reste de la population. Mais ils sont moins contraints financièrement, bénéficient de meilleures conditions de vie matérielles, et d'un niveau de sécurité physique plus élevé.

Parmi les configurations familiales, ce sont les familles monoparentales qui cumulent les désavantages dans le plus grand nombre de dimensions (*figure 1c*) : elles ont plus de difficultés en moyenne dans six des dimensions retenues. Cependant, les parents isolés étant plus jeunes, ils sont aussi en meilleure santé et plus diplômés. Mais leur niveau d'insécurité économique, mesuré par le risque de chômage à l'horizon d'un an, est aussi élevé que celui du quart le plus pauvre de la population ou que celui des moins de 30 ans.

1. Les dimensions de la qualité de vie

a. Selon le niveau de vie

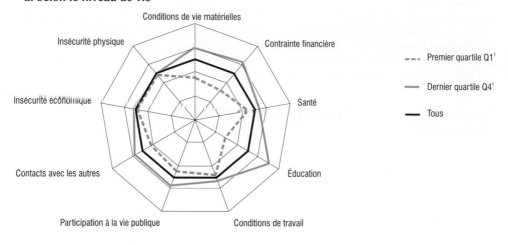

b. Selon l'âge

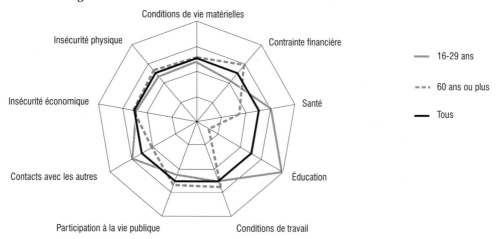

1. Si l'on ordonne les personnes selon leur niveau de vie, les quartiles les séparent en quatre groupes d'effectifs égaux : une personne du premier quartile de niveau de vie (Q1) fait partie des 25 % de personnes aux niveaux de vie les plus faibles

Champ : France métropolitaine, population des ménages, personnes de 16 ans ou plus (sauf pour la dimension sécurité, 18-75 ans ; pour la dimension conditions de travail, 16 ans ou plus en emploi ; pour la dimension insécurité économique, personnes en emploi en 2006).

Lecture : chaque rayon correspond à une dimension de la qualité de vie. L'échelle est inversée par rapport à l'indicateur de chaque dimension : plus on s'écarte du centre, plus faible est l'indicateur et donc meilleure est la qualité de vie dans la dimension. Ainsi, sur la figure 1a, les personnes les plus aisées (celles du dernier quartile de niveau de vie) ont une meilleure qualité de vie que la moyenne dans toutes les dimensions, hormis les insécurités physique et économique pour lesquelles leur situation est équivalente à la moyenne de la population.

Source : Insee, dispositif SRCV 2006, 2007, 2008, 2009 ; enquête Cadre de vie et sécurité 2009.

1. Les dimensions de la qualité de vie *(suite)*
c. Selon la configuration familiale

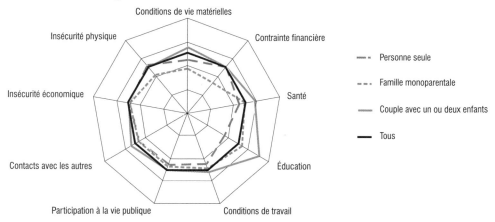

Champ : France métropolitaine, population des ménages, personnes de 16 ans ou plus (sauf pour la dimension sécurité, 18-75 ans ; pour la dimension conditions de travail, 16 ans ou plus en emploi ; pour la dimension insécurité économique, personnes en emploi en 2006).
Lecture : chaque rayon correspond à une dimension de la qualité de la vie. L'échelle est inversée par rapport à l'indicateur de chaque dimension : plus on s'écarte du centre, plus faible est l'indicateur et donc meilleure est la qualité de vie dans la dimension. Les couples avec un ou deux enfants ont une meilleure situation dans les dimensions liées à l'éducation, la santé, les conditions de vie matérielles et les contacts avec les autres.
Source : Insee, dispositif SRCV 2006, 2007, 2008, 2009 ; enquête Cadre de vie et sécurité 2009.

Vers une mesure synthétique de la qualité de vie

Cette approche dimension par dimension ne permet pas d'appréhender la qualité de vie dans son ensemble. Pour cela, nous présentons un indicateur composite de la qualité de vie *(figure 2)*. Cet indicateur est le résultat d'une agrégation des indicateurs relatifs à chacune des dimensions de la qualité de vie. Il est calculé au niveau de chacun des groupes sociaux étudiés ici. Il ne l'est pas au niveau des personnes, faute de disposer d'une source statistique unique couvrant l'ensemble des dimensions. Puisqu'il agrège les indicateurs des différentes dimensions, c'est un indicateur de « mauvaise qualité de vie » : plus il est élevé, plus la qualité de vie des personnes est dégradée.

2. Indicateur synthétique de qualité de vie : risque relatif de « mauvaise qualité de vie »

	Indicateur synthétique normalisé			Composition des sous-populations		
	Classique	En ajoutant 1 à chaque seuil	En retirant 1 à chaque seuil	Femmes (en %)	Sans diplôme (en %)	Âge moyen (en années)
Tous	**14**	**10**	**23**	**52**	**30**	**48**
Coefficients multiplicateurs du risque de mauvaise qualité de vie						
Configuration familiale						
Personne seule	1,2	1,2	1,1	58	38	57
Famille monoparentale	1,4	1,4	1,4	64	31	39
Couple sans enfants	1,0	0,9	1,0	50	37	58
Couple avec un ou deux enfants	0,8	0,7	0,8	50	14	41
Couple avec 3 enfants ou plus	1,1	1,1	1,1	50	31	48
Âge						
16-29 ans	0,9	0,9	1,0	49	17	23
60 ans ou plus	1,1	1,2	1,1	55	56	72
Niveau de vie						
Q1	1,5	1,7	1,4	55	47	47
Q4	0,6	0,5	0,6	49	14	50

Champ : France métropolitaine, population des ménages, personnes de 16 ans ou plus (sauf pour la dimension sécurité, 18-75 ans ; pour la dimension conditions de travail, 16 ans ou plus en emploi, pour la dimension insécurité économique, personnes en emploi en 2006).
Lecture : le risque de « mauvaise qualité de vie » est de 14 % dans l'ensemble de la population. Par rapport à ce chiffre, le risque est 50 % supérieur (multiplié par 1,5) chez les plus modestes (premier quartile de niveau de vie).
Source : Insee, dispositif SRCV 2006, 2007, 2008, 2009 ; enquête Cadre de vie et sécurité 2009 ; composition des échantillons SRCV 2008.

La construction d'un indicateur composite soulève la question de l'importance à accorder à chacune des dimensions, récurrente dans la littérature sur les indicateurs synthétiques. Tout choix de pondération, y compris celui de l'équipondération, qui a été retenu ici, reste arbitraire. Une possibilité serait de pondérer chaque dimension selon les préférences moyennes dans la population : pour simplifier, cela revient à demander l'avis des personnes concernées sur la manière dont les situations qu'elles vivent affectent leur bien-être [Afsa C., 2008]. Mais cette méthode requiert des données relativement exhaustives sur la perception des personnes dans différentes situations, et rien n'assure de la stabilité de ces perceptions individuelles dans le temps.

Par construction, l'indicateur de qualité de vie vaut 1 en moyenne dans la population des plus de 15 ans. Ce sont les personnes aux niveaux de vie les plus élevés (dernier quart) qui sont également en haut de l'échelle pour cet indicateur : leur risque d'avoir une qualité de vie dégradée est de 40 % inférieur à celui observé sur l'ensemble de la population étudiée. À l'inverse, les personnes aux niveaux de vie les plus bas (1er quart) ont un risque d'une mauvaise qualité de vie supérieur en moyenne de 53 %. C'est aussi le cas des familles monoparentales (38 %). Les personnes de plus de 60 ans ou les personnes seules ont une qualité de vie moins bonne que la moyenne, mais pour des raisons différentes. Ce sont les conditions de vie (financières ou matérielles) qui détériorent la qualité de vie des personnes seules, alors que ce sont les niveaux d'éducation et la santé qui diminuent la qualité de vie des seniors.

Cet indicateur multidimensionnel reste préliminaire. Une de ses limites vient de ce qu'il ne tient pas compte des corrélations entre les différents aspects de la qualité de vie. Or, le cumul de difficultés dans plusieurs dimensions ampute probablement davantage la qualité de vie que ces difficultés prises séparément. Tel qu'il est construit, il ne fournit pas non plus une échelle complète de qualité de vie, globale, ou domaine par domaine. En effet, la méthodologie qui consiste à scinder en deux la population pour chaque dimension, en séparant les personnes très désavantagées des autres, fournit un indicateur de qualité de vie qui est un résumé parmi d'autres possibles de la répartition des difficultés dans la population. C'est particulièrement vrai dans les travaux présentés ici car les seuils choisis sont relativement bas : dans chaque dimension, à chaque fois que c'est possible, les seuils sont choisis de manière à ce qu'entre 10 % et 20 % de la population totale soit dans le groupe « désavantagé ». Avec un seuil à 10 %, et dans une moindre mesure à 20 %, on sélectionne donc les personnes en grande difficulté dans une dimension, assez loin finalement de la qualité de vie qui prévaut dans l'ensemble de la population.

On peut bien sûr déplacer le curseur qui détermine si l'on est dans chaque domaine en situation difficile : par exemple, jusqu'à présent, on disait qu'une personne avait des difficultés de logement dès lors qu'elle cumulait au moins 3 « difficultés » parmi les 9 mesurées ; on peut augmenter ce seuil, et ceux retenus dans les autres dimensions, d'une unité. L'indicateur de qualité de vie devient alors plus restrictif puisque dans chacune des dimensions la probabilité d'être dans le groupe des personnes « désavantagées » est plus faible. Mais cela ne change pas le « classement » des groupes socioéconomiques : les personnes de niveau de vie élevé ou les couples avec un ou deux enfants sont ceux ayant la meilleure qualité de vie ; les personnes aux « bas » niveaux de vie, les personnes âgées, les personnes seules et les familles monoparentales, celles ayant une moindre qualité de vie. En revanche, avec ce nouvel indicateur, les écarts entre eux apparaissent moins marqués. Si, à l'inverse, on souhaite être plus exigeant sur le seuil de qualité de vie minimum, en abaissant le curseur à partir duquel on est en difficulté dans une dimension, alors les écarts de qualité de vie entre les groupes ont tendance à augmenter. Cela signifie que les écarts de qualité de vie sont d'autant plus marqués que la qualité de vie est définie comme l'absence ou la quasi-absence de difficultés dans les différentes dimensions qui la composent. ■

Pour en savoir plus

Afsa C., Marcus V., « Le bonheur attend-il le nombre des années ? », *in* « France, portrait social », *Insee Références*, édition 2008.

Afsa C., « Analyser les composantes du bien-être et de son évolution. Une approche empirique sur données individuelles », *Document de travail*, G2008/12.

Godefroy P., Ponthieux S., « Pauvreté en conditions de vie en France et privation matérielle en Europe », *in* « *Les Travaux 2009-2010* », Onpes.

Guio A.C., 2009, « What can be learned from deprivation indicators in Europe », *Eurostat Methodologies and Working Papers*, 2007.

Lollivier S., Verger D., « Pauvreté d'existence, monétaire ou subjective sont distinctes », *Économie et Statistique*, n° 308-309-310, *Insee*, 1997.

Stiglitz J., Sen A. et Fitoussi J.-P., Rapport de la Commission sur la mesure des performances économiques et du progrès social, Éditions Odile Jacob, 2009.

ANNEXE

Les différentes dimensions de la qualité de vie et leur mesure

Les conditions de vie matérielles

Les conditions de vie matérielles sont appréhendées par les conditions de logement et par les restrictions de consommation.

Pour le logement, cinq indicateurs décrivent les équipements intérieurs disponibles. Deux autres mesurent la présence d'humidité et l'existence de nuisances sonores. Enfin, deux indicateurs mesurent la densité de peuplement (et le surpeuplement) dans le logement. La fréquence de chacune de ces difficultés est très variable : moins de 1 % des personnes vivent dans un logement sans salle de bains par exemple, alors qu'un quart estiment que leur logement est difficile à chauffer. 8 % des personnes habitent dans un logement présentant au moins trois défauts sur les neuf mesurés, seuil à partir duquel on considère qu'une personne a de mauvaises conditions de logement.

Les conditions de vie matérielles sont mesurées par les restrictions concernant 13 postes de consommation (l'alimentation, les vacances, les meubles, les vêtements, l'informatique, etc.). 15 % de l'ensemble de la population déclare au moins 4 types de restrictions de consommation.

L'indicateur de difficultés de conditions de vie est la moyenne arithmétique des indicateurs des deux sous-dimensions.

en %

Conditions de vie matérielles	Tous	Personne seule	Famille mono-parentale	Couple avec un ou deux enfants	16-29 ans	60 ans ou plus	1er quartile de niveau de vie (Q1)	Dernier quartile de niveau de vie(Q4)
Logement bruyant	18	20	26	16	21	16	21	14
Surpeuplement important ou modéré	10	13	20	7	17	4	18	5
Logement difficile à chauffer	26	27	28	21	26	30	33	18
Logement humide	13	14	20	11	16	10	20	7
Absence de salle de bains à l'intérieur du logement	1	2	1	0	0	2	2	0
Absence de système de chauffage central ou électrique	6	7	6	5	5	7	10	2
Absence d'eau chaude	1	1	1	0	0	1	1	0
Absence de toilettes à l'intérieur du logement	1	2	1	0	1	1	2	0
Logement trop petit (appréciation subjective)	12	11	18	15	17	5	18	8
Difficultés de logement (au moins 3 sur 9)	**8**	**10**	**14**	**6**	**12**	**5**	**16**	**3**
Ne pas pouvoir recevoir	10	15	20	5	9	12	21	2
Difficultés à maintenir le logement à la bonne température	5	8	10	3	6	5	10	2
Ne pas pouvoir payer une semaine de vacances une fois par an	31	38	51	25	34	32	57	9
Ne pas pouvoir remplacer des meubles	32	39	54	24	35	31	56	10
Ne pas pouvoir acheter des vêtements neufs	13	17	22	8	13	13	27	3
Ne pas pouvoir manger de la viande tous les deux jours	8	12	16	5	9	7	16	2
Ne pas pouvoir offrir des cadeaux	9	14	17	5	9	11	22	2
Ne pas posséder deux paires de chaussures	8	10	16	6	9	8	20	2
Absence de repas complet pendant au moins une journée au cours des deux dernières semaines	3	4	7	1	3	2	7	1
Pas d'accès à internet	7	9	16	4	9	6	16	1
Pas d'ordinateur personnel	6	9	13	3	6	6	12	1
Pas de lave vaisselle	6	6	15	4	10	4	15	1
Pas de voiture	4	8	10	2	5	3	9	1
Restrictions de consommation (au moins 4 sur 9)	**15**	**23**	**32**	**9**	**16**	**16**	**34**	**3**
Restrictions de conditions de vie	**12**	**16**	**23**	**8**	**14**	**10**	**25**	**3**

Champ : France métropolitaine, personnes âgées de 16 ans ou plus, vivant en ménages ordinaires.
Source : Insee, SRCV 2008, pondérations transversales.

Les contraintes financières

Huit indicateurs mesurent les difficultés financières que les personnes peuvent rencontrer dans la gestion de leur budget. Par exemple, quand la part du coût du logement dans le revenu total est supérieure à un tiers, ou quand les découverts bancaires ou les retards de paiement des factures sont fréquents. Un neuvième indicateur est l'appréciation subjective de la personne sur sa situation financière.

en %

Contraintes financières	Tous	Personne seule	Famille mono-parentale	Couple avec un ou deux enfants	16-29 ans	60 ans ou plus	1er quartile de niveau de vie (Q1)	Dernier quartile de niveau de vie (Q4)
Part du remboursement (emprunts, crédits) dans le revenu supérieur à un tiers	9	5	8	16	9	2	8	10
Opinion sur le niveau de vie : c'est difficile il faut s'endetter pour y arriver	15	18	31	12	18	12	33	3
Découverts bancaires (très souvent)	11	7	17	12	16	3	15	6
Couverture des dépenses par le revenu difficile	18	19	34	17	22	13	36	6
Recours aux économies	35	30	35	39	36	32	34	29
Aucune épargne à disposition	15	17	25	10	17	13	29	5
Retards de paiement de factures (électricité, gaz, téléphone…)	5	4	11	5	9	2	12	1
Retards de paiement de loyer et charges	4	5	12	3	7	1	10	1
Retard de versements d'impôts	2	1	3	2	3	1	3	1
Contrainte financière (au moins 3 sur 9)	**15**	**15**	**29**	**15**	**21**	**8**	**30**	**4**

Champ : France métropolitaine, personnes âgées de 16 ans ou plus, vivant en ménages ordinaires.
Source : Insee, SRCV 2008, pondérations transversales.

La santé

L'état de santé est mesuré au travers de deux indicateurs. Le premier est l'appréciation subjective que les personnes ont de leur santé. Les personnes sont initialement invitées à classer leur état de santé sur une échelle à cinq modalités (l'échelle dite « européenne » : très bon, bon, passable, mauvais et très mauvais). Les personnes qui se déclarent en mauvaise ou en très mauvaise santé sont considérées comme insatisfaites. Le second indicateur mesure l'existence de limitations dans les activités quotidiennes dues à des problèmes de santé. Les personnes considérées en mauvaise santé sont celles concernées par au moins un des deux indicateurs.

en %

Santé	Tous	Personne seule	Famille mono-parentale	Couple avec un ou deux enfants	16-29 ans	60 ans ou plus	1er quartile de niveau de vie (Q1)	Dernier quartile de niveau de vie (Q4)
Mauvaise santé (autodéclarée)	8	12	8	3	1	18	13	5
Limitation (liée à la santé) dans les activités habituelles	8	12	8	3	1	19	11	6
Difficultés de santé (au moins 1 sur 2)	**12**	**16**	**12**	**5**	**2**	**25**	**17**	**8**

Champ : France métropolitaine, personnes âgées de 16 ans ou plus, vivant en ménages ordinaires.
Source : Insee, SRCV 2008, pondérations transversales.

L'éducation

On considère ici qu'une personne a un niveau d'éducation jouant négativement sur sa qualité de vie si elle est non diplômée et si elle n'a bénéficié d'aucune formation profession-nelle récente.

en %

Éducation	Tous	Personne seule	Famille mono-parentale	Couple avec un ou deux enfants	16-29 ans	60 ans ou plus	1er quartile de niveau de vie (Q1)	Dernier quartile de niveau de vie (Q4)
Sans diplôme	**30**	38	31	14	17	56	47	14
Pas de formation professionnelle récente	**89**	96	76	98	56	100	86	91
Difficultés d'éducation (2 sur 2)	**28**	**38**	**25**	**14**	**7**	**56**	**44**	**13**

Champ : France métropolitaine, personnes âgées de 16 ans ou plus, vivant en ménages ordinaires.
Source : Insee, SRCV 2008, pondérations transversales.

Les conditions de travail

Les conditions de travail sont mesurées au travers de 12 indicateurs. Certains décrivent des conditions qui peuvent affecter le bien-être psychologique : les conflits avec les clients, la surcharge de travail, le déséquilibre entre la vie professionnelle et la vie privée. Certains décri-vent des pénibilités physiques : l'exposition à des risques sanitaires, les horaires atypiques. Le dernier est le risque de quitter prochainement son emploi tel que le salarié le perçoit. Les personnes ayant de mauvaises conditions de travail sont celles cumulant 5 difficultés parmi les 12 mesurées ; 10 % de la population est dans ce cas.

en %

Conditions de travail	Tous	Personne seule	Famille mo-noparentale	Couple avec un ou deux enfants	16-29 ans	60 ans ou plus	1er quartile de niveau de vie (Q1)	Dernier quartile de niveau de vie (Q4)
Travail à la chaîne	**17**	17	16	15	17	12	22	11
Mauvaises relations avec les collègues	**5**	5	4	5	5	3	5	4
Ne pas employer pleinement ses compétences	**17**	17	19	14	20	11	21	13
Être exposé à des produits nocifs ou toxiques	**15**	17	15	14	16	11	17	10
Travail de nuit	**7**	7	5	8	7	3	8	6
Quitter son emploi dans les 12 prochains mois (licenciement, démission, fin de contrat)	**13**	17	12	9	27	6	20	9
Physiquement exigeant	**34**	32	37	32	35	33	43	24
Sous pression	**32**	34	29	32	28	25	26	42
Sans possibilités de promotion	**60**	58	68	58	54	91	74	52
Tensions avec le public	**15**	14	15	15	14	10	11	19
Difficultés à concilier travail et obligations familiales	**11**	7	14	15	8	6	12	12
Travail non reconnu à sa juste valeur	**44**	40	46	47	41	32	40	40
Conditions de travail difficiles (au moins 5 sur 12)	**10**	**14**	**11**	**9**	**10**	**5**	**12**	**7**

Champ : France métropolitaine, personnes âgées de 16 ans ou plus, vivant en ménages ordinaires.
Source : Insee, SRCV 2008, pondérations transversales.

La participation à la vie publique

La participation à la vie publique est mesurée à partir de trois aspects : l'engagement politique (y compris la participation électorale), professionnel, et associatif (la responsabilité dans une association, y compris le bénévolat). Les indicateurs utilisés sont les suivants : ne pas avoir voté lors des dernières élections, ne pas être membre d'un parti politique, ne pas être membre d'un syndicat, ne pas avoir de responsabilités dans une association, et ne pas être bénévole. Les quatre derniers indicateurs sont relativement peu discriminants, et, en l'état, la participation électorale compte beaucoup dans la dimension.

20 % de l'ensemble de la population ne participe à la vie publique d'aucune des manières mesurées.

en %

Participation à la vie publique	Tous	Personne seule	Famille mono-parentale	Couple avec un ou deux enfants	16-29 ans	60 ans ou plus	1er quartile de niveau de vie (Q1)	Dernier quartile de niveau de vie (Q4)
Aucune responsabilité associative	**94**	94	95	93	96	93	96	91
Ne pas être bénévole	**83**	83	86	83	87	82	86	81
Ne pas être membre d'un parti politique	**99**	99	100	99	100	99	100	99
Ne pas être membre d'un syndicat	**98**	98	98	97	99	99	99	96
Ne pas avoir voté aux dernières élections	**24**	28	27	25	29	20	28	18
Difficultés de participation sociale (5 sur 5)	**20**	**24**	**22**	**20**	**24**	**18**	**24**	**14**

Champ : France métropolitaine, personnes âgées de 16 ans ou plus, vivant en ménages ordinaires.
Source : Insee, SRCV 2006, pondérations transversales.

Les contacts avec les autres

Si les liens sociaux semblent constituer une dimension importante de la qualité de vie, leur mesure est difficile. Les données disponibles ne permettent en effet pas de distinguer, par exemple, le caractère subi ou choisi des absences de contacts.

Les indicateurs utilisés ici sont des indicateurs de « l'intensité » des relations aux autres et non de leur qualité. L'intensité des relations sociales est mesurée par la participation à des associations, l'intensité des relations familiales et celle des relations amicales. Pour les associations, l'indicateur porte sur la participation à des activités de groupes ou à des organisations de loisirs (groupes sportifs, clubs de loisirs), et non à des syndicats (participation qui est revanche prise en compte dans la mesure du degré d'implication dans la vie publique). Les adhésions simples sont distinguées de l'exercice de responsabilités : en tant que membres ordinaires, les personnes ont l'opportunité d'agrandir leur réseau social ; en tant que responsables, elles participent à un processus de nature politique (*cf.* à nouveau la dimension participation à la vie publique). Les quatre autres indicateurs élémentaires retenus concernent les contacts avec la famille et les amis au cours des douze derniers mois, en distinguant les rencontres en face à face des autres contacts (par courrier, courriel, téléphone et SMS).

Les personnes ayant peu de contacts avec les autres sont celles qui déclarent 2 absences de contacts parmi les 5 indicateurs retenus : 13 % de la population est concernée.

Contacts avec les autres	Tous	Personne seule	Famille mono-parentale	Couple avec un ou deux enfants	16-29 ans	60 ans ou plus	1er quartile de niveau de vie (Q1)	Dernier quartile de niveau de vie (Q4)
								en %
Contacts avec les amis (hors rencontres)	8	10	8	6	2	15	12	5
Pas de rencontres avec les amis	6	8	7	3	2	11	8	3
Pas de contacts avec la famille	4	4	6	3	4	5	7	2
Pas de rencontres avec la famille (hors contacts)	2	3	4	2	1	2	4	1
Aucune participation aux activités d'associations	75	75	77	78	70	73	79	70
Difficultés de contacts avec les autres (au moins 2 sur 5)	**13**	**16**	**15**	**9**	**6**	**21**	**20**	**7**

Champ : France métropolitaine, personnes âgées de 16 ans ou plus, vivant en ménages ordinaires.
Source : Insee, SRCV 2006, pondérations transversales.

L'insécurité économique

Le degré d'insécurité économique est mesuré par le risque, objectif, de perdre son emploi dans l'année qui suit. Ce risque est mesuré à partir du suivi des trajectoires d'emploi des personnes, l'année précédente.

Insécurité économique	Tous	Personne seule	Famille mono-parentale	Couple avec un ou deux enfants	16-29 ans	60 ans ou plus	1er quartile de niveau de vie (Q1)	Dernier quartile de niveau de vie (Q4)
								en %
Passer de l'emploi au chômage entre 2006 et 2007	**3**	3	4	2	4	2	4	2

Champ : France métropolitaine, personnes âgées de 16 ans ou plus, vivant en ménages ordinaires.
Note de lecture : parmi les personnes en emploi en 2006, enquêtées en 2006 et en 2007, 2,5 % sont au chômage en 2007.
Source : Insee, SRCV 2006-2007, pondérations transversales.

L'insécurité physique

L'insécurité physique est mesurée à partir d'indicateurs objectifs, issus de l'enquête Cadre de vie et sécurité de 2009, correspondant aux cambriolages, dégradations du logement, vols avec violence, violences physiques et sexuelles (y compris au sein du ménage) au cours des deux dernières années. 12 % des personnes ont été victimes d'au moins une agression.

Insécurité physique	Tous	Personne seule	Famille mono-parentale	Couple avec un ou deux enfants	18-29 ans	60-75 ans	1er quartile de niveau de vie (Q1)	Dernier quartile de niveau de vie (Q4)
								en %
Cambriolage ou tentative de cambriolage	3	2	5	3	2	3	3	4
Dégradation ou destruction volontaire du logement	4	4	6	4	4	5	4	5
Vol avec violence	1	1	1	1	2	0	1	1
Violences physiques	3	2	5	3	5	1	3	2
Violences (physiques ou sexuelles) au sein du ménage	3	1	5	3	4	1	3	1
Insécurité physique (au moins 1 victimation)	**12**	**10**	**19**	**12**	**15**	**9**	**13**	**12**

Champ : France métropolitaine, personnes âgées de 18 à 75 ans.
Source : Insee, enquête Cadre de vie et sécurité 2009.

Qu'est-ce que le capital social ?

Michel Duée *

Dans ses travaux sur les déterminants de la qualité de vie, la Commission sur la mesure des performances économiques et du progrès social inclut dans la liste des facteurs importants la notion de capital social. Cette notion renvoie aux liens sociaux entre les personnes et aux avantages qu'ils produisent, au niveau individuel mais aussi au niveau plus global des sociétés. À l'échelon de la personne, le niveau de capital social est notamment mesuré à partir de la participation associative, de la participation sociale ou politique (activités de bénévolat, participation électorale) ou d'indicateurs de sociabilité. Les profils des personnes qui s'impliquent dans ces différentes dimensions sont un peu différents mais d'une façon générale, les personnes ayant un plus haut niveau de vie sont plus présentes dans les différentes composantes du capital social.

En s'intéressant aux liens sociaux, la Commission sur la mesure des performances économiques et du progrès social inclut à la mesure des conditions d'existence des individus un aspect qui ne fait pas systématiquement l'objet de statistiques. Pour la Commission, « les liens sociaux et les normes inhérentes de confiance et de loyauté qui s'y rapportent sont importants pour la qualité de la vie. Ces liens sociaux sont parfois englobés dans le concept de capital social » [Sitglitz, Sen et Fitoussi, 2009, p. 203]. Cette présentation, qui associe liens sociaux, normes et confiance, et leurs effets en termes de qualité de la vie renvoie directement à l'approche du politologue américain R. Putnam [1995, 2000].

Qu'est ce que le capital social ?

Selon Putnam, le capital social est l'émanation des contacts réguliers entre les personnes, dans le cadre notamment d'associations volontaires, et a des effets positifs au niveau macro-social ou macro-économique. Cette idée du capital social comme inhérent aux contacts répétés entre les individus est déjà présente chez Coleman [1988][1] auquel Putnam se réfère. Les deux auteurs divergent cependant en ce qui concerne le niveau auquel « fonctionne» ce capital social : pour Coleman, celui de petites communautés plutôt fermées, pour Putnam, celui de régions, voire de pays. Ils divergent également en ce qui concerne les mécanismes par lesquels le capital social se constitue et produit ses effets : pour Coleman, le capital social assure avant tout une fonction de contrôle social. Émanant de la répétition des contacts, il permet l'établissement de relations de confiance, mais aussi la surveillance mutuelle au sein de la communauté ; confiance et/ou surveillance garantissent le respect des règles et des engagements pour le bénéfice des membres de la communauté. Pour Putnam, les contacts, notamment au sein

*Michel Duée, Insee.

1. Chez Bourdieu aussi, mais dans une conceptualisation radicalement différente [Bourdieu, 1980] à laquelle Coleman ne se réfère d'ailleurs pas. Pourtant, Bourdieu et Coleman ont une idée assez proche des effets du capital social qui est supposé bénéficier aux membres d'un groupe alors que chez Putnam le bénéfice est pour l'ensemble de la société. Bourdieu et Coleman divergent néanmoins sur l'origine de ce capital social [Ponthieux, 2006].

d'associations volontaires, transforment les individus : le fait d'appartenir à un groupe développerait ainsi au fil du temps le sens du bien commun et de la réciprocité ; et ces dispositions, acquises dans le cadre d'associations spécifiques, se diffuseraient dans toute la société (réciprocité généralisée). Sur la base d'un indicateur agrégé, Putnam montre ainsi qu'aux États-Unis, les États à haut niveau de capital social présentent de meilleurs résultats scolaires, un meilleur état de santé de la population, moins de criminalité, moins de fraude et d'évasion fiscale, et que les gens s'y déclarent plus heureux que dans les autres États. Le capital social serait également bénéfique pour les individus, notamment pour leur santé [Putnam, 2000, p. 326].

Cette thèse d'un effet au niveau macro-social ou macro-économique du capital social a été très influente [OCDE, 2001] mais a fait également l'objet de nombreuses critiques : si le rôle économique de la confiance, notamment par son impact sur les coûts de transactions, est connu de longue date, de nombreux auteurs sont plus dubitatifs sur l'amalgame de participation associative, normes et confiance dans un unique concept de capital social [Arrow, 1999 ; Solow, 1999], sur le sens de la causalité entre réseaux sociaux et confiance, ou sur l'effet indifférencié de toute forme de liens sociaux [Stolle et Rochon, 1998]. Mais quantifier chacune des dimensions, même considérées séparément, ne va pas de soi car il peut y avoir plusieurs indicateurs possibles pour une même dimension, et leur pertinence dépend de la question à laquelle on cherche à répondre ; c'est le cas notamment pour la mesure de la sociabilité (cf. infra).

Selon la forme des liens sociaux, les profils des personnes diffèrent

Plusieurs formes de liens sociaux entrent dans la notion de capital social. Le plus souvent, cette notion est approchée par des indicateurs de participation associative (adhésion à des associations, groupes, clubs...), de participation sociale ou politique (activités de bénévolat, participation électorale, inscription dans un parti politique), d'indicateurs de sociabilité (rencontres et contacts avec la famille, les amis, les voisins), d'adhésion à des normes de civisme (degré de tolérance à la fraude notamment), de confiance (sentiment que l'on peut faire confiance à la plupart des gens).

Les profils des personnes investissant ces différents champs du capital social sont relativement différents d'une dimension à l'autre, et même au sein de chacune des dimensions. Dans le cas de la participation associative, on peut distinguer trois types d'associations pour lesquelles les motivations d'adhésion sont différentes [Muller et Fèbvre, 2005] (encadré) : celles auxquelles on adhère pour pratiquer une activité, s'épanouir, occuper son temps (associations « de loisirs ») ; celles auxquelles on adhère pour rencontrer d'autres personnes (associations « de rencontres ») ; celles auxquelles on adhère pour aider, défendre, faire respecter ses droits ou ceux des autres (associations « de défense des droits »). L'analyse menée à partir du dispositif des Statistiques sur les ressources et les conditions de vie (SRCV) montre quelques points communs : d'une façon générale, les personnes vivant dans l'agglomération parisienne, les personnes les moins diplômées et celles à faible niveau de vie adhèrent moins aux associations quel qu'en soit le type, tandis que les personnes seules y adhèrent davantage. Cependant, au-delà d'être plus souvent des personnes vivant seules, les personnes qui adhèrent à ces trois types d'associations présentent des profils sensiblement différents.

Le premier clivage est celui de l'âge : pour simplifier, les personnes âgées se tournent plus vers des associations de « rencontres », les personnes d'âge intermédiaire vers les associations de « défense des droits » (figure 1). Jusqu'à 65 ans, la proportion de personnes adhérentes à une association de loisirs est proche de 20 %, cette proportion est même un peu plus élevée parmi les moins de 25 ans. Mais ce n'est pas seulement une question d'âge ou de cycle de vie. Les femmes adhèrent moins aux associations de loisirs mais il n'y a pas d'écart significatif avec les hommes pour les deux autres types d'associations. La mauvaise santé apparaît avec un lien

1. Participation associative selon l'âge

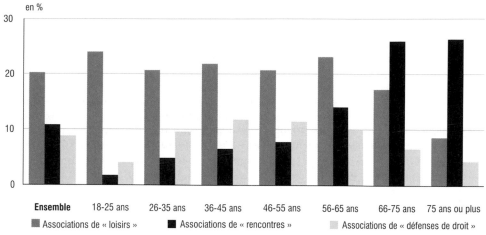

Champ : France métropolitaine, population de 18 ans ou plus.
Lecture : 24 % des personnes de 18 à 25 ans sont adhérents d'une association de loisirs *(encadré)*.
Source : Insee, dispositif des Statistiques sur les ressources et conditions de vie (SRCV) 2006.

négatif dans tous les cas sauf celui des associations de « défense des droits », pour lesquelles il n'y a pas de différence significative. Enfin, aucun lien systématique n'apparaît en ce qui concerne la localisation en zone rurale ou urbaine ou la taille d'unité urbaine, excepté le fait d'habiter dans l'agglomération parisienne.

On retrouve cette même hétérogénéité dans les profils des personnes ayant une participation sociale « active ». Trois mesures peuvent être utilisées pour mesurer les diverses facettes de la participation sociale : les liens avec les voisins peuvent indiquer un degré d'intégration locale, le bénévolat peut s'interpréter comme une manifestation de la réciprocité généralisée à la Putnam, et le fait de voter comme la manifestation d'une participation à « la vie de la cité ». Là encore, on retrouve des traits communs : avoir une mauvaise santé, un bas niveau de diplôme, un bas niveau de vie, être inactif non étudiant ou retraité, vivre dans un ménage complexe ou chez ses parents et vivre dans l'agglomération parisienne sont des caractéristiques associées significativement à une moindre participation aux activités de voisinage, à des activités bénévoles ou aux élections. En revanche, être une femme est positivement associé aux activités de voisinage et au vote mais pas au bénévolat. Avoir des enfants est positivement associé aux activités de voisinage mais n'a pas de lien significatif avec le bénévolat ni avec l'accomplissement du devoir électoral. Enfin, les personnes vont d'autant plus voter que leur niveau de vie est élevé mais ce gradient économique ne se retrouve ni pour les relations de voisinage, ni pour le bénévolat.

La troisième dimension souvent mise en avant dans la mesure du capital social est celle de la sociabilité (familiale et amicale). Cette dernière cristallise toutes les difficultés qui se posent pour la mesure plus générale du capital social. Faut-il s'intéresser à tous les types de contacts (y compris téléphoniques, par écrit, etc.), aux seules rencontres directes ou aux deux ? Il est de plus difficile d'interpréter la « quantité » de rencontres, qui dépend sans doute de la sociabilité des personnes, mais aussi de leur localisation qui peut être plus ou moins éloignée de celle des membres de leur famille ou de leurs amis. Enfin, on ne dispose pas d'information sur la « qualité » de ces contacts : des contacts fréquents avec la famille peuvent s'avérer être en fait désagréables pour une personne, en cas de tensions familiales par exemple. Les données disponibles montrent peu de résultats généraux : on peut cependant noter que les hommes, les personnes à faible niveau de vie et celles ayant des problèmes de santé ont un moindre degré de sociabilité que les autres. Il est difficile d'aller au-delà car les résultats dépendent beaucoup de l'indicateur retenu. Les personnes âgées, par exemple, ont des contacts plus fréquents avec leur famille, mais moins avec des amis ; les personnes les plus diplômées ont moins de rencontres directes avec leur famille, mais plus de contacts indirects avec eux et plus de rencontres avec leurs amis.

À la question de savoir si les différentes formes de capital social sont plutôt substituables (les individus s'impliquant dans une dimension du capital social délaisseraient d'autres dimensions) ou si elles se cumulent (certaines personnes s'impliquant dans de nombreuses dimensions, tandis que d'autres s'impliqueraient dans peu de dimensions), la réponse doit donc être nuancée. Pour les diverses dimensions, les profils des personnes qui s'impliquent sont assez différents, ce qui plaide plutôt pour une certaine substituabilité. En revanche, certains groupes sociaux, notamment les personnes ayant un niveau de vie élevé, semblent bénéficier d'un capital social important dans la plupart des dimensions *(figure 2)*. ■

2. Liens sociaux selon le niveau de vie

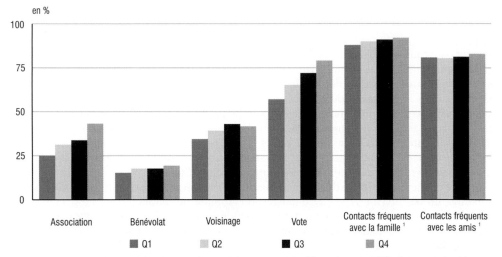

1. Le terme de « contacts » doit être entendu ici au sens large : il peut s'agir d'une rencontre en face à face ou d'un contact téléphonique par exemple. « fréquent » signifie au moins plusieurs fois par mois.
Champ : France métropolitaine, population de 18 ans ou plus.
Lecture : les personnes sont classées selon leur niveau de vie dans quatre groupes d'effectifs égaux : Q1 rassemble le quart des personnes aux niveaux de vie les plus faibles, Q4 rassemble le quart des personnes aux niveaux de vie les plus élevés. Parmi les personnes du premier groupe Q1, 25 % déclarent faire partie d'une association.
Source : Insee, dispositif des Statistiques sur les ressources et conditions de vie (SRCV) 2006.

Pour en savoir plus

Arrow J.K., « Observations on social capital », *in Dasgupta et Serageldin (Eds), Social capital : a multifaceted perspective*, Washington : Banque Mondiale, 1999.

OCDE, « Du bien-être des nations. Le rôle du capital humain et social », Paris : OCDE, 2001.

Ponthieux S., « Le capital social », *Repères*, La Découverte, 2006.

Putnam R.D., « Bowling Alone, America's declining social capital », *Journal of Democracy* 6:1 pp 65-78, 1995.

Putnam R.D., « Bowling alone : The collapse and revival of American community », New-York : Simon & Schuster, 2000.

Solow R., « Notes on social capital and economic performance », *in Dasgupta et Serageldin (Eds) op. cit.*, 1999.

Stiglitz J., Sen A. et Fitoussi J-P., Rapport de la commission sur la mesure des performances économiques et sociales, Paris, *La Documentation française,* 2009.

Les enfants des *baby-boomers* votent par intermittence, surtout quand ils sont peu diplômés

*Stéphane Jugnot, Nicolas Frémeaux**

Depuis la fin des années soixante-dix, l'abstention tend à s'accroître d'un scrutin à l'autre. Les milieux sociaux les moins favorisés, les personnes les plus en marge du marché du travail sont les plus prompts à s'abstenir, mais il existe aussi des différences importantes entre générations. Elles commencent dès l'inscription sur les listes électorales : les jeunes générations sont moins souvent inscrites que leurs aînées et l'écart est nettement plus élevé pour les non-diplômés. Du fait de leurs relativement faibles taux d'inscription et de participation, les plus jeunes apparaissent sous-représentés parmi les votants, comme les chômeurs, les habitants des zones urbaines sensibles, les familles monoparentales, les ouvriers non qualifiés et les employés de commerce. À l'opposé, les agriculteurs exploitants et les retraités sont sur-représentés, comme les ruraux et les cadres. L'abstention systématique à différents scrutins successifs reste limitée, concernant environ 8 % des inscrits ; ceux qui s'abstiennent le plus à une élection donnée sont avant tout des électeurs intermittents. L'importance du vote intermittent pose la question de la capacité des différents scrutins à motiver l'électeur, donc celle des enjeux.

Depuis la fin des années 1970, l'abstention tend à s'accroître d'un scrutin à l'autre. Aux élections présidentielles, l'abstention s'élève ainsi progressivement de 16 % à 28 % au premier tour, et de 13 % à 20 % au second tour, entre les élections de 1974 et celles de 2002. En 2007, le taux d'abstention retombe à 16 %, à un niveau proche de celui de 1965, première élection du Président de la République au suffrage universel direct depuis 1848. Mais ce recul ne marque pas forcément une inversion de tendance et n'est peut être qu'une exception comme le fut, dans l'autre sens, le scrutin de 1969, intervenu dans le contexte particulier de la démission du Général De Gaulle (30 % d'abstention au second tour). Car le recul tendanciel de la participation électorale s'observe à tous les types de scrutins. Pour les élections législatives, qui étaient le principal scrutin national jusqu'à la Cinquième République, l'abstention dépassait rarement les 20 % au premier tour, des années 1920 jusqu'aux années 1970 (hormis un pic d'abstention à 31 % en 1962). Depuis les élections législatives de 1988, ce taux de 20 % est presque devenu un plancher : en 2007, l'abstention a frôlé les 40 % au premier tour. Cette tendance au recul de la participation électorale s'observe aux autres élections (européennes, municipales, etc.) et ne semble pas être spécifiquement française : d'autres démocraties occidentales la connaissent.

De nombreuses études montrent que les milieux sociaux les moins favorisés, les personnes les plus en marge du marché du travail sont les plus prompts à s'abstenir. Braconnier & Dormagen (2007) parlent ainsi d'« exclusion politique des milieux populaires ». Les enquêtes sur la participation électorale, réalisées régulièrement par l'Insee depuis la fin des années 1980, confortent ces analyses (*encadré 1* ; Morin, 1990 ; Héran, 1995 ; Héran, 1997 ; Clanché, 2003 ; Desesquelles, 2004). Elles montrent qu'un faible niveau de diplôme éloigne

* Au moment de la réalisation de ces travaux, Stéphane Jugnot travaillait à l'Insee, Nicolas Frémeaux était élève de l' École d'économie de Paris.

des urnes, que le travail stable et la propriété du logement sont favorables au civisme, comme le service de l'État. Elles montrent aussi l'absence de différences entre les hommes et les femmes mais un effet important de l'âge, les plus jeunes s'abstenant davantage.

En reliant la participation électorale aux caractéristiques des personnes inscrites sur les listes électorales, l'accent est mis sur l'électeur, sur sa responsabilité, si la non-participation est vue comme le signe d'un désintérêt pour la vie de la cité. Il est mis sur celle de la société si la non-participation devient le signe d'une exclusion, d'une marginalisation. Par analogie avec une grille de lecture économique, où l'élection serait le lieu de rencontre entre une offre politique, portée par les candidats, et une demande, celle des électeurs, l'étude de la relation entre non-participation et caractéristiques individuelles des inscrits revient à privilégier plutôt le côté de la demande. Mais d'autres analyses interrogent le fonctionnement du « marché »,

---

Encadré 1

Les sources statistiques

Les enquêtes sur les conditions de vie des ménages

Le dispositif d'Enquêtes Permanentes sur les Conditions de Vie (EPCV) a été mis en place à partir de 1996 dans le but de produire divers indicateurs sociaux annuels. Le fait d'être inscrit sur les listes électorales figure parmi les questions posées aux enquêtés. Ils sont également interrogés sur leur participation à une série de scrutins récents parmi une liste variable d'une année sur l'autre.

Par rapport aux enquêtes sur la participation électorale, ces enquêtes présentent l'avantage de proposer de nombreuses informations sur les caractéristiques des personnes. La richesse des analyses est toutefois limitée par la taille réduite de l'échantillon. L'étude de l'inscription électorale s'appuie ainsi sur environ 5 000 répondants par an, majeurs et de nationalité française, un peu moins du double en 2003, soit 50 500 personnes sur neuf ans, dont 5400 non-inscrits. Par comparaison, l'enquête sur la participation électorale de 2007-2008 s'appuie sur 39 500 répondants.

Pour cette raison, les résultats issus des enquêtes EPCV sont construits en compilant plusieurs enquêtes successives de façon à permettre des analyses plus fines et plus robustes. La situation décrite est donc une situation moyenne sur plusieurs années. Sauf exception, l'analyse de l'inscription s'appuie sur les neuf enquêtes.

L'analyse du vote aux élections nationales repose en revanche sur trois enquêtes uniquement, celle de 1996, 1998 et 2003, de façon à s'appuyer sur trois scrutins différents (élections législatives de 1997 et élections présidentielles de 1995 et 2002), avec des enquêtés interrogés avec le même recul pour assurer un traitement homogène. Au total, 17 600 répondants inscrits sont ainsi pris en compte, dont 2 400 abstentionnistes.

Les enquêtes sur la participation électorale

Depuis la fin des années 1980, l'Insee réalise des enquêtes sur la participation électorale. Elles permettent d'analyser plus finement les comportements de participation que l'étude des simples taux de participation instantanés publiés par le ministère de l'Intérieur. En suivant le comportement des inscrits entre deux tours d'un même scrutin et entre différents scrutins successifs, elles permettent de mettre en évidence l'intermittence du vote, en distinguant les votants systématiques, les abstentionnistes systématiques et les électeurs intermittents. Uniquement exploitables au niveau national à la fin des années 1980, ces opérations sont désormais réalisées sur des échantillons de taille importante pour permettre quelques analyses régionales.

En pratique, l'Insee tire un échantillon de communes puis d'électeurs dans le fichier national des électeurs qu'il gère pour éviter les inscriptions multiples. Ses enquêteurs vont ensuite consulter les listes d'émargement, en préfecture ou sous-préfecture selon les cas, en s'appuyant sur une disposition du code électoral qui prévoit que tout électeur peut consulter les listes d'émargements dans les dix jours suivant le scrutin. Le fichier électoral comporte peu d'informations sociodémographiques : essentiellement le lieu de naissance, le sexe et l'âge. D'autres informations issues du recensement peuvent toutefois être récupérées par l'intermédiaire de l'échantillon démographique permanent. Jusqu'à la mise en place du nouveau mode de collecte du recensement, dont les premiers résultats ont été diffusés en 2008, le dernier recensement disponible pouvait toutefois être ancien de plusieurs années par rapport au scrutin étudié.

c'est-à-dire les règles institutionnelles. Par exemple, à partir d'une analyse économétrique de 151 élections dans 61 pays, Blais et *alii* (2003) concluent que la participation est nettement plus forte quand le vote est obligatoire et que cette obligation est accompagnée de sanctions réelles, que la facilité de voter (par correspondance, par procuration, par anticipation) a également un effet positif sur la participation, mais que les conditions d'inscription (obligatoire ou non, possibilité de s'inscrire jusqu'au dernier moment) ou le jour de vote (en semaine ou non), ne jouent pas. De son côté, le Centre d'analyse stratégique (2007) voit dans l'inscription « universelle » une piste à explorer, comme une réponse à la « mal-inscription » dénoncée par Braconnier & Dormagen (2007) ; ce terme désignant le fait d'être inscrit ailleurs que dans sa commune ou son quartier de résidence, faute d'avoir entrepris les démarches nécessaires à la suite d'un déménagement.

Le recul de la participation électorale pose aussi la question de la responsabilité de l'offre politique, car Blais et *alii* (2003) montrent que la participation est plus élevée quand le scrutin est proportionnel ou « mixte compensatoire », c'est-à-dire quand tous les partis ont des chances d'avoir des élus. Cette étude revient sur l'importance des enjeux, comme facteur de mobilisation des électeurs. En premier lieu, on constate qu'en amont du degré de participation électorale des électeurs qui figurent sur les listes électorales, il existe des inégalités de situation face à l'inscription sur ces listes : il faut aussi les prendre en compte pour saisir l'ampleur de la déformation de la représentativité des votants par rapport au corps électoral potentiel.

S'inscrire sur les listes : un effet de génération important

Près de neuf Français sur dix en âge de voter se déclarent inscrits sur les listes électorales, selon les enquêtes sur les conditions de vie des ménages, collectées chaque année de 1996 à 2004 par l'Insee (les Français vivant hors ménages, en prison, en maison de retraites, etc., ne sont pas pris en compte ici). Les variations d'une année sur l'autre sont relativement faibles : une fois inscrit, on le reste, sauf en cas de radiation à la suite d'une décision de justice ou à la suite d'un déménagement.

Il existe un effet de génération marqué pour l'inscription sur les listes électorales (*figure 1*). Si près de 95 % des personnes nées avant la fin des années 1940 se déclarent inscrites, le taux

1. Taux d'inscription selon l'année de naissance

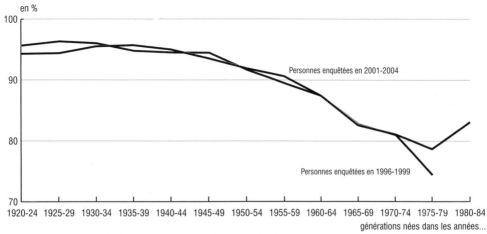

Champ : France métropolitaine, personnes de 19 ans ou plus et de nationalité française vivant en ménage ordinaire.
Source : Insee, dispositif d'enquêtes permanentes sur les conditions de vie des ménages (EPCV, 1996-2004).

d'inscription décline ensuite d'une génération à l'autre, pour les baby-boomers, qui atteignent l'âge de voter à partir du début des années 1970, puis pour leurs enfants. C'est donc chez les plus jeunes que le taux d'inscription est le plus faible : interrogés alors qu'ils ont autour de vingt ans, les jeunes nés entre 1975 et 1979 ne sont que 74 % à se déclarer inscrits. L'entrée dans la vie civique ne se fait toutefois pas forcément dès la majorité : cinq ans plus tard, la même génération se déclare inscrite à 78 %. La comparaison des taux d'inscription d'une même génération à cinq ans d'intervalle suggère toutefois que la probabilité d'être inscrit se stabilise au-delà de la trentaine.

Néanmoins, au début des années 2000, le taux d'inscription des plus jeunes augmente fortement. Interrogés alors qu'ils ont eux aussi autour de vingt ans, les jeunes nés entre 1980 et 1984 sont 83 % à se déclarer inscrits, presque dix points de plus que leurs aînés interrogés aux mêmes âges. Entre-temps, l'inscription d'office des personnes âgées de 18 ans sur les listes électorales, prévue par la loi du 10 novembre 1997, a été facilitée : depuis 2001, la procédure a été simplifiée[1].

Faire peu d'études écarte de plus en plus des listes électorales

Les caractéristiques individuelles des personnes, telles que leur niveau de vie, leur situation d'activité, leur situation d'emploi ou leur position socioprofessionnelle, ont pu changer entre la date de leur première inscription sur les listes électorales et la date de l'enquête. Parmi les informations biographiques disponibles dans les enquêtes sur les conditions de vie, l'influence du niveau d'études, de la nationalité à la naissance et de la position socioprofessionnelle du père durant la majeure partie de la scolarité peut être examinée. Quand on cherche à démêler l'influence de ces différents facteurs, y compris le niveau d'études, tous ne jouent pas avec la même intensité à tous les âges. Pour les plus âgés, seul le niveau d'études joue significativement. Son influence est significative pour toutes les générations.

D'une façon générale, les moins diplômés restent plus fréquemment en marge que les autres mais l'écart est nettement plus important pour les plus jeunes (*figure 2*). En moyenne, au tournant des années 2000, 87 % des 35 ans ou moins ayant suivi des études supérieures sont inscrits. Au même niveau d'études, ils sont 93 % chez les 36-55 ans et 96 % pour les plus de 55 ans. Au bas de l'échelle des niveaux de formation, seuls 65 % des 35 ans ou moins n'ayant pas dépassé le 1er cycle de l'enseignement général (collège) sont inscrits. Mais c'est le cas de 92 % des plus de 55 ans qui n'ont pas atteint la fin des études primaires.

Parmi les autres facteurs, la position socioprofessionnelle du père durant les études joue un peu. En particulier, être enfant d'agriculteur favorise le fait d'être inscrit. Ce résultat rejoint les observations, faites régulièrement au lendemain des scrutins, d'une meilleure participation dans les communes rurales. En dehors des plus âgés, pour lesquels le mode d'acquisition de la nationalité ne joue pas, la propension à être inscrit est plus faible pour les Français par acquisition : en moyenne, 57 % des français par acquisition de 35 ans ou moins se déclarent inscrits, contre 81 % des français de naissance du même âge. Chez les 36-55 ans, l'écart n'est que de 9 points.

---

1. Comme il n'existe pas de registre de population en France, l'inscription d'office des jeunes majeurs est prononcée par des commissions administratives communales chargées de la révision des listes électorales. Elles s'appuient sur des listes de jeunes potentiellement concernés, transmises aux communes par l'Insee. Les sources d'informations mobilisées pour établir ces listes ne garantissant ni la nationalité française, ni la commune de résidence, les communes procédaient au départ à des vérifications préalables. En milieu urbain notamment, les jeunes étaient souvent invités à venir déposer en mairie toutes les pièces justificatives nécessaires, ce qui décourageait certains d'entre eux. Dans son rapport d'information parlementaire, Jean-Pierre Dufau (2001) estime qu'un jeune sur deux potentiellement concerné en 2001 a été finalement inscrit d'office. Depuis 2001, la procédure a été simplifiée. L'usage exclusif des fichiers du recensement du service national garantit la nationalité française. Quant à la domiciliation, elle peut être validée par l'absence de retour de type « n'habite pas l'adresse indiquée » au courrier d'information envoyé par la commune.

2. La variation du taux d'inscription par niveau d'études s'accroît entre générations

en %

	Part des inscrits	Part des personnes ayant le niveau d'études considéré dans la tranche d'âge
35 ans ou moins		
1er cycle d'enseignement général ou inférieur	65	10
2nd cycle d'enseignement général	76	9
Enseignement technique ou professionnel, court	77	27
Enseignement technique ou professionnel, long	82	11
Enseignement supérieur	87	43
36-55 ans		
Dernière année d'études primaires	87	14
1er cycle d'enseignement général	87	13
2nd cycle d'enseignement général	89	12
Enseignement technique ou professionnel, court	91	34
Enseignement technique ou professionnel, long	93	6
Enseignement supérieur	93	23
56 ans ou plus		
Avant la fin des études primaires	92	13
Dernière année d'études primaires	96	40
1er cycle d'enseignement général	96	11
2nd cycle d'enseignement général	96	8
Enseignement technique ou professionnel, court	95	15
Enseignement technique ou professionnel, long	97	3
Enseignement supérieur	96	10

Champ : France métropolitaine, personnes de 19 ans ou plus et de nationalité française vivant en ménage ordinaire.
Lecture : 87 % des personnes de 35 ans ou moins diplômées de l'enseignement supérieur sont inscrites sur les listes électorales ; les personnes diplômées de l'enseignement supérieur représentent 43 % des 35 ans ou moins.
Source : Insee, dispositif d'enquêtes permanentes sur les conditions de vie des ménages (EPCV, 1997-2004).

Pour les plus jeunes, entrés récemment dans l'espace civique, le lien entre leur situation présente à la date d'enquête et le fait qu'ils se déclarent inscrits ou non renseigne sur les facteurs qui favorisent la propension à s'inscrire au moment où la question se pose le plus. Les différences sont importantes selon le niveau d'études atteint et le constat déjà fait pour l'ensemble des 35 ans ou moins reste valable pour les 19-25 ans : 58 % d'inscrits parmi les jeunes non qualifiés qui n'ont pas atteint le lycée, 75 % pour les autres jeunes qui n'ont pas dépassé le secondaire, 69 % pour les jeunes passés par un enseignement professionnel supérieur court, etc. La situation d'activité joue aussi : les jeunes encore en études sont nettement plus souvent inscrits que les jeunes chômeurs (83 % contre 72 %), les jeunes en emploi se situant entre les deux. Concernant le lieu de résidence, 89 % des jeunes résidant dans l'espace rural sont inscrits, contre 75 % de ceux qui habitent un pôle urbain. Dans les zones urbaines sensibles, ils ne sont que 63 % à être inscrits.

Naturellement, tous ces facteurs s'entrecroisent : le niveau de formation et la situation d'emploi des jeunes sont liés ; la composition sociale d'une zone urbaine sensible n'est pas la même que celle d'une commune de l'espace rural ; l'origine sociale des parents influence par ailleurs les parcours scolaires, etc. Lorsque l'on tente d'isoler les effets croisés de ces différents facteurs, le niveau de formation, la situation d'activité, le lieu de résidence ou la nationalité à la naissance restent des facteurs significatifs des différences de propension à être inscrit. En revanche, pour ceux qui sont en emploi, la précarité de l'emploi n'apparaît plus déterminante.

Une fois inscrit, il faut encore voter

« Voter est un droit, c'est aussi un devoir civique », rappellent les cartes électorales. Si l'inscription sur les listes électorales ouvre un droit, chacun reste libre d'en user ensuite. Les enquêtes sur les conditions de vie permettent là encore de voir si, en fonction de certaines caractéristiques personnelles, certains votent davantage que d'autres. Quelques questions abordent en effet la participation à des scrutins récents. Seul le vote aux élections nationales est étudié ici. L'analyse est faite à partir des comportements de participation à trois votes successifs : le premier tour de l'élection présidentielle de 1995, le premier tour des élections législatives de 1997 et le premier tour de l'élection présidentielle de 2002. En moyenne sur les trois votes, 86 % des inscrits déclarent avoir voté, soit une abstention de 14 %, sur un champ d'environ 37 millions d'inscrits. L'abstention déclarée par les personnes vivant dans des ménages ordinaires est donc significativement inférieure à celle enregistrée par le ministère de l'Intérieur sur l'ensemble des inscrits (cf. *supra*).

Là encore, l'âge est un facteur déterminant : les trois votes pris en compte n'ont mobilisé en moyenne que 73 % des moins de 26 ans inscrits sur les listes électorales, contre 90 % des inscrits de 50 ans ou plus (*figure 3*). Comme pour la propension à s'inscrire sur les listes, des différences notables existent selon le niveau d'études. Parmi les jeunes, ceux qui sont encore étudiants sont plus souvent inscrits que ceux qui sont entrés sur le marché du travail (cf. *supra*), mais parmi les jeunes inscrits, les étudiants ont en revanche moins voté. Par ailleurs, à tout âge, la précarité éloigne des urnes. 25 % des 35 ans ou moins au chômage indiquent ne pas avoir voté : c'est 6 points de plus que les jeunes en emploi. 19 % des 36-49 ans au chômage n'ont pas voté : c'est 8 points de plus que ceux qui ont un emploi. De même, un bénéficiaire du RMI sur quatre déclare ne pas avoir voté. Les fonctionnaires, en revanche, votent davantage que les autres salariés, quel que soit leur âge. La relation entre ces différents facteurs et le fait de déclarer avoir voté reste significative quand on cherche à mesurer les effets spécifiques propres de chacun. Être en couple ou habiter dans une commune de l'espace rural a aussi un effet positif significatif sur le vote, tandis qu'être français par acquisition, habiter une zone urbaine sensible ou être en situation de monoparentalité éloigne des urnes. En revanche, le type de contrat de travail et le niveau de vie n'ont pas d'effet significatif, une fois les autres facteurs pris en compte. Par ailleurs, le fait d'être investi d'une responsabilité dans au moins une association va de pair avec une moindre abstention, surtout par rapport à des non-adhérents (*encadré 2*).

Les facteurs qui influencent la propension à s'inscrire sur les listes électorales puis, étant inscrit, la propension à voter, s'accumulent et conduisent à déformer sensiblement la composition du corps électoral participant par rapport à la composition du corps électoral potentiel, c'est-à-dire l'ensemble des hommes et des femmes majeurs de nationalité française. En moyenne, lors des trois scrutins étudiés, 73 % des moins de 26 ans inscrits ont voté, mais 20 % des jeunes de cet âge n'étaient pas inscrits sur les listes. Au total, la participation réelle, par rapport au corps électoral potentiel s'élève donc à 59 %. De ce fait, les moins de 26 ans représentent 9 % des votants alors qu'ils sont 12 % du corps électoral potentiel. Si tous les jeunes s'étaient inscrits et avaient voté avec une voix comptant pour 0,8 voix, la même déformation de la représentation de la population parmi les votants aurait été obtenue.

Sous cet angle, les catégories les plus sous-représentées parmi les votants sont d'abord les RMIstes, les étudiants et les chômeurs, les jeunes, puis les habitants des zones urbaines sensibles, les salariés intérimaires ou en CDD, les familles monoparentales, les ouvriers non qualifiés et les employés de commerce. À l'opposé, les catégories sur-représentées sont les agriculteurs exploitants et les retraités, plus largement, les 50 ans ou plus, puis les habitants des communes à dominante rurale et les cadres : si tous les électeurs potentiels avaient voté, il aurait fallu que leur voix compte pour 1,1 voix pour que leur poids parmi les votants soit le même. La même analyse conduite sur des scrutins locaux, les élections régionales ou municipales, moins mobilisateurs en moyenne que les scrutins nationaux, accroîtrait sans doute la distorsion.

3. Non-inscription et non-participation se cumulent pour déformer la représentativité du corps électoral

	Taux d'inscription sur les listes électorales (en %)	Taux de participation au 1er tour de scrutins nationaux [1] (en %)	Participation au scrutin par rapport au corps électoral potentiel (en %)	«Valeur» d'une voix
Genre				
Homme	90	87	78	1,0
Femme	90	86	77	1,0
Tranche d'âge				
Moins de 26 ans	80	73	59	0,8
26-35 ans	84	82	69	0,9
36-49 ans	90	87	79	1,0
50-65 ans	95	91	86	1,1
66 ans ou plus	96	90	86	1,1
Nationalité à la naissance				
Française	90	86	78	1,0
Autres	81	84	68	0,9
Type de ménage				
Personne seule	89	84	75	1,0
Couple sans enfant	94	89	83	1,1
Couple avec enfant(s)	89	86	77	1,0
Famille monoparentale	81	82	66	0,8
Commune de résidence				
Pôle urbain ville-centre	86	85	73	0,9
Pôle urbain banlieue	90	86	77	1,0
Périurbain	93	86	80	1,0
Rural	94	89	84	1,1
Résidence en zone urbaine sensible				
Oui	80	81	64	0,8
Non	91	87	79	1,0
Niveau de vie [2]				
1er quartile	86	83	71	0,9
2e quartile	89	86	77	1,0
3e quartile	91	87	80	1,0
4e quartile	94	88	82	1,1
RMIste				
Oui	73	74	54	0,7
Non	90	87	78	1,0
Statut d'occcupation				
En emploi	90	87	78	1,0
Chômeur (inscrit ou non à l'ANPE)	78	79	61	0,8
Étudiant, élève, en formation, en stage non rémunéré	82	72	59	0,8
Autre inactif	87	82	71	0,9
Retraité ou pré-retraité	96	91	87	1,1
Femme au foyer	88	85	75	1,0
Type de contrat des salariés				
Intérim, CDD	80	80	64	0,8
CDI, à temps complet	91	87	80	1,0
CDI, à temps partiel	91	87	79	1,0
Catégorie socioprofessionnelle				
Agriculteur exploitant	96	92	88	1,1
Artisan, commerçant, chefs d'entreprise	89	86	77	1,0
Cadre et profession intellectuelle supérieure	93	88	82	1,1
Profession intermédiaire	92	88	80	1,0
Employé	87	85	74	0,9
dont : employé de commerce	*84*	*80*	*67*	*0,9*
Ouvrier qualifié	86	83	72	0,9
Ouvrier non qualifié	83	80	67	0,9
Retraité	96	91	88	1,1
Autre inactif	82	77	64	0,8

1. Participation au 1er tour de l'élection présidentielle de 1995 pour les personnes enquêtées en 1996 ; participation au 1er tour des élections législatives de 1997 pour les personnes enquêtées en 1998 ; participation au 1er tour de l'élection présidentielle de 2002 pour les personnes enquêtées en 2003.
2. Le niveau de vie correspond au revenu du ménage par unité de consommation. Le 1er quartile regroupe le quart des ménages ayant le niveau de vie le plus faible. À l'inverse, le 4e quartile correspond au quart des ménages ayant le niveau de vie le plus élevé.
Champ : France métropolitaine, personnes de 19 ans ou plus et de nationalité française vivant en ménage ordinaire.
Lecture : les personnes de moins de 26 ans sont à 80 % inscrites sur les listes électorales ; les moins de 26 ans inscrits ont voté à 73 % en moyenne au 1er tour d'un scrutin national[1]. La participation par rapport au corps électoral potentiel s'élève ainsi à 59 %. Les moins de 26 ans sont sous-représentés parmi les votants. Autrement dit, si tous les jeunes de moins de 26 ans s'étaient inscrits et avaient voté, il aurait fallu que leur voix ne compte que pour 0,8 voix pour que leur poids parmi les votants fut le même.
Source : Insee, dispositif d'enquêtes permanentes sur les conditions de vie des ménages (EPCV ; 1996, 1998, 2003).

Une abstention non systématique qui soulève la question des enjeux

L'analyse qui précède s'appuie sur des photos instantanées observant la participation à un scrutin donné. Un suivi longitudinal du comportement des électeurs d'une élection à l'autre conduit à nuancer le diagnostic d'un retrait croissant de la vie civique. Car l'augmentation de l'abstention résulte moins d'une abstention systématique que d'un recul du vote systématique au profit d'un vote intermittent. C'est ce que montrent les enquêtes successives réalisées par l'Insee sur la participation électorale, sur l'ensemble des inscrits, qu'ils vivent en ménage ordinaire ou non. Seuls 8 % des électeurs inscrits se sont ainsi abstenus systématiquement aux quatre scrutins suivis par le panel 1988-1989 (élections présidentielle et législatives, référendum sur la Nouvelle-Calédonie et élections municipales). La proportion est la même pour les trois scrutins suivis par le panel 1995-1997 (élections présidentielle, municipales et législatives). Elle est proche pour les quatre scrutins du panel 2002-2004 (élections présidentielle, législatives, régionales et européennes). Enfin, sur les trois scrutins suivis en 2007-2008 (élections présidentielle, législatives et municipales), l'abstention systématique s'élève encore à 8 %, tandis que le vote systématique ne concerne que 42 % des électeurs. En comparaison, le taux d'abstention le plus bas, observé au premier tour de l'élection présidentielle de 1988 et aux deux tours de l'élection de 2007, est deux fois plus élevé, atteignant 16 %. En 1995 et en 2002, l'abstention dépasse même 20 % au second tour (qui est celui qui mobilise le plus).

Malgré tout, l'élection présidentielle est l'élection privilégiée par l'électeur intermittent, notamment chez les jeunes, par ailleurs plus souvent intermittents que les autres. Sur les trois élections de 2007-2008, près de sept jeunes de moins de 30 ans sur dix ont voté par intermittence, dont trois en ne votant que lors du scrutin présidentiel (*figure 4*). En comparaison, chez les quarantenaires, cinq sur dix ont voté par intermittence, dont un seul en ne votant qu'au scrutin présidentiel. L'intermittence du vote marque donc une hiérarchisation des scrutins, davantage marquée pour les jeunes, mais aussi pour les moins diplômés ou les plus précaires. Derrière cette hiérarchisation, la question des enjeux et de l'offre politique se pose.

4. L'importance du vote intermittent en 2007-2008 selon l'âge

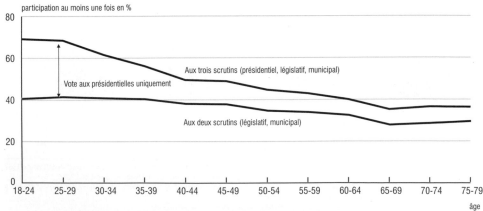

Champ : France métropolitaine, ensemble des électeurs inscrits.
Lecture : 69 % des jeunes de 18 à 24 ans inscrits sur les listes électorales ont voté au moins une fois aux trois derniers scrutins, ils ne sont que 41 % a avoir voté au moins une fois aux deux derniers : 28 % n'ont donc voté qu'aux élections présidentielles.
Source : Insee, enquête sur la participation électorale 2007-2008.

France, portrait social - édition 2010

Encadré 2

Le lien entre le vote et d'autres formes de participation sociale est modéré

Voter est une forme de participation sociale, dans le cadre de « rendez-vous » réguliers mais ponctuels. La vie associative est une autre forme d'implication, qui peut se vivre plus au quotidien, soit comme adhérent plus ou moins actif, soit comme responsable. La question de la complémentarité de ces deux formes d'investissement peut donc se poser. D'un côté, si la non-participation électorale est interprétée comme la résultante d'une précarisation sociale qui marginalise, on pourrait s'attendre à ce qu'elle s'accompagne aussi d'une moindre implication associative, d'autant que l'époque ne semble plus aux grands mouvements collectifs qui ont pu exister dans le passé. D'un autre côté, certains politologues rapprochent le désinvestissement électoral et l'investissement associatif, par exemple au profit d'associations humanitaires ou environnementales.

S'intéressant à l'investissement associatif, Febvre et Muller (2002) ont montré que celui-ci augmentait avec le niveau de diplôme et le niveau de vie et qu'il était moins important chez les plus jeunes. Ce constat rejoint celui fait pour l'implication électorale. La plus forte implication des hommes en matière d'investissement associatif n'est en revanche pas observée en matière électorale où l'effet du genre est peu, voire pas significa-

tif. Des facteurs jouent donc dans le même sens pour l'implication associative et pour l'implication aux élections suggérant que les deux vont de pair. En ne tenant pas compte des associations sportives, une analyse « toutes choses égales par ailleurs », prenant en compte les caractéristiques déjà évoquées comme influençant l'implication électorale, suggère également que le fait d'être investi d'une responsabilité dans au moins une association va de pair avec une moindre abstention, surtout par rapport à des non-adhérents.

L'effet est toutefois loin d'être massif. 9 % des inscrits déclarent avoir des responsabilités dans au moins une association, 7 % chez les moins de 35 ans, 12 % chez les 36-55 ans et 8 % chez les plus de 55 ans (respectivement 8 % et 21 %). Leur taux de participation aux scrutins nationaux atteint 96 % chez les plus âgés mais n'est que de 85 % chez les plus jeunes (*figure*). L'implication associative mesurée par la fréquence de la participation semble être un peu plus élevée chez ceux qui s'abstiennent le moins mais l'effet n'apparaît pas significatif, une fois pris en compte d'autres facteurs. Cela reste vrai si l'on se limite aux associations de défense d'une cause : groupement syndical ou professionnel, association de protection de l'environnement, association à but humanitaire et groupe religieux.

Le taux de participation aux élections nationales augmente avec l'investissement associatif

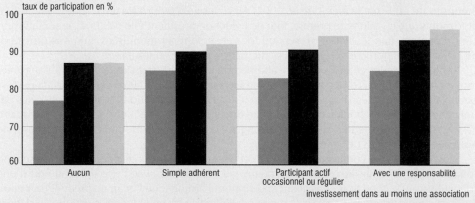

Champ : France métropolitaine, personnes de 19 ans ou plus et de nationalité française vivant en ménage ordinaire .
Note : participation au 1er tour de l'élection présidentielle de 1995 pour les personnes enquêtées en 1996 ; participation au 1er tour des élections législatives de 1997 pour les personnes enquêtées en 1998 ; participation au 1er tour de l'élection présidentielle de 2002 pour les personnes enquêtées en 2003.
Source : Insee, dispositif d'enquêtes permanentes sur les conditions de vie des ménages (EPCV ; 1996, 1998, 2003).

5. Les jeunes se sont mobilisés à la présidentielle de 2007

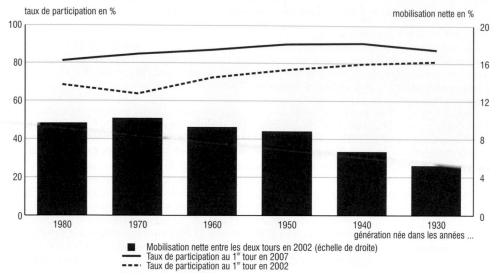

Champ : France métropolitaine, ensemble des électeurs inscrits.
Définition : mobilisation nette : écart de taux de participation entre le 1er et le 2nd tour de l'élection présidentielle de 2002.
Lecture : les personnes nées dans les années 1980 et inscrites sur les listes électorales sont 81 % à avoir voté au 1er tour de l'élection présidentielle de 2007. En 2002, leur taux de participation au 1er tour n'était que de 68 % ; ils s'étaient nettement plus mobilisés au 2nd tour : leur taux de participation avait augmenté de presque 10 points.
Source : Insee, enquêtes sur la participation électorale 2002-2004 et 2007.

Les élections présidentielles de 2002 et 2007 illustrent l'importance des enjeux. À chaque élection, une proportion du corps électoral vote au premier tour sans voter au second et vice-versa, avec une ampleur qui se compense plus ou moins. En 2002, 4 % des électeurs n'ont ainsi voté qu'au premier tour mais trois fois plus n'ont voté qu'au second, entraînant une hausse de 8 points de la participation nette. Comme le montre Jugnot (2007), cette sur-mobilisation particulière se retrouve amplifiée aux élections suivantes, marquant les élections de 2007 par la mémoire de 2002. Ainsi, les générations les plus jeunes, qui avaient voté moins que les autres au premier tour de l'élection présidentielle de 2002, se sont mobilisées davantage que les autres au second tour et se sont sur-mobilisées cinq ans plus tard, au point de se rapprocher du taux de participation de leurs aînés (*figure 5*).

L'importance des enjeux peut-être abordée de façon plus statistique en comparant différentes circonscriptions d'une même élection législative. Héran (1997) étudie ainsi la participation aux élections législatives de 1997, en utilisant les anticipations de résultats publiés par un grand quotidien national et un hebdomadaire. Il conclut à une mobilisation accrue quand l'issue est incertaine, tandis qu'une offre tronquée démobilise, la mobilisation étant plus forte au second tour en cas de triangulaire.

Ces résultats sont confirmés lorsqu'on met en relation[2] le taux de participation au second tour des élections législatives de 2007 au niveau communal, avec l'existence ou non d'une triangulaire au second tour dans la circonscription, l'ampleur de l'écart au premier tour entre les deux candidats arrivés en tête et l'ampleur de l'écart au second tour des élections législatives précédentes, celles de 2002 (toutes ces informations sont disponibles au ministère de l'Intérieur). Les informations qui caractérisent la commune ou sa population et qui sont susceptibles d'influencer le taux de participation d'après les analyses évoquées plus haut sont également prises en compte : en particulier l'appartenance de la commune à l'espace rural, à

---

2. À l'aide d'une régression linéaire.

un pôle urbain ou à un espace périurbain, la structure par âge de sa population, mais aussi le poids des fonctionnaires parmi ses habitants, la répartition entre les différents niveaux de diplôme ou entre les différentes catégories socioprofessionnelles. Le fichier national des électeurs de l'Insee permet de construire la pyramide des âges des électeurs inscrits commune par commune. Le recensement de 2006 fournit les autres caractérisations sociodémographiques. Les résultats de cette analyse montrent qu'une triangulaire a un impact positif statistiquement significatif sur le taux de participation, de même qu'un faible écart entre les deux candidats arrivés en tête au premier tour ou entre les deux candidats présents au second tour en 2002. Au contraire, un écart élevé pénalise la participation. L'importance de l'offre politique et de sa diversité, comme l'importance d'un enjeu électoral, sous la forme d'une incertitude sur le résultat final, sont donc des facteurs de mobilisation et sans doute d'abord pour ceux qui sont les plus éloignés d'une participation systématique : les plus jeunes et les moins diplômés, donc aussi les plus exposés sur le marché du travail. ∎

Pour en savoir plus

• Blais A. et *alii*, « Pourquoi le taux de participation est-il plus élevé dans certains pays que d'autres ? », *Élections Canada*, mars 2003.

• Braconnier C. et Dormagen J.-Y., « La démocratie de l'abstention », *Folio actuel*, février 2007.

• Clanché F., « La participation électorale au printemps 2002 », *Insee première* n°877, janvier 2003.

• Desesquelles A., « La participation électorale au printemps 2004 », *Insee première* n°997, décembre 2004.

• Dufau J.-P., « Rapport d'information sur l'inscription d'office des personnes âgées de dix-huit ans sur les listes électorales », *Rapport d'information* n°3314, Assemblée nationale, octobre 2001.

• Febvre M., Muller L., « Une personne sur deux est membre d'une association en 2002 », *Insee première* n°920, septembre 2003.

• Héran F., « La double élection de 1995 : exclusion sociale et stratégie d'absention », *Insee première* n°414, novembre 1995.

• Héran F., « Les intermittences du vote, un bilan de la participation de 1995 à 1997 », *Insee première* n°546, septembre 1997.

• Jugnot S., « La participation électorale en 2007 : la mémoire de 2002 », *Insee première* n°1169, décembre 2007.

• Morin J., « La participation électorale d'avril 1988 à mars 1989 », *Données Sociales* Insee, 1990.

• Verrier B., « Inscription sur les listes électorales, non inscription, mal inscription : enjeux démocratiques et pistes d'action », *La note de veille* n°49, Centre d'analyse stratégique, mars 2007.

La pauvreté en conditions de vie a touché plus d'une personne sur cinq entre 2004 et 2007

Mathilde Clément, Pascal Godefroy*

En 2007, 12 % des personnes de 16 ans ou plus sont dites « pauvres en conditions de vie » car elles déclarent de nombreuses difficultés budgétaires et restrictions de consommation ou des conditions de logement difficiles. Sur quatre ans, entre 2004 et 2007, ce sont 22 % des adultes qui ont été touchés par la pauvreté en conditions de vie : parmi eux, deux sur cinq ont été pauvres une seule année, et un sur cinq a été pauvre quatre années de suite. En moyenne chaque année, 5 % des personnes non pauvres entrent en pauvreté et 59 % des personnes pauvres en sortent.

La pauvreté persistante est associée à des conditions de vie très dégradées, et touche des personnes qui cumulent les désavantages sociaux : pauvreté monétaire, précarité vis-à-vis du marché du travail, difficultés de santé. La pauvreté plus transitoire concerne des ménages jeunes soumis à des contraintes budgétaires élevées mais passagères, et aussi des personnes plus âgées qui se privent ponctuellement.

La pauvreté est un phénomène multidimensionnel. Son approche par les conditions de vie consiste à repérer les personnes qui sont privées d'un certain nombre d'éléments de bien-être matériel *(encadré 1)*. L'indicateur de pauvreté en conditions de vie actuellement utilisé par l'Insee (depuis 2004) est fondé sur une liste de 27 privations, mesurées à partir du dispositif des Statistiques sur les ressources et les conditions de vie (SRCV, *encadré 2*). Ces 27 privations portent sur quatre grands domaines de la vie quotidienne : les contraintes budgétaires, les retards de paiements, les restrictions de consommation et les difficultés de logement. Une personne est pauvre en conditions de vie si le ménage auquel elle appartient cumule au moins huit de ces privations.

L'approche par les conditions de vie postule que, si une privation ne révèle pas à elle seule des conditions de vie difficiles et peut avoir de multiples explications, l'accumulation de privations n'a qu'une seule raison : la faiblesse durable des ressources [Townsend, 1979]. L'approche de la pauvreté par les conditions de vie complète ainsi l'approche monétaire[1]. En 2007, en France métropolitaine, 12,2 % des personnes de 16 ans ou plus sont pauvres en conditions de vie et 13,1 % sont pauvres au sens monétaire. Mais « seulement » 4,6 % des personnes sont simultanément pauvres au sens monétaire et en conditions de vie, 8,5 % sont pauvres « uniquement » au sens monétaire, et 7,6 % « uniquement » en conditions de vie. Au total, c'est-à-dire en ajoutant pauvreté monétaire et pauvreté en conditions de vie, la pauvreté concerne environ 21 % des personnes en 2007. Cette non concomitance des deux formes de pauvreté révèle que les conditions d'existence ne s'ajustent pas, ni immédiatement, ni systématiquement, au revenu[2].

---

* Mathilde Clément, Pascal Godefroy, Insee.

1. Une personne est pauvre au sens monétaire si son niveau de vie est inférieur à 60 % de la médiane des niveaux de vie, soit 908 euros par mois pour une personne seule en 2007 (« Les revenus et le patrimoine des ménages », Insee Références, 2010).
2. L'approche monétaire, instantanée, ne tient pas compte de l'épargne et du patrimoine accumulés par le ménage. De plus, elle néglige le soutien financier ou matériel que l'on peut recevoir de l'entourage, ou encore les différences de coût de la vie (et en particulier du logement) selon l'endroit où l'on vit [Lollivier, Verger, 1997].

1. Quelle part des personnes ont été pauvres en conditions de vie entre 2004 et 2007 et combien de temps ?

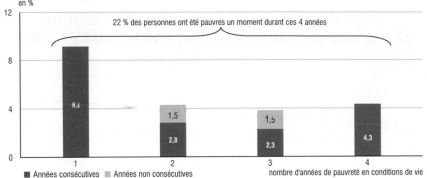

Champ : France métropolitaine, personnes vivant en ménages ordinaires, agées de 16 ans ou plus en 2004.
Lecture : sur l'ensemble de la population, un peu plus de 4 % des personnes ont été pauvres 2 années entre 2004 et 2007 ; pour 1,5 %, ces deux années de pauvreté n'étaient pas consécutives.
Source : Insee, panel SRCV 2004-2007.

Encadré 1

La pauvreté en conditions de vie : un manque global d'éléments de bien-être matériel

L'approche de la pauvreté en conditions de vie, développée à la suite des travaux de Townsend (1979) et de Mack et Lansley (1985) vise à saisir l'absence, due au manque d'argent, d'un ensemble d'éléments que la majorité de la population possède et représentatifs de ce qui est nécessaire pour avoir des conditions de vie « normales ». On réalise régulièrement en France depuis une quinzaine d'années des enquêtes de « privations » : les informations collectées depuis 2004 dans le dispositif SRCV (Statistiques sur les ressources et les conditions de vie, *encadré 2*) sont celles qui étaient présentes dans les Enquêtes permanentes sur les conditions de vie des ménages (EPCV), et qui ont permis dès les années 1990 de développer cette approche de la pauvreté en conditions de vie. Dans une liste initiale de 22 items, le « seuil » de pauvreté en conditions de vie avait alors été défini en retenant le nombre de privations qui concernait un pourcentage de la population proche du taux de pauvreté monétaire [Lollivier et Verger, 1997]. La composition de cette liste était plutôt basée sur le modèle d'enquêtes similaires conduites depuis les années 1980 dans d'autres pays et sur des choix d'experts que sur une validation statistique [Dickès, 1994 ; Lollivier et Verger, 1997].

L'enquête « Standards de vie », réalisée par l'Insee en 2006 auprès de 9 000 ménages, a visé à valider l'emploi des items usuels en demandant aux enquêtés de désigner quels éléments caractérisant les conditions de vie, au sein d'une liste très fournie, constituaient pour eux une nécessité. Il en ressort un consensus assez étroit qui conduirait à ne retenir que des items relevant des nécessités vitales [Accardo et De Saint Pol, 2009]. Par exemple, l'absence d'eau chaude dans le logement (retenue comme privation dans la définition française de la pauvreté en conditions de vie), si elle concerne moins de 1 % des logements (SRCV, 2007), est citée par plus de 85 % des français. Ces résultats ont relancé les réflexions en vue de définir un éventail plus large, combinant les éléments validés par le consensus et des avis d'experts, dans la lignée des travaux récents menés au Royaume-Uni [Hirsch et *al.*, 2009].

L'indicateur de pauvreté en conditions de vie de l'Insee retient actuellement 27 privations, recensées annuellement depuis 2004 dans SRCV, qui couvrent quatre dimensions de la vie quotidienne : l'insuffisance des ressources, les retards de paiement, les restrictions de consommation et les difficultés de logement (liste des privations *annexe 1*). On considère qu'une personne est pauvre en conditions de vie si le ménage auquel elle appartient cumule au moins 8 privations ou difficultés parmi ces 27. Nous donnons donc à chaque privation la même importance dans l'indicateur global. Cette équi-pondération ne veut pas dire que toutes les privations recensées se valent. Elle traduit plutôt la difficulté de répondre à la question suivante : les privations les plus graves constituent-elles un pas plus grand vers la pauvreté ? L'utilisation de données longitudinales éclaire cette question, et cet article offre des premières réponses.

France, portrait social - édition 2010

La disponibilité de quatre vagues du panel SRCV permet une étude longitudinale de la pauvreté en conditions de vie, entre 2004 et 2007, sur un peu plus de 9 000 personnes vivant en France métropolitaine, âgées de 16 ans ou plus en 2004. Cette analyse sur plusieurs années montre que la pauvreté en conditions de vie possède divers visages. D'une part, les dynamiques sont variées : sur les quatre ans, la pauvreté peut être transitoire, intermittente ou permanente. D'autre part, l'hétérogénéité des situations de pauvreté et des caractéristiques des personnes qui les subissent, déjà révélée par l'analyse instantanée, est souvent plus marquée encore lorsqu'on distingue ces trajectoires.

Entre 2004 et 2007, la pauvreté en conditions de vie a touché plus d'une personne sur cinq

La pauvreté en conditions de vie n'est pas un phénomène rare. Une année donnée, le risque moyen d'entrer en pauvreté l'année suivante est de 5 % mais ces risques se cumulent et, entre 2004 et 2007, 22 % des adultes de France métropolitaine ont été pauvres en condition de vie à un moment donné *(figure 1)*. Toutefois, la pauvreté n'est pas fatalement permanente : parmi les personnes qui ont été pauvres un moment, celles qui ne l'ont été qu'une seule année sont les plus nombreuses et représentent 9,2 % de l'ensemble des personnes, tandis que 4,3 % ont été pauvres deux ans, 3,8 % trois ans et 4,3 % pendant les quatre ans. Chaque année, le taux de sortie de la pauvreté en condition de vie est proche de 60 %, mais certaines sorties semblent fragiles. Par exemple, plus d'un tiers des personnes qui connaissent plusieurs années de pauvreté (mais pas quatre) sont sorties, puis entrées à nouveau en pauvreté, pendant les quatre ans.

Ceux pour qui la pauvreté est persistante ne sont pas les plus nombreux mais leur pauvreté est plus profonde : plus le temps passé en pauvreté est long, plus le nombre de difficultés est grand *(figure 2)*. Parmi les personnes pauvres pendant quatre ans, près de la moitié subissent

2. Distribution du score moyen observé pendant les années de pauvreté ou hors de la pauvreté, en fonction du temps de pauvreté

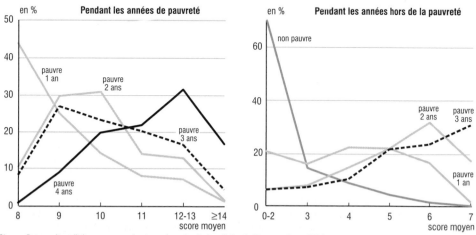

Champ : France métropolitaine, personnes vivant en ménages ordinaires, âgées de 16 ans ou plus en 2004.
Lecture : parmi les personnes pauvres 2 ans entre 2004 et 2007, 30 % avaient un score égal à 9 en moyenne sur ces deux années de pauvreté (nombre total de privations subies en moyenne les années de pauvreté), 31% avaient un score moyen égal à 10.
Note : la forte différence entre les distributions du nombre moyen de privations subies par les personnes pauvres trois ou quatre ans vient de ce que notre période d'observation est censurée à quatre ans : la population pauvre quatre ans rassemble en réalité une part de personnes qui sont pauvres depuis plus longtemps.
Source : Insee, panel SRCV 2004-2007.

douze privations ou plus, alors que ce n'est le cas que de 9 % des personnes pauvres une seule année. Par ailleurs, les personnes connaissant la pauvreté rencontrent souvent plusieurs difficultés même les années hors de la pauvreté. C'est d'autant plus vrai quand le temps passé en pauvreté est long. Par exemple, les trois quarts des personnes pauvres trois ans subissaient encore entre cinq et sept privations l'année où elles n'étaient pas pauvres en conditions de vie. Entrer en pauvreté ou en sortir serait donc moins lié à la dégradation brutale ou l'amélioration nette des conditions d'existence qu'à un effet de seuil (oscillations autour du seuil fixé à huit privations).

La plupart des difficultés sont plus fréquentes quand la pauvreté est persistante

Certaines privations sont-elles révélatrices de situations de pauvreté persistante alors que d'autres sont-elles plutôt associées à une pauvreté plus transitoire ? Afin d'étudier si le type de privations déclarées explique les différentes dynamiques de pauvreté, on retient pour chaque privation l'indicateur « déclarer au moins une fois cette privation sur les quatre ans »[3].

Encadré 2

Source et population d'étude

Nous utilisons les données longitudinales du panel SRCV (dispositif des Statistiques sur les ressources et les conditions de vie) des années 2004 (première vague), 2005, 2006 et 2007. SRCV correspond à la partie française de l'enquête européenne EU-SILC (*European Union - Statistics on income and living conditions*) coordonnée par Eurostat dont la collecte et la gestion sont assurées en France par l'Insee. Pour chaque vague, en plus des caractéristiques de la personne et de son ménage, on dispose aussi d'informations mises à jour sur les privations et les difficultés qu'elle subit.

L'unité pertinente d'un suivi longitudinal est l'individu, et non le ménage qui est susceptible d'éclater ou de changer de composition au fil du temps. Traditionnellement en France, on considère que l'indicateur de pauvreté en conditions de vie est un indicateur de niveau ménage. Les questions françaises sur les privations sont posées à une seule personne du ménage (au « répondant ménage », susceptible de changer entre les vagues). L'exploitation de trajectoires individuelles conduit à reporter sur chaque personne les privations supportées par le ménage auquel elle appartient, déclarées par le répondant ménage, ce qui revient, faute d'information individuelle *ad hoc* sur les privations, à faire une hypothèse

d'équirépartition de ces difficultés entre les personnes. Ce postulat paraît facilement tenable pour les difficultés qui concernent le logement par exemple, où l'on peut admettre qu'un logement privé d'eau chaude, de toilettes ou de chauffage central ou électrique l'est autant pour chacun des membres du ménage qui y réside. Le postulat est moins facilement tenable pour les restrictions de consommation. Par exemple, si le ménage ne peut pas se payer deux semaines de vacances par an, est-ce à dire que les enfants ne partent pas ?

Dans l'article, on « cylindre » le panel, c'est-à-dire que l'on ne retient que les personnes qui ont répondu à l'enquête quatre années à la suite, soit 9 157 personnes. Nous ne retenons pas les 449 « non-répondants intermédiaires », qui ont répondu à l'enquête en 2004 et 2007 mais qui sont absents en 2005 et/ou en 2006. Les caractéristiques sociodémographiques des non-répondants intermédiaires étant proches de celles des panélistes, nous n'avons pas de raisons de craindre un biais systématique lié à cette sélection lorsque nous utilisons les pondérations longitudinales construites pour les personnes présentes au moins en 2004 et en 2007. Parmi les panélistes, nous retenons les répondants au questionnaire individuel, c'est-à-dire les personnes ayant 16 ans ou plus le 31 décembre 2003.

---

3. L'indicateur du nombre de fois où la privation est déclarée est par construction corrélé avec la durée passée dans la pauvreté. Comme on souhaite étudier si certains types de difficultés sont plus ou moins le signe d'une pauvreté transitoire ou persistante, on préfère l'indicateur « déclarer au moins une fois la privation ». Un autre indicateur était possible : le nombre moyen de fois où l'on déclare la privation les années où l'on est pauvre ; il donne des résultats identiques.

La prévalence dans l'ensemble de la population des 27 privations est très variable et cette variabilité s'amplifie chez les personnes pauvres : selon la privation, les personnes pauvres au moins une année sont entre 1,1 (devoir recourir à ses économies) et 3,7 fois (ne pas posséder deux paires de chaussures) plus touchées que l'ensemble de la population *(annexe 1)*. Mais si chacune des privations est plus fréquente dans la population des personnes pauvres, elles ne sont pas toutes liées de la même façon au temps passé en pauvreté.

Dans la plupart des cas, la part des personnes qui subissent la privation (au moins une fois sur les 4 ans) augmente avec la durée de pauvreté. Cette augmentation est très nette pour l'ensemble des restrictions de consommation, les retards de paiements de factures ou de loyers, ou pour ce qui est de déclarer « c'est difficile, il faut s'endetter pour y arriver » par exemple. En revanche, certaines privations discriminent seulement le fait d'être pauvre mais ne sont pas significativement plus fréquentes lorsque la pauvreté est persistante (être endetté à hauteur de plus d'un tiers de son revenu, habiter un logement bruyant, avoir des retards de versement d'impôts). Enfin, le recours aux économies concerne en moyenne plus souvent les personnes pauvres pendant seulement un an que celles qui demeurent pauvres plus longtemps (qui n'ont pas, ou plus, d'économies).

La pauvreté persistante touche davantage les non-diplômés, les personnes d'origine étrangère et les personnes en mauvaise santé

Les nombreux facteurs sociodémographiques[4] qui augmentent le risque de pauvreté, déjà observés dans de précédentes études, semblent attachés à des dynamiques dans la pauvreté différentes : certains sont clairement le signe d'un risque élevé de persistance dans la pauvreté, d'autres non *(annexe 2)*.

Plus le diplôme est élevé, plus le taux d'entrée en pauvreté est faible *(figure 3)*. Parmi les personnes pauvres, un diplôme élevé donne également de plus grandes chances de sortie. La part des non-diplômés augmente donc avec le temps passé en pauvreté : plus de la moitié des personnes pauvres pendant quatre ans n'ont aucun diplôme, contre 38 % des pauvres pendant un an, et 35 % dans l'ensemble de la population. Par ailleurs, la part des personnes nées à l'étranger est nettement plus élevée quand la pauvreté dure : 20 % des personnes pauvres quatre ans sont nées en Afrique, contre 7 % des pauvres pendant un an, et 5 % dans l'ensemble de la population. En revanche, si les femmes sont plus souvent pauvres, leur pauvreté n'est pas plus persistante que celle des hommes. De même, les jeunes adultes ont un risque de pauvreté plus élevé, mais celle-ci est plus souvent transitoire.

Plus le temps passé en pauvreté est long, plus la part des personnes qui déclarent un état de santé dégradé est élevée : 27 % des pauvres quatre ans déclarent être en mauvaise ou en très mauvaise santé, contre 10 % de ceux qui sont pauvres une seule année. L'état de santé déclaré est nettement plus mauvais chez les personnes pauvres pendant les quatre années que chez les autres, sans que l'on puisse savoir si leur état de santé dégradé est une cause ou une conséquence de leurs conditions de vie dégradées.

---

4. Dans toute la suite de l'article, les résultats sont donnés sur le panel « empilé », c'est-à-dire que l'on conserve les caractéristiques sociodémographiques des personnes chaque année. Ainsi, quand on dit que 53 % des personnes pauvres un an sont en emploi, il s'agit d'une situation moyenne calculée sur les quatre années (et non pas seulement sur leur année de pauvreté). On notera toutefois que si l'on s'intéresse uniquement à la situation des personnes lorsqu'elles sont pauvres, les résultats restent les mêmes (sur l'exemple précédent, la part des personnes pauvres une seule année qui sont en emploi l'année où elles sont pauvres perd 3 points et passe à 50 %)

Les personnes seules et les familles monoparentales sont plus souvent pauvres plusieurs années

La solitude est plus fréquente chez les personnes pauvres en conditions de vie : 35 % appartiennent ainsi à un ménage dont la personne de référence ne vit pas en couple (contre 24 % de l'ensemble de la population) ; 23 % vivent seules et 12 % dans une famille monoparentale. Ces ménages connaissent plus fréquemment que les autres types de ménages pauvres des situations de pauvreté persistante ou récurrente (au moins deux ans sur les quatre ans), et tout plus rarement l'expérience d'une pauvreté en condition de vie très transitoire (une seule année sur les quatre).

3. Taux d'entrée et de sortie selon les caractéristiques sociodémographiques

en %

	Taux d'entrée en pauvreté	Taux de sortie de pauvreté
Sexe		
Homme	4	59
Femme	5	59
Tranche d'âge		
16-25 ans	6	61
26-35 ans	7	56
36-45 ans	5	61
46-55 ans	4	56
56-65 ans	3	60
66 ans ou plus	4	57
Diplôme		
3e cycle, ingénieurs, grande école, 2e cycle, 1er cycle, BTS, infirmier	2	73
Bac	4	71
CAP, BEP, BEPC, etc.	5	59
Sans diplôme	7	52
Situation principale vis-à-vis du travail		
En CDI	4	72
En CDD	5	62
Étudiant	5	61
Chômeur	16	38
Retraité	4	60
Au foyer	8	40
Lieu de naissance		
France	4	62
Maghreb	11	43
Afrique (hors Maghreb)	17	35
Autre	4	6
La personne est pauvre au sens monétaire		
Oui	16	39
Non	4	67
État de santé autodéclaré par la personne		
Très bon	3	68
Bon	4	64
Assez bon	5	55
Mauvais (ou très mauvais)	9	40
La personne perçoit :		
- un salaire	4	67
- un bénéfice d'activité indépendante	4	68
- une retraite	3	59
- une allocation chômage	10	50
Ensemble	**5**	**59**

Champ : France métropolitaine, personnes vivant en ménages ordinaires, âgées de 16 ans ou plus en 2004.
Lecture : parmi les hommes non pauvres une année donnée, 4 % seront pauvres l'année suivante, et à l'inverse parmi les hommes pauvres une année donnée, 59 % ne seront pas pauvres l'année suivante.
Source : Insee, panel SRCV 2004-2007.

Par ailleurs, les changements familiaux, l'arrivée d'un enfant, mais surtout les séparations, augmentent le risque d'entrée en pauvreté. Le taux d'entrée est particulièrement élevé dans le cas d'un divorce ou d'une séparation : une personne sur sept, non pauvre une année donnée, appartenant à un ménage connaissant un divorce ou une séparation entre en pauvreté l'année suivante *(figure 4)*. D'une part, la baisse de revenu peut être marquée et il peut même arriver que l'un des membres du ménage se retrouve sans ressources. D'autre part, quand deux personnes se séparent, certaines dépenses deviennent plus importantes (notamment le logement) car vivre en couple permet des réaliser des « économies d'échelle » : une séparation se traduit donc souvent par une dégradation des conditions d'existence. De même, pour les personnes appartenant à un ménage dans lequel une naissance a lieu, le taux d'entrée dans la pauvreté est de 6 %, et le taux de sortie de 53 %, contre 5 % et 59 % en moyenne dans la population. Les ressources peuvent ne pas s'ajuster à cette nouvelle configuration du ménage, par exemple en l'absence d'allocations familiales pour le premier enfant. De plus, le surpeuplement dans le logement, qu'il soit ressenti ou calculé de façon objective[5], a tendance à augmenter.

4. Taux d'entrée et de sortie selon les changements dans la composition du ménage sur la période

en %

	Taux d'entrée en pauvreté	Taux de sortie de pauvreté
Divorce / séparation	14	64
Naissance	6	53
Départ d'une personne dans le ménage (y c. enfant, avec ou sans revenu), y c. décès	6	61
Arrivée d'une personne dans le ménage (y c. enfant, avec ou sans revenu)	6	58
Tous	**5**	**59**

Champ : France métropolitaine, personnes vivant en ménages ordinaires, âgées de 16 ans ou plus en 2004.
Lecture : sur 100 individus appartenant à un ménage non pauvres en conditions de vie une année donnée et connaissant un divorce, 14 entrent en pauvreté en conditions de vie l'année suivante. Sur 100 individus appartenant à un ménage pauvre en conditions de vie une année donnée et connaissant un divorce, 64 sortent de la pauvreté l'année suivante.
Source : Insee, panel SRCV 2004-2007.

La pauvreté en milieu urbain : des situations hétérogènes

La pauvreté en conditions de vie est une forme de pauvreté plus urbaine que rurale, et particulièrement la pauvreté persistante. 45 % des personnes pauvres quatre ans résident dans une grande agglomération de province de plus d'un million d'habitants, contre 36 % de l'ensemble de la population en moyenne. Cette situation de pauvreté persistante est probablement liée pour partie à cette localisation : le coût de la vie, surtout du logement, est plus élevé en ville. L'ensemble des conditions de logement peuvent en pâtir ; en particulier, les deux indicateurs de surpeuplement retenus dans la liste des privations sont nettement plus élevés pour ces personnes. Les personnes pauvres une seule année habitent également plus souvent en milieu urbain (y compris à Paris) que la moyenne des personnes pauvres. Leur pauvreté est probablement encore plus à rattacher aux prix du logement, ainsi qu'à la proportion plus élevée d'étudiants parmi eux que parmi les personnes pauvres deux ou trois ans.

---

5. Deux indicateurs de surpeuplement sont retenus dans la liste des privations. Le premier indicateur caractérise le degré d'occupation du logement par comparaison entre le nombre de pièces qu'il comporte avec un nombre de pièces considérées comme nécessaires au ménage. Il dépend de la taille du ménage, ainsi que de l'âge et de la situation familiale de ses membres. Il attribue à chaque ménage une pièce de séjour pour le ménage, une pièce pour chaque couple, une pièce pour les célibataires de 19 ans ou plus ; pour les célibataires de moins de 19 ans il attribue une pièce pour deux enfants s'ils sont de même sexe ou s'ils ont moins de sept ans, sinon, une pièce par enfant.
Le deuxième indicateur sur le surpeuplement ressenti, est calculé à partir des réponses à la question : « Dans ce logement, êtes-vous confronté aux problèmes suivants : Logement trop petit ou n'ayant pas assez de pièces ?»

L'emploi n'est pas une protection absolue contre la pauvreté persistante

Le taux d'entrée dans la pauvreté est nettement supérieur chez les personnes au chômage : sur 100 chômeurs non pauvres en condition de vie une année donnée, 16 sont pauvres l'année suivante (qu'ils soient encore chômeurs ou non), contre 5 % des personnes titulaires d'un CDD (Contrat à durée déterminée), et 4 % de ceux titulaires d'un CDI (Contrat à durée indéterminée). De plus, le taux de sortie est plus faible pour les chômeurs : sur 100 chômeurs pauvres une année donnée, 38 ne le seront plus l'année suivante, contre 62 pour les personnes en CDD, et 72 pour celles en CDI. Plus exposés au risque de basculer en pauvreté, les chômeurs ont aussi plus de difficultés à en sortir.

Si l'éloignement du marché du travail est clairement un facteur de persistance dans la pauvreté, l'emploi n'est cependant pas une protection absolue contre ce risque : 28 % des personnes pauvres quatre ans sont en emploi (contre 53 % des personnes pauvres un an[4]). Un contrat à durée indéterminée reste toutefois une meilleure protection qu'un contrat à durée déterminée : 16 % des personnes pauvres quatre ans sont en CDI, 12 % en CDD, contre respectivement 37 % et 16 % des personnes pauvres pendant un an. Si l'on s'intéresse à la situation des autres membres éventuels du ménage, le constat est le même. Ainsi, la perception d'un ou de plusieurs salaires, ou bien de retraites dans le ménage, ne garantit pas toujours contre des conditions de vie dégradées : 46 % des personnes pauvres quatre ans appartiennent à un ménage dans lequel au moins un salaire est perçu, et 28 % à un ménage dans lequel au moins une retraite ou préretraite est perçue. À plus forte raison, RMI ou même allocations chômage sont très associés à des situations de pauvreté persistante : 19 % des personnes pauvres quatre ans appartiennent à un ménage qui perçoit le RMI, alors que cela ne concerne que 3 % de celles pauvres un an et 2 % de l'ensemble de la population. La pauvreté monétaire est ainsi plus fréquente chez les personnes qui sont dans une situation de pauvreté persistante : elle touche la moitié des personnes pauvres quatre ans contre 16 % de celles pauvres une seule année.

Encadré 3

Classification ascendante hiérarchique

Les méthodes d'analyse de données permettent d'étudier simultanément de nombreux facteurs et visent à découper une population en groupes homogènes en leur sein et hétérogènes entre eux : comment et quelles privations se cumulent en fonction de la durée passée dans la pauvreté, et pour quelles personnes pauvres ? Les variables discriminantes utilisées sont :

- la durée de la pauvreté, de 1 à 4 ans ;
- 21 des 27 privations, sous la forme des indicateurs « déclarer au moins une fois la privation ». On exclut de l'analyse quatre privations très peu représentées (absence de salle de bain, de toilettes, d'eau chaude, de chauffage) et deux privations quasi unanimement ressenties (« payer une semaine de vacances une fois par an », « remplacer des meubles ») dans l'ensemble de la population pauvre. En raison de leur très faible ou très forte prévalence, ces variables ne présentent en effet pas assez de variabilité au sein des personnes pauvres.

La classification ascendante hiérarchique présentée aboutit à une partition des personnes pauvres en trois groupes. On peut ensuite étudier leurs caractéristiques sociodémographiques (cf. *infra*). La stratégie d'agrégation utilisée est la méthode de Ward.

Trois configurations de difficultés de conditions de vie

Ces résultats soulignent l'hétérogénéité des situations de pauvreté en condition de vie. Pour affiner l'analyse, une classification permet de caractériser trois types distincts de pauvreté liés à des privations précises (*encadré 3*). Ces trois types de pauvreté touchent trois groupes de personnes dont les situations sont différentes.

Un premier groupe de personnes pauvres dans toutes les dimensions des conditions de vie, profondément et durablement, souvent en difficulté sur le marché du travail

Parmi les personnes qui ont été pauvres au moins une fois sur la période, on isole un premier groupe qui rassemble 35 % des personnes. Il se distingue d'abord par une forte persistance de la pauvreté : une personne sur deux est pauvre quatre ans, et plus de huit sur dix pendant au moins 3 ans (*figure 5*). Ces personnes rencontrent de grandes difficultés dans les quatre dimensions de pauvreté en conditions de vie (*figure 6*). Elles subissent systématiquement plus que l'ensemble des personnes pauvres la totalité des 27 privations, à l'exception d'« avoir recours à des économies ». En particulier, les privations de consommation les plus sévères les concernent davantage (difficultés liées à l'alimentation notamment). Les facteurs sociodémographiques qui caractérisent la pauvreté persistante, déjà relevés précédemment, sont logiquement plus fréquents parmi les personnes de ce groupe : fort éloignement du marché du travail de l'ensemble du ménage (*figure 7*), absence de diplôme, pauvreté monétaire, naissance à l'étranger, état de santé moins bon, etc.

Les personnes de ce groupe vivent un peu plus fréquemment que l'ensemble des personnes pauvres au sein de familles monoparentales (16 % contre 11 %) ou au sein de familles nombreuses (trois enfants ou plus). Cependant, globalement, leur situation

5. Durée passée dans la pauvreté pour les trois groupes de personnes construits

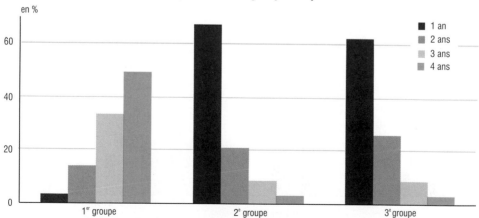

Pauvres en conditions de vie : groupes issus de la classification

Champ : France métropolitaine, personnes vivant en ménages ordinaires, âgées de 16 ans ou plus en 2004.
Lecture : les personnes du premier groupe de la classification sont près de la moitié à être pauvres pendant les quatre ans.
Source : Insee, panel SRCV 2004-2007.

familiale ou leur âge sont disparates et les distinguent peu de l'ensemble des personnes pauvres. En définitive, ce qui réunit ces personnes est essentiellement leur expérience d'une situation de pauvreté profonde et durable, dans toutes les dimensions des conditions de vie mais aussi à l'égard d'autres indicateurs de précarité (pauvreté monétaire, emploi et santé), tandis que leurs configurations familliales ou d'âge apparaissent hétérogènes.

6. Difficultés rencontrées dans chacune des dimensions de la pauvreté en conditions de vie

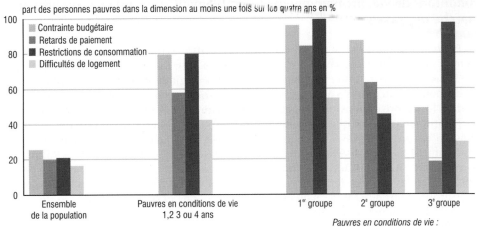

part des personnes pauvres dans la dimension au moins une fois sur les quatre ans en %

Champ : France métropolitaine, personnes vivant en ménages ordinaires, âgées de 16 ans ou plus en 2004.
Lecture : 79 % des personnes pauvres en conditions de vie au moins un an entre 2004 et 2007 sont pauvres dans la dimension "contrainte budgétaire" au moins une fois sur les quatre ans, contre 26 % de l'ensemble de la population.
Note : une personne est pauvre dans la dimension : contrainte budgétaire : au moins 3 privations parmi les 6 ; retards de paiement : au moins 1 privation parmi les 3 ; restrictions de consommation : au moins 4 privations parmi les 9 ; difficultés de logement : au moins 3 privations parmi les 9.
Source : Insee, panel SRCV 2004-2007.

7. Situation sur le marché du travail

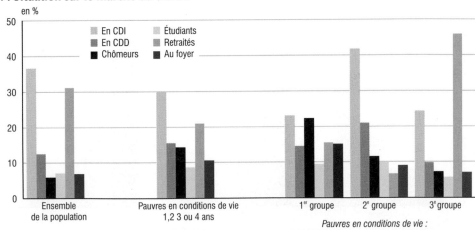

en %

Champ : France métropolitaine, personnes vivant en ménages ordinaires, âgées de 16 ans ou plus en 2004.
Lecture : les personnes pauvres au moins un an sont à 30 % en CDI, contre 37% de l'ensemble de la population.
Source : Insee, panel SRCV 2004-2007.

France, portrait social - édition 2010

Un deuxième groupe de personnes pauvres plutôt jeunes, en emploi, en ménage avec des enfants, qui subissent temporairement de fortes contraintes budgétaires

Un deuxième groupe de personnes rassemble également 35 % de la population pauvre. La persistance de la pauvreté y est nettement plus rare : 88 % de ces personnes sont pauvres une ou deux années. Les difficultés qu'elles rencontrent sont de fortes contraintes budgétaires ou liées au paiement des impôts. Ces personnes sont notamment plus nombreuses à déclarer avoir recours à leurs économies ou qu'il leur est difficile de couvrir leurs dépenses avec leur revenu. Elles déclarent également souvent que leur logement est trop petit. En revanche, elles sont nettement moins affectées par les privations de consommation, parfois même à peine plus que la population totale. Leur situation personnelle et celle de leur ménage est moins défavorable que celle du premier groupe : beaucoup plus souvent en emploi (63 % contre 45 %), ces personnes sont plutôt jeunes (15-45 ans), en couple avec des enfants (56 % contre 42 %) et leur conjoint travaille souvent. Elles sont un peu plus fréquemment propriétaires ou accédants à la propriété de leur logement et moins souvent dans une situation de pauvreté monétaire. De plus, le nombre moyen de difficultés qu'elles déclarent les années où elles sont pauvres est proche du seuil de 8 privations : il est égal à 8 ou 9 pour 65 % d'entre elles (contre 46 % dans la population des pauvres au moins un an). On peut supposer qu'une part importante des personnes de ce groupe vivent une période où leurs dépenses évoluent beaucoup : enfants, crédit pour l'accession à la propriété, etc. Elles ont des difficultés à équilibrer leur budget et privilégient la consommation, ce qui les met, de manière souvent temporaire, dans une situation budgétaire délicate.

Un troisième groupe de personnes pauvres plutôt âgées, qui se privent passagèrement dans leur consommation courante

Le dernier groupe rassemble 30 % des personnes pauvres. Comme le deuxième groupe, il s'agit à 88 % de personnes pauvres un ou deux ans. Elles subissent beaucoup moins que la moyenne des personnes pauvres les contraintes de type budgétaire, ou même des retards de paiement ou des difficultés de logement. En revanche, pour tenir leur budget, elles restreignent leur consommation (sauf les repas). Ces personnes sont plus âgées : 44 % ont plus de 55 ans, contre 26 % dans la population pauvre. Logiquement, elles sont donc plus fréquemment retraitées (46 % contre 21 %), seules ou en couple sans enfants, et propriétaires de leur logement. Elles se déclarent en moins bonne santé que la moyenne. Lorsqu'elles sont pauvres, 65 % d'entre elles déclarent huit ou neuf privations (contre 46 % dans la population des pauvres au moins un an)[6]. « Installées » depuis plus longtemps dans la vie que les personnes du deuxième groupe, n'ayant pas de charges familiales ou de logement trop élevées, elles ajustent plus leurs dépenses à leur faible budget. Mais elles doivent toutefois se priver temporairement sur certains postes de consommation courante.

La réalité ne peut bien sûr se résumer aux situations moyennes décrites dans cet article, et les situations de pauvreté vécues sont multiples. Mais cette analyse des personnes pauvres selon le temps passé en pauvreté et la spécification de trois situation de pauvreté « types » permet de mieux comprendre certains états transitoires ou permanents de la pauvreté. Pour affiner l'analyse, il faudra poursuivre ces travaux afin d'étudier l'influence de chaque facteur indépendamment des autres sur le risque pour une personne d'être pauvre, de manière transitoire ou plus durable, en prenant mieux en compte les spécificités des situations personnelles. ∎

---

6. Étant donné leur âge, on aurait pu penser que leur situation et leurs conditions de vie évoluent plus lentement, et que leur durée de pauvreté mesurée (courte) est plus dûe à une situation de pauvreté instable que transitoire. Toutefois, les années hors de la pauvreté, elles ne subissent pas plus de difficultés que la moyenne des personnes pauvres un ou deux ans, ce qui tend à rejeter cette hypothèse.

Pour en savoir plus

Accardo J., de Saint Pol T., « Qu'est-ce qu'être pauvre aujourd'hui en Europe ? L'analyse du consensus sur les privations », *Économie et Statistique* n°421, Insee, 2009.

Dickès P., 1994, « Ressources financières, bien-être subjectif et conditions d'existence », *in* F. Bouchayer (coord.), *Trajectoires sociales et inégalités*, éd. Erès, p. 179-198.

Hirsh D., Davis A., Smith N, « À minimum income standard for Britain in 2009 », Joseph Rowntree Foundation, 2009.

Lollivier S., Verger D, « Pauvreté d'existence, monétaire ou subjective sont distinctes », *Économie et Statistique* n°383-384-385, Insee, 1997.

Ponthieux S., « La pauvreté en termes de conditions de vie : quatre profils de ménages », *Insee références* Données sociales 2002-2003, novembre 2002.

Townsend P., « Poverty in the United Kingdom », *Harmondsworth*, Penguins Books, 1979.

Willits, M (2006), « Measuring child poverty using material deprivation : possible approaches », *Working paper* No 28, Department of work and pensions.

« Les revenus et les patrimoines des ménages », *Insee Références*, 2010.

« Les approches de la pauvreté à l'épreuve des comparaisons internationales », *Économie et Statistique* n°383-384-385, Insee, 2005.

en %

	Ensemble de la population	Pauvres en conditions de vie					Pauvres en conditions de vie : groupes issus de la classification		
		Tous	1 an	2 ans	3 ans	4 ans	1er groupe	2e groupe	3e groupe
Contrainte budgétaire[1]	**26**	**79**	67	77	92	96	96	87	49
Part du remboursement sur le revenu (supérieure à un tiers)	**18**	**26**	25	23	27	28	25	36	14
Découverts bancaires (très souvent)	**23**	**56**	47	55	62	71	72	72	15
Couverture difficile des dépenses par le revenu	**35**	**85**	75	83	96	96	97	91	61
Aucune épargne à disposition	**26**	**59**	45	64	66	76	78	50	45
Recours aux économies	**64**	**72**	76	72	75	60	63	83	69
Opinion sur le niveau de vie : « c'est difficile, il faut s'endetter pour y arriver »	**29**	**86**	74	85	99	98	99	89	64
Retards de paiement [1]	**20**	**58**	42	59	68	83	84	63	18
en raison de problèmes d'argent, impossibilité de payer à temps à plusieurs reprises, au cours des 12 derniers mois...									
Factures (électricité, gaz, téléphone...)	**15**	**46**	28	47	60	72	74	47	10
Loyer et charges	**9**	**32**	19	29	39	54	55	29	4
Versements d'impôts (sur le revenu, impôts locaux)	**9**	**23**	16	30	27	29	27	32	8
Restrictions de consommation [1]	**21**	**80**	66	83	91	98	99	46	97
les moyens financiers ne permettent pas de ...									
Maintenir le logement à bonne température	**13**	**43**	34	41	51	57	57	19	54
Payer une semaine de vacances une fois par an	**48**	**95**	91	96	99	99	n.u.	n.u.	n.u.
Remplacer des meubles	**50**	**98**	96	100	100	100	n.u.	n.u.	n.u.
Acheter des vêtements neufs	**23**	**74**	62	78	80	91	94	41	89
Manger de la viande tous les deux jours	**14**	**51**	39	46	56	75	75	20	57
Recevoir	**20**	**65**	50	66	76	86	82	32	83
Offrir des cadeaux	**18**	**61**	46	61	73	81	82	26	76
Posséder 2 paires de chaussures	**17**	**62**	44	60	77	87	87	25	73
Absence de repas complet pendant au moins une journée au cours des 2 dernières semaines	**6**	**21**	8	17	28	45	45	7	6
Difficultés de logement [1]	**17**	**43**	31	44	47	61	55	40	30
Surpeuplement important ou modéré	**13**	**29**	23	29	28	40	38	32	13
Absence de salle de bains à l'intérieur du logement	**1**	**3**	2	3	4	4	n.u.	n.u.	n.u.
Absence de toilettes à l'intérieur du logement	**1**	**3**	2	5	2	3	n.u.	n.u.	n.u.
Absence d'eau chaude	**1**	**2**	1	1	4	4	n.u.	n.u.	n.u.
Absence de système de chauffage	**8**	**15**	11	18	14	20	14	12	20
Critiques du logement (sans considération financière) :									
Logement trop petit	**25**	**45**	40	45	51	53	56	54	21
Logement difficile à chauffer	**45**	**70**	65	74	70	79	77	69	63
Logement humide	**26**	**49**	41	47	53	64	58	50	36
Logement bruyant	**37**	**54**	50	52	51	65	64	51	44

1. Une personne est pauvre dans la dimension : contrainte budgétaire : au moins 3 privations parmi les 6 ; retards de paiement : au moins 1 privation parmi les 3 ; restrictions de consommation : au moins 4 privations parmi les 9 ; difficultés de logement : au moins 3 privations parmi les 9.
n.u. : variable non utilisée.
Champ : France métropolitaine, personnes vivant en ménages ordinaires, âgées de 16 ans ou plus en 2004.
Lecture : 26 % de l'ensemble de la population a déclaré au moins une année parmi les quatre au moins trois privations parmi les six de la dimension des contraintes budgétaires.
Source : Insee, panel SRCV 2004-2007.

Annexe 2 - Principales caractéristiques sociodémographiques des personnes selon le nombre d'années passées en pauvreté en conditions de vie entre 2004 et 2007

en %

	Ensemble de la population	Pauvres en conditions de vie					Pauvres en conditions de vie : groupes issus de la classification		
		Tous	1 an	2 ans	3 ans	4 ans	1er groupe	2e groupe	3e groupe
Sexe									
Homme	48	45	46	46	43	47	46	47	43
Femme	52	55	54	55	57	53	54	53	57
Tranche d'âge									
16-25 ans	14	20	23	17	17	19	21	20	10
26-35 ans	15	19	16	23	20	19	21	24	9
36-45 ans	19	21	21	23	21	19	21	26	15
46-55 ans	16	14	15	10	16	17	16	15	11
56-65 ans	15	11	10	13	11	11	10	6	19
66 ans ou plus	22	15	15	15	15	15	11	3	35
Diplôme									
Supérieur au Bac	19	11	15	11	6	8	8	15	11
Bac	16	14	17	16	13	7	10	20	11
Inférieur au Bac	31	31	31	32	29	33	31	37	24
Sans diplôme	35	44	38	41	53	52	51	28	54
État de santé autodéclaré									
Très bon	23	20	25	19	17	15	17	28	14
Bon	44	41	44	41	41	32	37	48	36
Assez bon	23	23	21	25	26	25	24	16	31
Mauvais (ou très mauvais)	9	15	10	14	16	27	21	7	18
Situation vis-à-vis du travail									
En CDI	37	30	37	31	27	16	23	42	24
En CDD	13	15	16	17	16	12	15	21	10
Chômeur	6	14	9	13	18	24	22	12	7
Étudiant	7	9	9	7	7	10	9	10	6
Retraité	31	21	21	22	21	20	15	7	46
Au foyer	7	11	7	10	12	18	15	9	7
Situation des autres personnes du ménage vis à vis du travail									
Aucun actif occupé	50	55	45	59	60	69	64	39	64
Au moins un actif occupé	50	45	55	41	40	31	36	61	36
Type de ménage									
Personne seule	18	23	19	27	21	27	24	11	33
Famille monoparentale	6	12	8	14	18	13	16	11	8
Couple sans enfant	29	16	19	16	16	11	12	14	24
Couple avec au moins un enfant	42	42	48	39	38	37	39	56	30
Autre	5	7	5	6	7	12	9	7	5
Nombre d'enfants dans le ménage									
0	50	41	39	45	41	41	39	28	60
1	20	22	22	24	22	18	22	24	19
2	20	21	25	22	18	16	17	31	14
3 ou plus	10	16	14	10	19	25	22	17	7
Lieu de résidence du ménage									
Espace à dominante rurale	19	18	17	20	21	16	17	19	19
Espace Urbain < 1 million d'habitants	19	15	12	16	20	16	18	13	13
Espace Urbain entre 1 et 10 millions d'habitants	36	39	42	36	32	45	41	39	38
Paris	26	28	30	29	28	23	25	30	30

Champ : France métropolitaine, personnes vivant en ménages ordinaires, âgées de 16 ans ou plus en 2004.
Lecture : parmi les individus qui sont pauvres en conditions de vie quatre années à la suite, 27 % sont des personnes seules, alors qu'elles représentent 18 % en moyenne.
Source : Insee, panel SRCV 2004-2007.

Dossiers

Les écarts de taux d'emploi selon l'origine des parents : comment varient-ils avec l'âge et le diplôme ?

Romain Aeberhardt, Élise Coudin, Roland Rathelot*

En moyenne entre 2005 et 2009, 86 % des hommes français âgés de 16 à 65 ans ont un emploi quand leurs deux parents sont français de naissance. Ils ne sont que 65 % quand au moins un de leurs parents est immigré et originaire d'un pays du Maghreb. L'écart de taux d'emploi est donc de 21 points. Pour les femmes, il est de 18 points (respectivement 74 % et 56 % de personnes en emploi). Les Français descendants directs d'immigrés du Maghreb sont en moyenne plus jeunes et ont des niveaux d'éducation plus faibles que ceux dont les deux parents sont français de naissance. Les différences en termes d'expérience, de diplôme, de situation familiale et de lieu de résidence n'expliquent toutefois qu'un tiers de l'écart des taux d'emploi : pour les hommes, le « déficit » d'emploi non expliqué par les différences de caractéristiques individuelles mesurées est de 14 points. Ce « déficit » d'emploi s'amenuise fortement lorsque le diplôme augmente pour les hommes, alors qu'il reste relativement stable pour les femmes. Pour les Français dont les parents sont originaires d'un autre pays d'Europe, les écarts de taux d'emploi sont moindres mais restent également largement inexpliqués. Une partie de ces écarts est due à l'existence de discrimination, mais il est impossible de faire la part exacte de ce qui en relève et de ce qui peut être imputé à d'autres facteurs difficilement mesurables.

Si la comparaison des situations d'emploi entre immigrés et non-immigrés a fait l'objet d'un nombre important d'études, les travaux portant sur les différences entre Français descendants directs d'immigrés et Français de parents non immigrés demeurent plus rares, en raison sans doute de la difficulté de repérer jusqu'à une période récente les descendants d'immigrés dans les sources statistiques. Au contraire des immigrés, les descendants d'immigrés sont nés en France et ont donc des caractéristiques plus facilement comparables à celles des descendants de non-immigrés. Ils ont en particulier suivi un cursus scolaire comparable. Pourtant, leur situation sur le marché du travail est extrêmement contrastée.

Cet article étudie les écarts d'emploi entre, d'une part, les Français dont au moins un des parents est immigré et d'autre part les Français dont les deux parents sont nés français *(encadré 1)*. L'analyse est conduite par sexe et selon la nationalité de naissance des parents. Quatre groupes de nationalités des parents sont retenus. Ils correspondent aux origines les plus fréquemment rencontrées dans la population française : Maghreb, Europe du Sud, Europe du Nord, Europe de l'Est. Les autres origines constituent des groupes trop peu nombreux ou trop jeunes ; c'est le cas des descendants d'immigrés venus d'Afrique subsaharienne ou d'Asie par exemple.

Des travaux récents ont déjà montré que l'écart de salaire entre les Français de parents français et ceux ayant un parent immigré, originaire d'un pays du Maghreb ou d'Afrique, est en grande partie attribuable à des écarts de diplôme et d'âge : Aeberhardt et *al.* (2010) sur les données de l'enquête Formation et qualification professionnelle (FQP), Aeberhardt et Pouget (2010) sur

---

* Romain Aeberhardt, Élise Coudin, Insee ; Roland Rathelot, Dares.

Encadré 1

Sources et population d'étude

Les sources utilisables

La situation des enfants d'immigrés sur le marché du travail français fait l'objet d'un nombre croissant d'études mais les sources à ce sujet restent limitées et récentes. Le Céreq fut pionnier en la matière, grâce à l'enquête Génération 1992 (Céreq, 1995) qui fut la première à introduire des questions sur la nationalité à la naissance des parents de la personne interrogée. Ces questions, associées parfois à la nationalité actuelle et au pays de naissance des parents, permettent de repérer les individus de parents immigrés et donc d'étudier leur parcours dans la sphère éducative et à leur entrée sur le marché du travail. Grâce aux données de l'enquête Génération, la situation des jeunes de parents immigrés a pu être étudiée à partir du milieu des années 1990 : voir à ce sujet les travaux de Silberman et Fournier (1999), Dupray et Moullet (2004) ou encore Boumahdi et Giret (2005).

En 2003, l'Insee a introduit les questions sur la nationalité à la naissance et le pays de naissance des parents pour la première fois dans une enquête représentative de la population générale, l'enquête Formation et qualification professionnelle (FQP 2003) et, à partir du premier trimestre 2005, dans l'enquête Emploi sur un échantillon plus grand. Les effectifs de population nécessaires à des analyses fines, par origine nationale des parents et niveau de compétences comme présenté ici, sont atteints seulement dans l'enquête Emploi.

L'enquête Emploi en continu (EEC)

L'enquête Emploi est réalisée en continu sur toutes les semaines de l'année pour la métropole. Cette enquête est la seule source qui permette de mesurer le taux de chômage au sens du Bureau international du travail. Elle contient aussi de nombreuses informations sur le statut des individus sur le marché du travail, le cas échéant sur l'emploi occupé, ainsi que les caractéristiques socio-démographiques et familiales des individus. Depuis 2005, elle permet de disposer à la fois de la nationalité de naissance et du pays de naissance de la personne interrogée mais également de ces mêmes informations pour ses parents. Ceci rend possible d'identifier les Français descendants directs d'immigrés tout en précisant l'origine nationale de leurs parents.

Chaque trimestre environ 40 000 ménages sont enquêtés, ce qui correspond environ à 70 000 personnes âgées de 15 ans ou plus. L'échantillon de l'EEC est un panel rotatif : les personnes sont interrogées une fois par trimestre, six trimestres de suite. Un sixième de l'échantillon est renouvelé chaque trimestre. Cette étude a mobilisé les données allant du premier trimestre 2005 au dernier trimestre 2009 ; seul le premier trimestre d'interrogation de chaque personne a été conservé. Les données sont non pondérées.

La population d'étude : les Français enfants d'immigrés

Entrent dans le champ de l'étude les personnes de 16 à 65 ans de nationalité française et qui sont nées en France ou bien arrivées en France avant l'âge de 5 ans. Ceci permet d'assurer une certaine homogénéité dans les populations étudiées en ce qui concerne la maîtrise de la langue française et les valorisations des compétences. Il est en effet envisageable que les diplômes ou l'expérience acquis à l'étranger soient valorisés différemment de ceux acquis en France. Au sein du champ de l'étude, la population dite « de référence » correspond aux Français dont les deux parents sont nés français en France. La population dite « d'intérêt » est quant à elle constituée de Français dont au moins un des parents n'était pas français à la naissance. Dans le texte, ces personnes seront désignées sous le terme « descendants d'immigrés », même si au sens de la définition adoptée par le Haut Conseil à l'Intégration, certaines sont en fait elles-mêmes des immigrées (*i. e.* elles sont nées étrangères à l'étranger) ou

Encadré 1 (suite)

n'ont pas de parents immigrés (si ceux-ci sont nés en France par exemple). Tous ces profils ont été jugés suffisamment proches pour être conservés dans l'analyse afin de disposer d'un échantillon de plus grande taille.

Quatre groupes de nationalité sont retenus. Ils correspondent aux plus fréquents dans la population des descendants d'immigrés en âge de travailler et dans l'enquête Emploi : Maghreb (Algérie, Maroc, Tunisie) 3,2 % de l'échantillon ; Europe du Sud (Espagne, Grèce, Italie, Portugal) 4,7 % de l'échantillon ; Europe du Nord (Allemagne, Autriche, Benelux, Danemark, Grande-Bretagne, Irlande, Norvège, Suède, Suisse) 1,1 % de l'échantillon ; Europe de l'Est (Bosnie Herzégovine, Croatie, Kosovo, Macédoine, Monténégro, Pologne, Serbie) 0,9 % de l'échantillon. Pour les deux groupes dont les échantillons sont les plus nombreux, Maghreb et Europe du Sud, on distingue les individus dont les deux parents sont immigrés (*i. e.* ici nés étrangers) de ceux dont un seul des parents est immigré.

l'enquête Structure des salaires ou Muller et Rathelot (2010) sur l'enquête ECMOSS (enquête sur le coût de la main-d'œuvre et la structure des salaires). On observe aussi un écart important sur les taux d'emploi. En moyenne, entre 2005 et 2009, parmi les Français âgés de 16 à 65 ans, le taux d'emploi de ceux dont les parents sont français de naissance est de 20 points supérieur au taux d'emploi de ceux dont au moins un des parents est immigré et originaire d'un pays du Maghreb. Ceci est vrai chez les hommes, 86 % contre 65 %, comme chez les femmes, 74 % contre 56 %. Dans quelle mesure ces écarts s'expliquent-ils, comme pour les salaires, par des différences de profil socio-démographique entre les personnes, c'est-à-dire par les disparités de diplôme (niveau et spécialité), d'expérience, de situation familiale ou de localisation dans des zones d'emploi plus ou moins dynamiques ? Dans quelle mesure, au contraire, ces écarts restent-ils inexpliqués ?

Au-delà d'une analyse en moyenne, il est intéressant de repérer pour qui, parmi les Français enfants d'immigrés, s'observent les écarts d'emploi les plus élevés avec les Français de parents français de naissance. Les écarts d'emploi inexpliqués sont-ils identiques selon le diplôme, l'expérience, etc., ou bien se concentrent-ils sur une partie des personnes d'origine immigrée ? Le cas échéant, les groupes pour lesquels les écarts d'emploi sont les plus élevés sont-ils les plus précaires (jeunes, seniors, peu diplômés etc.) ou bien, au contraire ceux qui ont des caractéristiques conduisant, théoriquement, à une insertion aisée sur le marché du travail (plus diplômés, en milieu de carrière etc.) ? La théorie économique ne permet pas de trancher *a priori* entre les différentes hypothèses. D'une part, on peut imaginer qu'être d'origine immigrée est vu, par certains employeurs, comme un stigma supplémentaire à une situation peu favorable et qu'ainsi ce sont les jeunes sans diplôme qui seraient les plus affectés. À l'inverse, l'hypothèse du « plafond de verre » prédit que l'origine immigrée, si elle n'empêche pas d'accéder à des emplois pas ou peu qualifiés, se révèle être un frein pour les emplois très qualifiés, auxquels seules les personnes diplômées et expérimentées peuvent prétendre. Les prédictions de ces modèles vont dans des sens opposés et seule l'analyse empirique peut permettre de trancher.

Moins d'emploi, chez les Français enfants d'immigrés maghrébins…

Les Français de parents immigrés ont été distingués selon que leurs deux parents étaient étrangers à la naissance ou qu'au moins un des deux l'était. La grande majorité des Français de parents originaires d'Europe du Nord ou de l'Est sont issus de couples mixtes, un seul de leurs parents étant immigré, alors que la majorité de ceux dont les parents sont originaires du

Maghreb ou d'Europe du Sud ont deux parents immigrés. À même origine des parents, les profils des Français ayant un ou deux parents immigrés ne sont pas très différents. Ces caractéristiques moyennes sont décrites, pour chaque sexe, dans les tableaux en *annexes 1 et 2*.

Le taux d'emploi des Français de parents originaires du Maghreb (56 % pour les femmes et 65 % pour les hommes) est beaucoup plus faible que celui des Français de parents nés français (74 % pour les femmes et 86 % pour les hommes). Les Français dont au moins l'un des parents est originaire d'Europe de l'Est, du Nord ou du Sud ont quant à eux des taux d'emploi plus proches de ceux des Français de parents français de naissance.

Par ailleurs, les répartitions par catégorie socioprofessionnelle sont très diverses selon l'origine des parents. Ainsi, les cadres[1] sont plus nombreux parmi les Français de parents originaires d'Europe du Nord : 17 % pour les femmes et 28 % pour les hommes contre respectivement 13 % et 24 % lorsque les deux parents sont nés français. À l'inverse, ils sont relativement moins nombreux parmi les Français qui ont des parents originaires du Maghreb : 6 % chez les femmes et 12 % chez les hommes.

…qui ont aussi des niveaux de diplôme et d'expérience plus bas

Ces différences de statut sur le marché du travail sont en partie dues à des différences de niveaux moyens de compétences, essentiellement celles qui s'acquièrent avec l'expérience professionnelle et les études. L'expérience sur le marché du travail est ici appréhendée par l'expérience potentielle, c'est-à-dire la différence entre l'âge courant et l'âge de fin d'études. Comme l'âge moyen des personnes étudiées ici résulte en partie de la période d'immigration des parents, les Français de parents originaires d'Europe de l'Est sont en moyenne plus âgés et ont donc en moyenne nettement plus d'expérience sur le marché du travail que les Français de parents nés français. Ceux qui ont des parents venus du Maghreb en ont au contraire nettement moins.

Les différentes populations considérées ne sont pas non plus similaires du point de vue des diplômes obtenus. Les Français de parents venus d'Europe du Sud et du Maghreb sont moins souvent diplômés du supérieur. Les premiers sont plus souvent titulaires d'un CAP/BEP, plutôt orienté production, et les seconds sont plus souvent non diplômés. Au contraire, les Français de parents originaires d'Europe du Nord sont en moyenne plus diplômés que tous les autres.

Par ailleurs, les Français dont les parents sont d'origine étrangère habitent plus souvent en Île-de-France que ceux de parents français de naissance, et les Français dont les parents viennent du Maghreb habitent beaucoup plus souvent dans les zones urbaines sensibles (ZUS) : 22 % contre 5 %. Les Françaises de parents originaires du Maghreb vivent plus souvent seules avec des enfants. Elles sont également deux fois plus nombreuses à avoir des enfants de moins de 3 ans. Les hommes ont plus fréquemment des enfants à charge quand leurs parents viennent du Maghreb et moins fréquemment quand ils viennent d'Europe de l'Est. Ces différences sont sans doute en partie liées aux différences d'âge notées précédemment.

Quelle part des écarts de taux d'emploi est expliquée par les caractéristiques individuelles que l'on observe ?

Les différences d'expérience ou de diplôme entre les populations expliquent-elles totalement les écarts d'emploi observés ? Si ce n'est pas le cas, comment évaluer la part qui peut leur être attribuée ? Les méthodes de décomposition tentent de répondre à ces questions en séparant l'écart moyen d'emploi entre les deux populations en une part induite par les

---

1. La catégorie socioprofessionnelle est définie comme celle du poste occupé au moment de l'enquête ou celle du dernier poste occupé.

différences de caractéristiques des personnes (leur niveau d'étude, leur expérience professionnelle, l'endroit où elles vivent) et une part résiduelle que ces dernières ne permettent pas d'expliquer. La part expliquée des écarts d'emploi s'obtient en comparant le taux d'emploi de la population « de référence » (les Français de parents français à la naissance) avec le taux d'emploi que la population « d'intérêt » (les Français de parents immigrés) aurait si les caractéristiques des Français de parents immigrés influaient de la même manière sur leur situation vis-à-vis de l'emploi que celles des Français de parents français de naissance *(encadré 2)*. Il est donc nécessaire d'évaluer comment les caractéristiques de la population de référence jouent sur le fait d'être en emploi.

Encadré 2

Méthodologie

L'analyse quantitative des discriminations sur le marché du travail mobilise souvent les méthodes de décomposition des écarts salariaux proposées par Oaxaca (1973) et Blinder (1973). La méthode utilisée ici pour étudier les écarts de taux d'emploi s'y réfère en partie mais est surtout inspirée du cadre d'analyse développé par Donald Rubin pour l'évaluation des politiques publiques.

Chaque personne i appartient à un groupe G ($G=F$ ou $G=E$), le groupe F étant le groupe de référence et le groupe E étant le groupe potentiellement discriminé. La variable d'intérêt Y est binaire et vaut 1 si la personne est en emploi et 0 sinon. Chaque personne possède deux états d'emploi. L'un est observé et l'autre est « potentiel » : c'est le statut d'emploi qu'il aurait s'il appartenait à l'autre groupe (toutes ses autres caractéristiques restant inchangées).

$$Y_1 = \begin{cases} Y_{iF} \text{ si } G = F \\ Y_{iE} \text{ si } G = E \end{cases}$$

Pour estimer quel serait le statut d'emploi « potentiel » d'une personne du groupe E, potentiellement discriminée, on estime le lien entre les caractéristiques individuelles et la probabilité d'être en emploi sur le groupe de référence F. Pour cela, on spécifie un modèle probit Y_{iF} que l'on estime sur la population F :

$$Y_{iF} = \begin{cases} 1 \text{ si } X'_i \beta + \varepsilon_i > 0 \\ 0 \text{ sinon} \end{cases}$$

où X_i est un vecteur de caractéristiques observables et les ε_i sont indépendants et suivent une distribution normale centrée réduite dont la fonction de répartition est notée Φ.

On peut alors simuler le statut d'emploi potentiel d'une personne du groupe E à partir de ce modèle en valorisant ses caractéristiques observables par le coefficient $\hat{\beta}$ estimé sur la population de référence. Cette simulation nécessite une hypothèse d'indépendance entre la probabilité d'être en emploi et l'appartenance au groupe, conditionnellement aux caractéristiques observables. Ceci revient à dire qu'on suppose ici qu'il n'y a pas de caractéristiques inobservables qui ont une influence sur l'emploi et qui diffèrent systématiquement entre les deux groupes.

On peut alors décomposer l'écart d'emploi entre la population de référence et la population d'intérêt en une partie qui s'explique par des différences de structure entre les groupes, des effets de composition, par exemple des écarts de compétences, et en une partie résiduelle, que les caractéristiques observables se révèlent incapables d'expliquer. Selon les décompositions proposées par Oaxaca et Blinder, ceci revient à écrire :

$$\underbrace{E(Y_{iE}|G=E) - E(Y_{iF}|G=F)}_{\text{écart moyen d'emploi observé}} = \underbrace{E(Y_{iE}|G=E) - E(Y_{iF}|G=E)}_{\text{écart inexpliqué entre les groupes}} + \underbrace{E(Y_{iF}|G=E) - E(Y_{iF}|G=F)}_{\text{écart dû aux différences structurelles entre les groupes}}$$

Dans l'expression ci-dessus, les contreparties empiriques de $E(Y_{iE}|G=E)$ et $E(Y_{iF}|G=F)$ sont les taux d'emploi moyens au sein des populations E et F, et ils sont estimables directement à partir des données. En revanche, $E(Y_{iF}|G=E)$, qui représente le taux d'emploi moyen potentiel des individus de la population E s'ils appartenaient à la population F, n'est pas observable et est estimé.

La **décomposition de l'écart moyen de taux d'emploi à la Blinder-Oaxaca** s'obtient en estimant $E(Y_{iF} | G = E)$, c'est-à-dire en faisant la moyenne sur la population E des probabilités prédites $\Phi(X'_i \hat{\beta})$

On étudie ensuite le **niveau d'emploi observé en fonction d'un niveau d'emploi potentiel** : pour chaque personne, dont on note X_i les caractéristiques observables, on définit la probabilité théorique d'avoir un emploi comme la variable $s_i = \Phi(X'_i \beta)$. On suppose qu'entre les populations E et F il n'y a pas de différences systématiques et inobservées qui jouent sur la probabilité d'être en emploi *i.e.* $E(Y_{iF} | G = E, s_i) = E(Y_{iF} | G = F, s_i)$. Dans ce cas, $E(Y_{iF} | G = F, s_i) = s_i$. La *figure 5* représente $E(Y_{iF} | G = E, s_i)$ en fonction de s_i. Il s'agit de représenter, pour la population E, le niveau d'emploi moyen observé en fonction du niveau d'emploi potentiel moyen tel que prédit par la modélisation probit s_i. Pour chaque personne du groupe E, on observe Y_{iE} et on peut calculer s_i. On cherche donc un estimateur de la quantité $E(Y_{iE} | G = E, s_i)$. Intuitivement, il suffit de prendre la moyenne des variables binaires observées Y_{iE} pour chaque valeur de s_i. Comme s_i peut prendre beaucoup de valeurs entre 0 et 1 (potentiellement une infinité), ces moyennes point par point peuvent être très imprécises. On a donc recours soit à des estimations par intervalles de s_i, soit à des moyennes lissées (techniques des noyaux). En l'absence de différences d'emploi entre les populations E et F, la courbe obtenue devrait être proche de la droite de pente 1 passant par l'origine.

Les intervalles de confiance présentés autour des courbes ou des décompositions ont été obtenus par bootstrap.

Les caractéristiques utilisées ici pour expliquer le fait d'occuper un emploi peuvent être séparées entre celles qui sont directement valorisées par l'employeur (diplôme, expérience professionnelle) et celles qui sont plutôt liées à la décision de se porter sur le marché du travail (situation familiale ou salaire du conjoint, par exemple). Cette seconde catégorie de caractéristiques est particulièrement importante à prendre en compte pour les femmes car, dans la quasi-totalité des couples, ce sont elles qui arrêtent de travailler lorsque le couple a des enfants. Par ailleurs, d'autres variables sont ajoutées pour contrôler les différences de structure entre les populations. Ainsi, on introduit le lieu de résidence parmi les déterminants du taux d'emploi afin de tenir compte du dynamisme du marché du travail local.

Comme attendu, à autres caractéristiques identiques, ne pas avoir de diplôme ou s'être arrêté au brevet des collèges diminue fortement les chances d'être en emploi par rapport à toutes les autres situations *(figure 1)*. Au contraire, un diplôme de niveau au moins égal à Bac+3 ou un diplôme technique de niveau Bac+2 procure de plus grandes chances d'avoir un emploi. Un diplôme universitaire de niveau Bac+2 ou un Bac technologique procure un faible avantage en termes d'emploi par rapport au Bac général. Les titulaires d'un diplôme de niveau Bac+2 dans le domaine de la santé ont beaucoup plus souvent un emploi que les autres. D'un point de vue général, les titulaires d'un diplôme dans le domaine des sciences exactes ou de la production sont plus souvent en emploi que ceux dont la spécialité est tournée vers les sciences humaines et sociales ou les services. Les constats précédents sont valables aussi bien pour les femmes que pour les hommes. L'expérience sur le marché du travail augmente la probabilité d'avoir un emploi mais l'effet d'une année supplémentaire d'expérience s'atténue au fur et à mesure de la carrière. Les personnes qui habitent en dehors de l'Île-de-France ou en zone urbaine sensible ont moins souvent un emploi que les autres.

En ce qui concerne la situation familiale, les résultats sont très différents entre les hommes et les femmes. Les hommes en couple ont plus souvent un emploi que les hommes seuls. C'est l'inverse pour les femmes, sauf dans le cas des couples sans enfant où le conjoint travaille également. De façon générale, parmi les personnes en couple, celles dont le conjoint travaille ont plus de chances d'avoir également un emploi. Le nombre d'enfants et le fait que le plus jeune ait moins de 3 ans sont très défavorables au taux d'emploi des femmes. Deux explications peuvent être avancées : le fait d'avoir plus d'enfants peut être associé à un retrait, pour la

1. Probabilité d'emploi pour les Français de parents nés français

Déterminants socio-démographiques	Femmes Coefficient estimé	Hommes Coefficient estimé
Constante	**0,43*****	**0,58*****
Situation familiale		
En couple, conjoint sans emploi, sans enfant	*Réf.*	*Réf.*
En couple, conjoint sans emploi, 1 enfant de plus de 3 ans	0,04	0,13***
En couple, conjoint sans emploi, 1 enfant de moins de 3 ans	– 0,51***	0,21***
En couple, conjoint sans emploi, 2 enfants, le plus jeune plus de 3 ans	– 0,04	0,29***
En couple, conjoint sans emploi, 2 enfants, le plus jeune moins de 3 ans	– 0,71***	0,37***
En couple, conjoint sans emploi, 3 enfants ou plus, le plus jeune plus de 3 ans	– 0,56***	0,22***
En couple, conjoint sans emploi, 3 enfants ou plus, le plus jeune moins de 3 ans	– 1,11***	0,29***
En couple, conjoint travaille, pas d'enfant	0,42***	0,56***
En couple, conjoint travaille, 1 enfant de plus de 3 ans	0,32***	0,62***
En couple, conjoint travaille, 1 enfant de moins de 3 ans	0,05	0,68***
En couple, conjoint travaille, 2 enfants, le plus jeune plus de 3 ans	0,18***	0,69***
En couple, conjoint travaille, 2 enfants, le plus jeune moins de 3 ans	– 0,45***	0,67***
En couple, conjoint travaille, 3 enfants ou plus, le plus jeune plus de 3 ans	– 0,28***	0,70***
En couple, conjoint travaille, 3 enfants ou plus, le plus jeune moins de 3 ans	– 0,99***	0,42***
Seul(e), sans enfant	0,33***	– 0,06
Seul(e), 1 enfant de plus de 3 ans	0,15***	– 0,02
Seul(e), 1 enfant de moins de 3 ans	– 0,66***	– 0,39
Seul(e), 2 enfants, le plus jeune plus de 3 ans	– 0,02	– 0,09
Seul(e), 2 enfants, le plus jeune moins de 3 ans	– 0,94***	0,14
Seul(e), 3 enfants ou plus, le plus jeune plus de 3 ans	– 0,38***	– 0,09
Seul(e), 3 enfants ou plus, le plus jeune moins de 3 ans	– 1,21***	– 0,49
Expérience potentielle	**0,05*****	**0,05*****
Expérience potentielle au carré	**-0,13*****	**– 0,11*****
Lieu de résidence		
Hors Île-de-France hors ZUS	*Réf.*	*Réf.*
Île-de-France hors ZUS	0,13***	0,05**
ZUS hors Île-de-France	– 0,23***	– 0,32***
ZUS en Île-de-France	0,07	– 0,09
Catégories socioprofessionnelles des parents		
En 8 postes pour chacun des parents	Résultats non détaillés	Résultats non détaillés
Diplôme obtenu et spécialité		
Diplôme de troisième cycle universitaire hors santé	0,39***	0,38***
Doctorat santé	0,75***	0,68***
École d'ingénieur et de commerce	0,36***	0,33***
Maîtrise - sciences exactes et naturelles, production	0,63***	0,56***
Maîtrise - sciences humaines et sociales, services	0,39***	0,12**
Licence - sciences exactes et naturelles, production	0,54***	0,75***
Licence - sciences humaines et sociales, services	0,33***	0,31***
Deug	0,14***	0,15**
BTS, DUT - production	0,26***	0,34***
BTS, DUT - services	0,23***	0,19***
Baccalauréat + 2 années paramédical et social	0,59***	0,58***
Baccalauréat S	0,17***	0,07
Baccalauréat ES ou L	*Réf.*	*Réf.*
Baccalauréat technologique : production	0,16*	0,21***
Baccalauréat technologique : services	0,08**	0,04
Baccalauréat professionnel : production	0,00	0,39***
Baccalauréat professionnel : services	0,05	0,02
CAP-BEP : production	– 0,25***	0,02
CAP-BEP : services	– 0,12***	– 0,11**
Brevet des collèges	– 0,26***	– 0,15***
Certificat d'études ou pas de diplôme	– 0,54***	– 0,46***
Nombre de personnes dans l'échantillon	**79 488**	**74 909**
Pourcentage de paires concordantes	**66,76**	**78,29**

Champ : France métropolitaine, personnes âgées de 16 à 65 ans, françaises de naissance ou françaises par acquisition arrivées en France avant l'âge de 5 ans, hors étudiants et retraités, dont les deux parents sont français nés Français.

Note : les calculs sont faits sans utiliser de pondération. Les coefficients marqués * sont significatifs à un seuil de 10 %, ceux marqués ** significatifs à un seuil de 5 % et ceux marqués *** significatifs à un seuil de 1 %. Les autres ne sont pas significatifs.

Lecture : les quantités rapportées sont le résultat de l'estimation d'un modèle probit pour chacun des deux sexes. Par rapport à un baccalauréat général ES ou L, détenir un diplôme bac + 2 avec une spécialité santé augmente la probabilité d'emploi. Le gain dépend de l'ensemble des caractéristiques de l'individu et vaut environ 24 % pour les femmes dont la probabilité d'emploi est proche de 50 % (0,4 x 0,59 = 0,24).

Source : Insee, enquête Emploi 2005-2009.

femme, du marché du travail ; le fait d'avoir plus d'enfants ou un enfant très jeune peut être stigmatisé par certains employeurs pour une femme en recherche d'emploi.

À partir de ces résultats, on peut calculer le taux d'emploi théorique des populations d'intérêt si leurs caractéristiques intervenaient comme celles de la population de référence sur le fait d'être en emploi ou non.

Seul un tiers du déficit d'emploi des Français descendant d'immigrés maghrébins s'explique par des différences de caractéristiques mesurées

Les écarts d'emploi pour les Français enfants d'immigrés maghrébins sont largement supérieurs aux autres (figure 2, colonne 1). Pour les femmes comme pour les hommes, l'écart moyen est proche de 20 points de pourcentage, que les deux parents soient maghrébins ou qu'un seul le soit. Les Français dont les parents sont originaires d'Europe de l'Est ont également des niveaux d'emploi notablement plus faibles en moyenne que ceux nés de parents français de naissance : 6 points de différence pour les femmes et les hommes. Pour les autres groupes, les écarts sont pour la plupart très faibles.

L'écart total se décompose en une partie expliquée par des différences moyennes de caractéristiques individuelles prises en compte dans l'analyse (figure 2, colonne 2) et une partie inexpliquée (figure 2, colonne 3). Le résultat des décompositions n'est interprété que pour les groupes pour lesquels l'écart global de taux d'emploi est substantiel, soit les Français de parents originaires du Maghreb et d'Europe de l'Est. Pour les femmes (resp. les hommes) de parents maghrébins, seuls 8 des 18 points (resp. 7 des 21 points) sont expliqués par des écarts d'âge, de diplômes et des autres caractéristiques (situations familiale et géographique, catégories socioprofessionnelles des parents) : la part inexpliquée de l'écart de taux d'emploi pour les femmes d'origine maghrébine est ainsi d'environ 55 % ; elle est de 67 % pour les hommes.

2. Écarts de taux moyens d'emploi entre les Français d'origine étrangère et ceux dont les deux parents sont nés français

	Écart total	Écart expliqué	Écart inexpliqué
Femmes			
Au moins un parent immigré			
Europe de l'Est	0,06***	0,04***	0,01
Europe du Nord	0,04***	0,03***	0,02
Europe du Sud	0,01*	0,01***	0,00
Maghreb	0,18***	0,08***	0,10***
Deux parents immigrés			
Europe du Sud	− 0,01	0,00	− 0,01
Maghreb	0,19***	0,08***	0,11***
Hommes			
Au moins un parent immigré			
Europe de l'Est	0,06***	0,02***	0,04***
Europe du Nord	0,02	0,01***	0,00
Europe du Sud	0,01	0,01***	0,00
Maghreb	0,21***	0,07***	0,14***
Deux parents immigrés			
Europe du Sud	− 0,01	− 0,01***	0,00
Maghreb	0,21***	0,07***	0,14***

Champ : France métropolitaine, personnes âgées de 16 à 65 ans, françaises de naissance ou françaises par acquisition arrivées en France avant l'âge de 5 ans, hors étudiants et retraités.

Note : les calculs sont faits sans utiliser de pondération. Les coefficients marqués * sont significatifs à un seuil de 10 %, ceux marqués ** significatifs à un seuil de 5 % et ceux marqués *** significatifs à un seuil de 1 %. Les autres ne sont pas significatifs. En raison d'arrondis, la somme de l'écart expliqué et de l'écart non expliqué peut être différente de l'écart total estimé.

Lecture : le taux moyen d'emploi des femmes françaises dont les deux parents sont nés Français en France est 18 points plus élevé que celui des femmes françaises dont un des parents est originaire du Maghreb ; 8 de ces 18 points sont expliqués par les différences de diplôme, expérience potentielle, lieu de résidence, situation familiale et catégories socioprofessionnelles des parents.

Source : Insee, enquête Emploi 2005-2009.

Concernant le taux d'emploi des hommes originaires d'Europe de l'Est, 4 points sur 6 demeurent inexpliqués par les facteurs pris en compte, soit environ 63 % ; pour celui des femmes cette part inexpliquée est d'un peu plus d'un point sur 6, soit 25 %.

L'intégralité de ces écarts ne relève pour autant pas nécessairement de discrimination

La discrimination à l'embauche à l'encontre des descendants d'immigrés originaires du Maghreb, dont l'existence a été mise en évidence par les études de *testing* [Duguet et Petit, 2005 ou Cédiey et *al.*, 2008], est une explication plausible pour rendre compte d'une partie des écarts inexpliqués que nous mettons en évidence. Néanmoins, la méthode utilisée dans cette étude ne permet pas d'exclure que d'autres caractéristiques, inobservées par les sources statistiques, puissent avoir une incidence sur le taux d'emploi : accès à des réseaux informels véhiculant des offres d'emploi, contraintes plus ou moins fortes pour accepter un emploi, faculté de s'exprimer dans différents niveaux de langue, de se présenter à l'employeur selon les normes que celui-ci attend, etc. Une partie des écarts observés pourrait aussi être expliquée par une prise en compte insuffisamment précise des facteurs explicatifs de la situation d'emploi. Les compétences sur le marché du travail sont ici mesurées à partir du diplôme et de l'expérience professionnelle potentielle, qui ne résument pas l'ensemble du passé professionnel des personnes. Dans cet article, l'utilisation du terme de « discrimination » s'entend donc toujours avec la limite implicite que les écarts inexpliqués contiennent à la fois la discrimination en tant que telle, mais également d'autres composantes inobservables qui peuvent avoir une influence sur l'emploi, que ce soit du côté de l'offre comme de la demande de travail. S'il est probable qu'une partie des écarts relève bien d'attitudes discriminatoires à l'encontre des descendants d'immigrés originaires du Maghreb, l'estimation dans cet article surestime probablement son ampleur.

Par ailleurs, les résultats présentés dans cette étude concernent les taux d'emploi dans l'ensemble de la population, et non pas uniquement pour la sous-population des personnes qui se déclarent actives (les étudiants et retraités ont tout de même été retirés de l'analyse). Pour les hommes, ce choix ne pose a priori pas de difficulté particulière car la quasi-totalité des hommes inactifs qui ne sont pas au chômage au sens du BIT appartiennent au « halo du chômage », c'est-à-dire qu'ils souhaitent travailler, mais ne recherchent pas d'emploi ou ne sont pas disponibles rapidement pour travailler. Pour les femmes, ce choix peut paraître plus contestable : on peut penser qu'une partie des écarts de taux d'emploi viennent d'écarts de comportements d'activité entre les femmes des différents groupes[2]. Le choix de calculer les taux d'emploi sur l'ensemble des personnes (y compris les personnes au foyer) a tout de même été privilégié pour deux raisons. Tout d'abord, le choix d'être actif ou inactif dépend en partie du risque de discrimination et se limiter aux seules femmes actives (au chômage ou en emploi) écarterait de l'analyse celles qui se seraient détournées du marché du travail en raison de pratiques discriminatoires. De plus, mener l'analyse uniquement sur les actifs aboutit à des résultats qualitativement proches de ceux présentés ici : pour les femmes de parents maghrébins, l'écart de taux d'emploi est plus faible quand on raisonne sur les seuls actives (15 points contre 18 sur l'ensemble de la population) mais reste largement inexpliqué : 7 points au lieu de 10. Pour les hommes, l'écart de taux d'emploi sur les actifs est réduit de 3 points (18 points au lieu de 21 points) et 10 points restent inexpliqués au lieu de 14.

---

2. L'impact de la situation familiale sur la décision de se porter sur le marché du travail est pris en compte, mais la méthode suppose implicitement que les facteurs (âge et nombre des enfants, situation du conjoint) jouent de la même manière entre les différents groupes sur les décisions d'activité.

Pour les descendants d'immigrés maghrébins, le « déficit » d'emploi inexpliqué est plus fort chez les hommes ayant récemment achevé leurs études

Pour les femmes, l'ampleur des écarts d'emploi et les parts expliquées par les caractéristiques observables diffèrent selon le niveau d'expérience *(figure 3)*. Lorsque leurs parents viennent du Maghreb, l'écart brut est plus important pour les femmes d'expérience moyenne (22 points) que pour celles d'expérience faible ou élevée (18 et 17 points, respectivement). Toutefois, ces écarts sont un peu mieux expliqués par des différences de caractéristiques individuelles pour les femmes d'expérience moyenne (11 points expliqués) que pour celles d'expérience faible ou élevée (10 et 6 points expliqués respectivement).

Pour les hommes, les écarts totaux les plus élevés sont observés pour les individus ayant l'expérience potentielle la plus faible : 23 points. Pour les hommes d'expérience moyenne ou élevée, ces écarts diminuent à 18 puis 16 points. Chez les hommes d'expériences faible ou moyenne, l'écart expliqué est de l'ordre de 9 et 7 points respectivement. Pour les plus âgés, il est beaucoup plus faible : les différences de caractéristiques observables expliquent à peine plus d'un point sur les 16 points d'écart total.

3. Écarts de taux moyens d'emploi selon le nombre d'années d'expérience, entre les Français dont au moins un parent est immigré maghrébin et ceux dont les deux parents sont nés français

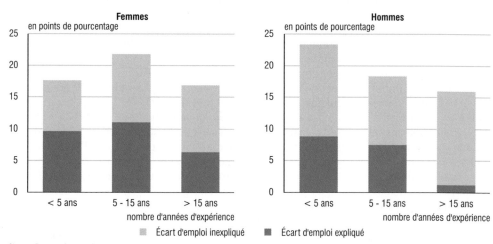

Champ : France métropolitaine, personnes âgées de 16 à 65 ans, françaises de naissance ou françaises par acquisition arrivées en France avant l'âge de 5 ans, hors étudiants et retraités.

Note : les calculs sont faits sans utiliser de pondération.

Lecture : le taux moyen d'emploi des femmes françaises qui ont entre 5 et 15 ans d'expérience potentielle et dont les deux parents sont nés Français en France est 22 points plus élevé que celui de leurs homologues dont un des parents est originaire du Maghreb. 11 de ces 22 points sont expliqués par les différences de diplôme, lieu de résidence, situation familiale et catégories socioprofessionnelles des parents.

Source : Insee, enquête Emploi 2005-2009.

L'écart inexpliqué décroît fortement avec le diplôme pour les hommes de parents maghrébins tandis que pour les femmes il augmente puis recule avec le niveau d'études

Les personnes étudiées ont, dans leur grande majorité, effectué leur scolarité en France et ont donc obtenu des diplômes comparables. Pour des niveaux de diplômes[3] élevés (master et au-delà), les écarts de taux d'emploi entre Français de parents français et Français de parents originaires du Maghreb sont très réduits, chez les hommes comme chez les femmes *(figure 4)*.

4. Écarts de taux moyens d'emploi selon le niveau de diplôme, entre les Français dont au moins un parent est immigré maghrébin et ceux dont les deux parents sont nés français

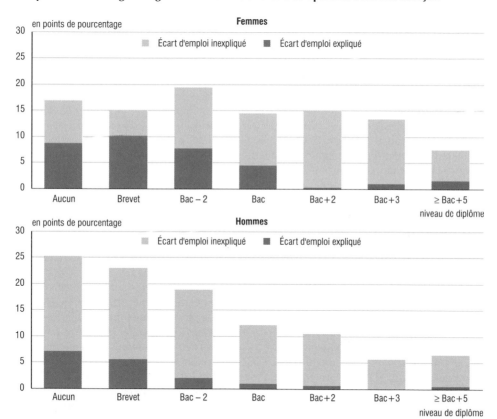

Champ : France métropolitaine, personnes âgées de 16 à 65 ans, françaises de naissance ou françaises par acquisition arrivées en France avant l'âge de 5 ans, hors étudiants et retraités.
Note : les calculs sont faits sans utiliser de pondération.
Lecture : le taux moyen d'emploi des femmes françaises qui ont un niveau CAP ou BEP (noté Bac −2) et dont les deux parents sont nés en France est 19 points plus élevé que celui de leurs homologues dont un des parents est né originaire du Maghreb. 8 de ces 19 points sont expliqués par les différences d'expérience potentielle, lieu de résidence, situation familiale et catégories socioprofessionnelles des parents.
Source : Insee, enquête Emploi 2005-2009.

---

3. La population a cette fois été divisée en sept catégories, de tailles inégales : master et au-delà, licence ou maîtrise, premier cycle du supérieur, baccalauréat ou diplôme de même niveau, CAP ou BEP ou diplôme de même niveau, brevet des collèges, certificat d'études primaires ou pas de diplôme.

Pour les hommes, ce constat demeure vrai pour des niveaux de diplôme immédiatement inférieurs (licence ou maîtrise). Pour les femmes, en revanche, un écart important (14 points) apparaît au niveau licence-maîtrise. Cet écart est majoritairement inexpliqué par les caractéristiques individuelles prises en compte dans l'analyse. Pour les niveaux de diplôme inférieurs au premier cycle du supérieur, la décomposition des écarts d'emploi donne, pour les femmes dont les parents sont originaires du Maghreb, des résultats assez similaires : des écarts bruts importants (entre 15 et 20 points) dont les différences de caractéristiques individuelles expliquent entre le tiers et la moitié, sauf au niveau brevet où la part expliquée atteint deux tiers. Pour les hommes dont les parents sont originaires du Maghreb, le déficit de taux d'emploi par rapport aux Français dont les deux parents sont nés français est d'autant plus élevé que le niveau de diplôme est bas (de 11 points au niveau Bac+2 à 25 points pour ceux qui n'ont aucun diplôme). L'écart expliqué est relativement stable autour de 1 point sauf pour ceux qui n'ont pas de diplôme et les titulaires d'un brevet pour qui cet écart est de 7 et 6 points respectivement. L'écart inexpliqué est d'autant plus important que le diplôme est faible.

Chez les hommes enfants d'immigrés maghrébins, les écarts inexpliqués de taux d'emploi sont d'autant plus faibles que les caractéristiques individuelles sont favorables à l'insertion, mais pas chez les femmes

Les décompositions d'écarts de taux d'emploi par sous-catégories ne permettent de rendre compte que d'une seule caractéristique à la fois, l'expérience ou le diplôme. La taille des échantillons n'est en effet pas suffisante pour mener le même type d'analyse sur des croisements de diplôme et d'expérience. Le recours à la modélisation économétrique permet toutefois de tenir compte simultanément et de manière synthétique des différents déterminants de l'emploi. Pour chaque personne de la population « d'intérêt » (les Français de parents d'origine immigrée), on calcule sa probabilité d'avoir un emploi si ses caractéristiques propres (diplôme, expérience potentielle, lieu de résidence et situation familiale) étaient valorisées comme celles des personnes de la population « de référence » (les Français dont les deux parents sont français à la naissance). Cette probabilité s'interprète comme le niveau d'emploi théorique que cette personne aurait compte tenu de ses caractéristiques observées, en l'absence de discrimination et sans tenir compte des autres facteurs susceptibles d'avoir une influence sur le taux d'emploi mais qui n'ont pu être mesurés dans l'enquête *(figure 5)*.

L'analyse par niveau d'emploi théorique est une fois encore centrée sur les Français dont les parents sont originaires du Maghreb. Au sein de cette population, des écarts inexpliqués de taux d'emploi, généralement importants, sont observés pour les hommes quelles que soient les probabilités théoriques d'emploi : que leurs caractéristiques individuelles soient plus favorables ou moins favorables au fait d'être en emploi, les hommes de parents immigrés maghrébins sont toujours moins souvent en emploi que ce que l'on pourrait attendre. Toutefois, ces écarts inexpliqués de taux d'emploi décroissent à mesure que les probabilités théoriques d'emploi augmentent. Autrement dit, le « déficit » d'emploi s'amenuise fortement lorsque le diplôme s'élève pour les hommes. Ainsi, les Français d'origine maghrébine ayant un taux d'emploi théorique de 50 % ont un niveau d'emploi effectif de 19 %. Au contraire, ceux qui ont une probabilité théorique d'emploi de 95 % ont un taux d'emploi effectif de 91 %.

Pour les femmes, les écarts inexpliqués de taux d'emploi ne sont significatifs que pour les probabilités théoriques d'emploi supérieures à 50 %. Ils restent à peu près constants pour les niveaux d'emploi théoriques compris entre 50 % et 80 % puis diminuent légèrement avant de se stabiliser. Ainsi, les Françaises dont un des parents est originaire du Maghreb et dont le taux d'emploi théorique est de 70 % compte tenu de leur diplôme, expérience potentielle, lieu de résidence et situation familiale, ont un taux d'emploi effectif de 55 %.

5. Taux d'emploi observé en fonction du taux d'emploi théorique pour les personnes dont les parents sont originaires du Maghreb

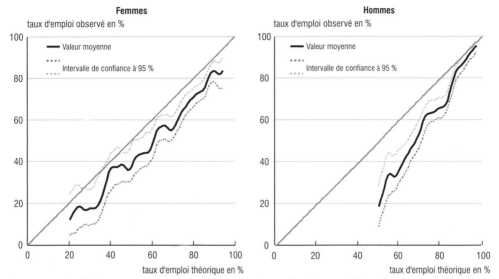

Champ : France métropolitaine, personnes âgées de 16 à 65 ans, françaises de naissance ou françaises par acquisition arrivées en France avant l'âge de 5 ans, hors étudiants et retraités.
Note : les calculs sont faits sans utiliser de pondération
Lecture : les femmes françaises dont un des parents est originaire du Maghreb et dont le taux d'emploi théorique est de 70 % (compte tenu de leurs diplôme, expérience potentielle, lieu de résidence et situation familiale et des catégories socioprofessionnelles de leurs parents) ont en fait un taux d'emploi plus faible, proche de 55 %. Cet écart entre taux théorique et taux observé est à peu près constant pour un taux théorique compris entre 50 % et 90 %.
Source : Insee, enquête Emploi 2005-2009.

Ces résultats sont cohérents avec ceux de la décomposition par diplôme : plus un homme a des caractéristiques favorables à son insertion dans l'emploi (resp. un niveau de diplôme élevé), moins il y a d'écart d'emploi inexpliqué par rapport à un homme de la population de référence ayant des caractéristiques similaires (resp. un diplôme similaire) ; chez les femmes, les écarts varient en revanche moins selon le niveau d'emploi théorique (resp. le niveau de diplôme). L'analyse donne des résultats similaires selon qu'un seul ou les deux parents sont originaires du Maghreb.

Les écarts inexpliqués de taux d'emploi : une interprétation délicate

Il faut néanmoins se garder d'interpréter les graphiques en termes de discrimination plus ou moins grande par niveau théorique d'emploi. Même si l'on trouve, pour les hommes, que l'écart d'emploi inexpliqué est plus faible pour les « plus employables », on ne peut pas en conclure que les hommes les « plus employables » sont moins discriminés que les « moins employables ». En effet, imaginons qu'une proportion fixe d'entreprises refuse de manière unilatérale d'embaucher les Français d'origine étrangère quelles que soient leurs caractéristiques. Comme les personnes ayant les caractéristiques les plus valorisées sur le marché du travail reçoivent plus d'offres de travail que les autres, cette discrimination uniforme ne va pas conduire à des écarts inexpliqués identiques pour tout le monde : les écarts inexpliqués seront faibles pour les personnes ayant un haut niveau théorique d'emploi et plus élevés pour ceux ayant un niveau théorique d'emploi plus faible.

S'il convient de rester très prudent sur les conclusions à tirer en termes de discrimination, il n'en demeure pas moins que les courbes des écarts entre probabilités d'emploi théorique et observée n'ont pas la même allure pour les hommes et pour les femmes. Les écarts de taux d'emploi inexpliqués entre les hommes français descendants d'immigrés venant du Maghreb et les hommes français de parents français de naissance sont d'autant plus faibles que leur probabilité théorique d'emploi est élevée. En revanche, si le « déficit » d'emploi des femmes se réduit un peu pour les probabilités théoriques d'emploi les plus élevées, il n'en reste pas moins assez important. Bien que délicats à interpréter pour les raisons évoquées plus haut, ces résultats accréditeraient plutôt l'idée que le « plafond de verre » dans l'accès à l'emploi concernerait davantage les femmes que les hommes dont les parents sont originaires du Maghreb. ■

Pour en savoir plus

Aeberhardt R., Fougère D., Pouget J. et Rathelot R. (2010) : « Wages and Employment of French Workers with African Origin », *Journal of Population Économics,* 23 (3) , 881-905.

Aeberhardt R. et Pouget J. (2010) : «National Origin Differences in Wages and Hierarchical Positions : Evidence on French Full-Time Male Wokers from a matched Employer-Employee Dataset», *Document de travail* n° G2010/06.

Blinder A. (1973) : « Wage Discrimination : Reduced Form and Structural Estimates », *Journal of Human Resources,* 8 (4) , 436-455.

Boumahdi R. et Giret J. -F. (2005) : « Une analyse économétrique des disparités d'accès à l'emploi et de rémunérations entre jeunes d'origine française et jeunes issus de l'immigration », *Revue Économique,* 56 (3) , 625-636.

Cédiey E., Foroni F. et Garner H. (2008) : « Les discriminations à l'embauche fondées sur l'origine à l'encontre des jeunes Français(es) peu qualifiés », *Premières Synthèses* n° 06. 3, Dares.

Duguet E. et Petit P. (2005) : « Hiring discrimination in the French financial sector : an econometric analysis on field experiment data », *Annales d'économie et de statistique,* 78, 79-102.

Dupray A. et Moullet S. (2004) : « L'insertion des jeunes d'origine maghrébine en France : des différences plus marquées dans l'accès à l'emploi qu'en matière salariale », *Net.doc* n° 6, Cereq.

Muller L. et Rathelot R. (2010) : « Les salariés français descendant d'immigrés : salaires et profil socioprofessionnel dans les entreprises de 10 salariés ou plus en 2006 », *Premières Synthèses* 2010-007, Dares.

Oaxaca R. (1973) : « Male-Female Wage Differentials in Urban Labor Markets », *International Economic Review,* 14 (3) , 693-709.

Silberman R. et Fournier I. (1999) : « Les enfants d'immigrés sur le marché du travail. Les mécanismes d'une discrimination sélective », *Formation Emploi,* 65, 31-55.

Annexe 1. Situation socio-démographique des femmes françaises selon la nationalité des parents à la naissance

en %

	Deux parents nés français	Au moins un parent immigré				Deux parents immigrés			
		Europe de l'Est	Europe du Nord	Europe du Sud	Maghreb	Europe de l'Est	Europe du Nord	Europe du Sud	Maghreb
Situation familiale									
En couple	73	71	70	74	66	71	75	77	69
En couple et conjoint en emploi	56	46	50	55	39	44	53	61	40
Un enfant	21	18	17	22	27	17	13	23	26
Deux enfants	17	10	12	18	18	13	9	22	18
Trois enfants ou plus	6	4	5	6	13	5	8	5	14
Le plus jeune enfant a moins de 3 ans	10	6	6	9	20	10	5	9	21
Diplôme obtenu									
Doctorat de santé	1	1	1	0	1	0	0	0	1
Autre diplôme de troisième cycle	3	3	4	2	2	3	5	2	3
École d'ingénieurs et de commerce	2	2	2	1	1	0	2	1	1
Maîtrise : sciences exactes ou naturelles, production	0	0	1	0	0	0	0	0	0
Maîtrise : sciences humaines et sociales, services	3	3	4	3	3	3	0	3	3
Licence : sciences exactes ou naturelles, production	1	0	1	0	0	0	1	0	0
Licence : sciences humaines et sociales, services	4	3	5	4	3	4	5	4	3
Deug	2	2	2	2	1	3	5	2	2
BTS-DUT : production	1	0	0	1	0	1	0	1	0
BTS-DUT : services	8	7	7	7	9	8	6	7	11
Diplôme paramédical et social : Bac+2	4	3	4	3	2	1	8	3	2
Bac ES ou L	7	8	7	8	7	9	5	7	8
Bac S	2	2	2	1	1	1	0	1	1
Bac technologique : production	0	0	0	0	0	0	0	0	0
Bac technologique : services	5	3	3	5	6	5	2	5	6
Bac professionnel : production	1	0	0	0	1	1	0	0	1
Bac professionnel : services	4	3	2	4	5	4	1	5	6
CAP-BEP : production	4	5	2	4	4	7	2	4	5
CAP-BEP : services	19	19	16	22	18	18	21	24	16
Brevet des collèges	9	10	9	9	10	7	9	8	9
Certificat d'études ou pas de diplôme	19	25	25	21	25	23	27	21	22
Lieu de résidence									
Hors Île-de-France hors ZUS	82	73	78	78	55	68	81	74	51
Île-de-France hors ZUS	13	19	15	16	20	23	15	19	21
ZUS hors Île-de-France	5	6	6	5	18	8	4	5	21
ZUS en Île-de-France	1	1	1	1	7	1	0	2	7
Situation professionnelle									
En emploi	74	68	69	72	56	65	62	75	55
Chômeuse BIT	8	7	7	8	18	6	5	6	19
Temps plein	71	74	71	70	72	75	63	71	73
Expérience potentielle (années)	19	27	23	19	11	26	27	19	10
Catégorie socioprofessionnelle									
Cadre, chef d'entreprise, profession libérale	13	15	17	10	6	15	16	9	6
Profession intermédiaire	21	18	18	19	16	15	18	18	16
Employée	38	36	33	42	40	35	22	45	40
Ouvrière	8	6	8	8	7	5	11	9	7
Inactive ayant déjà travaillé	5	13	10	5	0	16	13	4	0
Chômeuse ou inactive n'ayant jamais travaillé	15	12	14	16	30	13	20	15	31
Catégorie socioprofessionnelle de la mère									
Inconnue	2	1	2	1	2	1	0	1	1
Agricultrice	6	2	3	1	0	2	11	1	0
Artisan, commerçante	5	4	5	4	2	2	1	2	1
Cadre, chef d'entreprise, profession libérale	2	1	4	1	1	1	4	0	0
Profession intermédiaire	10	7	12	5	3	3	7	2	1
Employée	28	19	17	31	23	14	6	31	19
Ouvrière	8	11	7	12	7	17	5	12	5
Chômeuse ou inactive n'ayant jamais travaillé	39	55	51	45	63	61	67	51	73

Annexe 1 (suite). Situation socio-démographique des femmes françaises selon la nationalité des parents à la naissance

en %

	Deux parents nés français	Au moins un parent immigré				Deux parents immigrés			
		Europe de l'Est	Europe du Nord	Europe du Sud	Maghreb	Europe de l'Est	Europe du Nord	Europe du Sud	Maghreb
Catégorie socioprofessionnelle du père									
Inconnue	5	5	6	4	7	3	6	3	5
Agriculteur	8	3	5	3	1	2	15	2	1
Artisan, commerçant	11	10	10	12	8	7	11	9	7
Cadre, chef d'entreprise, profession libérale	10	8	16	1	2	3	13	1	1
Profession intermédiaire	15	9	15	10	5	4	10	7	4
Employé	13	6	10	6	7	5	5	3	6
Ouvrier	37	57	37	60	67	75	34	74	73
Chômeur ou inactif n'ayant jamais travaillé	2	2	2	1	3	1	0	1	3
Nombre de personnes dans l'échantillon	**79 488**	**872**	**1 072**	**4 366**	**3 032**	**238**	**85**	**1 954**	**2 112**

Champ : France métropolitaine, femmes âgées de 16 à 65 ans, françaises de naissance ou françaises par acquisition arrivées en France avant l'âge de 5 ans, hors étudiantes et retraitées.
Note : les calculs sont faits sans utiliser de pondération.
Lecture : parmi les femmes françaises dont les deux parents sont nés Français, 13 % sont cadres ou étaient cadres dans leur dernier emploi occupé.
Source : Insee, enquête Emploi 2005-2009.

France, portrait social - édition 2010

Annexe 2. Situation socio-démographique des hommes français selon la nationalité des parents à la naissance

en %

	Deux parents nés français	Au moins un parent immigré				Deux parents immigrés			
		Europe de l'Est	Europe du Nord	Europe du Sud	Maghreb	Europe de l'Est	Europe du Nord	Europe du Sud	Maghreb
Situation familiale									
En couple	76	73	73	78	71	68	68	81	74
En couple et conjoint en emploi	49	47	45	48	24	39	35	52	22
Un enfant	19	15	17	20	20	15	22	21	20
Deux enfants	16	11	13	17	17	7	7	20	17
Trois enfants ou plus	6	4	7	5	9	2	7	6	10
Le plus jeune enfant a moins de 3 ans	10	4	9	9	15	4	7	10	16
Diplôme obtenu									
Doctorat de santé	1	2	2	1	1	1	2	0	0
Autre diplôme de troisième cycle	3	4	4	2	2	5	5	2	2
École d'ingénieurs et de commerce	5	5	6	2	2	3	7	2	1
Maîtrise : sciences exactes ou naturelles, production	1	0	1	0	0	0	2	0	0
Maîtrise : sciences humaines et sociales, services	2	2	3	2	2	1	2	2	2
Licence : sciences exactes ou naturelles, production	1	0	1	0	0	0	2	1	0
Licence : sciences humaines et sociales, services	2	2	3	1	2	1	3	2	2
Deug	2	2	3	1	1	2	0	1	1
BTS-DUT : production	5	3	5	4	4	6	5	4	4
BTS-DUT : services	4	3	4	4	4	3	5	4	5
Diplôme paramédical et social : Bac+2	1	1	1	1	0	2	0	0	0
Bac ES ou L	3	3	5	3	4	3	3	3	4
Bac S	3	2	4	2	3	2	8	2	3
Bac technologique : production	2	3	2	2	1	4	2	1	1
Bac technologique : services	2	1	1	2	3	2	0	2	3
Bac professionnel . production	5	4	4	5	4	4	5	5	4
Bac professionnel : services	2	1	2	1	2	2	5	1	3
CAP-BEP : production	26	26	23	31	19	25	30	34	19
CAP-BEP : services	4	5	5	5	5	6	2	5	5
Brevet des collèges	8	7	5	8	10	5	0	7	10
Certificat d'études ou pas de diplôme	18	23	18	22	30	26	13	21	30
Lieu de résidence									
Hors Île-de-France hors ZUS	83	77	77	77	56	70	87	72	52
Île-de-France hors ZUS	12	16	16	17	21	21	8	21	21
ZUS hors Île-de-France	4	6	5	5	18	8	5	5	20
ZUS en Île-de-France	1	1	1	1	6	1	0	2	7
Situation professionnelle									
En emploi	86	80	84	85	65	73	85	87	65
Chômeur BIT	7	8	8	8	22	9	7	7	23
Temps plein	95	94	94	96	93	94	90	96	94
Expérience potentielle (années)	18	25	21	18	10	26	21	18	10
Catégorie socioprofessionnelle									
Cadre, chef d'entreprise, profession libérale	24	27	28	22	12	24	35	21	11
Profession intermédiaire	21	22	22	20	15	22	23	21	15
Employé	12	10	12	12	15	8	12	11	15
Ouvrier	35	27	29	37	40	24	22	40	41
Inactif ayant déjà travaillé	2	7	4	2	0	9	5	1	0
Chômeur ou inactif n'ayant jamais travaillé	6	7	6	6	17	11	3	6	17
Catégorie socioprofessionnelle de la mère									
Inconnue	2	2	3	1	1	3	2	1	1
Agricultrice	6	2	4	1	0	3	8	1	0
Artisan, commerçante	5	4	6	4	1	2	0	2	1
Cadre, chef d'entreprise, profession libérale	2	2	4	1	1	1	5	0	0
Profession intermédiaire	10	6	12	4	3	3	12	1	1
Employée	27	20	17	31	21	21	17	31	16
Ouvrière	9	13	7	12	8	20	5	13	7
Chômeuse ou inactive n'ayant jamais travaillé	38	51	48	45	64	49	52	50	74

Annexe 2 (suite). Situation socio-démographique des hommes français selon la nationalité des parents à la naissance

en %

	Deux parents nés français	Au moins un parent immigré				Deux parents immigrés			
		Europe de l'Est	Europe du Nord	Europe du Sud	Maghreb	Europe de l'Est	Europe du Nord	Europe du Sud	Maghreb
Catégorie socioprofessionnelle du père									
Inconnue	5	4	6	5	7	5	12	3	4
Agriculteur	8	3	7	3	1	4	20	3	1
Artisan, commerçant	11	10	12	11	8	9	7	9	7
Cadre, chef d'entreprise, profession libérale	11	0	17	4	2	2	22	1	1
Profession intermédiaire	15	10	13	8	5	7	5	5	3
Employé	11	5	10	5	6	3	12	3	5
Ouvrier	38	59	33	63	67	67	23	75	75
Chômeur ou inactif n'ayant jamais travaillé	2	2	2	2	4	4	0	2	4
Nombre de personnes dans l'échantillon	**74 909**	**771**	**984**	**4 179**	**2 767**	**192**	**60**	**1 934**	**1 961**

Champ : France métropolitaine, hommes âgés de 16 à 65 ans, français de naissance ou français par acquisition arrivés en France avant l'âge de 5 ans, hors étudiants et retraités.

Note : les calculs sont faits sans utiliser de pondération.

Lecture : parmi les hommes français dont les deux parents sont nés Français, 24 % sont cadres ou étaient cadres dans leur dernier emploi occupé.

Source : Insee, enquête Emploi 2005-2009.

La facture énergétique des ménages serait 10 % plus faible sans l'étalement urbain des 20 dernières années

Lucie Calvet, François Marical, Sébastien Merceron et Maël Theulière*

En 2006, les dépenses d'énergie (carburant et énergie pour le logement) représentent 8,4 % du budget des ménages. La localisation et la surface des logements sont des facteurs déterminants : elles expliquent l'essentiel des écarts de dépenses selon l'âge ou le niveau de vie. Ainsi, les dépenses d'énergie pour le logement dépendent surtout de la surface d'habitation et de la source d'énergie utilisée pour le chauffage tandis que l'éloignement des villes-centres influe fortement sur la dépense de carburant.

En vingt ans, la part de l'énergie dans le budget des ménages (transport et logement) est restée globalement stable. Pourtant, l'énergie est devenue relativement moins chère sur cette période, la performance énergétique des logements et des véhicules s'est améliorée, et les ménages ont arbitré en faveur de combustibles plus économiques. Mais les appareils électriques et les véhicules se sont multipliés et les ménages vivent plus loin des villes-centres dans des logements plus grands.

Ce phénomène d'étalement urbain et d'agrandissement des logements permettrait en partie d'expliquer que la part budgétaire de l'énergie soit restée à un niveau stable malgré l'amélioration de l'efficacité énergétique des habitations et des véhicules. Si, en 2006, les ménages occupaient les mêmes logements en termes de surface et d'éloignement des villes-centres que 20 ans auparavant, leur consommation d'énergie serait 10 % plus faible.

Les dépenses énergétiques, un enjeu pour les années à venir

Le réchauffement climatique, l'épuisement et le coût des énergies fossiles mettent la question énergétique au centre des préoccupations des années à venir. De multiples questions sont posées, comme l'efficacité énergétique de la production agricole et industrielle, l'organisation des échanges commerciaux, l'aménagement du territoire, la politique du logement et du transport. On s'intéresse ici à l'étude de la facture énergétique des ménages : quel poids représente-t-elle dans leur budget ? Cette facture a-t-elle évolué ces dernières années ? L'article se penche notamment sur un apparent paradoxe : alors que la performance énergétique des logements et des véhicules s'est améliorée en 20 ans, les dépenses d'énergie représentent toujours la même part du budget des ménages. Ceci s'explique notamment par l'étalement urbain et l'augmentation des surfaces des logements. La dernière partie de l'article mesure leur impact sur la consommation d'énergie des ménages.

* Lucie Calvet, François Marical, SEEIDD ; Sébastien Merceron, Maël Theulière, Insee.

L'énergie : 8,4 % du budget des ménages en 2006

En 2006, les dépenses d'énergie représentent 8,4 % du budget des ménages : 4,8 % sont dépensés pour l'énergie du logement et 3,6 % pour le carburant automobile, selon l'enquête Budget de famille *(encadré 1)*.

En montants, ce sont les ménages dont la personne de référence[1] a une cinquantaine d'années qui dépensent le plus en énergie. De 20 à 50 ans, les ménages s'agrandissent et les dépenses d'énergie pour le logement et le carburant augmentent conjointement *(figure 1)*. À partir de 50 ans, les dépenses d'énergie pour le logement se stabilisent et les dépenses de carburant diminuent rapidement avec le retrait de la vie active et le vieillissement. En revanche, en part budgétaire, c'est-à-dire une fois rapportées à l'ensemble de leurs dépenses, ce sont les ménages plus âgés qui consacrent à l'énergie la plus grande part de leur budget. Un ménage dont la personne de référence a 25 ans consacre 6 % de son budget à l'énergie ; un ménage de plus de 70 ans, 10 %.

1. Dépenses d'énergie selon l'âge de la personne de référence du ménage

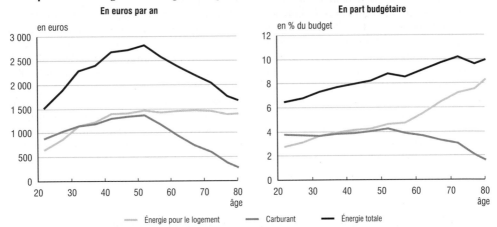

Champ : France métropolitaine .
Lecture : en 2006, un ménage dont la personne de référence a 60 ans dépense en moyenne 1 450 euros par an pour l'énergie de son logement, soit 5,1 % de son budget.
Source : Insee, enquête Budget de famille 2006.

La part budgétaire consacrée à l'énergie diminue à mesure que le niveau de vie du ménage s'élève *(figure 2)*. Les 20 % de ménages les plus modestes consacrent près de 10 % de leur budget à l'énergie ; les 20 % les plus aisés, 7 %. La part budgétaire consacrée au carburant automobile est croissante sur les trois premiers quintiles[2] de niveau de vie, puis décroissante.

---

1. La personne de référence est déterminée à partir de la structure familiale du ménage et des caractéristiques des individus qui le composent. Il s'agit le plus souvent de l'homme le plus âgé, en donnant priorité à l'actif le plus âgé (définition Insee).
2. Si l'on ordonne les ménages selon leur niveau de vie, les quintiles les séparent en cinq groupes d'effectifs égaux : un ménage du premier quintile de niveau de vie (Q1) fait partie des 20 % de ménages au niveau de vie le plus faible.

2. Dépenses d'énergie selon le niveau de vie du ménage

En euros par an　　　　　　　　　　　　　　　　**En part budgétaire**

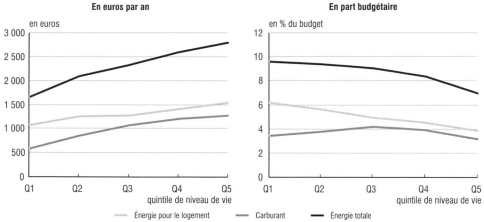

Champ : France métropolitaine.
Lecture : si l'on ordonne les ménages selon leur niveau de vie, les quintiles les séparent en cinq groupes d'effectifs égaux : un ménage du premier quintile de niveau de vie (Q1) fait partie des 20 % de ménages au niveau de vie le plus faible. En 2006, un ménage du 1er quintile de niveau de vie dépense en moyenne 1 100 euros par an pour l'énergie du logement, soit 6,2 % de son budget.
Source : Insee, enquête Budget de famille 2006.

Encadré 1

Les dépenses énergétiques des ménages : sources et méthodes

Définition

Les dépenses énergétiques des ménages regroupent l'ensemble des dépenses courantes pour le chauffage, l'équipement électrique de la maison, la cuisson et l'eau chaude ainsi que les dépenses de carburant pour les véhicules. Ainsi, il s'agit des dépenses des ménages en électricité, gaz, fuel, charbon, bois et autres combustibles et en essence et diesel. En 2006, ce poste de dépense représente 8,4 % de la consommation des ménages selon l'enquête Budget de famille : 4,8 % pour l'énergie du logement et 3,6 % pour le carburant des véhicules.

Sources

L'enquête Budget de famille (BDF) vise à reconstituer toute la comptabilité des ménages c'est-à-dire les dépenses et ressources des ménages résidant en France (métropole et Dom). En 2006, 10 240 ménages ordinaires (*i.e.* hors logements en collectivité) ont été interrogés, ce qui correspond à 25 364 personnes. Cette enquête existait déjà sous un format plus réduit en 1956. Dans cette étude, nous mobilisons 5 vagues d'enquête (1984-1985, 1989, 1994-1995, 2000-2001 et 2005-2006).

Les résultats de l'enquête Budget de famille sont très proches de ceux des comptes nationaux qui sont la source de référence pour le calcul des parts budgétaires. D'après les comptes nationaux, la part budgétaire de l'énergie s'élèverait à 8,6 % du budget des ménages en 2006*, contre 8,4 % selon l'enquête Budget de famille. Ce faible écart s'explique notamment par les dépenses de lubrifiants qui sont intégrées à celles des carburants pour les données de comptabilité nationale, au contraire des données de l'enquête Budget de famille. Les deux sources sont également cohérentes dans le temps. La part budgétaire énergétique est restée stable sur 20 ans après le contrechoc pétrolier. Dans l'enquête Budget de famille, l'année 1985 correspond à un point haut, conséquence de la hausse prolongée des prix des combustibles à la suite du choc pétrolier de 1979. Le contrechoc pétrolier de 1986 a ensuite permis une forte contraction des prix des énergies et une baisse de 2,7 points en moyenne de la part de l'énergie dans les dépenses des ménages entre 1985 et 1989. La répartition de la part budgétaire énergétique entre logement et transport est demeurée quasiment identique au fil des deux décennies.

* si l'on exclut du budget des ménages les loyers imputés aux propriétaires et les services d'intermédiations financières indirectement mesurés (Sifim).

Surface du logement et source d'énergie de chauffage expliquent les écarts de dépenses d'énergie pour le logement

Deux causes principales expliquent le profil des dépenses d'énergie pour le logement selon l'âge ou le niveau de vie : la surface des logements et le mode de chauffage. En effet, rapportée au mètre carré, la dépense d'énergie pour le logement varie peu avec l'âge et reste stable avec le niveau de vie [Calvet et Marical, 2010]. Ainsi, entre 20 et 50 ans, la hausse des dépenses d'énergie pour le logement *(cf. supra)* vient de l'agrandissement des logements qui répond à l'augmentation de la taille des ménages et à celle du niveau de vie. Après 50 ans, la taille des ménages décroît mais la surface moyenne des logements ne diminue que très peu *(figure 3)* : malgré la diminution de la taille des ménages avec l'âge, les familles déménagent rarement pour un logement plus petit. Seuls 2 % des ménages de plus de 60 ans déménagent une année donnée, alors que c'est le cas d'un quart des ménages dont la personne de référence a 20 ans. Les dépenses d'énergie pour le logement se stabilisent donc après 50 ans alors que le budget total des ménages a tendance à décroître du fait de la réduction de leur taille et de la baisse des revenus liée au passage à la retraite. Il en résulte une augmentation de la part budgétaire de l'énergie pour le logement.

3. Surface du logement et mobilité résidentielle selon l'âge

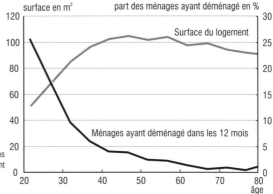

Champ : France métropolitaine.
Lecture : en 2006, un ménage dont la personne de référence a 40 ans occupe en moyenne un logement de 100 m² ; 5 % de ces ménages ont déménagé dans l'année précédent l'enquête.
Source : Insee, enquête Budget de famille 2006.

La facture énergétique dépend aussi, mais dans une moindre mesure, de la source d'énergie utilisée pour le chauffage. Toutes choses égales par ailleurs, en 2006, un ménage chauffé au fioul dépense 28 % de plus qu'un même ménage chauffé à l'électricité ; un ménage chauffé au gaz 5 % de plus que s'il avait le chauffage électrique. La part des ménages chauffés au gaz varie peu selon l'âge ou le niveau de vie, elle est d'environ 40 %. En revanche, les ménages jeunes se chauffent plus souvent à l'électricité et les ménages âgés au fioul. Ainsi, 35 % des moins de 40 ans utilisent l'électricité pour se chauffer, contre seulement 25 % des plus de 70 ans. Au contraire, 25 % des plus de 70 ans sont chauffés au fioul, contre 12 % des ménages de moins de 40 ans.

Les ménages éloignés des villes-centres dépensent plus en carburant

Les ménages périurbains *(encadré 2)* sont ceux qui ont les dépenses de carburant les plus importantes en raison de leur éloignement des villes-centres et de leur besoin de voiture pour les déplacements domicile-travail. Ils ont plus de voitures (près de 1,5 véhicule particulier par ménage contre un véhicule particulier par ménage en ville-centre) et s'en servent davantage (leur dépense de carburant par véhicule est de 800 euros par an contre 600 euros en ville-centre). À l'opposé, les ménages du pôle urbain de Paris dépensent 3,6 fois plus que la moyenne nationale en services de transports collectifs.

Les ménages périurbains ne sont pas directement comparables à ceux habitant en zone rurale ou dans les villes-centres. Les caractéristiques socioéconomiques des ménages étant liées à la zone de résidence (ménages périurbains plus actifs, ménages ruraux plus âgés, etc.), il est préférable d'étudier l'effet de la zone de résidence toutes choses égales par ailleurs. Ainsi, à niveau de vie et structure familiale (âge, composition) équivalents, un ménage équipé d'une voiture dépense 440 euros de carburant de plus par an s'il est installé en zone périurbaine plutôt qu'en ville-centre de province *(figure 4)*. Au contraire, un ménage installé dans le pôle urbain de Paris dépensera 450 euros de moins par an que le ménage en ville-centre de province[3]. De plus, le fait d'avoir un actif occupé de plus dans le ménage augmente la dépense annuelle de carburant de 700 euros. Le fait d'avoir des enfants accroît également les dépenses de carburant, mais dans une moindre mesure.

Ainsi, les ménages ruraux et périurbains, ont, en moyenne, une part budgétaire énergétique plus élevée que les ménages vivant dans les villes-centres, car la distance du domicile au travail est plus importante ; ils habitent des logements plus grands, sont en proportion plus nombreux à occuper un logement individuel et à utiliser du fioul pour le chauffage.

4. Dépense de carburant selon la localisation résidentielle, toutes choses égales par ailleurs

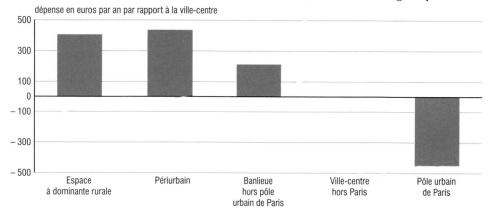

dépense en euros par an par rapport à la ville-centre

Champ : France métropolitaine.
Lecture : toutes choses égales par ailleurs, un ménage qui réside en zone périurbaine consacre en moyenne 440 euros de plus par an au carburant qu'un ménage qui réside en ville-centre.
Source : Insee, enquête Budget de famille 2006.

Sur 20 ans, la part de l'énergie dans le budget des ménages est restée relativement stable.

La part budgétaire énergétique des ménages est restée globalement stable entre le milieu des années 1980 et 2006. Sa répartition entre logement et transport est demeurée quasiment identique. Cette stabilité était loin d'être évidente. D'un côté, l'énergie est devenue relativement moins chère sur cette période, la performance énergétique des logements et des véhicules s'est améliorée, et les ménages ont arbitré en faveur de combustibles plus économiques. De l'autre, les appareils électriques se sont multipliés, les logements sont devenus plus grands et se sont éloignés des centres, ce qui a eu tendance à accroître la consommation d'énergie.

---

3. Voir aussi sur ce sujet Kleinpeter M.-A., Lemaître E., « Dépenses de carburant automobile des ménages : relations avec la zone de résidence et impacts redistributifs potentiels d'une fiscalité incitative », *Études et documents* n° 8, 2009.

Le zonage utilisé

L'étude reprend le zonage proposé par Kleinpeter et Lemaître (2009). Ce zonage propose un découpage en 5 zones de tailles équivalentes :
– pôle urbain de Paris (16 % de la population) ;
– ville-centre de pôle urbain de province (25 % de la population) ;
– banlieue de pôle urbain de province (19 % de la population) ;
– périurbain (21 % de la population) ;
– espace à dominante rurale (19 % de la population).

Ce zonage est basé sur la distinction entre l'espace à dominante rurale et l'espace à dominante urbaine. Le premier comprend les petites unités urbaines ainsi que les communes rurales. Le second comprend les communes périurbaines, la banlieue et les villes-centres.

À l'intérieur de l'espace à dominante urbaine, on distingue l'unité urbaine (le pôle urbain) : il s'agit d'une commune (ou un ensemble de communes) qui comporte sur son territoire une zone bâtie d'au moins 2 000 habitants où aucune habitation n'est séparée de la plus proche de plus de 200 mètres. Si une commune abrite plus de 50 % de la population de l'unité urbaine, elle est la seule ville-centre. Sinon, toutes les communes de population supérieure à 50 % de celle de la commune la plus peuplée sont aussi villes-centres. Les communes qui ne sont pas villes-centres constituent la banlieue de l'unité urbaine.

Les communes périurbaines sont situées hors des villes-centres et de la banlieue et sont caractérisées par le fait que 40 % de leur population travaille au sein de l'aire ou du pôle urbain. Enfin, le pôle urbain de Paris, constitué de 396 communes de l'aire urbaine, forme une zone à part en raison des caractéristiques particulières de son réseau de transport urbain.

Les choix des ménages en matière de combustible ont évolué pour s'adapter aux évolutions des prix des énergies

Les prix de l'énergie ont augmenté globalement moins vite entre 1984 et 2006 que l'indice général des prix à la consommation (+ 1,9 % contre + 2,2 % par an en moyenne), même si, depuis 2001, la croissance du prix relatif de l'énergie s'est accélérée et est devenue plus élevée que l'inflation. Ainsi, l'énergie est devenue en 20 ans comparativement moins chère que les autres biens du panier de consommation. Toutefois, les coûts des différentes énergies n'ont pas évolué de la même manière *(figure 5)* : le prix de l'électricité est resté stable pour les particuliers depuis la fin des années 1980, alors que le tarif du fioul s'est fortement renchéri à partir de 1988, à la suite des flambées successives du prix du baril de pétrole sur les marchés internationaux. Le tarif du fioul domestique a augmenté en moyenne de 4,4 % par an entre 1988 et 2006, contre 2,8 % pour le gaz et 0,2 % pour l'électricité. Le carburant automobile a suivi une évolution similaire mais plus régulière.

Face à ces évolutions contrastées des prix des combustibles, les ménages ont progressivement changé leurs systèmes de chauffage au profit de systèmes centralisés, moins consommateurs et fonctionnant à l'électricité ou au gaz plutôt qu'au charbon ou au fioul. Le taux d'équipement en chauffage central (y compris électrique) a progressé de 24 points en 20 ans, favorisant la maîtrise des consommations (Rapport de la Commission des Comptes du logement, 2008). La part des maisons chauffées à l'électricité est passée de 17 % en 1985 à 29 % en 2006. De même, le prix du gaz ayant été particulièrement stable jusqu'au début des années 2000, le chauffage au gaz s'est développé : alors qu'il n'équipait que 17 % des maisons individuelles en 1986, il en équipe 33 % en 2006. À l'inverse, le chauffage au charbon a quasiment disparu, n'équipant plus que 5 % des résidences principales, essentiellement des maisons individuelles, contre 17 % vingt ans auparavant. Le retrait progressif des équipements au fioul et au charbon s'est opéré aussi bien dans le parc de logements récents, pour lesquels les pouvoirs publics ont incité à recourir au tout électrique, que dans le parc des logements anciens (construits avant 1975) où le

5. Évolution des prix des différentes énergies

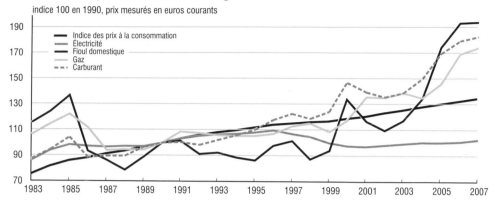

indice 100 en 1990, prix mesurés en euros courants

Légende :
— Indice des prix à la consommation
— Électricité
— Fioul domestique
— Gaz
‑ ‑ Carburant

Champ : France métropolitaine.
Sources : Insee et SOeS, calculs des auteurs.

changement de combustible a concerné 30 % des logements. Le nombre de logements équipés à l'électricité (respectivement au gaz) a ainsi augmenté en moyenne de 5 % (respectivement 4 %) par an entre 1985 et 2006, alors que l'effectif de logements chauffés au fioul diminuait de 1 % par an pendant la même période.

Les performances énergétiques des véhicules et de l'habitat se sont améliorées

Sous l'impulsion des réglementations successives, comme le système du bonus/malus pour l'achat de voitures et la réglementation thermique de l'habitat, les performances énergétiques des véhicules et de l'habitat se sont améliorées en 20 ans. La réglementation thermique fixe tous les 5 ans de nouvelles normes d'isolation dans les bâtiments neufs. La première, mise en place en 1975 suite au premier choc pétrolier, avait comme objectif une baisse de moitié de la consommation thermique de chauffage au mètre carré des nouveaux logements par rapport aux anciens. Celle mise en œuvre en juillet 2006 limite aussi le recours à la climatisation et renforce les exigences de performances énergétiques des bâtiments neufs de 15 % par rapport à celle de 2000. Les réglementations thermiques successives ont ainsi permis de diviser la consommation unitaire par mètre carré des logements neufs d'un facteur 2 à 2,5 par rapport à la situation d'avant 1975 (source CER). On peut de même s'attendre à un effet sensible de la loi de 2004 sur le diagnostic thermique obligatoire des logements.

Davantage d'appareils électriques dans les foyers

Le poids du chauffage dans les dépenses d'énergie du logement a diminué régulièrement avec l'amélioration des performances de l'habitat, mais aussi avec l'augmentation dans le budget des ménages des dépenses d'électricité liées à l'équipement ménager : en 2006, le chauffage représente 53 % des dépenses d'énergie dans les résidences principales, contre 59 % vingt ans plus tôt (Compte du logement, 2006). Les dépenses d'électricité dues à l'équipement ménager ont ainsi augmenté pour atteindre un quart des dépenses totales d'énergie : alors qu'en 1985, l'équipement électrique des ménages se résumait au lave-linge, au réfrigérateur, au four et à la télévision, se sont depuis diffusés les fours à micro-ondes, les magnétoscopes et lecteurs DVD, les consoles de jeux vidéo, les ordinateurs et les téléphones portables, les lave-vaisselle etc. Les foyers sont par exemple dotés de davantage de téléviseurs : aujourd'hui, un ménage sur deux possède au moins deux postes de télévision [GfK – Médiamétrie, 2009].

Les logements se sont éloignés des villes-centres...

La pression immobilière et l'évolution des préférences et des contraintes de vie ont incité les particuliers à s'installer de plus en plus fréquemment en périphérie. La proportion des ménages vivant en banlieue ou zone périurbaine est passée progressivement de 29 % pour les ménages nés dans les années 1910 à 37 % pour les ménages nés dans les années 1940 *(figure 6)*. Or les caractéristiques de l'habitat et les dépenses énergétiques qui en découlent diffèrent de manière très marquée selon la densité du tissu résidentiel. Les logements des villes-centres sont plus petits (83 mètres carrés en moyenne en 2006) que ceux des banlieues de pôle urbain (92 mètres carrés), eux-mêmes de surface plus réduite que ceux en milieu rural (110 mètres carrés).

6. Part des ménages vivant en périphérie d'agglomération selon l'âge par génération

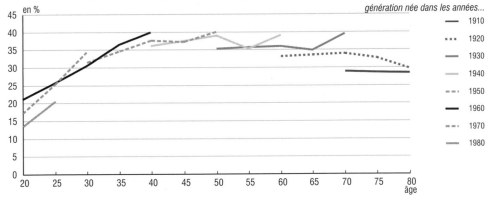

Champ : France métropolitaine.
Lecture : les ménages dont la personne de référence est née entre 1910 et 1919 étaient 29 % à vivre en périphérie d'agglomération (banlieue ou zone périurbaine) lorsque celle-ci avait 70 ans. Au même âge, les ménages dont la personne de référence est née entre 1920 et 1929 étaient 34 % dans ce cas.
Source : Insee, enquêtes Budget de famille 1985, 1989, 1996, 2001 et 2006, calculs des auteurs.

... et sont devenus plus grands

Parallèlement, entre 1985 et 2006, la surface des logements des ménages a augmenté de manière significative, de 9 mètres carrés en moyenne[4]. Sur cette période, cet agrandissement des logements a essentiellement concerné les ménages dont la personne de référence est âgée de plus de 50 ans, alors que la surface moyenne des logements des ménages d'âge intermédiaire est restée stable et que celle des moins de 30 ans s'est sensiblement resserrée, de 10 mètres carrés *(figure 7)*. Dans le même temps, les ménages sont devenus plus petits, ce qui contribue à expliquer la forte hausse des besoins en logements et l'accélération de l'étalement urbain. Par conséquent, la surface par habitant s'est fortement accrue.

---

4. Pour une mise en perspective sur plus longue période, voir Jacquot (2006) qui met également en évidence l'augmentation de la taille des logements.

7. Surface du logement principal selon l'âge par génération

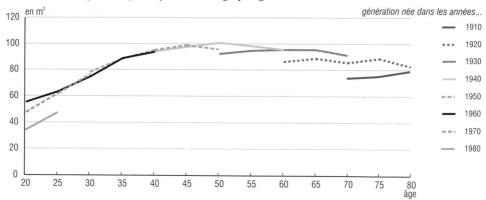

Champ : France métropolitaine.
Lecture : les ménages dont la personne de référence est née entre 1910 et 1919 habitaient en moyenne un logement de 74 m² lorsque celle-ci avait 70 ans.
Au même âge, les ménages dont la personne de référence est née entre 1920 et 1929 avaient en moyenne un logement de 85 m².
Source : Insee, enquêtes Budget de famille 1985, 1989, 1996, 2001 et 2006, calculs des auteurs.

Cet agrandissement des logements des ménages de plus de 50 ans s'est accompagné d'une augmentation de la part des maisons individuelles et du taux de propriétaires. Ainsi, parmi les ménages de plus de 50 ans, la part des ménages logés en logement collectif s'est réduite de plus de 5 points entre 1985 et 2006, une baisse symétrique à la hausse de la part des ménages propriétaires de leur logement.

Le fait que ces évolutions, que ce soit en termes d'éloignement des grands centres urbains ou de surface du logement, soient visibles uniquement chez les plus âgés tient certainement beaucoup à la période d'observation. En 1985, les ménages de moins de 40 ans habitaient déjà relativement loin des villes-centres dans des logements plus grands et avaient donc déjà intégré le phénomène d'étalement urbain, au contraire de leurs aînés. Si les données avaient permis de remonter quelques décennies plus tôt, un éloignement des centres et une augmentation de la surface des logements auraient très certainement été observés chez les ménages jeunes. En effet, le phénomène d'étalement remonte bien avant 1985 [Le Jeannic, 1997, Bessy-Pietri, 2000]. Si le phénomène était encore marqué dans les années 1980, il semblait déjà en train de décélérer dans les années 1990 avec néanmoins une forte hétérogénéité. Pascale Bessy-Pietri montre que certaines aires urbaines ont même connu un rééquilibrage de la périphérie vers les centres. Les résultats des enquêtes Budget de famille donnent également plutôt l'image d'un essoufflement du processus. En 1985, les ménages de moins de 40 ans qui habitaient plus loin des grands centres urbains que leurs aînés, bénéficiaient de logement également plus vastes. En 2006, si des écarts persistent selon l'âge, ils sont sensiblement plus faibles : les familles jeunes ne continuent plus à s'installer dans des logements encore plus éloignés et encore plus spacieux que leurs homologues de 1985.

Ces grandes tendances générationnelles de choix d'habitat ont eu un impact sur les dépenses énergétiques des français. Se loger plus loin des centres urbains, dans un logement individuel plus grand, induit non seulement une augmentation de la facture énergétique du logement, car il faut chauffer ces logements plus grands avec une perte de rendement thermique liée à l'individualisation de l'habitat, mais cela augmente aussi sensiblement les dépenses de carburant car les ménages deviennent plus dépendants de l'automobile et effectuent de plus longues distances. À âge donné, le nombre moyen de véhicules possédés est ainsi bien supérieur en 2006 à ce qu'il était 20 ans auparavant *(figure 8)*. En 1985, on comptait moins d'une voiture par ménage en moyenne. En 2006, on en compte plus de 1,2 par ménage. Cette augmentation est également en partie liée au développement continu du taux d'activité des femmes (qui a cru de 7 points en 20 ans). Le nombre de véhicules

8. Nombre de voitures selon l'âge par génération

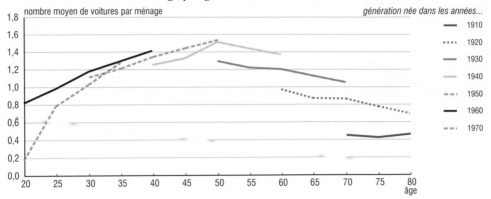

nombre moyen de voitures par ménage

génération née dans les années...

——	1910
·····	1920
——	1930
——	1940
– –	1950
——	1960
– –	1970

Champ : France métropolitaine.
Lecture : les ménages dont la personne de référence, née entre 1910 et 1919, et âgée de 70 ans, avaient en moyenne 0,5 voiture. Au même âge, les ménages dont la personne de référence est née entre 1920 et 1929 avaient en moyenne 0,9 voiture.
Source : Insee, enquêtes Budget de famille 1985, 1989, 1996, 2001 et 2006, calculs des auteurs.

possédés par les ménages vivant en zones périurbaines est celui qui a le plus augmenté, de près de 40 %, contre + 10 % seulement pour les ménages des villes-centres (hors pôle urbain de Paris) qui bénéficient de réseaux de transports urbains plus fournis. Par ailleurs, le nombre de kilomètres parcourus par véhicule a augmenté avec l'éloignement du domicile au lieu de travail : entre 1994 et 2008, la distance quotidienne parcourue par une personne mobile a augmenté de 6 % [Hubert, 2009].

Par conséquent, depuis 1985, les écarts en termes de part budgétaire consacrée à l'énergie se sont creusés entre les ménages des villes-centres et ceux des zones périurbaines et rurales. Par ailleurs, les 20 % des ménages les plus aisés ont vu le poids des factures énergétiques baisser d'un tiers dans l'ensemble de leurs dépenses, contre un quart pour les 20 % des ménages les plus modestes. Les inégalités de part budgétaire énergétique se sont ainsi accrues en 20 ans : en 1985, la part budgétaire énergétique des 20 % des ménages les plus pauvres était 1,2 fois plus élevée que celle des 20 % des ménages les plus riches, alors qu'elle est en 2006 1,4 fois plus élevée.

Si les surfaces et la localisation des logements n'avaient pas changé...

L'impact des « choix » d'habitat sur la facture énergétique des ménages n'est pas directement mesurable car un certain nombre d'autres facteurs se rajoutent : l'évolution du niveau de vie et des choix de consommations, celle des prix relatifs de l'énergie, des performances des systèmes de chauffage, des véhicules, etc. Ainsi, en 20 ans, malgré d'indéniables progrès techniques (isolation, augmentation de l'efficacité énergétique), la part budgétaire de l'énergie est restée stable. L' « effet rebond », lié aux élasticités-prix, peut brouiller les évolutions : quand le prix des énergies baissent, ou que les performances énergétiques s'améliorent, on peut observer une hausse de la consommation en volume (comme chauffer 1 °C de plus un logement mieux isolé, parcourir plus de kilomètres quand la voiture devient plus économique) qui vient réduire considérablement l'économie calculée *ex ante*.

On peut toutefois calculer une estimation de l'impact de l'étalement urbain et de l'agrandissement des logements en simulant ce que seraient la localisation et la surface du logement occupé par les ménages de 2006 s'ils étaient logés de la même façon qu'en 1985. Concernant l'étalement urbain, seule la localisation des logements des ménages habitant « en ville » (en

France, portrait social - édition 2010

centre ou en périphérie) est modifiée. Plus précisément, les ménages résidant dans l'espace d'attraction des villes en 2006 (villes-centres, banlieues ou zones périurbaines) y sont laissés mais la surface de leur logement et leur localisation dans l'espace urbain sont modifiées *(encadré 3)*. Les ménages habitant en zone à dominante rurale y sont aussi laissés et seule la surface de leur logement est modifiée (il leur est attribué la surface qu'ils auraient occupée en 1985). Pour intégrer le fait que la proportion d'urbains et de ruraux a également changé, on aurait pu lors de la simulation « déménager » certains ménages de l'espace urbain vers les zones à dominante rurale. Mais cette évolution de la répartition entre espaces ruraux et espaces urbains tient sans doute beaucoup moins à l'organisation des villes qu'à une évolution de la répartition des activités et des emplois. Nombre de ménages qui résident à proximité des villes le font pour habiter à proximité de l'emploi. Si en 2006, l'organisation des villes était identique à celle de 1985, ces ménages ne logeraient pas pour autant en zone rurale si leurs emplois ne s'y déplaçaient pas. La différence de traitement faite ici entre « zone d'attraction des villes » et « zone à dominante rurale » s'explique donc par leur définition même[5].

Encadré 3

Simulation de la localisation et de la surface

Pour les ménages résidant dans les zones d'attraction des villes (villes-centres, banlieues, zones périurbaines) en 2006, il est supposé qu'ils auraient également résidé dans ces zones en 1985 mais la localisation de leur logement au sein de ces zones est par contre simulée. Par exemple, certains ménages qui résident en 2006 en zone périurbaine auraient peut-être résidé en banlieue ou en ville-centre en 1985. En notant Loc^* la variable latente liée à la localisation, $Lsurf$ le logarithme de la surface habitable et X_1 et X_2 les deux ensembles de variables explicatives retenues pour chaque équation, le modèle s'écrit :

$$\begin{cases} Loc^* = \alpha.X_1 + u_1 \\ Lsurf = \beta.X_2 + u_2 \end{cases}$$

La variable latente Loc^* n'est pas observée directement. La localisation est mesurée de façon discrète, et chaque ménage réside soit en ville-centre d'aire urbaine, soit en banlieue, soit en zone périurbaine :

$$Loc_{VilleCentre} = 1 \text{ si } Loc^* > \lambda_1 \quad \text{et } Loc_{VilleCentre} = 0 \text{ sinon}$$
$$Loc_{Banlieue} = 1 \text{ si } \lambda_1 \geq Loc^* > \lambda_0 \text{ et } Loc_{Banlieue} = 0 \text{ sinon}$$
$$Loc_{Périurbain} = 1 \text{ si } \lambda_0 \geq Loc^* \quad \text{et } Loc_{Périurbain} = 0 \text{ sinon}$$

Les termes d'erreur de l'équation de localisation et de l'équation de surface sont supposés suivre une loi normale bivariée :

$$\begin{pmatrix} u_1 \\ u_2 \end{pmatrix} \to N \begin{pmatrix} \sigma_1^2 & \sigma_{12} \\ \sigma_{12} & \sigma_2^2 \end{pmatrix}$$

Les coefficients sont estimés par maximisation de la vraisemblance sur les données de l'enquête Budget de famille de 1985 et utilisés ensuite dans l'enquête de 2006 pour simuler la surface et la localisation des logements qu'auraient occupés en 1985 les ménages enquêtés en 2006. Les termes d'erreurs des deux équations apparaissent très significativement corrélés ce qui justifie une modélisation et une imputation conjointes de la localisation et de la surface. En pratique, les variables qui sont retenues pour expliquer la localisation et la surface sont le niveau de vie, l'âge en cinq tranches, la présence et le nombre d'actifs occupés dans le ménage ainsi que la composition familiale.

---

5. Les zones ville-centre, banlieue et espace périurbain sont définies par l'existence de flux de personnes travaillant dans les aires urbaines, absents dans l'espace à dominante rurale. Si l'on revient à la définition des différentes zones *(encadré 2)*, le fait de séparer les ménages résidant dans les zones d'attraction des villes et ceux résidant en zone à dominante rurale revient à faire l'hypothèse que les ménages qui résident dans une commune où plus de 40 % de la population travaille dans une aire urbaine en 2006 auraient également résidé dans de telles communes en 1985 et qu'il en serait symétriquement de même pour les ménages résidant en zone à dominante rurale.

Une fois simulées la surface et la localisation du logement qu'un ménage de 2006 aurait occupé en 1985, il est possible de calculer quelles seraient dans ce cas ses dépenses d'énergie pour le logement et ses dépenses de carburant. Les dépenses d'énergie du logement et celles de carburant sont estimées respectivement sur la base de la surface et de la localisation simulées ; pour les ménages résidant en zone rurale, les dépenses de carburant sont donc égales à celles de 2006 puisque leur localisation est supposée inchangée. Simulées sur la base de celles observées en 2006, ces dépenses tiennent ainsi compte des technologies et des prix des énergies en 2006. La nouvelle dépense énergétique calculée pour chaque ménage en 2006 sur la base des localisations et des surfaces des logements de 1985 diffère donc bien de la dépense effective de ces ménages en 2006 uniquement du fait des différences en termes de surface et de localisation des logements.

… la consommation d'énergie serait 10 % plus basse

Entre 1985 et 2006, à caractéristiques données, un ménage vit en moyenne dans un logement 15 % plus grand. Ainsi, alors qu'en 2006 les dépenses annuelles moyennes d'énergie pour le logement d'un ménage sont de 1 400 euros par an, elles auraient été de 1 300 euros si les ménages avaient effectué leurs choix de surface et de localisation comme en 1985. De même, alors qu'en 2006 les ménages ont en moyenne dépensé 1 000 euros de carburant, leurs dépenses auraient été de 900 euros s'ils avaient effectué leur choix de locali-sation comme en 1985. Au total, cela représente une hausse d'environ 10 % de leurs dépenses totales d'énergie, et donc de leur consommation d'énergie[6], hausse imputable aux change-ments de localisation et à l'agrandissement moyen des surfaces habitées.

Comme attendu, la probabilité de résider en ville-centre pour les ménages résidant dans les zones d'attraction des villes aurait été en moyenne plus élevée en 1985 qu'elle ne l'est en 2006. Les ménages pour lesquels cette augmentation aurait été la plus importante[7] sont majoritairement des ménages âgés. De même, l'accroissement des surfaces, consécutif aux changements de mode de vie, est observable surtout pour les ménages les plus âgés. En effet, les ménages de moins de 40 ans en 2006 résident dans des logements de surfaces comparables aux logements occupés par les ménages aux caractéristiques identiques en 1985. En revanche, les ménages âgés de plus de 60 ans occupent, à caractéristiques données, des logements de plus de 20 % plus grands que les ménages du même âge, 20 ans plus tôt.

La prise en compte d'autres dimensions que l'âge dans l'imputation des comportements de localisation et de surface des logements des ménages de 1985 aux ménages de 2006 n'a pas modifié sur le fond les observations faites plus haut. La hausse du budget énergétique liée aux changements de localisation et de surface entre 1985 et 2006 (de 10 % en moyenne) est très différente selon la classe d'âge considérée *(figure 9)*. La situation a peu changé chez les moins de 40 ans. En revanche, la hausse du budget énergétique liée aux changements de choix en termes de localisation et de surface des logements est sensible chez les ménages dont la personne de référence est âgée de 40 à 50 ans (10 %) ou de 50 à 60 ans (7 %). Elle est même nettement plus élevée chez les 60-70 ans (17 %) et chez les plus de 70 ans (23 %).

---

6. Puisque dans la simulation les prix des énergies sont ceux de 2006, la dépense d'énergie simulée en 1985 est bien directement assimilable à un niveau de consommation d'énergie de 2006.
7. Cette comparaison nécessite d'évaluer sur données 2006 un modèle identique à celui utilisé pour effectuer les imputa-tions à partir des données 1985 afin de disposer d'une variable latente de localisation calculée en 2006 en plus de celle imputée à partir de l'enquête de 1985. On dira alors que la probabilité d'habiter en ville centre augmente en situation 1985 par rapport à 2006 lorsque la variable latente imputée à un ménage est plus élevée que la variable latente de localisation du ménage calculée en 2006.

France, portrait social - édition 2010

9. Augmentation du budget énergétique total liée aux changements de localisation et de surface des logements

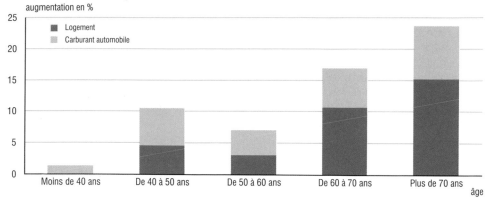

Champ : France métropolitaine.
Lecture : les modifications de localisation et de surface des logements entre 1985 et 2006 ont entraîné une augmentation de 7 % du budget énergétique des ménages dont la personne de référence a entre 50 et 60 ans.
Source : Insee, enquêtes Budget de famille 1985, 1989, 1996, 2001 et 2006, calculs des auteurs.

La part budgétaire de l'énergie serait donc sensiblement plus basse si les comportements en termes de localisation et de surface des logements étaient restés inchangés entre 1985 et 2006. En particulier, pour les ménages les plus âgés, elle passerait ainsi d'un peu plus de 10 % du budget des ménages à un peu plus de 8 %. Toutefois, et comme déjà dit, cet effet de l'âge ne reflète pas une évolution spécifique du comportement des ménages âgés en termes de localisation. Il tient à la période d'observation qui ne couvre que partiellement le processus d'éloignement des centres et d'augmentation des surfaces. En 1985 les ménages de moins de 45 ans avaient déjà choisi des logements plus grands mais localisés plus loin des villes-centres. Si la période d'observation avait été plus longue et avait permis d'observer le processus depuis ses débuts, les différences selon l'âge seraient moindres et pourraient même disparaître. ∎

Pour en savoir plus

Besson D., « Consommation d'énergie : autant de dépenses en carburant qu'en énergie domestique », *Insee première* n° 1176, 2008.

Bessy-Pietri P., « Les formes récentes de la croissance urbaine », *Économie et Statistique* n° 336, Insee, 2000.

Bleuze C., Calvet L., Kleinpeter M. -A., Lemaître E., « Localisation des ménages et usage de l'automobile : résultats comparés de plusieurs enquêtes et apport de l'enquête nationale transports et déplacements », *Études et documents* n° 14, 2009.

Calvet L., Marical F., « Le budget « énergie du logement » : les déterminants des écarts entre les ménages », *Le point sur* n° 56, 2010.

« Comptes du logement - Édition 2008 » CRÉDOC, Compte du logement 2006 et premiers résultats 2007, DAEI/SESP et DGUHC.

Dujin A., Maresca B., « La température du logement ne dépend pas de la sensibilité écologique », *Consommation et modes de vie* n° 227, CRÉDOC, 2010.

Girault M., « Les économies d'énergie de chauffage depuis 25 ans dans le résidentiel », CEREN, note de synthèse du SES, 2000

GfK -Médiamétrie ; « Référence des Équipements Multimédias » 2009.

Hubert J. P., « Dans les grandes agglomérations, la mobilité quotidienne des habitants diminue, et elle augmente ailleurs », *Insee première* n° 1252, 2009.

Jacquot A., « Cinquante ans d'évolution des conditions de logements des ménages », *Données sociales*, 2006.

Kleinpeter M. -A., Lemaître E., « Dépenses de carburant automobile des ménages : relations avec la zone de résidence et impacts redistributifs potentiels d'une fiscalité incitative », *Études et documents* n° 8, 2009.

Le Jeannic T., « Trente ans de périurbanisation : extension et dilution des villes », *Économie et Statistique* n° 294-295, 1997.

Merceron S., Theulière M., « Les dépenses d'énergie des ménages depuis 20 ans : une part en moyenne stable dans le budget, des inégalités accrues », *Insee Première* n° 1315, 2010.

Les inégalités face au coût du logement se sont creusées entre 1996 et 2006

Pierrette Briant *

Plus de la moitié des ménages des trois premiers déciles de niveau de vie sont locataires, que ce soit dans le parc social ou le parc privé. En 2006, le parc social accueille 28 % de ces ménages à faibles ressources, le parc privé 25 % d'entre eux. 31 % sont propriétaires et 8 % accédants à la propriété. Entre 1996 et 2006, rapportées à leurs ressources, les dépenses de logement ont davantage augmenté pour ces ménages que pour les plus aisés, quel que soit le statut d'occupation. De moins en moins nombreux, en raison de la hausse importante des prix de l'immobilier, les accédants à la propriété à faibles ressources consacrent 37 % de leurs ressources à l'accumulation patrimoniale. L'augmentation du poids des dépenses de logement des ménages à faibles ressources dans le secteur locatif social s'explique par l'évolution du revenu de ses occupants. Relativement à l'ensemble de la population, ces derniers ont en effet des revenus plus modestes en 2006 qu'en 1996, en partie en raison d'un recentrage du parc social sur les ménages très modestes. Pour leurs homologues du parc privé, c'est la hausse du loyer moyen qui est à l'origine de l'augmentation du poids de leurs dépenses de logement. Ils y consacrent 39 % de leurs ressources en 2006, allocations logement déduites, soit 5 points de plus qu'en 1996. Cette hausse est une fois et demie plus élevée que pour les locataires plus aisés du parc privé. Par ailleurs, les ménages à faibles ressources ont bénéficié d'une amélioration de la qualité de leurs logements (en termes de confort sanitaire, de chauffage central et d'état général de l'immeuble) de plus grande ampleur que les autres ménages, sans toutefois les rattraper. Cette amélioration de la qualité s'est répercutée sur leurs loyers. Mais même pour ces ménages à faibles ressources, à surface donnée, elle ne participe qu'à hauteur d'un cinquième à la hausse à leurs loyers.

Les dépenses de logement ont augmenté plus vite que les revenus entre le milieu des années 1980 et le milieu des années 1990. Elles ont en revanche été relativement stables pendant les dix années suivantes. Deux sources permettent de les mesurer, avec des définitions légèrement différentes *(encadré 1)*. Selon la première, les comptes nationaux, la part des dépenses de logement dans le revenu des ménages baisse dans un premier temps (20,9 % en 1996, 20,3 % en 2002), puis se stabilise à partir de 2003, jusqu'à atteindre 20,4 % du revenu disponible brut, en 2007 [Even, 2009]. Dans les comptes nationaux, les dépenses de logement incluent les loyers, dont ceux que les propriétaires se verseraient à eux-mêmes pour l'occupation de leur logement s'ils n'étaient pas propriétaires (loyers imputés), les charges et les dépenses d'énergie, et sont nettes des aides personnelles au logement. Les dépenses effectives en logement, que déclarent les ménages aux enquêtes Logement (ENL), ne comptabilisent pas les loyers imputés. Elles sont donc un peu plus faibles en niveau que celles des comptes. Mais leur évolution est la même que dans les comptes. Entre 1996 et 2006, le poids des dépenses de logement dans les ressources, aussi appelé taux d'effort net (rapport entre la somme des dépenses de logement de l'ensemble des ménages à la masse de leurs revenus, avant impôts et allocations logement déduites), reste stable (16,6 % en 2006), avec également une baisse sur la première moitié de période.

* Pierrette Briant, Insee.

Les dépenses de logement pèsent fortement, et de plus en plus, sur le revenu des ménages à faibles ressources…

L'examen des taux d'effort au niveau individuel nuance ce constat de stabilité. Le niveau de la dépense en logement est variable selon le statut d'occupation du logement ; le poids moyen des dépenses de logement dépend donc de la proportion de propriétaires, d'accédants à la propriété et de locataires dans la population. Or, en dix ans, la proportion de propriétaires ayant fini de payer leur logement a augmenté de 5,6 points (soit 38 % en 2006) et ceux-ci ont des taux d'effort plus faibles, y compris quand on comptabilise le loyer fictif correspondant à l'occupation de leur logement. À statut d'occupation du logement donné, les taux d'effort des ménages ont augmenté sur la période. Les taux d'effort nets des locataires du secteur privé sont ainsi passés de 24,6 % en 1996 à 26,7 % de leurs ressources en 2006. Cette hausse des dépenses de logement a aussi concerné les locataires du secteur social et les accédants à la propriété.

Les dépenses de logement des ménages modestes ont davantage augmenté que celles des autres ménages. Pour le voir, on partage les ménages selon leurs ressources : les ménages « à faibles ressources », définis par leur appartenance aux trois premiers déciles de niveau de vie avant impôt, et les « autres ménages », plus aisés. Le taux d'effort des premiers a augmenté de trois points depuis 1996, qu'il s'agisse du taux d'effort brut ou net des aides au logement *(figure 1)*. Pour ces ménages, tous les statuts d'occupation sont concernés par cette hausse, avec une accélération entre 2002 et 2006. La hausse des taux d'effort concerne aussi les ménages plus aisés, à statut d'occupation donné, en dehors des propriétaires sans charge de remboursement. Comme pour les ménages à faibles ressources, cette hausse est concentrée au début des années 2000 ; elle est cependant d'ampleur plus limitée.

1. Taux d'effort net des ménages selon le statut d'occupation du logement

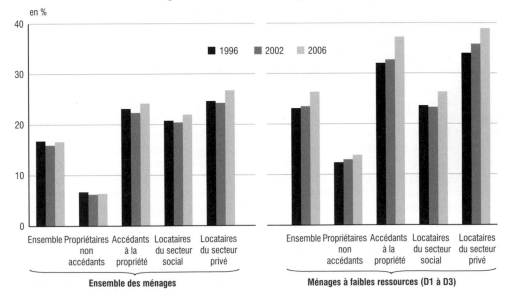

Champ : ménages résidant en France métropolitaine.

Lecture : taux d'effort net : rapport entre la somme des dépenses de logement nettes (mensualités de remboursement des emprunts ou loyer, charges collectives et dépenses individuelles d'énergie et d'eau, nettes des allocations logement) et les revenus des ménages (y c. prestations sociales hors aides au logement ; impôts directs non déduits) et les revenus des ménages (y c. prestations sociales hors aides au logement ; impôts

Le niveau de vie est ici un niveau de vie avant impôts. Les ressources (y c. prestations sociales hors allocations logement ; impôts directs non déduits) sont exprimées par unité de consommation (1 unité pour le premier adulte du ménage, 0,5 pour chacun des autres adultes, 0,3 pour chaque enfant de moins de 14 ans). Les ménages à faibles ressources considérés sont ceux qui appartiennent aux trois premiers déciles de niveau de vie avant impôt.

Source : Insee, enquêtes nationales Logement de 1996, 2002 et 2006.

France, portrait social - édition 2010

Approches macroéconomique et microéconomique du poids des dépenses de logement par niveau de vie des ménages

Deux sources principales permettent d'estimer la dépense de logement des ménages : les comptes nationaux et les enquêtes nationales sur le logement. Au sens de la comptabilité nationale, les dépenses de logement présentent un poids plus important dans les ressources des ménages qu'établies à partir des enquêtes Logement. L'écart tient surtout au fait que la comptabilité nationale impute aux propriétaires occupants (57 % de l'ensemble des ménages en 2006) et aux ménages logés gratuitement (3 %) l'équivalent du loyer qu'ils paieraient s'ils étaient locataires du secteur privé et qu'ils se versent donc implicitement à eux-mêmes, gonflant d'autant leurs ressources. À l'inverse, les dépenses de logement dans les enquêtes Logement correspondent à un prélèvement effectif sur les ressources des ménages. Cela minore les revenus mais davantage encore les dépenses, comparé à l'approche comptable.

Les concepts de revenu diffèrent aussi dans les deux sources par le traitement des impôts. Dans les comptes nationaux, les dépenses de logement sont rapportées au revenu disponible brut, qui comprend les prestations sociales et est net d'impôts directs. Dans les enquêtes nationales Logement, les revenus mesurés incluent aussi les prestations sociales, mais les impôts ne sont pas déduits. Ceci joue aussi dans le sens d'une minoration des taux d'effort dans l'enquête nationale Logement.

Les deux approches convergent en revanche sur les composantes des dépenses de logement annexes au loyer (ou aux remboursements d'emprunt) ; elles tiennent compte des allocations logement (déduites des loyers), incluent les charges collectives (eau, chauffage, ascenseur, gardiennage etc.) ainsi que les charges individuelles (dépenses en eau et énergie). Les charges sont incluses car bien que théoriquement moins contraintes que les loyers ou les remboursements d'emprunts, elles ont dans les faits une élasticité par rapport aux prix faible [Accardo *et al.*, 2007 ; *encadrés 1 et 3*], ce qui légitime leur prise en compte dans les dépenses de logement.

L'approche microéconomique fondée sur les charges effectives en logement, choisie dans cette étude, ne se conçoit donc qu'en distinguant les statuts d'occupation. Mettant l'accent sur les ménages des trois premiers déciles de niveau de vie avant impôts, elle a aussi une autre conséquence. Sans correction par les loyers imputés, les ménages locataires à faibles ressources sont relativement moins nombreux parmi l'ensemble des ménages à faibles ressources qu'avec la correction, ainsi que l'ont quantifié Driant et Jacquot (2006) : la prise en compte des loyers imputés reclasse 70 % des locataires dans le décile de niveau de vie immédiatement inférieur.

Par ailleurs, ce seuil du 3e décile de revenu recouvre une population plus large que le seuil de pauvreté monétaire ; il résulte du choix de prolonger les travaux de Driant (2001 et 2004) sur les conditions de logement et de charge financière en logement de cette population. Il se révèle relativement opératoire pour segmenter les ménages sur leur taux d'effort en logement. En particulier, pour les locataires du parc social, on observe bien une césure entre les locataires des trois premiers déciles, qui supportent des taux d'effort supérieurs à 30 %, et ceux des déciles suivants, qui ont des taux autour de 25 %. Le seuil du 3e décile est également pertinent pour les taux d'effort des locataires du parc privé : le taux d'effort est de 41 % dans le 3e décile, et de 36 % dans le 4e. Mais la césure aurait pu se faire tout autant au 4e décile, le taux d'effort passant de 36 % dans le 4e à 31 % dans le 5e décile.

...en particulier sur celui des locataires du secteur privé

En 2006, les dépenses de logement captent près de 40 % des ressources des ménages à faibles ressources accédants et locataires du secteur privé, aides au logement déduites de ces dépenses. Ces accédants à la propriété sont à 68 % des couples en emploi. Toutes dépenses confondues, les accédants concèdent un effort très important (37,2 %), mais pour une durée par définition limitée à l'horizon de l'emprunt (14 ans dans les années 1990, 17 ans dans les années 2000), dans la perspective d'une accumulation de patrimoine. Ils sont par ailleurs structurellement peu nombreux parmi les ménages à faibles ressources, et le sont de moins en moins avec la hausse des prix immobiliers des années 2000 [Briant, 2010]. Aux contraintes de solvabilité courante, s'ajoute en effet la barrière de l'autofinancement d'une partie de l'achat, deux éléments qui tendent à évincer les ménages les plus modestes de l'accession. Le revenu résiduel de ceux qui accèdent néanmoins à la propriété, c'est-à-dire le revenu qu'il leur reste après avoir payé leur remboursement immobilier et les charges liées au logement, s'élève à 460 euros par unité de consommation en 2006 *(figure 2)*.

2. Dépenses de logement dans l'ensemble des ressources des ménages, par statut d'occupation

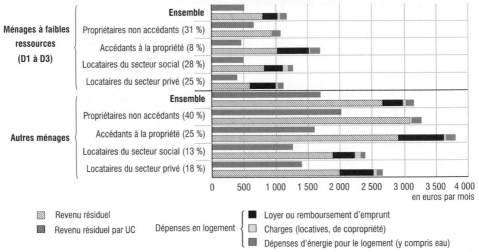

Champ : ménages résidant en France métropolitaine.
Lecture : les chiffres entre parenthèses représentent la part de chaque statut d'occupation dans l'ensemble. Les barres représentent l'ensemble des ressources des ménages (y c. allocations logement), partagé entre dépenses de logement (par type) et ce qu'il reste, le revenu résiduel. En indiquant le revenu par unité de consommation (UC), l'idée est de tenir compte de la composition familiale, car elle est variable d'un statut d'occupation à l'autre (présence d'enfants plus fréquente dans le parc locatif social que privé par exemple).
Source : Insee, enquête nationale Logement de 2006.

Les locataires du parc privé consacrent près de 39 % de leur revenu au logement en 2006 ; c'est 5 points de plus qu'en 1996. Tout comme le parc social, le parc privé constitue un débouché résidentiel important des ménages à faibles ressources : 25 % y logent en 2006. Il accueille d'abord des personnes seules (26 %), puis des couples en emploi (22 %), des retraités (19 %) et plus de la moitié des étudiants occupants en titre d'un logement. Il n'y a que les couples en emploi qui parviennent à y maintenir un niveau de vie résiduel mensuel supérieur à 500 euros *(figure 3)*, en raison de revenus sensiblement plus élevés que les autres ménages à faibles ressources. Les personnes seules sont pénalisées par des dépenses qui ne reposent que sur un seul revenu, de même que la plupart des retraités et des familles monoparentales, tandis que les couples sans emploi le sont par des ressources faibles, relativement à leur taille. Le revenu résiduel par unité de consommation est d'à peine plus de 400 euros pour les retraités et pour les familles monoparentales ; il est en dessous pour les personnes seules et les couples sans emploi. Le cas des étudiants est à part. Les revenus de ces derniers peuvent être, pour une partie d'entre eux, sous-estimés du fait des aides familiales. Par ailleurs, le statut d'étudiant est par définition transitoire et prépare à une carrière professionnelle ; leur ancienneté d'occupation est en moyenne d'un peu plus d'un an. Leurs dépenses sont majorées du fait qu'ils sont localisés essentiellement dans les centres-villes des grandes agglomérations, à proximité des établissements d'enseignement supérieur.

France, portrait social - édition 2010

3. Dépenses de logement dans l'ensemble des ressources, par catégorie de ménages à faibles ressources et statut d'occupation

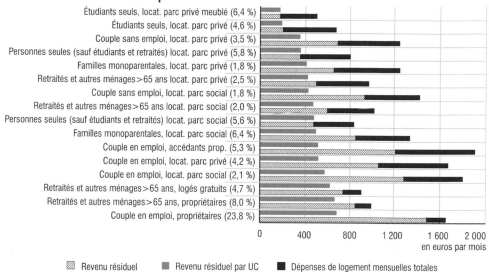

Champ : ménages résidant en France métropolitaine.
Lecture : les chiffres entre parenthèses représentent la répartition des principales combinaisons de type de ménage croisé par le statut d'occupation dans l'ensemble des ménages. Les barres représentent l'ensemble des ressources des ménages (y c. allocations logement), partagées entre dépenses de logement et ce qu'il reste, le revenu résiduel. Est également indiqué le revenu par unité de consommation (UC) pour tenir compte de la composition familiale, qui n'est que partiellement traduite par le type de ménage.
Source : Insee, enquête nationale Logement de 2006.

La soutenabilité de l'effort financier consacré au logement est fonction du niveau de cet effort financier, mais aussi de sa durée. Pour les accédants, celle-ci est définie par l'horizon de l'emprunt. Pour les locataires, l'horizon est *a priori* indéterminé ; il dépend notamment des évolutions des situations professionnelles et familiales. La durée (ou ancienneté) moyenne d'occupation d'un même logement est plus faible pour les locataires du parc privé (6,5 ans en 2006, tous niveaux de vie confondus) et est relativement stable dans le temps. Les personnes seules, les familles monoparentales, les couples sans emploi et les étudiants sont tous des ménages relativement mobiles (moins de 5 ans de durée d'occupation) à l'inverse des retraités (16 ans en moyenne). Ces moyennes masquent néanmoins une dispersion importante. En général, le taux d'effort varie en sens inverse de l'ancienneté d'occupation, à la fois parce que les revalorisations de loyers sont plus fortes en cas de changement de bail et que des taux d'effort élevés incitent probablement à la mobilité. Cependant, même pour les anciennetés d'occupation les plus longues, par exemple supérieures à 9 ans, qui concernent 20 % des locataires du secteur privé à faibles ressources, les dépenses de logement absorbent encore plus du tiers des ressources.

Le parc social est composé très majoritairement du parc HLM. Excepté les étudiants, il accueille toutes les catégories de ménages à faibles ressources (dont 29 % de retraités, 23 % de couples en emploi, 21 % de familles monoparentales), correspondant à des situations économiques variées. Le taux d'effort de ses locataires à faibles ressources a aussi augmenté entre 2002 et 2006, de 3,1 points, mais reste inférieur de plus de 10 points en moyenne à celui des locataires du parc privé. Quelle que soit la catégorie de ménage, il conduit à un revenu résiduel par unité de consommation qui se rapproche des 500 euros, les plus fragilisés financièrement étant les couples sans emploi (revenu résiduel par unité de consommation plus proche de 400 euros).

Une forte hausse des loyers de ceux du parc privé, à l'origine de l'augmentation de leur taux d'effort

L'augmentation du poids des dépenses de logement chez les ménages à faibles ressources obéit à des mécanismes différents selon le statut. Pour les accédants à la propriété (augmentation de 5 points de pourcentage en 10 ans), cette hausse s'explique par la forte montée des prix de l'immobilier des années 2000, mais aussi par une diminution de la part des ménages bénéficiaires d'aides au logement (de 59 à 37 %). Pour les locataires sociaux, l'alourdissement des dépenses de logement dans le budget (de 2,7 points) est lié à leurs revenus : ces derniers ont augmenté environ deux fois moins vite que ceux de leurs homologues du parc privé en l'espace de 10 ans (figure 4). Cette évolution est une tendance de long terme qui dépend tout à la fois de l'évolution du revenu des locataires en place et de celle de la composition socioéconomique des nouveaux locataires. Jacquot (2007) constate qu'en 1984, 30 % des locataires HLM se situaient dans le haut de la distribution des revenus (les déciles 7 à 10). En 2002, ils sont 20 %, et en 2006, 18 %. Les dépenses de logement des locataires sociaux ont augmenté davantage que leurs revenus et davantage que les aides au logement, soit des dépenses nettes en logement en progression de 25 % en 10 ans. Enfin, pour les locataires du secteur privé, c'est la forte augmentation du loyer moyen qui explique l'augmentation de 5 points de leur taux d'effort. La charge nette de leurs dépenses de logement a ainsi progressé de 43 %. Il est important de connaître les ressorts de cette augmentation, d'une part parce qu'elle concerne un quart des ménages à faibles ressources, d'autre part parce que ces derniers ne changent pas facilement de statut d'occupation : en 2006, 12 % des accédants étaient locataires du secteur privé quatre ans auparavant parmi les ménages à faibles ressources, 19 % parmi l'ensemble des ménages. Dans le parc locatif social, les flux sont encore inférieurs (11 % et 13 % respectivement).

4. Évolution des données financières et de données relatives aux dépenses de logement des locataires du secteur social et privé (hors location meublée) entre 1996 et 2006

en %

	Revenu mensuel	Loyer	Surface en mètres carrés	Loyer au mètre carré	Ancienneté d'occupation	Dépenses nettes en logement	Revenu résiduel
Ménages à faibles ressources							
Locataires du secteur social	12	25	− 3,0	30	18	25	8
Locataires du secteur privé	25	42	2,1	33	− 10	43	16
Autres ménages							
Locataires du secteur social	24	32	− 1,4	33	13	26	23
Locataires du secteur privé	18	28	− 1,5	31	0	24	16

Champ : ménages résidant en France métropolitaine.
Source : Insee, enquêtes nationales Logement de 1996 et 2006.

Plusieurs facteurs peuvent expliquer la hausse des loyers des ménages à faibles ressources du parc privé

L'évolution des loyers des locataires à faibles ressources du parc privé s'explique tout d'abord par l'augmentation de la surface de leurs logements. En 10 ans, le loyer au mètre carré des locataires à faibles ressources du parc privé a augmenté dans des proportions comparables à celui de leurs homologues du parc social ou encore à celui des locataires du parc privé (ou social) plus aisés. Les ménages à faibles ressources du parc privé sont les seuls dont la surface des logements a augmenté légèrement, à l'inverse des autres, mais elle reste nettement plus faible pour ces derniers (61 mètres carrés) que pour les autres catégories de locataires, plus aisés ou du parc social (autour de 70 mètres carrés, pour des tailles de ménages équivalentes pour les locataires plus aisés, supérieures pour les ménages à faibles ressources du parc social). Parallèlement, la taille des ménages a baissé pour tous, locataires du parc social ou privé, à faibles ressources ou autres ménages. Au total, la surface moyenne par personne progresse, notamment pour les locataires sociaux à faibles ressources (+ 4,5 mètres carrés) mais aussi pour les autres groupes (+ 2,3 mètres carrés pour les locataires à faibles ressources du parc privé, très légèrement plus pour tous les locataires plus aisés).

D'autres mécanismes ont pu jouer sur l'augmentation des loyers. Les locataires du parc privé sont ainsi les seuls dont l'ancienneté d'occupation s'est réduite, de près de 10 %, passant à 6,3 ans en 2006. Or la baisse de l'ancienneté est un facteur d'augmentation des loyers. De même, la qualité des logements est souvent invoquée pour expliquer l'augmentation des dépenses des ménages, en particulier des ménages à faibles ressources. La surface est une des dimensions de cette qualité mais ce n'est pas la seule et on peut considérer qu'il y a eu un rattrapage relatif de qualité des logements des ménages à faibles ressources par rapport à ceux des ménages plus aisés ces dix dernières années [Briant et Pirus, 2010].

Cette question du rôle de l'amélioration de la qualité des logements dans l'évolution des prix s'était déjà posée pour expliquer l'évolution des loyers des ménages modestes entre les années 1980 et 1990 [Fack, 2005]. Leurs loyers avaient augmenté plus vite que ceux des autres ménages, mais la qualité de leurs logements aussi. L'auteure concluait que l'amélioration de la qualité n'avait pas joué un grand rôle dans la hausse des loyers mais que la généralisation progressive des aides au logement au début des années 1990 avait eu un effet inflationniste. Entre 1996 et 2006, on s'attend à ce que cet effet des aides au logement sur le loyer des ménages modestes, induit au tournant des années 1990 par la montée en charge du dispositif, se soit tari. Et ce d'autant plus que le nombre de bénéficiaires s'est réduit (de 47 à 44 % pour les ménages des trois premiers déciles de niveau de vie entre 1996 et 2006).

La progression des loyers ne s'explique qu'en partie par les transformations du parc de logements

On propose d'améliorer l'indicateur de qualité de Fack, qui ne tenait compte que du degré d'équipement sanitaire et du chauffage, par un indicateur intégrant plus de dimensions (encadré 2). Selon cet indicateur, la qualité des logements s'est accrue pour tous, ménages à faibles ressources et autres ménages (figure 5). Elle a davantage augmenté pour les ménages

5. Mesure synthétique de la qualité des logements (hors surface), par statut d'occupation du logement

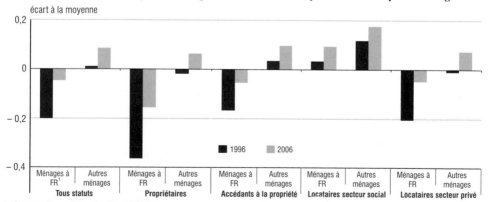

1. Ménages à FR = ménages à faibles ressources.
Champ : ménages résidant en France métropolitaine.
Lecture : en 1996, les ménages à faibles ressources propriétaires habitaient en moyenne les logements de moins bonne qualité (surface non prise en compte). En 2006, même si la qualité de leur logement s'est nettement améliorée, ils demeurent les plus mal lotis.
Source : Insee, enquêtes nationales Logement de 1996 et 2006.

Quelle mesure de l'amélioration de la qualité des logements ?

On distingue trois composantes de la qualité d'un logement : sa qualité interne (surface, équipement sanitaire, état du logement, combustible associé au chauffage, encastrement de l'installation électrique, présence d'équipements de sécurité), la qualité externe, qui est celle de l'immeuble (sa taille, l'état de la façade, sa date de construction) et la qualité de la localisation (taille de l'unité urbaine, niveau socioéconomique et richesse de la commune, accessibilité au centre de l'aire urbaine, sécurité ressentie dans le quartier, nuisances sonores, etc.)

Les différents critères de qualité d'un logement sont donc nombreux, et parfois liés. Pour les résumer, on réalise une Analyse des Correspondances Multiples (ACM) qui permet la construction de nouvelles variables discriminantes, combinaisons de ces différents critères, et indépendantes les unes des autres. La première de ces variables construites distingue en première approche les logements selon leur surface. Elle oppose, pour les variables les plus contributives, les logements spacieux, au nombre de pièces élevées, avec toutes les caractéristiques associées (logements individuels, seconde salle de bains ou WC, espaces privatifs, garage, zones rurales ou unités urbaines de petite taille ou banlieues des grandes unités urbaines), aux logements plus exigus des grands centres urbains (villes-centres des grandes unités urbaines ou unité urbaine de Paris), correspondant à des immeubles de grande taille, mais dépourvus d'ascenseur. La deuxième variable construite synthétise les trois dimensions de la qualité évoquées, abstraction faite de la surface : la qualité interne du logement, sa qualité externe (état/ancienneté de l'immeuble) et la qualité de sa localisation (accessibilité aux emplois, aux services, niveau de richesse). Les logements de « bonne » qualité (équipement en chauffage central, en sécurité, électricité encastrée, 2 salles de bains/WC, auxquels s'associent aussi des logements chauffés au gaz, voire à l'électricité, situés à Paris ou dans des grandes unités urbaines et des communes « riches », s'opposent aux logements de mauvaise qualité. Ces derniers correspondent à des logements datant d'avant 1949, situés dans les zones rurales en particulier.

Les deux premières variables synthétiques couvrent donc tout le spectre des critères de qualité. La première étant redondante avec la mesure directe de la surface, on lui préférera cette dernière et on définira donc la qualité d'un logement comme sa surface (première dimension) et sa valeur pour la deuxième variable de l'ACM.

Le positionnement des ménages (tous niveaux de vie confondus) selon ces deux dimensions est en grande partie conforme aux attentes ; ceux qui bénéficient le plus d'espace (et/ou qui sont les plus à l'écart des grands centres urbains) sont les propriétaires ou accédants, les personnes en emploi et les couples. Les étudiants, et dans une moindre mesure les personnes seules, se situent à l'autre extrême. La deuxième dimension oppose les locataires HLM, voire les accédants, qui occupent des logements de bonne qualité, aux locataires du secteur privé, les propriétaires se situant en position intermédiaire. Les ménages à faibles ressources sont moins bien positionnés que les autres selon cette dimension. Moins attendu, les familles monoparentales et les étudiants sont également en situation plutôt favorable du point de vue de la qualité de leurs logements. Pour les familles monoparentales, cela vient probablement de ce que plus de la moitié d'entre elles sont locataires du parc social. Le résultat est plus étonnant pour les étudiants, dont une forte proportion habite certes des logements récents de « bonne » qualité (32,4 % dans des constructions postérieures à 1981, contre 27 % en moyenne), mais qui sont également surreprésentés parmi les ménages habitant les logements les plus anciens (37,5 % sont dans des logements antérieurs à 1948, 30,6 % pour la moyenne des ménages). Leur positionnement peut éventuellement s'expliquer par leur situation centrale dans les grandes agglomérations, dans des quartiers au niveau socioéconomique plutôt élevé, puisque les caractéristiques du quartier participent aussi à la qualité du logement.

à faibles ressources, à statut d'occupation du logement donné. L'amélioration de la qualité a été moindre pour les locataires du parc social que pour ceux du parc privé, à niveau de vie donné, les premiers partant déjà d'un niveau élevé en 1996. Malgré cette amélioration, la qualité des logements est toujours moins élevée pour les ménages à faibles ressources, à statut d'occupation du logement donné, excepté pour les locataires sociaux. Ces derniers vivent en effet dans des logements dont la qualité est équivalente à celle des ménages plus aisés du parc social.

L'amélioration de la qualité est un des facteurs d'augmentation des loyers. Pour en mesurer l'impact, on recourt à la décomposition d'Oaxaca [Meurs,1999], appliquée à un modèle hédonique de formation des loyers *(Annexe)*. Celle-ci permet de faire la part entre l'évolution de loyers qui s'explique par les transformations du parc dans le temps (effet de structure) et celle qui vient de l'augmentation générale des loyers (effet « prix »). On applique cette méthode aux évolutions de loyers du parc privé.

L'évolution du parc de logements (qualité, surface, localisation, etc.) explique 13 % de la croissance des loyers de l'ensemble des ménages du parc privé, soit 4 points de pourcentage sur 32 % d'augmentation des loyers *(figure 6)*. L'essentiel de l'évolution des loyers est donc dû à une augmentation générale des prix et non à l'évolution du parc de logements. L'importance de l'effet prix peut refléter les tensions macroéconomiques sur l'offre locative. Il est vrai que le nombre de ménages a crû de 3 millions dans les 10 années d'observation (23,3 à 26,3 millions), mais ce rythme est proche de celui constaté dans les 10 années précédentes (+ 12 %). Le nombre de ménages en location privée non meublée a augmenté dans les mêmes proportions : + 12 % entre 1996 et 2006 (de 4,8 à 5,4 millions).

Les effets de structure les plus importants sont ceux de l'amélioration du confort sanitaire et de la diffusion du chauffage central. En 1996, 4 % des ménages n'avaient pas de salle de bains, alors qu'ils n'étaient plus que 1 % en 2006, les proportions correspondantes pour les WC étant de 4 % et 1 %. L'amélioration du confort sanitaire explique 1,7 point sur les 32 % d'augmentation des loyers *(figure 7)*. L'existence d'un chauffage central (qui a progressé

6. Décomposition de l'évolution des loyers du secteur privé entre 1996 et 2006 entre effets de structure et effets de prix

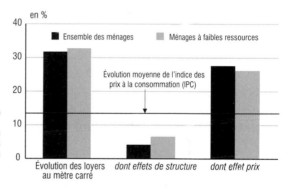

Champ : ménages locataires du parc privé résidant en France métropolitaine.
Lecture : les loyers de l'ensemble des ménages locataires du secteur privé ont augmenté de 32 % entre 1996 et 2006. Les effets de structure pèsent pour 4 points de cette augmentation et les effets de prix pour 28 points.
Source : Insee, enquêtes nationales Logement de 1996 et 2006.

7. Détail des principaux effets de structure

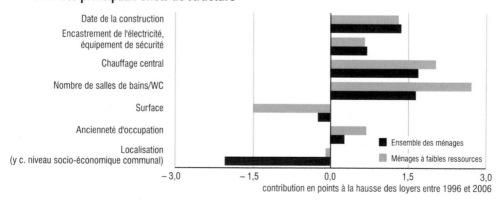

Champ : ménages locataires du parc privé résidant en France métropolitaine.
Lecture : la date de la construction du logement a contribué à hauteur de 1,4 point à la hausse des loyers de l'ensemble des ménages entre 1996 et 2006 (de 32 %).
Source : Insee, enquêtes nationales Logement de 1996 et 2006.

de 74 % à 94 %) est responsable également de 1,7 point de hausse. L'effet de la date de construction[1] est plus faible, à 1,4 point. La baisse du nombre de logements dont le bailleur est un employeur (de 2,3 % à 0,7 %) a également fait augmenter le niveau moyen des loyers (au mètre carré), de l'ordre de 1 point de pourcentage. L'encastrement de l'électricité et l'équipement en moyens de sécurité se sont également diffusés (de 70 % à 74 % et de 25 % à 37 % respectivement), ce qui a aussi participé (mais très modestement, moins de 1 point de pourcentage) à la hausse des loyers. L'ancienneté d'occupation a globalement à peine baissé entre 1996 et 2006, aussi n'a-t-elle pratiquement pas pesé sur l'augmentation des loyers.

Ensemble, tous les effets relatifs à la qualité interne des logements (chauffage central, nombre de salles de bains et de WC, encastrement électrique, équipement de sécurité) ont participé à hauteur de 4,1 points à la hausse des loyers ; ceux relatifs à la qualité externe des logements (période de construction, état de la façade) pour un peu plus d'un point. L'effet de structure lié à la localisation (incluant le niveau socioéconomique de la commune) a, au contraire, pesé à la baisse sur le niveau des loyers (– 2 points). Il y a un peu moins de locataires du parc privé dans l'agglomération parisienne en 2006 qu'en 1996 (18 % contre 20 % 10 ans plus tôt). Or, le prix, comparé aux autres localisations, y est plus élevé : la moyenne des loyers au mètre carré, toutes choses égales par ailleurs, est en 2006 de 52 % plus élevée dans l'agglomération parisienne que dans les petites unités urbaines de moins de 100 000 habitants. Il y a aussi un peu moins de locataires du parc privé en ville-centre des unités urbaines de plus de 200 000 habitants. La part des locataires du secteur privé y est passée de 21 % à 20 %, alors que le loyer, à caractéristiques de logement données, est de 15 % supérieur à celui des petites unités urbaines. Autre dimension de la qualité des logements, la surface est, pour l'ensemble des ménages, restée quasiment stable (en très légère baisse). Aussi l'impact sur l'évolution des loyers au mètre carré est-il quasiment nul (– 0,2 point).

Sur 33 % d'augmentation des loyers au mètre carré, 7 points de hausse des loyers des ménages à faibles ressources sont liés à l'amélioration de la qualité intrinsèque des logements (confort, construction)

Les effets de structure sur le parc de logements jouent un peu plus pour les ménages à faibles ressources que pour les autres ; ils ont contribué à 20 % de l'augmentation de leurs loyers (contre 9 % pour les autres ménages). Le rattrapage partiel en qualité, notamment interne, de leurs logements est à l'origine de cet écart. Celui-ci a contribué pour 5 points de pourcentage à la hausse de 33 % des loyers au mètre carré. Pour les autres ménages, la contribution est de 3 points de pourcentage sur un total de 31 %. La qualité externe, définie par la date de la construction et la qualité de la façade, joue de la même manière pour les deux groupes (2 points). L'effet à la baisse de la localisation, constatée sur l'ensemble des ménages, ne concerne en fait que les ménages plus aisés. De 25 % dans l'agglomération parisienne, ils ne sont plus que 21 % dix ans plus tard (les ménages à faibles ressources sont beaucoup moins nombreux mais stables en proportion, aux environs de 12 %). Cette recomposition a fait baisser la moyenne de leurs loyers au mètre carré de 3 points de pourcentage.

L'évolution de la surface et de l'ancienneté jouent, comme attendu, en sens inverse pour les deux groupes : l'augmentation de la surface dont ont bénéficié les ménages à faibles ressources a minoré leurs loyers au mètre carré de 1 point, la diminution chez les autres ménages a majoré les leurs de 0,4 point de pourcentage. La baisse de la durée d'occupation

---

1. Cette variable est un peu imprécise: les enquêtes logement ne permettent pas de reconstituer l'âge des constructions, qui aurait été plus pertinent dans l'optique d'une comparaison temporelle, au-delà de 15 ans. Pour les constructions plus anciennes, seules des tranches de période de construction sont disponibles.

des ménages à faibles ressources a majoré leurs loyers, mais faiblement (moins de 1 point), notamment parce que les durées brèves apparaissent relativement moins pénalisantes en 2006. Autre facteur de différenciation entre les deux groupes, la baisse du nombre de locataires logés par leur employeur bénéficiait en 1996 davantage aux ménages plus aisés (3 % d'entre eux étaient concernés contre 1,4 % des ménages à faibles ressources) ; dix ans plus tard, la baisse de ce type de logement les a davantage concernés (0,6 % contre 0,9 %). Cela s'est ressenti sur le niveau moyen de leur loyer (au mètre carré), majoré de 1,3 point de pourcentage.

En 10 ans, la progression de la qualité intrinsèque du parc locatif privé joue donc peu dans l'évolution des loyers. Pourtant sensible, notamment pour les ménages à faibles ressources, elle n'a contribué pour ces derniers qu'à un peu plus d'un cinquième de la hausse de leurs loyers au mètre carré (et un peu moins d'un cinquième pour l'ensemble des ménages). Ceci tient à ce que les éléments qui la composent – le confort des logements et la qualité de l'immeuble – interviennent modestement dans la fixation des loyers (au mètre carré). La surface et la localisation ont également un impact très limité sur les hausses des loyers au mètre carré. Les hausses totales de loyers répercutent celles de la surface, à la hausse pour les ménages à faibles ressources, à la baisse pour les autres, au cours des 10 années étudiées. Mais même sur le loyer total, l'ensemble des transformations du parc, surface comprise, n'expliquent que peu la hausse constatée entre 1996 et 2006, tant pour les ménages à faibles ressources que pour les autres. Les hausses sont pour l'essentiel imputables au relèvement général des loyers, toutes caractéristiques confondues. ■

Pour en savoir plus

Accardo J., Forgeot G., Friez A., Guédès D., Lenglart F., Passeron V., « La mesure du pouvoir d'achat et sa perception par les ménages », *in* « L'économie française », *Insee Références*, édition 2007.

Briant P. « L'accession à la propriété dans les années 2000 », *Insee Première* n° 1291, mai 2010.

Briant P., Pirus C., « Les ménages à faibles ressources et leurs conditions de logement en 2006 », Les travaux de l'observatoire (Onpes), 2010.

Castéran B., Ricroch L., « Les logements en 2006 : le confort s'améliore, mais pas pour tous », *Insee Première* n° 1202, juillet 2008.

Cavailhes J., 2006, « Le prix des attributs du logement », *Économie et Statistique* n° 381-382, octobre 2005.

Commissariat général au développement durable « Comptes du logement - premiers résultats 2009 ; les comptes 2008-2009 », Service de l'observation et des statistiques, 2010.

Driant J.-C., « Le logement des ménages à faibles ressources en 1996 : une demande sociale multi-forme », *in* « Quel habitat pour les ménages à faibles revenus ? », Entretiens de la caisse des dépôts sur l'habitat social, *la Documentation française*, 2001.

Driant J.-C., Rieg C., « Les conditions de logement des ménages à bas revenus », *Insee Première* n° 950, février 2004.

Driant J.-C., Jacquot A., « Loyers imputés et inégalités de niveau de vie », *Économie et Statistique* n° 381-382, octobre 2005.

Even K., « L'augmentation de l'effort financier pour se loger », *Informations sociales* n° 155, Cnaf, 2009.

Fack G., « Pourquoi les ménages pauvres paient-ils des loyers de plus en plus élevés ? », *Économie et Statistique* n° 381-382, octobre 2005.

Jacquot A., « L'occupation du parc HLM : un éclairage à partir des enquêtes Logement de l'Insee », *Document de travail* Insee, F0708, 2007

Le Blanc D., Laferrère A., Pigois R. ; « les effets de l'existence du parc HLM sur le profil de consommation des ménages », *Économie et Statistique* n° 328, 1999.

Meurs D., Ponthieux S., « Une mesure de la discrimination dans l'écart de salaire entre hommes et femmes », *Économie et Statistique* n° 337-338, 2000-7/8, 2000.

Trévien C., « Formation des loyers des logements et des effets des HLM sur les ménages », mémoire Ensae, 2008.

ANNEXE

Les déterminants des loyers

Ces déterminants évoluent dans le temps

Relier les loyers aux caractéristiques des logements permet de déterminer la valorisation de chaque caractéristique dans le processus de formation du loyer [Cavailhes, 2006 ; Le Blanc, Laferrère, Pigois, 1999 ; Trevien, 2008]. Ces modèles, dits « hédoniques », montrent que la valeur des attributs des logements varie dans le temps. Par exemple, avoir deux salles de bains est moins valorisé en 2006 qu'en 1996 (+ 9,3 % sur le loyer au mètre carré par rapport à un logement n'en comportant qu'une, contre + 14,5 % 10 ans plus tôt), la tendance étant à une progression, très légère, de ce double équipement.

L'analyse des loyers en fonction des caractéristiques des logements, effectuée séparément pour l'année 1996 et 2006, souligne, dans les deux cas, l'importance d'être logé par son employeur. Moins de 1 % des locataires sont logés par leur employeur mais ils bénéficient de ce fait d'un loyer plus bas que les autres ménages. La surface, décomposée entre le nombre de pièces et la surface moyenne par pièce (en quartile) se révèle également déterminante : elle joue négativement sur le loyer au mètre carré, comme attendu. L'ancienneté d'occupation contribue aussi fortement à la détermination des loyers (au mètre carré), le loyer étant plus élevé pour les anciennetés plus faibles. La localisation intervient après ; sans surprise, le loyer augmente avec l'intensité urbaine et avec le niveau socioéconomique de la commune.

Les éléments de qualité interne du logement (le nombre de salles de bains, de WC, la présence d'un chauffage central, l'encastrement électrique et la période de construction) majorent le loyer, de même que les logements récents (la césure se faisant entre les logements d'avant 1948, entre 1949 et 1974 et les autres).

Ces déterminants dépendent de la localisation du logement

L'analyse par taille d'unité urbaine (commune rurale, unité urbaine de moins de 100 000 habitants, unité urbaine de 100 000 à 200 000 habitants, ville centre d'une unité urbaine de 200 000 à 2 millions d'habitants, banlieue d'une unité urbaine de 200 000 à 2 millions d'habitants, agglomération parisienne) permet de nuancer le constat. Elle montre par exemple que le statut socioéconomique du quartier est peu discriminant dans les zones rurales, alors qu'il l'est ailleurs. Autre exemple, là où l'espace est rare donc cher, dans l'agglomération parisienne ou dans les grandes unités urbaines, le fait de disposer d'un espace privatif (jardin, cour, balcon) est valorisé, alors qu'il ne l'est pas ailleurs. De même, la présence d'un garage ou d'une place de parking, pour les mêmes raisons de rareté de l'espace, est surtout valorisée dans l'agglomération parisienne et dans les unités urbaines de grande taille ou de taille intermédiaire. La distance au centre de l'aire urbaine (ou de l'aire urbaine la plus proche), mesurée en ligne droite et présentée en quartile, propre à chaque catégorie d'unité urbaine (mais commune aux deux années d'observation) ne ressort nettement que pour l'agglomération parisienne : les distances les plus faibles sont un facteur de valorisation des loyers ; les distances élevées, un facteur à la baisse. Ce résultat diffère de celui trouvé par d'autres études dans lesquelles cet effet négatif de la distance s'observe, quelle que soit la densité urbaine [Cavailhes 2006].

Équation du Log du loyer au mètre carré dans le secteur locatif privé en 1996 et en 2006 ; distribution des caractéristiques dans l'ensemble des ménages

Variable dépendante : Log du loyer (annuel) au mètre carré

	Coefficients estimés		Distribution des caractéristiques (en %)	
	1996	2006	1996	2006
Constante	3,97 ***	4,32 ***		
Localisation géographique				
Ville centre d'une unité urbaine (UU) >200 000 hab.	0,20 ***	0,15 ***	20	19
UU de Paris	0,58 ***	0,52 ***	20	17
Banlieue d'une UU > 200 000 hab.	0,11 ***	0,11 ***	9	11
UU de 100 à 200 000 hab.	0,08 ***	0,06 ***	8	7
Communes rurales	− 0,17 ***	− 0,16 ***	15	16
UU <100 000 hab.	*Réf.*	*Réf.*	*28*	*29*
Niveau de vie communal				
1er quartile de niveau socioéconomique du quartier/commune (par taille d'UU)	− 0,15 ***	− 0,17 ***	18	18
2e quartile	− 0,06 ***	− 0,03 ***	22	26
3e quartile	*Réf.*	*Réf.*	*29*	*26*
4e quartile	0,07 ***	0,09 ***	32	31
1er quartile du revenu fiscal communal en 2001	− 0,03 *	0,02 *	22	23
2e quartile	*Réf.*	*Réf.*	*26*	*26*
3e quartile	0,03 **	0,06 ***	26	27
4e quartile	0,08 ***	0,08 ***	26	25
Niveau de vie des ménages				
Ménages à faibles ressources	− 0,06 ***	n.s.	35	37
Autres ménages	*Réf.*	*Réf.*	*65*	*63*
Type de bailleur				
Logé par l'employeur	− 0,60 ***	− 0,77 ***	2	1
Pas logé par l'employeur	*Réf.*	*Réf.*	*98*	*99*
Logé par la famille	− 0,27 ***	− 0,21 ***	3	4
Pas logé par la famille	*Réf.*	*Réf.*	*97*	*96*
Ancienneté d'occupation				
< 1 an	0,14 ***	0,08 ***	20	18
De 1 à moins de 3 ans	0,08 ***	0,05 ***	29	31
De 3 ans à moins de 7 ans et demi	*Réf.*	*Réf.*	*22*	*25*
De 7,5 à moins de 15 ans	− 0,17 ***	− 0,08 ***	15	13
15 ans et plus	− 0,46 ***	− 0,32 ***	13	13
Aides au logement				
Bénéfice d'aides au logement	0,07 ***	− 0,02 *	36	35
Pas d'aides au logement	*Réf.*	*Réf.*	*64*	*65*
Taille du logement				
1 ou 2 pièces	0,42 ***	0,36 ***	40	41
3 pièces	0,12 ***	0,11 ***	26	29
4 pièces	*Réf.*	*Réf.*	*19*	*17*
5 pièces	− 0,09 ***	− 0,12 ***	9	8
6 pièces et plus	− 0,21 ***	− 0,19 ***	5	5
1er quartile de surface moyenne par pièce	*Réf.*	*Réf.*	*27*	*21*
2e quartile de surface moyenne par pièce	− 0,14 ***	− 0,13 ***	22	23
3e quartile de surface moyenne par pièce	− 0,25 ***	− 0,23 ***	16	18
4e quartile de surface moyenne par pièce	− 0,32 ***	− 0,31 ***	35	38
Salle de bains / WC				
0 salle de bains	− 0,33 ***	− 0,23 ***	4	1
1 salle de bains	*Réf.*	*Réf.*	*91*	*93*
2 salles de bains	0,15 ***	0,09 ***	5	6
0 WC	− 0,18 ***	− 0,18 ***	4	1
1 WC	*Réf.*	*Réf.*	*88*	*88*
2 WC	0,04 *	0,06 ***	9	11

Équation du Log du loyer au mètre carré dans le secteur locatif privé en 1996 et en 2006 ; distribution des caractéristiques dans l'ensemble des ménages (suite)

	Coefficients estimés		Distribution des caractéristiques (en %)	
	1996	2006	1996	2006
Chauffage				
Pas de chauffage central	− 0,09 ***	− 0,11 ***	26	6
Chauffage central	*Réf.*	*Réf.*	*74*	*94*
Combustible au bois	− 0,07 **	− 0,14 ***	5	4
Fioul	n.s.	− 0,03 **	20	16
Gaz de ville	− 0,03 **	− 0,04 ***	29	34
Autre combustible	n.s.	n.s.	5	2
Électricité	*Réf.*	*Réf.*	*41*	*44*
Type d'habitat				
Pas d'espaces privatifs (cour, jardin, balcon)	− 0,04 ***	− 0,04 ***	42	44
Espaces privatifs (cour, jardin, balcon)	*Réf.*	*Réf.*	*58*	*56*
Immeubles de 2 à 9 logements	n.s.	n.s.	29	30
De moins de 50 logements avec ascenseur	n.s.	n.s.	18	15
De moins de 50 logements sans ascenseur	n.s.	n.s.	15	15
De 50 logements ou plus avec ascenseur	n.s.	n.s.	6	6
De 50 logements ou plus sans ascenseur	n.s.	0,07 **	1	2
Immeuble d'un logement	*Réf.*	*Réf.*	*31*	*32*
Année de construction				
Année de construction postérieure à 1981	0,19 ***	0,10 ***	15	24
Entre 1949 et 1967	0,09 ***	0,05 ***	16	16
Entre 1968 et 1974	0,07 ***	0,03 **	11	10
Entre 1975 et 1981	0,13 ***	0,12 ***	9	6
Constructions antérieures à 1949	*Réf.*	*Réf.*	*49*	*44*
Électricité / équipements de sécurité				
Pas d'équipements de sécurité	0,04 ***	0,03 ***	25	37
Présence d'équipements de sécurité	*Réf.*	*Réf.*	*75*	*63*
Encastrement de toute l'électricité	0,07 ***	0,06 ***	70	74
Pas d'encastrement ou encastrement partiel	*Réf.*	*Réf.*	*30*	*26*
Garage				
Garage, box	n.s.	− 0,05 ***	33	31
Place de parking	n.s.	− 0,05 ***	10	12
Ni garage, ni parking	*Réf.*	*Réf.*	*57*	*57*
Façade				
Façade en bon état	0,02 *	0,03 ***	50	56
Façade en état moyen	*Réf.*	*Réf.*	*34*	*31*
Façade en mauvais état	− 0,04 **	n.s.	15	14
Problèmes d'inondation, de fuites				
Inondation dans le logement au cours des 12 derniers mois à cause de fuites d'eau dans la plomberie	0,07 **	n.s.	3	4
Pas de problèmes de fuites	*Réf.*	*Réf.*	*97*	*96*
Environnement des logements				
Bruit (diurnes ou nocturnes)	n.s.	n.s.	18	17
Pas de bruits	*Réf.*	*Réf.*	*82*	*83*
Cambriolage au cours des 12 derniers mois	n.s.	− 0,03 *	4	7
Pas de cambriolage	*Réf.*	*Réf.*	*96*	*93*
Exposition du logement au sud	n.s.	0,03 ***	45	47
Pas d'exposition au sud	*Réf.*	*Réf.*	*55*	*53*
Vis à vis sur usine	n.s.	− 0,13 ***	3	2
Pas de vis à vis sur usine	*Réf.*	*Réf.*	*97*	*98*
Distance (à vol d'oiseau) à la ville centre de l'aire urbaine[1]				
1er quartile	0,04 ***	n.s.	29	28
2e quartile	*Réf.*	*Réf.*	*30*	*26*
3e quartile	− 0,03 *	n.s.	22	25
4e quartile	0,03 *	n.s.	18	20
Nombre d'observations	5 705	8 024		
R²	63	61		

Note : Les coefficients marqués * sont significatifs à un seuil de 10 %, ceux marqués ** significatifs à un seuil de 5 % et ceux marqués *** significatifs à un seuil de 1 %. Les autres ne sont pas significatifs (n.s.).
1. Les quartiles sont propres à chaque type de localisation géographique.
Champ : ménages locataires du parc privé résidant en France métropolitaine.
Source : Insee, enquêtes nationales Logement de 1996 et 2006.

Fiches thématiques

Économie générale

1.1 Environnement macroéconomique

En 2009, l'économie française connaît la plus forte contraction de son activité depuis l'après-guerre : le produit intérieur brut (PIB) **en volume aux prix de l'année précédente** recule de 2,6 % *(figures 1 et 2)*. Le PIB avait déjà nettement ralenti en 2008 (+ 0,2 % après + 2,4 % en 2007). La récession, entamée au printemps 2008, s'est amplifiée fin 2008 et début 2009. En comparaison, lors des récessions de 1993, ou même de 1975, la baisse du PIB était de l'ordre de 1 % en moyenne sur l'année. Depuis le printemps 2009, l'activité a repris sa croissance, mais demeure fin 2009 à un niveau proche de celui observé trois ans auparavant.

La récession touche tous les grands secteurs d'activité : la production recule dans l'industrie manufacturière, l'énergie, la construction, et même dans les services (en particulier les services aux entreprises et les services de transport).

L'investissement se replie fortement en 2009 (– 7,1 %) : il contribue pour 1,5 point à la contraction de 2,6 % du PIB. D'une part, la baisse de l'acquisition de logements neufs par les ménages s'accélère, leur investissement recule de 8,7 %. D'autre part, les entreprises restreignent leurs dépenses d'investissement (– 8,0 %), que ce soit en biens d'équipement ou en construction. L'aggravation de la crise financière à l'automne 2008 et la montée de l'incertitude concernant les perspectives d'activité incitent les entreprises à rester prudentes. Ainsi, comme on l'avait déjà observé lors de précédents replis de l'activité, les entreprises restreignent leur production dans une ampleur encore plus importante que le recul de la demande, ce qui limite leurs besoins de trésorerie et les

conduit à un déstockage massif. En 2009, le déstockage des entreprises contribue à lui seul pour 1,9 point à la baisse du PIB.

La crise économique, d'ampleur mondiale, entraîne une contraction des échanges extérieurs de biens et services entre pays. Suite au recul de la demande mondiale, les exportations françaises baissent fortement (– 12,4 %). Les importations reculent aussi nettement (– 10,7 %), en lien avec le repli de la demande intérieure de la France. Au total, la contribution du commerce extérieur à la croissance est de nouveau négative en 2009 : – 0,2 point après – 0,3 point en 2008.

En revanche, la consommation des ménages résiste à la crise : même si elle a ralenti depuis 2008, elle progresse encore de 0,6 % en 2009. Les dépenses de consommation des ménages soutiennent ainsi l'activité, notamment *via* la reprise de la croissance des achats de produits manufacturés, la « prime à la casse » ayant soutenu les achats d'automobiles.

En 2009, le déficit public s'accroît fortement : il s'élève à 7,5 % du PIB contre 3,3 % en 2008 *(figure 3)*.

D'une part, les recettes publiques reculent (– 4,2 % en valeur), notamment l'impôt sur les sociétés. La baisse des recettes fiscales et sociales s'explique par la récession et par des allègements supplémentaires de la charge fiscale décidés dans le cadre du plan de relance. D'autre part, les dépenses publiques continuent de progresser à un rythme soutenu (+ 3,8 % comme l'an dernier). Le poids de la dette publique au sens du traité de Maastricht croît ainsi nettement en 2009 (+ 10,6 points) et atteint 78,1 % du PIB, soit 1 489 milliards d'euros. ■

Définitions

Évolutions en volume aux prix de l'année précédente : les agrégats des Comptes nationaux en volume, c'est-à-dire corrigés de l'évolution générale des prix, sont issus de comptes en volume chaînés : pour une année donnée, les agrégats en volume sont obtenus en enchaînant, à partir du niveau constaté en 2000, les indices annuels d'évolution en volume calculés aux prix de l'année précédente, tenant ainsi compte de la déformation progressive des structures économiques.

Pour en savoir plus

- « Les comptes de la Nation en 2009 - Une récession sans précédent depuis l'après-guerre », *Insee Première* n° 1294, mai 2010.
- « Les comptes des administrations publiques en 2009 », *Insee Première* n° 1293, mai 2010.
- « L'économie française - Comptes et dossiers », *Insee Références*, juin 2010.
- Voir aussi : fiche 4.6.

1. Contributions à la croissance du PIB en volume

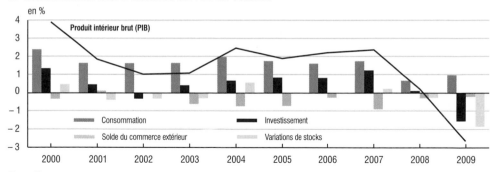

Champ : France.
Lecture : en 2009, l'investissement pèse à hauteur de 1,5 point dans la diminution de 2,6 % du PIB.
Source : Insee, comptes nationaux, base 2000.

2. Ressources et emplois de biens et services

	Évolution en volume aux prix de l'année précédente (en %)			2009		
	2007	2008	2009	Évolution des prix (en %)	Valeur (en milliards d'euros)	Contribution à la croissance du PIB[1]
Produit intérieur brut (PIB)	**2,4**	**0,2**	**− 2,6**	**0,5**	**1 907,1**	**− 2,6**
Importations	5,6	0,6	− 10,7	− 5,2	476,6	− 3,1
Total des emplois finals	**3,1**	**0,3**	**− 4,4**	**− 0,7**	**2 383,8**	**− 5,7**
Consommation effective des ménages	2,4	0,9	0,9	− 0,1	1 418,6	0,6
dont dépenses de consommation :						
− des ménages[2]	*2,5*	*0,5*	*0,6*	*− 0,6*	*1 084,6*	*0,4*
− individualisable des administrations publiques[2]	*1,6*	*2,1*	*2,0*	*1,2*	*305,8*	*0,3*
Consommation collective des administrations publiques	1,2	0,9	4,2	1,4	164,0	0,3
Formation brute de capital fixe (investissement)	6,0	0,5	− 7,1	− 0,6	392,1	− 1,5
dont :						
− sociétés non financières et entreprises individuelles	*8,1*	*2,4*	*− 8,0*	*− 0,3*	*204,3*	*− 0,9*
− ménages	*4,6*	*− 2,7*	*− 8,7*	*− 1,7*	*106,6*	*− 0,5*
− administrations publiques	*4,4*	*− 2,8*	*0,5*	*0,2*	*63,9*	*0,0*
Variation de stocks (en contribution au PIB)	0,2	− 0,3	− 1,9	///	− 30,5	− 1,9
Exportations	2,5	− 0,5	− 12,4	− 3,5	439,6	− 3,3

1. Note de lecture : en 2009, l'investissement pèse à hauteur de 1,5 point dans la diminution de 2,6 % du PIB .
2. La dépense de consommation des ménages correspond aux dépenses que les ménages supportent directement. La dépense de consommation individualisable des administrations publiques est celle dont les bénéficiaires peuvent être précisément définis. Elle correspond à des prestations en nature (biens ou services) dont bénéficient les ménages (dépenses pour l'éducation et pour la santé par exemple).
Champ : France.
Source : Insee, comptes nationaux, base 2000.

3. Dette publique et déficit public en % du PIB

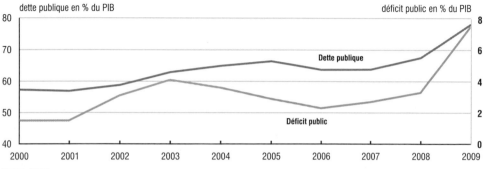

Champ : France.
Source : Insee, comptes nationaux, base 2000.

1.2 Opinion des ménages sur la situation économique

L'opinion des Français concernant leur environnement économique est appréhendée à travers l'enquête de conjoncture auprès des ménages, réalisée mensuellement par l'Insee depuis 1987. Les ménages livrent leur perception sur l'environnement économique en France, leur situation économique personnelle ainsi que leurs anticipations en matière de consommation et d'épargne. Ces informations fournies en termes qualitatifs (amélioration, stabilité, détérioration) sont retracées dans des **soldes d'opinion.** Ils permettent de mesurer les phénomènes conjoncturels tels qu'ils sont perçus par les ménages. Des enquêtes similaires sont effectuées dans tous les pays de l'Union européenne.

L'**indicateur résumé** d'opinion des ménages, corrigé des variations saisonnières, avait atteint son plus bas niveau en juillet 2008 (– 47, *figure 1*). Depuis, il a fortement remonté (+ 16 points entre juillet 2008 et décembre 2009). Il demeure toutefois à un bas niveau fin 2009, et diminue à nouveau depuis début 2010. Les ménages se montrent notamment pessimistes vis-à-vis des perspectives d'évolution du niveau de vie en France (– 18 points entre décembre 2009 et juin 2010) mais aussi de leur situation financière personnelle (– 9 points, *figure 2*).

En juin 2009, les craintes des français face au **chômage** ont atteint leur plus haut depuis que l'enquête existe (89 points de solde d'opinion, 100 étant le niveau plafond), (*figure 3*). Depuis le quatrième trimestre 2009, ce solde s'est stabilisé à un niveau nettement moins haut mais qui demeure supérieur à sa moyenne de long terme : bien que moindres, les craintes des Français face au chômage persistent donc.

En 2009, les ménages ont perçu une inflation plus faible que par le passé et leurs anticipations d'inflation sont restées basses. Les soldes d'opinion sur les **perspectives d'évolution des prix** et l'**évolution passée des prix** ont été tout au long de l'année inférieurs à leur moyenne de long terme. Toutefois, début 2010, les ménages semblent ressentir et anticiper un surcroît d'inflation. ■

Pour en savoir plus

• « Enquête mensuelle de conjoncture auprès des ménages - juin 2010 » (et note méthodologique associée), *Informations rapides* n° 168, série « Principaux indicateurs », Insee, juin 2010.

Opinion des ménages sur la situation économique **1.2**

1. Indicateur résumé d'opinion des ménages sur la situation économique

solde d'opinion corrigé des variations saisonnières

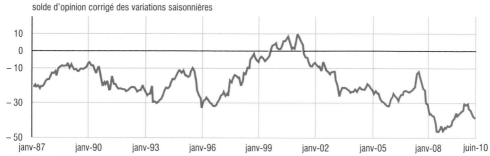

Champ : France métropolitaine.
Lecture : depuis juin 2008, l'opinion des ménages sur la situation économique s'est améliorée et a rejoint, fin 2009, des niveaux planchers déjà observés avant la crise. Elle se détériore à nouveau depuis janvier 2010.
Source : Insee, enquête de conjoncture auprès des ménages.

2. Composantes de l'indicateur résumé depuis 2005

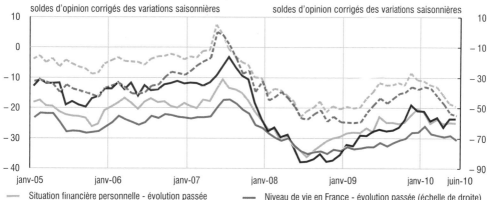

Champ : France métropolitaine.
Lecture : depuis le début de l'année 2010, ce sont avant tout les soldes sur les perspectives d'évolution (niveau de vie en France et situation financière personnelle) qui se détériorent.
Source : Insee, enquête de conjoncture auprès des ménages.

3. Perspectives d'évolution du chômage

solde d'opinion corrigé des variations saisonnières

Champ : France métropolitaine.
Lecture : les craintes face au chômage ont baissé par rapport au plus haut historique de juin 2009. Elles restent cependant élevées puisque la différence entre les pourcentages d'opinions « positives » et « négatives » est supérieure de plus d'une trentaine de points à sa moyenne de long terme.
Source : Insee, enquête de conjoncture auprès des ménages.

Fiches - Économie générale

Fiches thématiques

Population,
éducation

2.1 Démographie

A u 1er janvier 2010, 64,7 millions de personnes vivent en France métropolitaine et dans les départements d'outre-mer (Dom), dont 62,8 millions en métropole (*figure 1*). La population totale des territoires français atteint 65,4 millions d'habitants en incluant les collectivités d'outre-mer (Polynésie française, Nouvelle-Calédonie, Mayotte, Saint-Pierre-et-Miquelon, Wallis-et-Futuna, Saint-Martin et Saint-Barthélémy).

Dans la tendance des années précédentes, la population augmente de 0,5 % par rapport à l'année passée, soit + 350 000 personnes, et l'essentiel de la hausse provient du **solde naturel**. Le **solde migratoire**, estimé à + 71 000 en 2009, ne contribue que faiblement à l'accroissement de la population. Comme l'Irlande et Chypre, la France se caractérise au niveau européen par l'importance du solde naturel dans la croissance de sa population (et, en regard, le poids relativement modeste du solde migratoire, cf. fiche 6.1).

Le solde naturel élevé s'explique par le nombre de naissances qui se maintient à un haut niveau : plus de 820 000 naissances en 2009. Alors que, depuis 1995, le nombre de femmes âgées de 20 à 40 ans (période pendant laquelle les femmes sont les plus fécondes) diminue régulièrement en France, le nombre de naissances, lui, augmente. Ainsi, ce sont les taux de fécondité par âge qui sont en progression depuis 15 ans. La progression des taux selon les âges n'est pas uniforme : si la hausse est très nette pour les âges supérieurs à 30 ans, elle est plutôt faible voir nulle entre 25 et 30 ans; entre 20 et 25 ans, les taux de fécondité par âge sont même en légère baisse (*figure 2*). Néanmoins, l'**indicateur conjoncturel de fécondité** progresse régulièrement depuis 15 ans ; en 2009, il se maintient à un haut niveau, quasiment 2 enfants par femme. La France se situe avec l'Irlande en tête des pays européens en matière de fécondité. L'âge moyen à l'accouchement augmente légèrement, il atteint 29,9 ans en France et dépasse pour la première fois la barre des 30 ans en France métropolitaine. De même, le nombre de naissances hors mariage progresse encore en 2009 : 53,7 % en 2009 contre 52,5 % en 2008 et 42,7 % seulement il y a 10 ans.

L'**espérance de vie à la naissance** progresse en 2009, aussi bien pour les hommes que pour les femmes. Un garçon né en 2009 peut espérer vivre 77,8 ans dans les conditions de mortalité actuelles et une fille 84,5 ans (*figure 3*). La hausse régulière de l'espérance de vie contribue au vieillissement de la population. Le baby-boom d'après-guerre y contribue également car les générations nombreuses nées après 1945 ont commencé à dépasser les 60 ans. La part des 60 ans ou plus dans la population est en augmentation constante depuis 1980 : elle est passée de 20,4 à 22,6 % sur les 10 dernières années (*figure 4*).

Les unions contractualisées sont de plus en nombreuses. Si le mariage attire de moins en moins de couples (256 000 mariages en 2009), le pacs, lui, séduit de plus en plus. 175 000 pacs ont ainsi été conclus en 2009 contre 146 000 en 2008 et 102 000 en 2007. 95 % des pacs conclus le sont par des partenaires de sexes opposés.

La taille moyenne des ménages (c'est-à-dire le nombre moyen de personnes occupant un même logement, hors communautés) diminue régulièrement. Au recensement de 1968, un peu plus de 3 personnes vivaient en moyenne au sein d'un même ménage ; 40 ans plus tard, chaque ménage compte quasiment une personne en moins (2,3 personnes par ménage en 2007). ∎

Définitions

Solde naturel : différence entre le nombre de naissances et le nombre de décès.

Solde migratoire : différence entre les entrées et les sorties du territoire.

Indicateur conjoncturel de fécondité : somme des taux de fécondité par âge d'une année donnée. Cette somme indique le nombre moyen d'enfants que mettrait au monde chaque femme d'une génération fictive qui aurait pendant sa vie féconde (15-49 ans) les taux de fécondité par âge de l'année considérée.

Espérance de vie à la naissance : durée de vie moyenne ou âge moyen au décès d'une génération fictive qui aurait tout au long de son existence les conditions de mortalité par âge de l'année considérée.

Pour en savoir plus

- « Bilan démographique 2009 - Deux pacs pour trois mariages », *Insee Première* n° 1276, janvier 2010.
- Voir aussi : Vue d'ensemble (chapitre « Portrait de la population »), fiche 6.1.

1. Évolution générale de la situation démographique

en milliers

Année	Population	Naissances vivantes	Décès	Solde naturel	Solde migratoire évalué	Ajustement
1985	56 445	796,1	560,4	235,7	39,4	+ 0
1990	57 996	793,1	534,4	258,7	77,4	− 52,3
1995	59 281	759,1	540,3	218,7	42,2	− 54,1
2000	60 508	807,4	540,6	266,8	72,0	+ 94,5
2005	62 731	806,8	538,1	268,7	92,2	+ 94,5
2006	63 186	829,4	526,9	302,4	90,1	+ 0
2007	63 601	818,7	531,2	287,5	112,5	+ 0
2008 p	63 960	828,4	542,6	285,8	76,0	+ 0
2009 p	64 321	821,0	546,0	275,0	71,0	+ 0
2010 p	64 667	-	-	-	-	-

p : résultats provisoires arrêtés à fin 2009 pour les populations de 2008, 2009 et 2010, ainsi que pour les naissances et décès de 2009.
Champ : France.
Source : Insee, estimations de population et statistiques de l'état civil.

2. Nombre de naissances vivantes pour 100 femmes de chaque âge

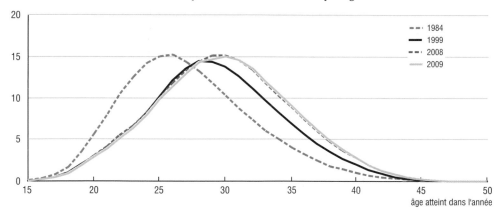

Champ : France métropolitaine.
Source : Insee, estimations de population et statistiques de l'état civil.

3. Espérance de vie à divers âges

en années

	Hommes		Femmes	
	0 an	60 ans	0 an	60 ans
1994	73,6	19,7	81,8	25,0
1997	74,5	19,9	82,3	25,2
2000	75,2	20,4	82,8	25,6
2003	75,8	20,8	82,9	25,6
2004	76,7	21,5	83,8	26,5
2005	76,7	21,4	83,8	26,4
2006	77,1	21,8	84,2	26,7
2007 p	77,4	21,9	84,4	26,9
2008 p	77,6	22,0	84,3	26,9
2009 p	77,8	22,2	84,5	27,0

p : résultats provisoires arrêtés à fin 2009.
Champ : France.
Lecture : en 2009, l'espérance de vie des hommes à 60 ans est de 22,2 ans :
ce chiffre représente le nombre moyen d'années restant à vivre aux hommes
de 60 ans, avec les conditions de mortalité par âge observées en 2009.
Source : Insee, estimations de population et statistiques de l'état civil.

4. Évolution de la population par tranche d'âge

en %

	Répartition par âge			
	Moins de 20 ans	20 à 59 ans	60 à 64 ans	65 ans ou plus
1991	27,7	53,2	5,1	14,0
1995	26,4	53,7	5,0	14,9
2000	25,8	53,8	4,6	15,8
2005	25,3	54,0	4,4	16,3
2006	25,1	54,0	4,5	16,4
2007	25,0	53,8	4,9	16,3
2008 p	24,9	53,4	5,3	16,4
2009 p	24,8	53,0	5,7	16,5
2010 p	24,7	52,7	6,0	16,6

p : résultats provisoires arrêtés à fin 2009.
Champ : France.
Source : Insee, estimations de population et statistiques de l'état civil.

2.2 Population scolaire et universitaire

À la rentrée 2009, le nombre d'élèves, apprentis et étudiants est proche de 15 millions (*figure 1*). On compte 75 000 jeunes scolarisés de plus par rapport à la rentrée 2008. Cette hausse de 0,5 % inverse la tendance à la baisse observée depuis 2005. Elle est imputable à la forte croissance des effectifs de l'enseignement supérieur.

Dans les premier et second degrés, les effectifs sont globalement stables. Plus précisément, dans le premier degré, le nombre d'écoliers dans l'élémentaire progresse mais les effectifs du préélémentaire reculent un peu. Dans le second degré, le nombre de collégiens augmente légèrement tandis que le nombre de lycéens se replie. L'apprentissage, quant à lui, enregistre un recul de 0,4 % de ses effectifs, évolution qui inverse la tendance à la hausse constatée depuis plusieurs années. Dans l'enseignement supérieur par contre, les effectifs d'étudiants sont en très forte augmentation par rapport à la rentrée précédente (+ 3,7 %). Toutes les composantes de l'enseignement supérieur sont en hausse, en particulier les écoles de commerce et gestion (+ 15,6 %). L'université elle-même enregistre une croissance de 3,2 points, et accueille pour la première fois plus de 1,3 million d'étudiants (soit 56 % de l'ensemble des effectifs du supérieur).

À la rentrée 2008, le **taux de scolarisation** global des jeunes de 18 à 25 ans est de 38,8 %, en légère diminution par rapport à 2007, mais avec des évolutions différentes selon l'âge (*figure 2*) : il est stable à 18 ans, 21 ans et 25 ans tandis qu'il diminue aux autres âges.

Après une croissance soutenue jusqu'au milieu des années 1990, entraînant un gain de près de deux années, l'**espérance de scolarisation** a, depuis, perdu une demie année : de 19,0 années en 1995 elle est désormais passée à 18,5 ans (*figure 3*). En 2008, les taux de scolarisation permettent ainsi d'« espérer » 18,5 années de formation initiale pour un enfant entrant en maternelle et 6,3 années pour un jeune de 15 ans. L'écart entre les filles et les garçons est stable. Il s'établit à 0,5 année à l'avantage des premières. ∎

Pour en savoir plus

- *L'état de l'École*, édition 2010, Depp, à paraître.
- *Repères et références statistiques sur les enseignements et la formation*, édition 2010, Depp, en ligne sur le site www.education.gouv.fr
- Voir aussi : Vue d'ensemble (chapitre « Portrait de la population »), fiches 2.3, 6.2.

1. Effectifs d'élèves et d'étudiants @

en milliers

À la rentrée...	1980	1990	2000	2007	2008	2009
Premier degré	**7 396**	**6 953**	**6 552**	**6 645**	**6 644**	**6 647**
dont : Préélémentaire	*2 456*	*2 644*	*2 540*	*2 551*	*2 535*	*2 533*
CP-CM2	*4 810*	*4 218*	*3 953*	*4 047*	*4 062*	*4 070*
Second degré[1]	**5 309**	**5 726**	**5 614**	**5 371**	**5 340**	**5 332**
dont : 1er cycle	*3 262*	*3 254*	*3 291*	*3 084*	*3 088*	*3 107*
2nd cycle général et technologique	*1 124*	*1 608*	*1 502*	*1 470*	*1 447*	*1 431*
2nd cycle professionnel	*808*	*750*	*705*	*713*	*703*	*694*
Enseignement scolaire sous tutelle d'autres ministères, divers[2]	**213**	**204**	**233**	**230**	**227**	**227**
Apprentissage	**244**	**227**	**376**	**434**	**435**	**434**
Enseignement supérieur	**1 184**	**1 717**	**2 160**	**2 231**	**2 234**	**2 316**
dont : Classes préparatoires aux grandes écoles (CPGE)	*40*	*64*	*70*	*78*	*78*	*78*
Sections de techniciens supérieurs (STS)	*68*	*199*	*239*	*231*	*234*	*240*
Instituts universitaires de technologie (IUT)	*54*	*74*	*119*	*116*	*118*	*118*
Universités (hors IUT et formations d'ingénieurs)[3]	*796*	*1 075*	*1 254*	*1 221*	*1 266*	*1 306*
Écoles d'ingénieurs	*40*	*58*	*96*	*109*	*114*	*118*
Écoles de commerce	*16*	*46*	*63*	*96*	*101*	*116*
Total général	**14 347**	**14 828**	**14 935**	**14 912**	**14 880**	**14 955**

1. Sous tutelle du ministère de l'Éducation nationale.
2. Scolarisation dans les établissements de santé ou dans le second degré agriculture.
3. Depuis 2008, les Instituts universitaires de formation des maîtres (IUFM) font partie intégrante des universités. L'évolution 2008/2007 en subit l'impact.
Champ : France.
Source : Depp.

2. Taux de scolarisation de la population de 18 à 25 ans

en %

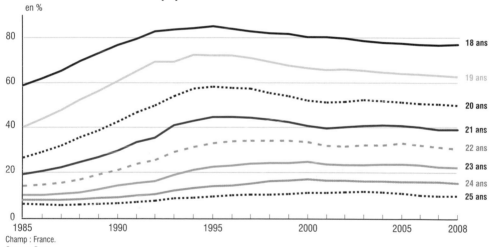

Champ : France.
Source : Depp.

3. Espérance de scolarisation

en années

À la rentrée ...	1985	1990	1995	2000	2006	2007	2008
Ensemble	**17,1**	**18,1**	**19,0**	**18,8**	**18,6**	**18,5**	**18,5**
Garçons	17,0	18,0	18,8	18,6	18,3	18,3	18,2
Filles	17,2	18,2	19,2	19,0	18,8	18,8	18,7
À partir de 15 ans	4,9	5,8	6,7	6,5	6,4	6,3	6,3

Champ : France.
Note : série calculée à partir de l'année 2000 en utilisant les estimations démographiques de l'Insee basées sur le recensement de 1999 ; à partir de 2008 en utilisant le nouveau recensement de 2006.
Source : Depp.

2.3 Diplômes

Lors la session 2009, les taux de réussite sont en augmentation pour la plupart des diplômes du secondaire. Le taux de réussite au diplôme national du Brevet est proche de 83 %, en hausse par rapport à la session 2008 (+ 0,6 point, *figure 1*). Le taux de réussite au CAP dépasse 81 % (+ 0,6 point). En revanche, la réussite au BEP, en recul d'un point, repasse en dessous de 75 %. Lors de la session 2009, sur 625 700 candidats passant le baccalauréat en France, 539 100 ont obtenu leur diplôme. Le taux de réussite global s'établit ainsi à 86,2 %, en très forte augmentation par rapport à la session 2008 (83,5 %). D'après les résultats provisoires de la session de juin 2010, le taux de réussite serait en légère baisse par rapport à juin 2009 et atteindrait 85,5 % d'admis. Le gain de près de 3 points entre la session 2008 et la session 2009 est avant tout dû à la progression de la réussite au baccalauréat professionnel : pour la première fois dans cette filière, les candidats ont pu bénéficier d'épreuves de rattrapage, et accroître ainsi leur réussite à l'examen (77,0 % en 2008, 87,3 % en 2009). Pour le baccalauréat général, le taux de succès atteint 88,9 % (+ 1 point). Avec un taux de 89,6 %, la série scientifique (S) devance la série économique et sociale (ES, 88,6 %) et la série littéraire (L, 87,2 %). Le taux de réussite au baccalauréat technologique, qui avait atteint pour la première fois les 80 % en 2008, est en très léger recul (79,8 %).

La **proportion de bacheliers dans une génération** atteint 65,8 % en 2009 : 35,4 % dans les séries générales, 16,0 % dans les séries technologiques et 14,4 % dans les séries professionnelles (*figure 2*).

À la session 2008, 155 000 candidats se sont présentés à l'examen du brevet de technicien supérieur, soit plus de 4 300 candidats de plus qu'en 2007, alors que les effectifs baissaient depuis la session 2005. Le taux de réussite étant lui-même en hausse, ce sont 4 600 diplômes de BTS supplémentaires qui ont été délivrés (*figure 3*).

Le nombre de diplômes universitaires de technologie (DUT) délivrés est de 46 700, en augmentation de 2,8 points par rapport 2007.

Depuis 2006, toutes les universités de France délivrent des diplômes LMD (licences LMD et masters LMD). Le nombre de diplômes de l'ancien système délivrés est désormais très faible par rapport à celui des licences LMD et des masters LMD. Ainsi en 2008, 123 500 licences LMD ont été délivrées, en très forte croissance depuis 2004, même si un léger recul est observé par rapport à 2007. Entre 2004 et 2008, le nombre de masters LMD *stricto sensu* (c'est-à-dire hors DESS ou DEA) est passé de 4 700 à 94 400.

Depuis leur création en 2000-2001, le nombre de licences professionnelles délivrées n'a cessé d'augmenter chaque année, passant de 3 600 à la session 2001 à 37 700 à la session 2008. Il ralentit un peu désormais (+ 25 % entre 2005 et 2006, + 15 % entre 2006 et 2007, + 8 % entre 2007 et 2008). Le nombre de doctorats (12 400, habilitations à diriger des recherches comprises) augmente de près de 3 % en 2008. ■

Définitions

Proportion de bacheliers dans une génération : il s'agit de la proportion de bacheliers dans une génération fictive de personnes qui auraient, à chaque âge, les taux de candidature et de réussite observés l'année considérée. Ce nombre est obtenu en calculant, pour chaque âge, le rapport du nombre de lauréats à la population totale de cet âge, et en faisant la somme de ces taux.

Pour en savoir plus

- « Résultats provisoires du baccalauréat - France métropolitaine et Dom - Session de juin 2010 », *Note d'information* n° 10.10, Depp, juillet 2010.
- « Résultats définitifs de la session 2009 du baccalauréat », *Note d'information* n° 10.06, Depp, avril 2010.
- *L'état de l'École*, édition 2010, Depp, à paraître.
- *Repères et références statistiques sur les enseignements et la formation*, édition 2010, Depp, en ligne sur le site www.education.gouv.fr
- Voir aussi : Vue d'ensemble (chapitre « Portrait de la population »), fiches 2.2, 2.4, 6.1.

1. Principaux diplômes délivrés dans le second degré

	1999		2008		2009	
	Nombre d'admis	Taux de réussite (en %)	Nombre d'admis	Taux de réussite (en %)	Nombre d'admis	Taux de réussite (en %)
Brevet	**586 100**	**74,7**	**614 900**	**82,1**	**609 400**	**82,7**
dont : série collège	*511 400*	*75,7*	*554 300*	*83,1*	*552 200*	*83,6*
CAP	**218 800**	**73,6**	**143 200**	**80,5**	**146 900**	**81,1**
BEP	**210 300**	**71,7**	**180 400**	**75,9**	**170 500**	**74,8**
Baccalauréat	**503 700**	**77,3**	**518 900**	**83,5**	**539 100**	**86,2**
Baccalauréat général	**266 300**	**78,4**	**279 700**	**87,9**	**286 800**	**88,9**
Série L	*62 400*	*79,3*	*48 800*	*86,2*	*47 800*	*87,2*
Série ES	*75 800*	*79,7*	*86 100*	*86,8*	*90 500*	*88,6*
Série S	*128 200*	*77,2*	*144 800*	*89,2*	*148 500*	*89,6*
Baccalauréat technologique	**149 100**	**78,5**	**135 900**	**80,3**	**131 600**	**79,8**
dont : Bac STI (sciences et technologies industrielles)	*36 200*	*73,3*	*30 800*	*78,2*	*30 300*	*78,8*
Bac STL (sciences et technologies de laboratoire)	*6 300*	*80,3*	*6 800*	*85,8*	*7 000*	*86,7*
Bac ST2S (sciences et technologies de la santé et du social) / SMS (sciences médico-sociales)	*19 000*	*82,3*	*21 700*	*82,6*	*18 500*	*74,1*
Bac STG (sciences et technologies de la gestion) / STT (sciences et technologies tertiaires)	*79 400*	*80,6*	*69 400*	*80,2*	*67 900*	*81,3*
Baccalauréat professionnel	**88 300**	**77,7**	**103 300**	**77,0**	**120 700**	**87,3**

Champ : France.
Note : à la session 2009, le bac ST2S a remplacé le bac SMS.
Source : Depp.

2. Proportion de bacheliers dans une génération @

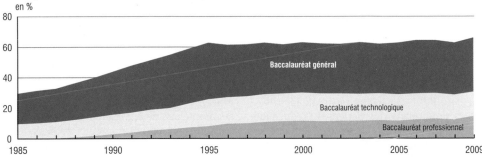

Champ : France métropolitaine.
Note : série calculée à partir de l'année 2000 en utilisant les estimations démographiques de l'Insee basées sur le recensement de 1999, à partir de 2008 en utilisant le nouveau recensement de 2006.
Source : Depp.

3. Principaux diplômes délivrés dans l'enseignement supérieur

	2004	2005	2006	2007	2008
Brevet de technicien supérieur (BTS)	105 200	102 500	102 200	101 400	106 000
Diplôme universitaire de technologie (DUT)	47 000	45 800	46 100	45 400	46 700
Licence LMD	14 000	82 700	128 200	127 200	123 500
Licence professionnelle	17 200	23 900	30 100	34 900	37 700
Master professionnel/DESS	48 900	57 600	64 000	65 700	65 200
Master recherche/DEA	27 200	26 500	24 700	23 200	22 100
Master indifférencié	–	600	3 000	5 000	7 100
Diplôme d'ingénieur	26 700	27 600	27 700	27 500	28 600
Diplôme d'école de commerce et de gestion	25 200	26 100	25 600	24 400	22 400
dont : diplôme d'école de commerce et de gestion visés	*12 100*	*13 200*	*14 300*	12 900	*11 700*
Doctorat (y compris HDR)	10 100	10 400	11 400	12 000	12 400
Diplôme de docteur (santé)	6 400	6 800	6 800	7 200	6 800

Champ : France.
Note : désormais,
- les diplômes universitaires sont comptabilisés au regard des normes européennes (diplômes issus du cursus LMD : Licence-Master-Doctorat, dont la montée en charge a été progressive entre 2004 et 2008), le nombre de diplômes de l'ancien système délivrés est aujourd'hui négligeable ;
- les habilitations à diriger des recherches (HDR) sont comptabilisées avec les doctorats.
Ces données diffèrent donc de celles des éditions précédentes de « France, portrait social ».
Source : Depp.

2.4 Dépenses d'éducation

En 2009, la **dépense intérieure d'éducation** (DIE) atteint 132,1 milliards d'euros, soit 6,9 % du produit intérieur brut (PIB, *figure 1*). Elle correspond à une dépense de 2 050 euros par habitant ou 7 990 euros par élève ou étudiant.

Entre 1980 et 2009, la dépense d'éducation en euros constants (*i.e.* corrigée de l'évolution des prix) a crû en moyenne au même rythme que le PIB (soit + 2,1 % par an), mais sa part dans le PIB a fluctué sur la période *(figure 2)*. De 1990 à 1993, la croissance de la DIE a été plus rapide que celle du PIB. La DIE, qui représentait 6,4 points de PIB en 1989, en représente 7,6 en 1993, du fait notamment d'un engagement financier important des collectivités territoriales et de la revalorisation de la carrière et de la rémunération des personnels enseignants. La part de la DIE dans le PIB s'est ensuite stabilisée jusqu'en 1997. De 1998 à 2008, le PIB progresse plus vite que la DIE : + 22,3 % contre seulement + 8,5 % pour la DIE, dont la part dans la richesse nationale décroît régulièrement pour revenir à 6,7 % en 2008. En 2009, la part de la DIE dans le PIB augmente pour atteindre 6,9 % sous l'effet d'une hausse de la DIE (+ 1,3 % en euros constants) conjuguée au recul du PIB (– 2,6 %) en raison de la crise.

Les trois quarts des dépenses d'éducation sont des dépenses de personnel, essentiellement prises en charge par l'État. Celui-ci finance 59,2 % de la DIE en 2009, très majoritairement sur le budget du ministère de l'Éducation nationale (54,1 % de la DIE). Les collectivités territoriales assurent 24,6 % du financement total initial. Leur part s'accroît dans le second degré et le supérieur à partir de 2006, notamment du fait du transfert aux régions de la gestion des personnels TOS (techniques, ouvriers et de service) dans le second degré et de nouvelles compétences en matière de formations sanitaires et sociales de l'enseignement supérieur. Les ménages, quant à eux, participent à hauteur de 7,9 %.

Sur longue période, la croissance de la DIE s'explique moins par l'accroissement du nombre d'élèves que par celui de la **dépense moyenne par élève**, qui, tous niveaux confondus, augmente en euros constants de 1,9 % par an en moyenne depuis 1980 (compte tenu des ruptures de séries en 1999 et en 2006). Néanmoins, depuis 1999, la dépense moyenne par élève évolue plus modérément (+ 0,7 % par an en moyenne en euros constants). C'est dans le premier degré que la dépense moyenne pour un élève a le plus augmenté sur 30 ans (*figure 3*) : + 2,0 % en moyenne par an en euros constants notamment en raison d'une hausse du taux d'encadrement et de la revalorisation des carrières d'enseignant (création du corps de professeurs des écoles). En revanche, la dépense moyenne par étudiant du supérieur n'a augmenté que de 1,2 % en moyenne en euros constants par an entre 1980 et 2009, la forte hausse des effectifs sur la période ayant absorbé la plus grande part de l'augmentation des crédits consacrés à l'enseignement supérieur. ■

Définitions

Dépense intérieure d'éducation (DIE) : elle rassemble toutes les dépenses effectuées par l'ensemble des agents économiques (administrations publiques centrales et locales, entreprises et ménages) pour les activités d'éducation : activités d'enseignement scolaire et extrascolaire de tous niveaux, activités visant à organiser le système éducatif (administration générale, orientation, documentation pédagogique et recherche sur l'éducation), activités destinées à favoriser la fréquentation scolaire (cantines et internats, médecine scolaire, transports) et dépenses demandées par les institutions (fournitures, livres, habillement).

La DIE est évaluée chaque année par le compte de l'éducation, compte satellite de la comptabilité nationale. En 1999, celui-ci a fait l'objet d'une rénovation ; trois changements importants ont été apportés : intégration des Dom, nouvelle évaluation des charges sociales rattachées aux rémunérations des personnels, réévaluation des dépenses des ménages.

À partir de 2006, la loi organique relative aux Lois de Finances (LOLF) modifie les règles budgétaires et comptables de l'État, notamment en matière de charges sociales mieux évaluées et affectées aux rémunérations des agents de l'État.

Dépense moyenne par élève : elle rapporte la totalité des dépenses, à l'exception des activités extra-scolaires et de formation continue, au nombre d'élèves.

Pour en savoir plus

• *L'état de l'École*, édition 2010, Depp, à paraître.

1. Dépense intérieure d'éducation

	1980	1990	2000	2008	2009p
DIE[1] (en milliards d'euros de 2009)	**71,4**	**93,1**	**125,1**	**130,4**	**132,1**
Par habitant (en euros de 2009)	1 320	1 600	2 050	2 020	2 050
Par élève[1] (en euros de 2009)	4 420	5 510	7 390	7 860	7 990
Structure du financement initial de la DIE (en %)					
État	69,1	63,7	65,2	59,2	59,2
dont : MEN - MESR[2]	*60,9*	*56,5*	*57,4*	*54,0*	*54,1*
Collectivités territoriales	14,2	18,5	19,9	24,5	24,6
Autres administrations publiques et caisses d'allocations familiales	0,4	0,7	2,1	1,6	1,6
Entreprises	5,5	5,9	5,4	7,0	6,7
Ménages	10,8	11,2	7,4	7,7	7,9
Ensemble	**100,0**	**100,0**	**100,0**	**100,0**	**100,0**

1. La réévaluation de la DIE (voir définition) s'applique à l'ensemble de la période 1980-2009. Les dépenses moyennes par élève n'ont été recalculées qu'à partir de 1999.
2. MEN : ministère de l'Éducation nationale ; MESR : ministère de l'Enseignement supérieur et de la Recherche.
Champ : France.
Sources : Depp.

2. Part de la dépense intérieure d'éducation dans le produit intérieur brut

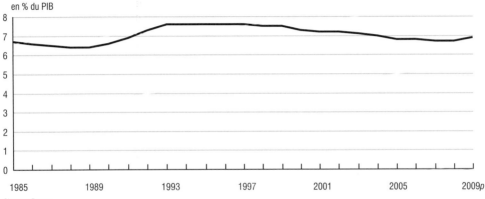

en % du PIB

Champ : France.
Sources : Depp.

3. Dépense intérieure d'éducation moyenne par élève selon les niveaux d'enseignement

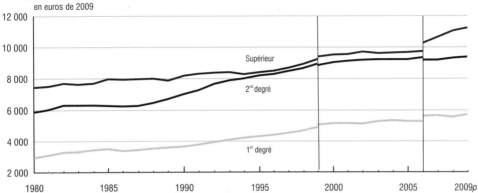

en euros de 2009

Note : le graphique présente deux ruptures de série, symbolisées par les traits (rénovation du Compte de l'éducation en 1999 et prise en compte de la LOLF en 2006, voir *définitions*).
Champ : France.
Sources : Depp.

2.5 Recherche et développement

En 2008, la **dépense intérieure de recherche et développement** (DIRD) s'élève à 41,1 milliards d'euros (Mds d'euros). En baisse de 2002 à 2005, l'effort de recherche, mesuré par la part de la DIRD dans le produit intérieur brut (PIB), s'est stabilisé depuis et s'établit en 2008 à 2,1 %. La progression de la DIRD entre 2007 et 2008 (+ 1,8 % en volume) résulte de l'effet conjugué de la croissance des dépenses des entreprises (+ 1,5 % en volume en 2008), et de celles du secteur public (+ 2,4 % en 2008) *(figure 1)*. En 2009, la DIRD devrait connaître une progression un peu plus faible pour atteindre 42,1 Mds d'euros.

En 2008, la **dépense intérieure de recherche et développement (R&D) des entreprises** (DIRDE) implantées sur le territoire national s'élève à 25,8 Mds d'euros, soit 63 % des montants de travaux de R&D. La répartition de la DIRDE (comme celle des effectifs de R&D) dans les principales **branches de recherche** témoigne d'une concentration importante et met en évidence une spécialisation dans les secteurs de haute technologie. Cinq branches regroupent 51 % des dépenses de R&D des entreprises et 43 % des personnels de R&D en ETP. Il s'agit, par ordre décroissant, de l'industrie automobile, l'industrie pharmaceutique, la construction aéronautique et spatiale, l'industrie chimique et les composants, cartes électroniques et équipements périphériques.

La **dépense intérieure de R&D des administrations** (DIRDA) s'élève à 15,3 Mds d'euros en 2008 (soit 37 % des montants de travaux de R&D), dont près de 0,9 Md pour la défense nationale. L'activité de recherche dans l'enseignement supérieur représente 36 % de la recherche publique, celle des établissements

publics à caractère industriel et commercial (EPIC : CEA, Cnes, Anvar, Ifremer, etc.) 22 %, et celle des établissements publics à caractère scientifique et technologique (EPST : CNRS, Inra, Inserm, etc.) 31 %. Depuis 1993 la part de la défense dans la dépense totale de R&D des administrations est passée de 20 % à 6 %.

En 2008, plus de 388 000 équivalents- temps plein (ETP) travaillent pour la R&D (chercheurs et personnels de soutien), dont près de 57 % rémunérés par les entreprises *(figure 2)*. Les effectifs progressent de 2,4 % par rapport à l'année précédente, avec une croissance plus forte pour les chercheurs (3,3 %). L'effectif total de recherche croît davantage dans les entreprises que dans les administrations. La part moyenne des chercheurs dans l'effectif total de R&D est de l'ordre de 60 %. Elle est la plus élevée dans l'enseignement supérieur (70 %).

Plus de 137 100 chercheurs (en personnes physiques) ont une activité de R&D en entreprises en France. La population des chercheurs en entreprise est jeune et fortement masculine *(figure 3)*. En moyenne, quatre chercheurs sur cinq sont des hommes. Cependant, les jeunes générations s'illustrent par une féminisation plus importante. Ainsi, plus du quart des chercheurs de moins de 35 ans sont des femmes.

Lorsque le nombre de chercheurs est rapporté à la population active, la France, avec 8,2 chercheurs pour mille actifs, se place derrière le Japon (10,3 ‰) et les États-Unis (9,2 ‰ en 2007) mais devant le Royaume-Uni (8,1 ‰), l'Allemagne (7,2 ‰), l'Espagne (5,7 ‰) et l'Italie (3,8 ‰). Selon cet indicateur, plusieurs pays moins peuplés se situent dans le peloton de tête : en particulier la Finlande et la Suède (avec respectivement 15,0 ‰ et 9,8 ‰). ∎

Définitions

Dépense intérieure de recherche et développement (DIRD) : elle correspond aux travaux de recherche et développement (R&D) exécutés sur le territoire national (métropole et Dom) quelle que soit l'origine des fonds. Elle comprend les dépenses courantes (la masse salariale des personnels de R&D et les dépenses de fonctionnement) et les dépenses en capital (les achats d'équipements nécessaires à la R&D). Elle regroupe la **dépense intérieure de R&D des entreprises** (DIRDE) et celle des **administrations** (DIRDA). La DIRDA inclut l'enseignement supérieur, la Défense, les établissements publics de recherche : à caractère scientifique et technique (EPST), à caractère industriel et commercial (EPIC), ainsi que les institutions sans but lucratif.

Branche de recherche : il s'agit de la branche d'activité économique bénéficiaire des travaux de R&D, décrite à partir de la nomenclature d'activités française (Naf Rév.2).

Pour en savoir plus

• « Dépenses de recherche et développement en France en 2008. Premières estimations pour 2009 », *Note d'information Enseignement supérieur & Recherche*, DGRI/DGESIP SIES, à paraître.

1. Évolution en volume des DIRD, DIRDE, DIRDA et du produit intérieur brut

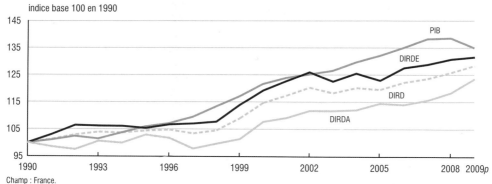

indice base 100 en 1990

Champ : France.
Source : ministère de l'Enseignement Supérieur et de la Recherche, DGRI/DGESIP SIES.

2. Effectifs de recherche des entreprises et des administrations en 2008

	Ensemble (en équivalents-temps plein)	Part des chercheurs[2] (en %)
Entreprises	**221 880**	**59**
Branches industrielles[1] dont :	**180 210**	**55**
Industrie automobile	35 070	51
Industrie pharmaceutique	22 210	45
Composants électroniques et équipements radio, télé et communication	11 340	78
Construction aéronautique et spatiale	16 250	68
Instruments médicaux, de précision, d'optique et d'horlogerie	11 730	77
Industrie chimique	11 720	40
Branches de services[1] dont :	**41 670**	**72**
Activités informatiques et services d'information	15 100	78
Télécommunications	8 450	61
Administrations	**166 410**	**60**
Administrations publiques dont :	**88 590**	**52**
Établissements publics à caractère scientifique et technologique (EPST)	57 170	51
Établissements public à caractère industriel et commercial (EPIC)	23 070	62
Défense	3 770	n.d.
Enseignement supérieur[2]	**72 200**	**70**
Institutions sans but lucratif	**5 620**	**54**
Ensemble	**388 280**	**59**

1. Les branches de recherche sont dorénavant décrites à l'aide de la Naf Rév. 2.
2. Dans les administrations, il s'agit des chercheurs, ingénieurs de recherche et doctorants rémunérés.
Champ : France.
Source : ministère de l'Enseignement Supérieur et de la Recherche, DGRI/DGESIP SIES.

3. Chercheurs dans les entreprises en 2007 : répartition par tranche d'âge et taux de femmes par tranche d'âge

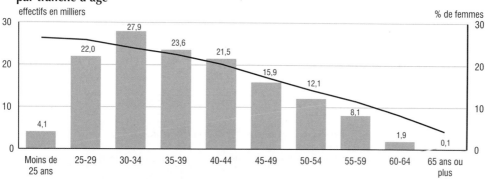

effectifs en milliers   % de femmes

Champ : France.
Source : ministère de l'Enseignement Supérieur et de la Recherche, DGRI/DGESIP SIES.

2.6 Parité entre hommes et femmes

En 2009, le **taux d'activité** des femmes âgées de 15 à 64 ans (66,1 %, *figure 1*) est inférieur de près de 9 points à celui des hommes (74,9 %). Cet écart ne cesse de diminuer ; il était de 30 points en 1975 et de 14 points en 2000. Malgré une présence de plus en plus importante sur le marché du travail, les femmes n'ont pas la même insertion professionnelle que les hommes, elles sont notamment plus touchées par le **chômage**. En effet, 9,4 % des femmes actives de 15 ans ou plus sont au chômage, contre 8,9 % de leurs homologues masculins. Cependant, pour la deuxième année consécutive, la situation s'inverse chez les plus jeunes : 22,5 % des femmes actives de 15 à 24 ans et 24,6 % des hommes actifs du même âge sont au chômage en 2009. Ce changement dans les situations relatives des hommes et des femmes sur le marché de l'emploi est notamment la conséquence des scolarités des femmes, qui sortent plus diplômées du système éducatif que les hommes (respectivement 22,9 % et 21,5 % de personnes avec un diplôme supérieur ou égal à un bac +2 ans). Par ailleurs, les femmes n'ont pas les mêmes conditions d'emploi que les hommes. Par exemple, elles sont plus concernées par le temps partiel et le **sous-emploi**.

En 2008, le **salaire annuel moyen** des femmes travaillant à temps complet dans le secteur privé ou semi-public représente 82 % de celui des hommes (respectivement 21 360 euros et 26 130 euros nets, *figure 2*). Cet écart de salaire s'explique en partie par des différences de diplômes ou d'expérience entre hommes et femmes ainsi que par le type d'emplois qu'ils occupent (secteur d'activité, type de contrat de travail). Ces différences ne suffisent cependant pas à expliquer la totalité de l'écart de salaire observé entre les hommes et les femmes. Par ailleurs, les écarts de salaires hommes/femmes varient selon la catégorie socioprofessionnelle : le salaire des femmes représente 95 % de celui des hommes chez les employés – qui sont majoritairement des employées – tandis que l'écart de salaire entre les hommes et les femmes est beaucoup plus important pour les cadres où le rapport baisse à 79 %. Cet écart de salaire a beaucoup diminué entre les années 1950 et les années 1990 : dans les années 1950, les femmes gagnaient en moyenne moitié moins que les hommes. L'écart s'est depuis stabilisé : le rapport de salaires hommes/femmes oscille autour de 80 %.

Dans le monde politique, la situation est encore loin de la stricte parité, même si elle tend à s'améliorer. La proportion de femmes élues dépend beaucoup de l'existence de contraintes de parité : depuis 2000, dans certaines élections, les listes doivent être alternativement composées d'hommes et de femmes. C'est le cas lors des élections européennes (en France), des élections régionales et des élections municipales des communes de plus de 3 500 habitants. 48 % des élus aux élections régionales de 2010 sont des femmes (*figure 3*). Cette proportion est plus importante qu'auparavant et c'est entre les élections régionales de 1998 (27,1 % d'élues) et de 2004 (47,6 %) que la progression a été la plus importante. Cependant, aux plus hauts niveaux de responsabilité, les femmes sont nettement moins présentes : en 2010, deux régions sur vingt-six ont une présidente et non un président de région. Les élections régionales sont plus paritaires que les autres élections, où 33,5 % de femmes sont élues. ■

Définitions

Taux d'activité : voir *fiche 3.2*.
Taux de chômage : voir *fiche 3.4*.
Sous-emploi : voir *fiche 3.3*.
Salaire annuel moyen : voir *fiche 4.1*.

Pour en savoir plus

- « Femmes et hommes en début de carrière – Les femmes commencent à tirer profit de leur réussite scolaire », *Insee Première* n° 1284, mars 2010.
- « Les écarts de salaire horaire entre les hommes et les femmes en 2006 » *in* « Les salaires en France », *Insee références*, décembre 2008.
- « Femmes et hommes – regards sur la parité », *Insee références*, février 2008.
- Observatoire de la parité entre les femmes et les hommes, notes électorales.

1. Caractéristiques de l'emploi, taux de chômage et niveau de diplôme en 2009

en %

	Femmes	Hommes	Ensemble
Taux d'activité	**66,1**	**74,9**	**70,4**
Taux de chômage	**9,4**	**8,9**	**9,1**
dont : 15 – 24 ans	*22,5*	*24,6*	*23,7*
25 – 49 ans	*8,8*	*7,6*	*8,2*
50 – 64 ans	*6,2*	*5,9*	*6,1*
Parmi les personnes en emploi…			
Personnes à temps partiel	29,9	6,0	**17,3**
Personnes en situation de sous–emploi	8,3	3,0	**5,5**
Répartition selon le niveau de diplôme			
Sans diplôme ou CEP	31,3	27,6	**29,5**
BEPC seul	10,9	9,9	**10,4**
CAP, BEP ou diplôme équivalent	17,3	24,9	**20,9**
Bac, brevet professionnel ou équivalent	17,6	16,2	**16,9**
Bac+2 ans	11,1	8,9	**10,0**
Diplôme supérieur à bac+2 ans	11,8	12,6	**12,2**

Champ : France métropolitaine, population des ménages, personnes âgées de 15 ans ou plus.
Source : Insee, enquêtes Emploi du 1ᵉʳ au 4ᵉ trimestre 2009.

2. Rapport des salaires femmes/hommes selon la catégorie socioprofessionnelle

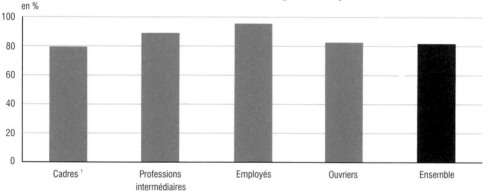

1. Y compris les chefs d'entreprise salariés.
Champ : France, salariés à temps complet des secteurs privé et semi-public.
Lecture : les femmes cadres gagnent en moyenne un peu moins de 80 % du salaire de leurs homologues masculins.
Source : Insee, DADS 2008 (fichier définitif).

3. Part des femmes élues dans les conseils régionaux

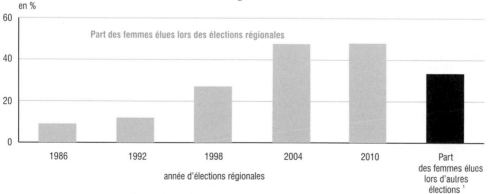

1. Comprend les résultats des élections législatives de 2007, cantonales, municipales et sénatoriales de 2008 et européennes de 2009.
Champ : France ; sauf pour 1992 : France métropolitaine hors Assemblée de Corse.
Sources : ministère de l'Intérieur , Observatoire de la parité entre les femmes et les hommes.

2.7 Population immigrée

En 2007, 5,25 millions d'**immigrés** vivent en France dont 5,15 millions en métropole (8,3 % de la population) et 100 000 personnes dans les Dom (5,8 % de la population). En France métropolitaine, 41 % des immigrés sont devenus français. La population immigrée s'est féminisée : en 2007, 51 % des immigrés sont des femmes, contre 44 % en 1968 (*figure 1*). En effet, jusqu'au milieu des années 1970, les flux d'immigration, comblant les besoins de main-d'œuvre nés de la reconstruction d'après-guerre puis de la période des Trente Glorieuses, sont essentiellement masculins. En 1974, un frein est mis à l'immigration de main-d'œuvre non qualifiée et les migrations familiales prennent une part croissante dans les flux d'immigration. Ces flux sont majoritairement composés de femmes qui viennent rejoindre leur conjoint déjà présent sur le territoire.

Globalement, malgré la forte croissance de l'immigration en provenance des pays de l'Europe orientale, la part des immigrés originaires du continent européen est en baisse puisqu'elle s'élève à 39 % en 2007 en métropole contre 45 % en 1999 (*figure 2*). 43 % des immigrés vivant en France métropolitaine sont nés dans un pays du continent africain, soit 2,2 millions de personnes. 71 % d'entre eux viennent des trois pays du Maghreb (Algérie, Maroc et Tunisie) et 13 % du Sénégal, du Mali, de Côte d'Ivoire, du Cameroun ou du Congo, anciens pays sous administration française. 14 % des immigrés sont originaires d'Asie : parmi eux, 32 % sont nés en Turquie, 22 % dans un des pays de la péninsule indochinoise et 10 % en Chine. Les immigrés originaires d'Amérique et d'Océanie sont beaucoup moins nombreux (4 %).

En 2009, selon l'enquête Emploi, 2,5 millions d'immigrés résidant en France métropolitaine et âgés de 15 ans ou plus sont présents sur le marché du travail, soit parce qu'ils exercent une activité professionnelle, soit parce qu'ils sont au chômage : ils représentent 10 % de la population active. Le **taux d'activité** des immigrés de 15 à 64 ans s'élève ainsi à 67 % et il est inférieur de 4 points à celui des non-immigrés (*figure 3*). En effet, si les hommes immigrés sont plus souvent actifs que les autres (77 % contre 75 % pour les non-immigrés), le taux d'activité des femmes immigrées (58 %) est nettement inférieur à celui des femmes qui ne sont pas immigrées (67 %).

Le **taux de chômage** des immigrés (16,1 % en 2009) est près de deux fois plus élevé que celui des non-immigrés (8,4 %). La moindre qualification des immigrés et des emplois qu'ils occupent n'explique pas à elle seule ce différentiel. L'écart est même plus marqué chez les plus diplômés. Par ailleurs, les immigrés non originaires de l'Union européenne ont un taux de chômage encore plus élevé. Avec la crise, le taux de chômage des immigrés a fortement augmenté entre 2008 et 2009 (+ 3 points, contre + 1,6 pour les non-immigrés). En 2009, le taux de chômage des femmes immigrées est à peine plus haut que celui des hommes, après avoir été longtemps sensiblement plus élevé. C'est l'une des conséquences de la crise économique : les types d'emploi occupés par les hommes, dans le secteur de la construction ou en intérim notamment, ont, plus que les emplois occupés par les femmes, pâti de la mauvaise conjoncture. ∎

Définitions

Immigrés : la population immigrée est constituée des personnes nées étrangères à l'étranger et résidant en France. Elle comprend donc en partie des personnes qui, depuis leur arrivée, ont acquis la nationalité française. À l'inverse, elle exclut les Français de naissance nés à l'étranger et résidant en France et les étrangers nés en France.
Taux d'activité, taux de chômage, taux d'emploi - voir *fiches 3.2, 3.3, 3.4*.

Pour en savoir plus

- « Langues, diplômes : des enjeux pour l'accès des immigrés au marché du travail », *Insee première* n° 1262, novembre 2009.
- « L'insertion professionnelle des immigrés », *Infos migrations* n° 14, février 2010.
- Voir aussi : vue d'ensemble, chapitre « Portrait de la Population » et dossier « Les écarts de taux d'emploi selon l'origine des parents : comment varient-ils avec l'âge et le diplôme ? ».

1. Effectifs des immigrés par sexe depuis 1911

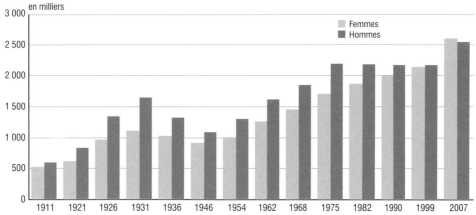

Champ : France métropolitaine.
Source : Insee, recensements de la population de 1911 à 2007.

2. Origines géographiques des immigrés au 1ᵉʳ janvier 2007

en %

Origine géographique	Répartition des immigrés	Proportion de moins de 30 ans	Proportion de 60 ans ou plus
Europe	**39,1**	**14**	**36**
dont : Espagne	*5,1*	*5*	*54*
Italie	*6,3*	*4*	*63*
Portugal	*11,2*	*10*	*23*
Autres pays de l'UE à 27	*12,4*	*21*	*31*
Autres pays d'Europe	*4,2*	*32*	*21*
Afrique	**42,9**	**24**	**17**
dont : Algérie	*13,6*	*18*	*25*
Maroc	*12,5*	*24*	*16*
Tunisie	*4,5*	*17*	*23*
Autres pays d'Afrique	*12,3*	*33*	*6*
Asie	**14,2**	**29**	**10**
dont : Turquie	*4,6*	*30*	*9*
Cambodge, Laos, Viêtnam	*3,1*	*16*	*18*
Autres pays d'Asie	*6,5*	*35*	*8*
Amérique, Océanie	**3,7**	**38**	**9**
Ensemble	**100,0**	**22**	**23**

Champ : France métropolitaine.
Source : Insee, recensement 2007, exploitation principale.

3. Taux d'activité, d'emploi et de chômage des immigrés et des non-immigrés en 2009

en %

	Taux d'activité		Taux d'emploi		Taux de chômage	
	Non-immigrés	Immigrés	Non-immigrés	Immigrés	Non-immigrés	Immigrés
Hommes	74,6	77,2	68,5	64,8	8,2	16,0
Femmes	66,9	57,6	61,1	48,2	8,7	16,2
Total	**70,7**	**67,1**	**64,7**	**56,2**	**8,4**	**16,1**

Champ : France métropolitaine, population des ménages ; personnes âgées de 15 à 64 ans pour le taux d'activité et le taux d'emploi ; personnes actives âgées de 15 ans ou plus pour le taux de chômage.
Source : Insee, enquête Emploi du 1ᵉʳ au 4ᵉ trimestre 2009.

Fiches thématiques

Travail, emploi

3.1 Formation et emploi

Jusqu'au milieu des années 1990, le niveau de diplôme des jeunes a fortement progressé. Il s'est stabilisé depuis. 41 % des jeunes qui sortent de formation initiale entre 2006 et 2008 sont diplômés du supérieur, au lieu de 15 % environ à la fin des années 1970. L'obtention d'un **diplôme du second cycle de l'enseignement secondaire** correspond au seuil minimum de qualification défini par l'Union européenne (repris par les critères de référence de la stratégie de Lisbonne). En 2009, 16 % des jeunes de 20 à 24 ans n'ont pas acquis un tel diplôme *(figure 1)*. Les filles réussissent mieux leur parcours de formation que les garçons : seules 14 % d'entre elles n'ont pas de diplôme du second cycle de l'enseignement secondaire, contre 19 % des jeunes hommes.

Dans les premières années suivant la fin de leurs études, les jeunes sont plus souvent au chômage que les actifs ayant plus d'ancienneté sur le marché du travail. En 2009, le taux de chômage des jeunes sortis depuis un à quatre ans de formation initiale se situe à 20,2 %, contre 9,1 % pour l'ensemble des actifs *(figure 2)*. À distance plus grande de la **sortie de formation initiale**, le taux de chômage diminue et atteint 10,5 % pour ceux qui ont achevé leurs études depuis cinq à dix ans.

L'exposition des jeunes au chômage dépend de leur niveau d'éducation. Ainsi, en 2009, 49,2 % des jeunes actifs sortis depuis un à quatre ans du système éducatif sans diplôme ou avec seulement le brevet sont au chômage. En comparaison, le taux de chômage des titulaires d'un CAP ou BEP également sortis depuis un à quatre ans est de 28,8 %, celui des bacheliers de 19,0 %, et celui des diplômés du supérieur est inférieur à 10 %. Quel que soit le niveau de diplôme, le taux de chômage diminue avec l'ancienneté sur le marché du travail, mais il subsiste toujours un écart entre diplômés et non-diplômés.

Les jeunes actifs occupent d'autant plus fréquemment des emplois temporaires (intérim, contrats à durée déterminée, contrats aidés, stages, etc.) qu'ils sont peu diplômés. Un à quatre ans après la fin des études initiales, parmi les actifs ayant un emploi, 43 % des personnes titulaires au plus d'un brevet des collèges occupent un emploi temporaire, alors que c'est le cas de 22 % des diplômés de l'enseignement supérieur.

L'emploi des jeunes est plus sensible aux fluctuations économiques que celui de l'ensemble des actifs. Lors des périodes de ralentissement économique, la situation des débutants se dégrade plus vite que celle de l'ensemble des actifs. Ainsi, entre 2008 et 2009, le taux de chômage des jeunes ayant terminé leur formation depuis un à quatre ans s'accroît de 5,8 points ; celui de l'ensemble des actifs n'augmente que de 1,7 point. La forte hausse du chômage des jeunes ayant récemment terminé leurs études affecte tous les niveaux de formation, y compris les diplômés de l'enseignement supérieur *(figure 3)*. ∎

Définitions

Diplômes du second cycle de l'enseignement secondaire : comprend les certificats d'aptitude professionnelle (CAP), les brevets d'études professionnelles (BEP), les baccalauréats ainsi que les diplômes équivalents (niveau V ou IV).

Sortie de formation initiale : première interruption d'au moins un an du parcours de formation (études scolaires ou universitaires, y compris l'apprentissage s'il s'est effectué dans la continuité de la scolarité).

Pour en savoir plus

- Bilan Formation-Emploi, en ligne sur le site insee. fr
- « Repères et références statistiques », édition 2009, Depp, septembre 2009.
- « Formations et emploi », édition 2009, *Insee Références*, juin 2009.
- « Femmes et hommes en début de carrière », *Insee Première* n°1284, février 2010.
- Voir aussi : vue d'ensemble (chapitre « Premier bilan 2009-2010 »).

1. Niveau de diplôme et d'inscription le plus élevé des jeunes de 20-24 ans en 2009

en %

	Ensemble	Hommes	Femmes
Bacheliers et diplômés de l'enseignement supérieur	**66,0**	60,1	71,7
Diplômés des CAP/BEP	**17,6**	21,0	14,2
Total diplômés du second cycle de l'enseignement secondaire	**83,6**	**81,1**	**85,9**
Ont étudié sans obtenir de diplôme jusqu'à une classe de :			
Terminale générale, technologique, professionnelle	**4,2**	4,4	3,9
Terminales de CAP et BEP	**4,0**	5,0	3,1
Seconde ou première générale ou technologique	**1,7**	2,2	1,3
Première année de CAP/BEP, premier cycle ou en deçà	**6,5**	7,3	5,8
Total non diplômés du second cycle de l'enseignement secondaire	**16,4**	**18,9**	**14,1**

Champ : France métropolitaine, population des ménages, personnes âgées de 20 à 24 ans au moment de l'enquête.
Source : Insee, enquête Emploi.

2. Taux de chômage au sens du BIT en 2009 selon le diplôme et la durée écoulée depuis la fin des études initiales @

en %

	Sortis depuis 1 à 4 ans	Sortis depuis 5 à 10 ans	Ensemble de la population
Diplôme de l'enseignement supérieur long[1]	9,8	4,1	**5,7**
Diplôme de l'enseignement supérieur court[2]	9,3	5,8	**5,4**
Baccalauréat	19,0	9,2	**8,6**
CAP, BEP	28,8	15,5	**8,9**
Aucun diplôme, certificat d'études ou brevet	49,2	26,5	**14,3**
Ensemble	**20,2**	**10,5**	**9,1**

1. Notamment licence, master, doctorat, écoles de commerce et d'ingénieur.
2. Notamment DUT, BTS, Deug, diplômes paramédicaux et sociaux.
Champ : France métropolitaine, population des ménages.
Source : Insee, enquête Emploi.

3. Taux de chômage au sens du BIT selon le diplôme, 1 à 4 ans après la fin des études initiales

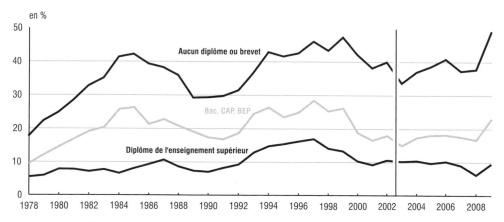

Champ : France métropolitaine, population des ménages, actifs sortis de formation initiale depuis 1 à 4 ans.
Note : taux de chômage en mars de chaque année sauf celles du recensement (janvier en 1990 et 1999) jusqu'en 2002, en moyenne annuelle à partir de 2003. Suite à la mise en place de l'enquête Emploi en continu, il y a un changement de série à partir de 2003. Les taux de chômage présentés dans ce graphique correspondent à l'interprétation française du chômage BIT jusqu'en 2002. À partir de 2003, ils correspondent à l'interprétation d'Eurostat, adoptée par l'Insee depuis novembre 2007.
Source : Insee, enquête Emploi.

3.2 Population active

En 2009, la **population active** de la France métropolitaine est estimée à 28,3 millions de personnes en moyenne annuelle selon l'**enquête Emploi**, dont 14,8 millions d'hommes et 13,5 millions de femmes (*figure 1*). Parmi les personnes âgées de 15 à 64 ans vivant en France métropolitaine, le **taux d'activité** augmente depuis 2006, et s'établit à 70,4 % en 2009 (+ 0,5 point par rapport à 2008).

La hausse du taux d'activité s'observe surtout chez les 15-24 ans (+ 1 point par rapport à 2008), mais leur taux de chômage a très fortement augmenté (*fiche 3.3*). Le taux d'activité augmente aussi chez les seniors (+ 0,8 point chez les 50-64 ans). Chez ces derniers, le taux de chômage a également augmenté, mais leur taux d'emploi est resté stable, voire en hausse (*fiche 3.4*). Cette hausse de l'activité des seniors intervient après quatre années de baisse ; mais cette baisse était plus due à un effet de structure démographique (nombreux départs à la retraite de la génération des *baby-boomers*) qu'à une réelle évolution des comportements d'activité des seniors. En effet, l'**espérance apparente d'activité**, qui permet de neutraliser ces effets démographiques, augmente toujours tendanciellement : elle s'établit à 8,7 ans chez les 50-64 ans en 2009 (*figure 2*).

Depuis 2008, le taux d'activité des hommes augmente, alors qu'il diminuait tendanciellement depuis que la série existe (1975, *figure 3*). Il s'établit en 2009 à 74,9 % de la population des hommes de 15-64 ans, contre 74,6 % en 2008 et 74,4 % en 2007. Parallèlement, l'activité féminine continue de progresser. En 2009, le taux d'activité des femmes âgées de 15 à 64 ans atteint 66,1 %, contre 65,4 % en 2008. C'est pour les femmes de 15 à 24 ans que la croissance du taux d'activité est la plus marquée : + 1,4 point entre 2008 et 2009, contre + 0,7 chez les hommes du même âge. Chez les femmes âgées de 25 à 49 ans, la hausse n'a été que de 0,3 point, et le taux d'activité des hommes du même âge est resté relativement stable. Cependant, la marge de progression de ces derniers est faible compte tenu du niveau déjà atteint (autour de 95 %). Ainsi, au total, la participation des femmes au marché du travail se rapproche de celle des hommes ; l'écart entre les deux taux d'activité est en 2009 de moins de 10 points, contre 26 points en 1980. ∎

Définitions

Population active : la population active regroupe les personnes en emploi (la population active occupée) et les chômeurs ; ces deux concepts sont entendus ici selon les définitions BIT *(voir fiches 3.3 et 3.4)*. Cette population active diffère de l'estimation en glissement publiée dans les *Notes de conjoncture* de l'Insee, qui utilise pour l'emploi les données issues des estimations d'emploi.

Enquête Emploi : réalisée par l'Insee depuis 1950, l'enquête Emploi est la source statistique qui permet de mesurer le chômage et l'emploi au sens du BIT. Elle fournit aussi des données sur les professions, l'activité des femmes ou des jeunes, la durée du travail, les emplois précaires. Elle permet de mieux cerner la situation des chômeurs et les changements de situation vis-à-vis du travail. Depuis 2003, l'enquête Emploi est trimestrielle et sa collecte auprès d'un échantillon de ménages est réalisée en continu sur toutes les semaines de chaque trimestre.

Taux d'activité : le taux d'activité est le rapport entre le nombre d'actifs (actifs occupés et chômeurs) et la population totale correspondante.

Espérance apparente d'activité : pour une année, l'espérance apparente d'activité est la somme des taux d'activité à chaque âge observés cette année. Cet indicateur est un résumé de l'activité de l'année, indépendant de la structure démographique : il représente l'activité d'une génération fictive qui aurait les mêmes comportements à chaque âge que ceux observés pendant l'année. Cet indicateur ne tient pas compte des décès qui peuvent intervenir au cours de la période d'activité, d'où le qualificatif « apparente ».

Pour en savoir plus

- « Projections de population active à l'horizon 2050 : des actifs en nombre stable pour une population âgée toujours plus nombreuse », *Économie et Statistique* n°408-409, Insee, mai 2008.
- « Marché du travail - Séries longues - Mise à jour 2009 », *Insee Résultats* n° 105 soc, janvier 2010.
- Voir aussi : Vue d'ensemble (chapitre « Premier bilan 2009-2010 »), fiches 3.3 et 3.4.

1. Population active et taux d'activité @

moyenne annuelle

	1980	1990	2000	2006	2007	2008	2009
Population active totale (en milliers)	**24 141**	**25 148**	**26 483**	**27 583**	**27 801**	**27 990**	**28 269**
Hommes	14 294	14 119	14 295	14 567	14 626	14 699	14 806
Femmes	9 847	11 029	12 188	13 016	13 174	13 292	13 463
Taux d'activité des 15-64 ans (en %)	**69,9**	**67,6**	**69,4**	**69,6**	**69,7**	**69,9**	**70,4**
Hommes	82,9	76,3	75,6	74,6	74,4	74,6	74,9
Femmes	56,9	58,9	63,3	64,7	65,1	65,4	66,1
15-24 ans	52,3	41,2	34,4	34,4	34,9	35,3	36,3
25-49 ans	82,2	86,0	87,7	88,5	88,7	89,3	89,4
50-64 ans	61,5	50,5	56,8	58,6	58,4	58,3	59,1
dont : 55-64 ans	*53,6*	*38,2*	*37,3*	*43,6*	*43,4*	*43,4*	*44,6*

Champ : France métropolitaine, population des ménages, personnes âgées de 15 ans ou plus.
Lecture : en moyenne en 2009, 70,4 % de la population en âge de travailler (conventionnellement de 15 à 64 ans) est active (en emploi ou au chômage).
Source : Insee, enquêtes Emploi.

2. Espérance apparente de vie active des personnes âgées de 50 à 64 ans

en années

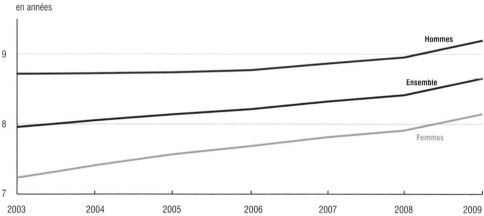

Champ : France métropolitaine, population des ménages, personnes âgées de 50 à 64 ans.
Source : Insee, enquêtes Emploi.

3. Évolution du taux d'activité des personnes selon la tranche d'âge

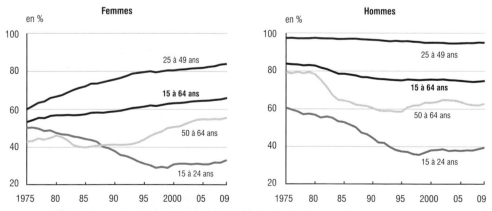

Champ : France métropolitaine, population des ménages, personnes âgées de 15 à 64 ans.
Source : Insee, séries longues sur le marché du travail, enquêtes Emploi 1975-2009.

3.3 Emploi

En moyenne en 2009, 25,7 millions de personnes (les actifs occupés) occupent un **emploi au sens du Bureau international du travail** (BIT) en France métropolitaine, selon les données de l'**enquête Emploi** (*figure 1*).

À cause des nombreuses réductions d'emploi liées à la crise, le **taux d'emploi** des 15-64 ans diminue sensiblement, passant de 64,7 % en 2008 à 64,0 % en 2009 (*figure 2*). Cette baisse concerne surtout les hommes : leur taux d'emploi diminue de 1,2 point, et atteint 68,2 % pour les 15-64 ans. Les hommes sont en effet plus présents dans les secteurs les plus touchés par la crise : l'industrie, la construction et l'intérim. Parallèlement, le taux d'emploi des femmes de 15 à 64 ans n'a baissé que de 0,3 point, mais reste inférieur à celui des hommes : 59,9 % des femmes de 15-64 ans ont un emploi en 2009. *A contrario*, le taux d'emploi des seniors (âgés de 55 à 64 ans) augmente en 2009. Il avait baissé entre 2005 et 2008, mais cette baisse était due à un effet de structure démographique (nombreux départs à la retraite de la génération des baby-boomers) et non pas à une évolution des comportements d'activité des seniors. Le **taux d'emploi sous-jacent** permet de corriger l'évolution des taux d'emploi de ces effets de structure démographique. Ainsi, le taux d'emploi sous-jacent des seniors reste en 2009 sur sa tendance à la hausse.

Environ 90 % des actifs occupés sont salariés en 2009. Le salariat est plus fréquent chez les femmes (93 %) que chez les hommes (86 %). De manière générale, les hommes et les femmes n'occupent pas les mêmes types d'emploi. Ainsi, dans la population active occupée, près d'une femme sur deux est employée (13 % des hommes), alors que 34 % des hommes sont ouvriers et 19 % sont cadres (8 % et 14 % des femmes).

11 % des personnes en emploi occupent une forme particulière d'emploi (contrat à durée déterminée, intérim, apprentissage). Cette proportion progressait depuis plusieurs années mais ces formes d'emploi ont été les premières touchées par le retournement conjoncturel de 2008, avant que les contrats à durée indéterminée (CDI) ne soient également affectés. Ainsi, dans un contexte de dégradation du marché du travail, la part des CDI dans l'emploi a d'abord mécaniquement augmenté ; puis cette part s'est stabilisée début 2009, pour diminuer à partir du milieu de l'année. De la même manière, la proportion de temps partiel dans l'emploi a d'abord baissé en 2008 (*figure 3*), mais dès le début de l'année 2009, c'est au tour des personnes à temps complet d'être touchées par la crise : la part dans l'emploi des temps partiels revient alors en 2009 à son niveau de 2007 (17,3 %).

En moyenne sur l'année 2009, le **sous-emploi au sens du BIT** concerne 5,5 % des actifs occupés (*figure 1*), soit 0,7 point de plus qu'en 2008. Ainsi, plus d'1,4 million de personnes travaillent moins qu'elles ne l'auraient souhaité. ∎

Définitions

Emploi au sens du BIT : les personnes qui sont en emploi au sens du BIT sont celles qui ont travaillé pendant une durée quelconque, ne serait-ce qu'une heure, au cours d'une semaine donnée.

Enquête Emploi : voir fiche 3.2.

Taux d'emploi : rapport du nombre de personnes ayant un emploi au nombre total de personnes.

Taux d'emploi sous-jacent : moyenne arithmétique des taux d'emploi par âge détaillé. Il n'est donc pas pondéré par la taille des différentes cohortes et permet de neutraliser les effets de composition démographique particulièrement importants avec l'arrivée depuis 2001 des premières cohortes du baby-boom dans la tranche d'âge des 55 ans et plus, qui affecte fortement le niveau du taux d'emploi effectif de cette tranche d'âge.

Sous-emploi au sens du BIT : il recouvre les personnes qui ont un emploi à temps partiel, qui souhaitent travailler plus d'heures sur une semaine donnée et qui sont disponibles pour le faire. À cela s'ajoutent les personnes, à temps plein ou à temps partiel, en situation de chômage technique ou partiel.

Pour en savoir plus

- « Une photographie du marché du travail en 2009 », *Insee Première*, à paraître.
- « Marché du travail - Séries longues - Mise à jour 2009 », *Insee Résultats* n°105 soc, janvier 2010.
- Voir aussi : Vue d'ensemble (chapitre « Premier bilan 2009-2010 »).

1. Statut d'emploi, catégorie socioprofessionnelle et situation de sous-emploi des actifs occupés en 2009

en moyenne annuelle

	Hommes		Femmes		Ensemble	
	Effectifs (en milliers)	Répartition (en %)	Effectifs (en milliers)	Répartition (en %)	Effectifs (en milliers)	Répartition (en %)
Ensemble	**13 488**	**100,0**	**12 203**	**100,0**	**25 691**	**100,0**
Personnes en situation de sous-emploi[1]	407	3,0	1 019	8,3	1 426	5,5
Par statut						
Non-salariés	1 925	14,3	893	7,3	2 818	11,0
Salariés	11 563	85,7	11 311	92,7	22 874	89,0
Intérimaires	*288*	*2,1*	*131*	*1,1*	*419*	*1,6*
Apprentis	*237*	*1,8*	*114*	*0,9*	*351*	*1,4*
Contrats à durée déterminée	*793*	*5,9*	*1 310*	*10,7*	*2 103*	*8,2*
Contrats à durée indéterminée	*10 243*	*75,9*	*9 757*	*80,0*	*20 000*	*77,9*
Par catégorie socioprofessionnelle						
Agriculteurs exploitants	370	2,7	152	1,3	522	2,0
Artisans, commerçants et chefs d'entreprise	1 170	8,7	447	3,7	1 617	6,3
Cadres et professions intellectuelles supérieures	2 567	19,0	1 678	13,8	4 245	16,5
Professions intermédiaires	3 089	22,9	3 156	25,9	6 245	24,3
Employés	1 745	12,9	5 742	47,1	7 487	29,1
Ouvriers	4 546	33,7	1 029	8,4	5 575	21,7

1. *Voir définitions.*
Champ : France métropolitaine, population des ménages, personnes âgées de 15 ans ou plus.
Source : Insee, enquêtes Emploi du 1er au 4e trimestre 2009.

2. Taux d'emploi selon le sexe et l'âge @

en %

	2004	2005	2006	2007	2008	2009
Ensemble des 15-64 ans	**63,6**	**63,4**	**63,4**	**64,1**	**64,7**	**64,0**
dont : en équivalents-temps plein	*59,3*	*59,1*	*59,1*	*59,7*	*60,5*	*59,6*
Sexe						
Hommes de 15-64 ans	69,2	68,8	68,6	68,8	69,4	68,2
Femmes de 15-64 ans	58,1	58,2	58,4	59,5	60,2	59,9
Âge						
15-24 ans	27,5	27,1	26,8	28,1	28,6	27,7
25-49 ans	80,8	81,0	81,4	82,3	83,4	82,1
50-64 ans	55,8	55,7	55,1	55,2	55,4	55,5
dont : 55-64 ans	*41,2*	*41,5*	*41,1*	*41,2*	*41,3*	*41,8*
Taux d'emploi sous-jacent des 55-64 ans[1]	*36,4*	*37,0*	*37,5*	*38,4*	*39,4*	*40,7*

1. *Voir définitions.*
Champ : France métropolitaine, population des ménages, personnes âgées de 15 ans à 64 ans.
Source : Insee, enquêtes Emploi.

3. Proportion d'actifs occupés à temps partiel

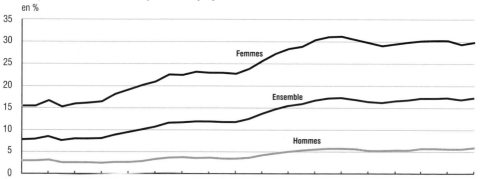

en %

Champ : France métropolitaine, population des ménages, personnes âgées de 15 ans ou plus.
Source : Insee, séries longues sur le marché du travail, enquêtes Emploi 1975-2009.

3.4 Chômage

Suite au retournement de la conjoncture intervenu au 2e trimestre 2008, le chômage a fortement augmenté : en moyenne en 2009, 2,6 millions de personnes sont au **chômage au sens du Bureau international du travail** (BIT) en France métropolitaine selon l'**enquête Emploi** (*figure 1*), soit un **taux de chômage** de 9,1 %. Cela représente ainsi une hausse de 1,7 point par rapport à la moyenne annuelle de 2008, soit plus de 500 000 chômeurs de plus.

La hausse du chômage depuis le retournement conjoncturel concerne toutes les tranches d'âge, mais son ampleur est plus importante pour les jeunes de 15 à 24 ans, qui sont plus sensibles que leurs aînés aux fluctuations conjoncturelles. En 2009, le taux de chômage des jeunes atteint le niveau historique de 23,7 % (+ 4,6 points par rapport à 2008), contre 8,2 % chez les 25-49 ans (+ 1,6 point) et 6,1 % chez les 50 ans ou plus (+ 1,2 point). Cette hausse du chômage des jeunes a surtout touché les hommes, moins qualifiés que les jeunes femmes et plus nombreux dans les secteurs les plus affectés par la crise (industrie, construction). Ainsi, pour la première fois depuis que l'on dispose de ces mesures (1975), le taux de chômage des femmes de 15 à 24 ans est plus faible que celui des hommes du même âge : il s'établit en 2009 à 22,5 %, contre 24,6 % pour les hommes. Le taux de chômage est calculé dans la population active ; or, la part des inactifs au sein de la population des 15 à 24 ans est élevée, du fait du grand nombre de jeunes encore en études. Rapportée à l'ensemble de la population des 15-24 ans (actifs et inactifs), la proportion de chômeurs est ainsi de 8,6 % en 2009, soit 1,3 point au-dessus des 25-49 ans.

Les hommes ont davantage souffert de la crise que les femmes. La tendance au rapprochement entre les taux de chômage masculins et féminins observée depuis le début des années 1990 s'est ainsi accélérée : en 2009, le taux de chômage des femmes n'est supérieur que de 0,5 point à celui des hommes.

L'écart entre le taux de chômage des ouvriers et celui des cadres continue de s'accentuer en 2009 : le taux de chômage des ouvriers non qualifiés est plus de cinq fois plus élevé que le taux de chômage des cadres en 2009, contre moins de quatre fois en 2004.

En lien avec l'afflux de nouveaux chômeurs, la part des **chômeurs de longue durée** (CLD) dans le chômage a mécaniquement baissé en 2009 (*figure 2*). Cependant, cette baisse ne reflète pas les évolutions infra-annuelles : la part des CLD dans le chômage est bien en baisse au début de l'année 2009, mais elle repart ensuite à la hausse et au 4e trimestre, la part des CLD dans le chômage atteint 37,9 %.

Alors que le nombre de chômeurs a fortement varié depuis 2003, le nombre de personnes appartenant au « **halo** » **du chômage** est resté relativement stable (*figure 3*). Au 4e trimestre 2009, un peu plus de 800 000 personnes souhaitent travailler mais ne sont pas comptabilisées comme chômeuses, soit 2,1 % de la population en âge de travailler. ∎

Définitions

Chômeurs au sens du BIT : un chômeur est une personne en âge de travailler (15 ans ou plus) qui répond simultanément à trois conditions : être sans emploi, c'est-à-dire ne pas avoir travaillé, ne serait-ce qu'une heure, durant une semaine donnée ; être disponible pour prendre un emploi dans les 15 jours ; chercher activement un emploi ou en avoir trouvé un qui commence ultérieurement.

Enquête Emploi : voir *fiche 3.2*.

Taux de chômage : part des chômeurs dans la population active (actifs occupés + chômeurs).

Chômage de longue durée : un chômeur de longue durée est un actif au chômage depuis plus d'un an.

« Halo » du chômage : le halo du chômage désigne les personnes qui n'ont pas d'emploi, qui souhaitent travailler mais qui ne sont pas définies comme chômeuses par le BIT soit, parce qu'elles ne sont pas disponibles rapidement pour travailler, soit parce qu'elles ne recherchent pas activement un emploi.

Pour en savoir plus

- « Emploi, chômage, population active : bilan de l'année 2009 », *Dares Analyses* n° 050, juillet 2010.
- « Le « halo » du chômage : entre chômage BIT et inactivité », *Insee Première* n° 1260, octobre 2009.
- *Note de conjoncture*, Insee, juin 2010.
- Voir aussi : Vue d'ensemble (chapitre « Premier bilan 2009-2010ﾂ ») , fiche 6.3.

1. Chômage au sens du BIT selon le sexe, l'âge et la catégorie socioprofessionnelle

moyenne annuelle

	2004	2005	2006	2007	2008	2009
Nombre de chômeurs (en milliers)	**2 408**	**2 429**	**2 432**	**2 220**	**2 069**	**2 577**
Hommes	1 153	1 163	1 175	1 092	1 018	1 318
Femmes	1 255	1 266	1 257	1 129	1 052	1 259
Taux de chômage (en %)	**8,9**	**8,9**	**8,8**	**8,0**	**7,4**	**9,1**
Par sexe						
Hommes	8,0	8,0	8,1	7,5	6,9	8,9
Femmes	9,8	9,8	9,7	8,6	7,9	9,4
Par âge						
15-24 ans	20,5	21,0	22,3	19,5	19,1	23,7
25-49 ans	8,2	8,2	8,0	7,3	6,6	8,2
50 ans ou plus	6,0	5,8	5,9	5,3	4,9	6,1
Par catégorie socioprofessionnelle						
Cadres	4,3	4,4	4,0	3,2	3,0	3,8
Professions intermédiaires	5,5	5,0	4,9	4,6	4,0	5,3
Employés	9,1	9,5	9,3	8,2	7,4	8,8
Ouvriers	10,9	11,2	11,5	10,5	10,2	13,1
dont : ouvriers qualifiés	*7,7*	*8,0*	*7,9*	*7,5*	*7,4*	*9,2*
ouvriers non qualifiés[1]	*16,3*	*16,4*	*17,5*	*15,8*	*15,3*	*19,9*
Rapport ouvriers non qualifiés/cadres[2]	3,8	3,7	4,4	5,0	5,1	5,3

1. Y compris ouvriers agricoles.
2. Ce rapport figure dans la liste d'indicateurs de base proposée par le Conseil National de l'Information Statistique (Cnis) pour suivre l'évolution des inégalités sociales (voir « indicateurs d'inégalités sociales »).
Champ : France métropolitaine, population des ménages, personnes de 15 ans ou plus.
Source : Insee, enquêtes Emploi.

2. Part du chômage de longue durée selon l'âge

moyenne annuelle, en %

	2004	2005	2006	2007	2008	2009
Personnes au chômage depuis un an ou plus[1]	**40,8**	**41,4**	**42,2**	**40,4**	**37,9**	**35,4**
15 à 24 ans	23,5	23,1	25,7	24,9	24,9	26,5
25 à 49 ans	41,5	42,6	43,4	40,7	38,2	34,4
50 ans ou plus	61,1	61,6	61,2	60,3	55,2	51,6
Personnes au chômage depuis deux ans ou plus[1]	**19,9**	**20,8**	**21,2**	**21,6**	**18,7**	**16,3**

1. La proportion de chômeurs d'un an ou plus ou de deux ans ou plus est calculée sur l'ensemble des chômeurs pour lesquels on sait calculer l'ancienneté. On fait l'hypothèse que les chômeurs dont l'ancienneté est inconnue ont des anciennetés de chômage comparables aux autres.
Champ : France métropolitaine, population des ménages, personnes de 15 ans ou plus.
Lecture : en 2009, 26,5 % des chômeurs de 15 à 24 ans sont au chômage depuis un an ou plus.
Source : Insee, enquêtes Emploi.

3. Le chômage et son halo

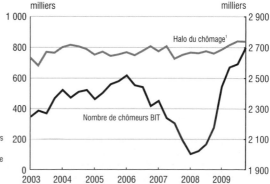

1. Voir *Définition*.
Champ : France métropolitaine, population des ménages, personnes âgées de 15 ans ou plus.
Note : données corrigées des variations saisonnières en moyenne trimestrielle.
Source : Insee, enquête Emploi.

3.5 Politiques du marché du travail

En 2009, les entrées dans les **dispositifs spécifiques de la politique de l'emploi** augmentent, en France métropolitaine, de 7 % (*figure 1*), le repli des entrées en dispositifs de retrait d'activité étant largement compensé par la hausse de celles en contrats aidés dans le secteur non marchand et en formations (notamment pour accompagner les licenciés économiques). En baisse depuis 2000, le nombre de bénéficiaires se stabilise ainsi à près de 2 millions (*figure 2*).

Dans le secteur marchand, les entrées en emplois aidés augmentent légèrement en 2009. La baisse des entrées en alternance (contrats d'apprentissage et de professionnalisation) liée à la dégradation de la conjoncture est plus que compensée par la croissance des entrées dans les autres contrats, notamment en contrats initiative emploi (CIE). Aux 50 000 contrats initialement prévus, 50 000 CIE supplémentaires ont en effet été financés à partir de juin dans le cadre du Plan d'urgence pour soutenir l'emploi des jeunes, particulièrement sensible à la conjoncture. Le contrat insertion-revenu minimum d'activité (CI-RMA) destiné aux bénéficiaires de minima sociaux, ne totalise que 17 000 entrées (26 000 en 2008). Les entrées dans les autres dispositifs du secteur marchand varient peu : davantage de chômeurs créateurs d'entreprise ont bénéficié d'une aide, mais les embauches concernées par les exonérations de cotisations ciblées sur certains territoires ont diminué. Au total, le nombre de bénéficiaires d'un emploi aidé dans le secteur marchand continue sa décrue (– 45 000 en 2009) : les entrées restent inférieures aux sorties des anciens dispositifs, notamment le soutien à l'emploi des jeunes en entreprise (SEJE), supprimé au 1er janvier 2008.

Dans le secteur non marchand, les contrats d'avenir (CAV, destinés aux allocataires de minima sociaux) et les contrats d'accompagnement dans l'emploi (CAE) ont remplacé en 2005 les contrats emploi solidarité (CES) et les contrats emploi consolidé (CEC). Après un creux en 2008, les entrées en contrats aidés non marchands augmentent et s'élèvent à 358 000 en 2009. Corrélativement, le nombre de bénéficiaires en fin d'année repart à la hausse (+ 57 000). Face à la situation dégradée du marché du travail, des moyens financiers plus importants sont affectés en 2009 aux contrats aidés du secteur non marchand. Au total, les entrées en CAE progressent fortement en 2009 et celles en CAV ralentissent légèrement.

En 2008, les **dépenses pour les politiques du marché du travail** (PMT) s'élèvent à 38,5 milliards d'euros en France, soit 2 % du PIB (*figure 3*) ; elles sont en recul de 2005 à 2008 (– 10 %). Dans un contexte d'amélioration du marché du travail en 2006 et 2007, ce recul est dû à la baisse des dépenses consacrées à l'indemnisation du chômage ou à la « création directe d'emplois », et à la poursuite de la politique de réduction des dispositifs publics de préretraite. Les dépenses en faveur des mesures « actives » représentent un tiers des dépenses PMT. Elles incluent notamment les contrats aidés du secteur non marchand (près de 3 milliards d'euros) et la formation des demandeurs d'emploi (près de 5 milliards d'euros). Par ailleurs, les dépenses pour les allégements généraux de cotisations sociales, comptées à part des dépenses PMT, s'élèvent à 25,8 milliards d'euros en 2008 (22,4 milliards en 2007), dont 3,1 milliards au titre des heures supplémentaires. ■

Définitions

Dispositifs spécifiques de la politique de l'emploi : mesures de la politique d'emploi en faveur des personnes éprouvant des difficultés à s'insérer ou se réinsérer sur le marché du travail : aides à l'emploi, stages de formation pour les jeunes et les demandeurs d'emploi ou mesures de retrait d'activité anticipé.

Dépenses pour les politiques du marché du travail : dépenses « ciblées » en faveur des demandeurs d'emploi et des personnes dont l'emploi est menacé ou qui doivent être aidées pour rentrer sur le marché du travail. Les dépenses de formation continue, les aides ou exonérations de cotisations sociales « zonées » et les dispositifs sectoriels sont exclus.

Pour en savoir plus

- « Les dépenses en faveur de l'emploi et du marché du travail entre 2000 et 2007 », *Premières Synthèses*, Dares, décembre 2009.
- Note de conjoncture, fiche thématique « Emploi », Insee, juin 2010.
- Voir aussi : vue d'ensemble (chapitre « Premier bilan 2009-2010 »).

1. Flux d'entrées dans les divers dispositifs spécifiques de la politique de l'emploi

en milliers

	2006	2007	2008	2009	Évolution entre 2008 et 2009 (en %)
Emplois aidés dans le secteur marchand[1]	**736**	**786**	**716**	**732**	**2,2**
dont : Contrats en alternance	*410*	*439*	*468*	*425*	*– 9,2*
Contrats hors alternance	*180*	*161*	*62*	*117*	*90,3*
Emplois aidés dans le secteur non marchand[1]	**374**	**364**	**276**	**358**	**29,5**
dont : Contrats d'accompagnement dans l'emploi (CAE)	*257*	*248*	*169*	*260*	*53,5*
Contrats d'avenir (CAV)	*94*	*113*	*106*	*98*	*– 8,0*
Formation des demandeurs d'emploi	**592**	**575**	**601**	**660**	**9,9**
Retraits d'activité	**164**	**151**	**110**	**78**	**– 29,5**
Ensemble	**1 866**	**1 877**	**1 704**	**1 828**	**7,3**

1. L'emploi marchand aidé comprend les contrats aidés du secteur marchand hors alternance (CIE, CI-RMA et SEJE), les contrats en alternance (contrats de professionnalisation et contrats d'apprentissage), les exonérations zonées, l'insertion par l'activité économique, l'aide aux chômeurs créateurs d'entreprise (ACCRE) et l'accompagnement des restructurations. L'emploi non marchand aidé correspond aux contrats aidés du secteur non marchand (CAE, CAV, emplois jeunes, CEC et CES).
Champ : France métropolitaine.
Note : les entrées comprennent les entrées initiales et les reconductions.
Sources : Dares, ASP, Pôle Emploi.

2. Bénéficiaires de dispositifs spécifiques de la politique de l'emploi depuis 2006

nombre de bénéficiaires au 31 décembre, en milliers

	2006	2007	2008	2009	Évolution entre 2008 et 2009 (en %)
Emplois aidés dans le secteur marchand[1]	**1 092**	**1 135**	**1 052**	**1 007**	**– 45,1**
dont : Contrats en alternance	*559*	*619*	*633*	*607*	*– 25,8*
Contrats hors alternance	*289*	*225*	*125*	*97*	*– 28,0*
Emplois aidés dans le secteur non marchand[1]	**291**	**248**	**184**	**241**	**56,9**
dont : Contrats d'accompagnement dans l'emploi (CAE)	*166*	*150*	*102*	*172*	*70,1*
Contrats d'avenir (CAV)	*75*	*88*	*78*	*68*	*– 10,1*
Formation des demandeurs d'emploi	**268**	**259**	**272**	**324**	**51,5**
Retraits d'activité	**546**	**512**	**456**	**406**	**– 49,7**
Ensemble	**2 196**	**2 154**	**1 965**	**1 979**	**13,6**

1. Voir la note sous la figure 1.
Champ : France métropolitaine.
Note : les données présentées sont issues de séries corrigées des variations saisonnières.
Sources : Dares, ASP, Pôle Emploi.

3. Dépenses pour les politiques du marché du travail de 2000 à 2008

en millions d'euros

	2000	2001	2002	2003	2004	2005	2006	2007	2008
Services									
Services du marché du travail[1]	2 513	2 904	3 232	3 698	3 848	4 035	4 357	4 237	3 985
Mesures actives									
Formation professionnelle	5 335	4 912	4 544	4 807	5 082	4 981	5 170	5 179	4 954
Incitations à l'emploi[2]	2 526	2 402	2 057	1 650	1 972	2 107	2 153	2 109	1 963
Emploi protégé[3]	863	915	984	1 042	1 061	1 128	1 196	1 252	1 337
Création directe d'emplois[4]	5 774	5 987	6 245	5 451	3 791	3 090	3 527	3 835	2 880
Aide à la création d'entreprise[5]	38	40	53	85	65	64	173	490	612
Soutiens									
Maintien et soutien du revenu en cas de perte d'emploi[6]	17 263	18 347	22 414	26 027	27 020	26 364	24 168	22 666	22 338
Préretraites	2 592	2 769	2 017	1 513	1 302	978	817	795	452
Total	**36 903**	**38 276**	**41 546**	**44 272**	**44 141**	**42 748**	**41 561**	**40 563**	**38 521**
Total en % de PIB	2,56	2,56	2,68	2,78	2,66	2,48	2,3	2,14	1,98

1. Services assurés par les services publics de l'emploi et autres organismes, qui assurent l'accompagnement et facilitent l'insertion des demandeurs d'emploi ou assistent les employeurs dans le recrutement de personnel. 2. Contributions aux coûts salariaux afin de faciliter le recrutement de chômeurs ou d'autres groupes particuliers (emplois aidés dans le secteur concurrentiel). 3. Mesures pour favoriser l'insertion professionnelle des personnes handicapées. 4. Mesures qui créent des emplois supplémentaires pour des chômeurs de longue durée ou des personnes ayant des difficultés particulières d'insertion (emplois aidés dans le secteur non marchand). 5. Estimation : les montants des exonérations de cotisations sociales ne sont pas connus. 6. Prestations chômage (assurance et solidarité) ou de chômage partiel.
Champ : France.
Source : Dares pour Eurostat (Base de données « Politiques du marché du travail »).

3.6 Durée et conditions de travail

En 2009, la **durée hebdomadaire moyenne du travail** déclarée par les personnes de 15 ans ou plus ayant un emploi est de 37,8 heures en France métropolitaine : 41,0 heures pour celles à temps complet, et 22,8 heures pour celles à temps partiel *(figure 1)*. De 1998 à 2003, cette durée moyenne a régulièrement diminué, avec pour les salariés à temps complet, le passage progressif à une **durée légale hebdomadaire du travail** à 35 heures. Depuis, elle semble se stabiliser, voire très légèrement augmenter. La durée hebdomadaire moyenne du travail est largement supérieure chez les indépendants : 54 heures pour les agriculteurs en 2008, 51 heures pour les artisans, commerçants ou chefs d'entreprise. Parmi les salariés, les employés et les ouvriers déclarent en moyenne des durées hebdomadaires du travail plus faibles, notamment parce qu'ils sont plus fréquemment à temps partiel, voire en situation de **sous-emploi**. Néanmoins, si l'on se restreint aux personnes travaillant à temps complet, les écarts de durées hebdomadaires moyennes du travail entre catégories socioprofessionnelles restent élevés.

En 2007, selon l'enquête Santé et Itinéraire Professionnel, les postures pénibles, un travail physiquement exigeant, avoir à penser à trop de choses à la fois et la présence d'une charge émotionnelle dans le travail sont les principales astreintes citées par les personnes ayant occupé un emploi récemment *(figure 2)*. De fortes différences d'exposition existent entre les catégories socioprofessionnelles. Les agriculteurs présentent une exposition particulièrement marquée au travail physiquement exigeant (64 % contre 36 % dans l'ensemble de la population étudiée). En plus de nombreuses pénibilités physiques, les artisans connaissent pour leur part de fortes exigences de travail qui obligent à « penser à trop de choses à la fois » et à souvent « penser à (leur) travail avant de s'endormir ». Les ouvriers déclarent des contraintes physiques de travail nombreuses et fréquentes, auxquelles s'ajoutent, en particulier, un manque de latitude (29 % disent « avoir très peu de liberté pour faire leur travail » contre 20 % dans l'ensemble de la population), de reconnaissance dans le travail et la peur de perdre leur travail. Les employés, du fait notamment de leur présence dans des activités de service (hôpitaux, etc.) sont plus exposés au **travail posté**. Ils ressentent plus souvent un manque de reconnaissance et disent, comme ceux exerçant un métier d'ouvrier, manquer d'autonomie et de moyens pour faire un travail de qualité (18 % contre 15 %). Les professions intermédiaires, relativement moins exposées, signalent cependant une charge excessive de travail qui se manifeste notamment par la nécessité de devoir penser à trop de choses à la fois ainsi que par un travail sous pression et, plus fréquents ici que dans toute autre catégorie, par des **conflits éthiques** (40 % contre 33 %). Enfin, les cadres sont plus particulièrement exposés à une charge excessive de travail (26 % d'entre eux déclarent « avoir une quantité excessive de travail », 59 % « devoir penser à trop de choses à la fois » et près de la moitié d'entre eux un « travail sous pression »), ainsi qu'à de plus fortes amplitudes horaires que les autres salariés. ∎

Définitions

Durée hebdomadaire du travail : nombre d'heures déclaré par les personnes en emploi pour une semaine normalement travaillée (dans l'enquête Emploi). Elle diffère de la **durée collective hebdomadaire du travail**, qui mesure l'horaire collectif de travail, commun à un groupe de salariés tel qu'il est affiché sur leur lieu de travail. Depuis 2000 dans les entreprises de plus de 20 salariés et 2002 dans les autres, la **durée légale hebdomadaire du travail** est fixée à 35 heures pour les salariés à temps complet. La durée collective reste aujourd'hui supérieure en moyenne à 35 heures car elle inclut des heures supplémentaires « structurelles », effectuées chaque semaine par certains salariés soumis à un horaire collectif supérieur à la durée légale.

Sous-emploi : voir *fiche 3.4*.

Travail posté : travail organisé en équipes successives, qui se relaient en permanence aux mêmes postes de travail.

Conflits éthiques : ils sont approchés dans l'enquête par la question « Dans mon travail, je dois faire des choses que je désapprouve ».

Pour en savoir plus

- « En 2007, les salariés à temps complet ont dépassé, en moyenne, les 35 heures », *Insee première* n°1249, juillet 2009.
- « Conditions de travail : une pause dans l'intensification », *Premières Synthèses* n°12, Dares, 2007.

1. Durée hebdomadaire moyenne du travail en 2009

en heures

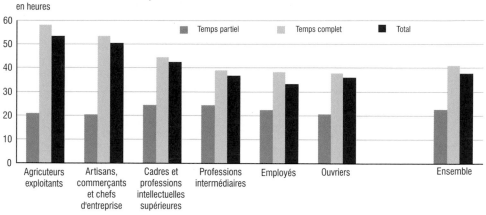

Champ : France métropolitaine, population des ménages, personnes de 15 ans ou plus ayant un emploi.

Note : durée déclarée par les personnes en emploi pour une semaine normalement travaillée.

Source : Insee, enquêtes Emploi du 1ᵉʳ au 4ᵉ trimestre 2009.

2. Conditions de travail selon la catégorie socioprofessionnelle en 2007

en %

	Ensemble	Agriculteurs exploitants	Artisans, commerçants et chefs d'entreprise	Cadres et professions intellectuelles supérieures	Professions intermédiaires	Employés	Ouvriers
Penser à trop de choses à la fois	**44**	51	62	59	54	36	31
Cacher ses émotions ou faire semblant d'être de bonne humeur	**42**	16	59	51	47	46	24
Postures pénibles	**38**	51	52	18	28	41	57
Travail physiquement exigeant	**36**	64	51	16	26	36	54
Avoir peur pour sa sécurité ou celle des autres*	**33**	56	32	23	35	31	42
Faire des choses que je désapprouve (ventes abusives,...)*	**33**	31	24	37	40	33	29
Travail non reconnu à sa juste valeur	**32**	45	17	22	32	39	37
Penser à son travail avant de s'endormir	**31**	46	53	47	36	22	20
Travail sous pression	**29**	27	28	46	34	23	24
Froid/chaleur/humidité/saleté	**29**	74	37	6	17	22	60
Peur de perdre mon emploi*	**23**	15	27	21	19	22	29
Quantité excessive de travail	**22**	19	18	26	26	20	22
Port de charges lourdes	**20**	42	32	2	12	21	37
Peu de liberté pour faire son travail	**20**	14	7	11	17	23	29
Produits nocifs ou toxiques	**19**	34	22	6	17	14	37
Travail répétitif sous contrainte de temps	**18**	16	12	5	10	20	35
Durée du travail hebdomadaire >48h	**18**	73	60	31	12	8	9
Bruit intense	**16**	20	13	5	13	12	35
Horaires irréguliers peu prévisibles	**16**	35	27	19	14	13	14
Pas les moyens de faire un travail de qualité	**15**	7	3	13	16	18	17
Travail posté	**14**	0	2	2	13	18	24
Ne pas pouvoir employer ses compétences	**13**	6	6	7	9	17	18
Vivre des tensions avec le public	**11**	6	10	13	14	13	5
Difficulté à concilier travail et obligations familiales	**10**	17	16	16	10	9	7
Vibrations d'outils	**9**	34	11	2	4	3	23
Travail de nuit	**8**	3	10	3	7	8	16
Journée de travail morcelée	**7**	16	8	4	5	8	6
Mauvaises relations avec ses collègues	**6**	3	3	4	5	7	9
Déplacements fréquents hors domicile	**4**	3	4	7	5	3	4

Champ : France métropolitaine, personnes ayant occupé un emploi dans les six mois précédant l'enquête.

Note : les personnes retenues sont celles qui se déclarent « toujours » ou « souvent » exposées à une contrainte de travail au moment de l'enquête et qui se trouvent donc placées face à des contraintes fortes de travail. Pour trois contraintes signalées d'un *, la modalité « parfois » a également été retenue conformément aux indicateurs proposés par le collège d'experts sur le suivi statistique des risques psychosociaux au travail.

Sources : Dares-Drees-Insee, enquête Santé et Itinéraire Professionnel (SIP) 2007.

Fiches thématiques

Salaires,
niveaux de vie

En 2008, dans les entreprises du **secteur privé et semi-public**, le **salaire annuel moyen** pour un travail à temps complet est de 24 810 euros nets de tous prélèvements à la source, soit un salaire mensuel moyen de 2 070 euros (*figure 1*). Malgré le fort ralentissement de l'activité économique amorcé début 2008, le salaire net moyen affiche une hausse de 3,4 % en euros courants par rapport à 2007. Cette hausse intervient cependant dans un contexte de forte inflation . déduction faite de l'inflation, la progression des salaires nets moyens est ramenée à 0,6 % en euros constants.

En 2008, le salaire annuel net moyen d'une personne à temps complet varie de 22 080 euros dans la construction à 26 120 euros dans les services (*figure 2*). Tous secteurs d'activité confondus, le salaire net moyen des ouvriers augmente de 1,3 % en euros constants. Ceci s'explique largement par les nombreuses pertes d'emploi des ouvriers les moins qualifiés suite au retournement conjoncturel, ce qui provoque mécaniquement la hausse du salaire moyen ouvrier. Le salaire net des employés est stable ; celui des professions intermédiaires baisse de 0,3 %. Après trois années favorables, les rémunérations des cadres diminuent de 0,8 % : leur évolution, plus cyclique, trouve largement son origine dans la part variable du salaire plus élevée que la moyenne. Un cadre gagne en moyenne respectivement 2,7 et 2,8 fois plus qu'un ouvrier ou un employé, rapport relativement stable depuis plusieurs années.

Le **Smic** horaire brut a été revalorisé à deux reprises en 2008 : une 1ère fois, de manière anticipée, le 1er mai pour compenser la forte hausse des prix constatée ; une 2nde fois, de manière plus traditionnelle, le 1er juillet. Soit une hausse totale de 3,2 % en un an, contre + 2,1 % les douze mois précédents.

En 2008, le **rapport interdécile** reste stable, à 2,9 (*figure 3*) ; les salaires des cadres (3,1), sont davantage dispersés que ceux des professions intermédiaires (2,2), des employés (1,9) et des ouvriers (1,9). Le salaire annuel net médian, qui partage les salariés à temps complet en deux groupes d'effectifs égaux, s'élève à 19 840 euros (1 650 euros par mois). Il reste de 20 % inférieur au salaire net moyen mais augmente légèrement plus vite (+ 0,9 % en euros constants). 10 % des salariés à temps complet ont gagné moins de 13 480 euros en 2008 (1 120 euros mensuels), tandis qu'à l'autre bout de l'échelle, 10 % gagnent plus de 39 150 euros (3 260 euros mensuels).

En 2008, dans le secteur privé et semi-public, les salaires des hommes ont progressé en moyenne un peu plus fortement que ceux des femmes. L'écart salarial moyen entre les hommes et les femmes s'accentue légèrement : une salariée à temps complet gagne en moyenne 19,2 % de moins que son homologue masculin. Il s'accentue également au sein de toutes les différentes catégories socioprofessionnelles sauf pour les cadres. ■

Définitions

Secteur privé et semi-public : le champ couvert ici comprend les salariés à temps complet, hormis les personnels des services domestiques, les agents de l'État, des collectivités territoriales et des hôpitaux publics, les salariés agricoles, ainsi que les apprentis, stagiaires et titulaires d'emplois aidés.

Salaire annuel moyen : moyenne des salaires annualisés pondérée par les durées d'emploi. Ainsi, un salarié ayant travaillé à temps complet six mois dans l'année et perçu 10 000 euros compte pour 0,5 année-travail rémunérée 20 000 euros par an.

Smic (salaire minimum de croissance) : salaire horaire minimum légal en France et dans la collectivité territoriale de Saint-Pierre-et-Miquelon. Le Smic est désormais revalorisé au 1er janvier de chaque année (au 1er juillet jusqu'en 2009), en fonction de l'évolution de l'indice des prix à la consommation (indice hors tabac pour les « ménages urbains dont le chef est ouvrier ou employé »), à laquelle on ajoute la moitié de la croissance du pouvoir d'achat du salaire horaire de base ouvrier (SHBO). Le Smic est également revalorisé à chaque hausse d'au moins 2 % de cet indice des prix. Les pouvoirs publics peuvent par ailleurs décider de revalorisations supplémentaires.

Rapport interdécile : rapport entre le niveau de salaire au-dessus duquel se situent les 10 % de salariés les plus rémunérés et celui au-dessous duquel se situent les 10 % les moins rémunérés.

Pour en savoir plus

- « Les salaires dans les entreprises en 2008 », *Insee Première* n° 1300, juin 2010.
- « Les salaires en France », *Insee Références web*, édition 2010.
- Voir aussi : vue d'ensemble (chapitre « Salaires et niveaux de vie »), fiches 4.2 et 6.4.

1. Salaire annuel moyen net de prélèvements selon le sexe et la catégorie socioprofessionnelle

	Niveau en euros courants			Évolution en euros constants (en %)	
	1998	2007	2008	En moyenne par an entre 1998 et 2008	2007-2008
Ensemble	**19 570**	**24 000**	**24 810**	**0,8**	**0,6**
Cadres[1]	37 340	48 000	48 970	1,1	– 0,8
Professions intermédiaires	20 650	24 220	24 820	0,3	– 0,3
Employés	14 650	16 720	17 180	0,0	0,0
Ouvriers	14 470	17 550	18 270	0,8	1,3
Hommes	**21 010**	**25 720**	**26 630**	**0,8**	**0,7**
Cadres[1]	39 750	51 350	52 460	1,2	– 0,6
Professions intermédiaires	21 740	25 500	26 160	0,3	– 0,2
Employés	15 740	17 370	17 890	– 0,3	0,2
Ouvriers	14 890	17 990	18 730	0,7	1,3
Femmes	**16 770**	**20 830**	**21 520**	**0,9**	**0,5**
Cadres[1]	29 820	39 240	40 170	1,4	– 0,4
Professions intermédiaires	18 810	22 360	22 900	0,4	– 0,4
Employées	14 150	16 410	16 870	0,2	0,0
Ouvrières	12 100	14 890	15 450	0,9	1,0

1. Y compris chefs d'entreprise salariés.
Champ : France, salariés à temps complet du secteur privé et semi-public.
Source : Insee, déclarations annuelles de données sociales (DADS), fichiers définitifs (exploitation au 1/12).

2. Salaire annuel moyen net de prélèvements selon le secteur

	Structure des effectifs (en %)		Niveau en euros courants		Évolution 2007-2008 en euros constants
	2007	2008	2007	2008	(en %) ·
Ensemble	**100,0**	**100,0**	**24 000**	**24 810**	**0,7**
Industrie	25,1	24,8	24 660	25 620	1,0
Construction	9,3	9,6	21 290	22 080	0,7
Transports	5,6	5,8	22 970	23 950	1,2
Commerce	17,7	18,1	21 970	22 560	– 0,2
Services	42,3	41,7	25 280	26 120	1,1

Champ : France, salariés à temps complet du secteur privé et semi-public.
Source : Insee, déclarations annuelles de données sociales (DADS), fichiers définitifs (exploitation au 1/12).

3. Distribution des salaires nets annuels par catégorie socioprofessionnelle en 2008

en euros

	Ensemble	Cadres[1]	Professions intermédiaires	Employés	Ouvriers
1er décile (D1)	**13 480**	25 040	16 020	12 410	12 800
2e décile (D2)	**15 130**	28 880	18 160	13 630	14 320
3e décile (D3)	**16 570**	32 160	19 920	14 530	15 430
4e décile (D4)	**18 090**	35 500	21 560	15 350	16 460
5e décile (médiane)	**19 840**	**39 150**	**23 230**	**16 220**	**17 510**
6e décile (D6)	**22 000**	43 600	24 960	17 250	18 660
7e décile (D7)	**24 890**	49 610	27 050	18 520	20 020
8e décile (D8)	**29 540**	58 900	29 900	20 240	21 770
9e décile (D9)	**39 150**	77 110	34 710	23 130	24 610
Rapport interdécile (D9/D1)	**2,9**	**3,1**	**2,2**	**1,9**	**1,9**

1. Y compris chefs d'entreprise salariés.
Champ : France, salariés à temps complet du secteur privé et semi-public.
Lecture : si l'on ordonne les salariés selon leur salaire, les déciles les séparent en dix groupes d'effectifs égaux. Les 10 % de salariés aux salaires les plus faibles gagnent moins que le 1er décile de salaire (D1), soit 13 480 euros par an.
Source : Insee, déclarations annuelles de données sociales (DADS), fichiers définitifs (exploitation au 1/12).

4.2 Salaires de la fonction publique

En 2008, le **salaire annuel net moyen** pour un poste à temps complet est de 28 460 euros dans la fonction publique d'État en métropole (FPE), de 20 920 euros dans la fonction publique territoriale (FPT) et de 26 230 euros dans le secteur hospitalier public (SHP, *figure 1*). Les écarts salariaux entre les trois fonctions publiques s'expliquent en grande partie par des répartitions très différentes en termes de catégories socioprofessionnelles. Ainsi, dans la fonction publique d'État, 63 % des salariés sont cadres, alors que ce n'est le cas que de 10 % d'entre eux dans le secteur hospitalier public et de 8 % dans la fonction publique territoriale. À l'inverse, environ les trois quarts des salariés de la FPT et la moitié de ceux du SHP sont employés ou ouvriers.

À catégorie socioprofessionnelle équivalente, les salaires annuels nets moyens sont plus élevés dans le secteur hospitalier public, en particulier pour les cadres. Chez les employés ou les ouvriers, c'est dans la fonction publique territoriale que le salaire annuel net moyen est le plus faible. Les écarts de salaires moyens par catégorie socioprofessionnelle entre les trois fonctions publiques sont néanmoins délicats à expliquer : chaque catégorie socioprofessionnelle rassemble, en effet, des professions très disparates, dont certaines sont propres à l'une des fonctions publiques et ne se retrouvent pas dans les deux autres (par exemple, les professeurs appartiennent à la fonction publique d'État et les médecins essentiellement au secteur hospitalier public).

Quelle que soit la catégorie socioprofessionnelle et la fonction publique considérées, le salaire annuel net moyen des femmes est inférieur à celui des hommes. Les écarts sont sensiblement plus importants pour les cadres que pour les autres catégories socioprofessionnelles. Dans le secteur hospitalier public, l'écart salarial entre hommes et femmes atteint 29 %, soit un niveau supérieur à celui observé dans le secteur privé et semi-public (*figure 2*). Pour les professions intermédiaires, les employés et les ouvriers, cet écart est très faible, tandis qu'il est très important pour les cadres. Or 22 % des hommes sont cadres dans le SHP contre seulement 6 % de femmes, ce qui explique la forte différence de salaires dans l'ensemble du SHP. Dans les fonctions publiques d'État et territoriale les écarts entre les hommes et les femmes sont un peu moins marqués. La dispersion des salaires, mesurée ici par le **rapport interdécile**, est légèrement plus importante dans le secteur hospitalier public (2,3), que dans la fonction publique d'État (2,2) ou la fonction publique territoriale (2,0, *figure 3*). Elle est, par ailleurs, plus faible dans chacune des fonctions publiques que dans le secteur privé, où le rapport interdécile atteint 2,9 en 2008. ■

Pour en savoir plus

- « Les salaires des agents de l'État en 2008 », *Insee Première*, à paraître.
- « Les salaires en France », *Insee Références web*, février 2010.

1. Salaire annuel net moyen par catégorie socioprofessionnelle dans la fonction publique en 2008

	Fonction publique d'État (FPE)		Fonction publique territoriale (FPT)	Secteur hospitalier public (SHP)
	Ensemble	dont : salariés à temps complet		
Salaire annuel net moyen (en euros)				
Cadres	31 050	*31 480*	37 400	56 940
Professions intermédiaires	24 490	*24 910*	24 190	26 860
Employés et ouvriers	20 220	*20 190*	18 510	19 830
Ensemble	**27 940**	***28 460***	**20 920**	**26 230**
Répartition des effectifs (en %)				
Cadres	63		8	10
Professions intermédiaires	20		16	37
Employés et ouvriers	17		76	53
Ensemble	**100**		**100**	**100**
Part des femmes (en %)	**59**		**53**	**74**

Champ : France métropolitaine, agents titulaires et non titulaires des services civils de l'État (FPE) ; France, salariés à temps complet des collectivités territoriales (FPT) ; France, salariés à temps complet (hors stagiaires, internes, apprentis et emplois aidés) des établissements publics ayant une activité économique principale hospitalière (SHP).
Sources : Insee, fichier de paie des agents de l'État 2008 (FPE), déclarations annuelles de données sociales 2008 (FPT et SHP).

2. Salaire annuel net moyen par catégorie socioprofessionnelle et par sexe dans la fonction publique en 2008

	Fonction publique d'État (FPE)			Fonction publique territoriale (FPT)			Secteur hospitalier public (SHP)		
	Hommes	Femmes	Écart H/F (en %)	Hommes	Femmes	Écart H/F (en %)	Hommes	Femmes	Écart H/F (en %)
Salaire annuel net moyen (en euros)									
Cadres	35 150	28 510	23	40 760	33 790	21	63 090	49 270	28
Professions intermédiaires	25 670	23 270	10	25 160	23 580	7	27 550	26 680	3
Employés et ouvriers	20 940	19 770	6	19 710	17 400	13	19 980	19 780	1
Ensemble	**30 580**	**26 120**	**17**	**22 280**	**19 710**	**13**	**31 410**	**24 390**	**29**
Répartition des effectifs (en %)									
Cadres	60	66		9	7		22	6	
Professions intermédiaires	25	16		13	18		28	40	
Employés et ouvriers	16	17		78	74		50	54	
Ensemble	**100**	**100**		**100**	**100**		**100**	**100**	

Champ : France métropolitaine, agents titulaires et non titulaires des services civils de l'État (FPE) ; France, salariés à temps complet des collectivités territoriales (FPT) ; France, salariés à temps complet (hors stagiaires, internes, apprentis et emplois aidés) des établissements publics ayant une activité économique principale hospitalière (SHP).
Sources : Insee, fichier de paie des agents de l'État 2008 (FPE), déclarations annuelles de données sociales 2008 (FPT et SHP).

3. Indicateurs de dispersion des salaires annuels nets dans la fonction publique en 2008

en euros

	Fonction publique d'état (FPE)	Fonction publique territoriale (FPT)	Secteur hospitalier public (SHP)
1er décile (D1)	18 090	14 690	16 120
5e décile (médiane D5)	25 650	18 820	22 070
9e décile (D9)	39 980	29 550	37 740
D9 / D1 (rapport interdécile)	2,2	2,0	2,3
D9 / D5	1,6	1,6	1,7

Champ : France métropolitaine, agents titulaires et non titulaires des services civils de l'État (FPE) ; France, salariés à temps complet des collectivités territoriales (FPT) ; France, salariés à temps complet (hors stagiaires, internes, apprentis et emplois aidés) des établissements publics ayant une activité économique principale hospitalière (SHP).
Sources : Insee, fichier de paie des agents de l'État 2008 (FPE), déclarations annuelles de données sociales 2008 (FPT et SHP).

4.3 Revenu disponible et pouvoir d'achat des ménages

Après avoir nettement ralenti en 2008, le **pouvoir d'achat du revenu disponible brut des ménages** (RDB) accélère en 2009 : + 1,6 % après + 0,4 % (*figure 1*). Cette évolution, *a priori* paradoxale en temps de crise, s'explique beaucoup par les mouvements d'inflation de 2008 et 2009, tandis que le revenu disponible, lui, pâtit de la récession. En effet, après avoir très fortement augmenté en 2008, le prix de la dépense de consommation des ménages recule en 2009 de manière inédite depuis 50 ans, en lien avec les fortes évolutions des prix des produits pétroliers et, dans une moindre mesure, des prix des produits alimentaires sur la même période.

Le revenu disponible des ménages ralentit de nouveau avec l'aggravation de la récession : + 1,0 % en 2009 après + 3,2 % en 2008 et + 5,2 % en 2007 (*figure 2*). Le retournement du marché du travail pèse sur l'évolution de la rémunération des salariés : d'une part l'emploi recule, d'autre part le salaire net moyen par tête ralentit. La crise économique entraîne par ailleurs à la baisse le revenu des entrepreneurs individuels (– 3,9 %) et les revenus du patrimoine (– 1,5 %), constitués des loyers réels et des **loyers imputés** perçus par les propriétaires, ainsi que des revenus financiers. Notamment, le solde net des intérêt reçus par les ménages se détériore fortement : la baisse des taux de marché se répercute davantage sur la rémunération des dépôts des ménages que sur les intérêts qu'ils versent sur leurs crédits, immobiliers notamment. Les impôts sur le revenu et le patrimoine payés par les ménages reculent nettement (– 4,4 %), suite à la baisse des plus-values mobilières de 2008, ainsi qu'à diverses mesures d'exonérations fiscales (plan de relance, loi TEPA, etc.). Au contraire, les prestations sociales accélèrent avec la montée du chômage et les mesures du plan de relance.

Les **dépenses « pré-engagées »** sont celles réalisées dans le cadre d'un contrat difficilement renégociable à court terme. Depuis 50 ans, leur part dans les dépenses de consommation des ménages a doublé. Celle-ci diminue un peu en 2009, principalement en raison de la baisse des prix des services d'intermédiation financière en lien avec la baisse des taux d'intérêt. Le pouvoir d'achat du **revenu « arbitrable » des ménages** progresse donc légèrement plus vite que le pouvoir d'achat du revenu disponible (+ 1,7 %).

Le pouvoir d'achat est une grandeur macroéconomique. Pour approcher une mesure plus individuelle, il faut tenir compte du nombre et de la composition des ménages en rapportant l'évolution du pouvoir d'achat à celle des **unités de consommation (UC)**. La hausse du pouvoir d'achat par UC et celle du pouvoir d'achat du revenu « arbitrable » par UC sont plus faibles que celle du pouvoir d'achat global (respectivement + 0,8 % et + 0,9 % contre + 1,6 %). ∎

Définitions

Revenu disponible brut des ménages (RDB) : revenu tiré de l'activité économique et de la propriété (salaires, revenus d'indépendants, loyers, etc.), augmenté des transferts reçus (prestations sociales hors transferts en nature), diminué des impôts et cotisations sociales versées. Le **pouvoir d'achat du RDB** mesure le RDB corrigé du prix des dépenses de consommation des ménages.

Loyers imputés : qu'il soit propriétaire, occupant ou locataire, un ménage consomme un service de logement ; de même que le loyer payé par un locataire vient abonder le revenu de son propriétaire, on rehausse en comptabilité nationale le revenu des ménages propriétaires occupant leur logement en leur imputant un loyer qu'ils se versent à eux-mêmes.

Dépenses « pré-engagées » : voir *fiche 4.6*.

Revenu « arbitrable » des ménages : différence entre leur revenu disponible brut et les dépenses de consommation « pré-engagées ».

Unités de consommation : voir *fiche 4.4*.

Pour en savoir plus

- « L'économie française - Comptes et dossiers », *Insee Références*, juin 2010.
- Les comptes de la Nation en 2009 - Une récession sans précédent depuis l'après guerre », *Insee Première* n° 1294, mai 2010.
- Voir aussi : vue d'ensemble (chapitre « Premier bilan 2009-2010 »), fiche 1.1.

1. Revenu disponible, revenu arbitrable des ménages et évolution de leur pouvoir d'achat par unité de consommation

	2005	2006	2007	2008	2009
Revenu disponible brut (a)(en milliards d'euros courants)	**1 126,2**	**1 179,5**	**1 240,5**	**1 280,6**	**1 293,8**
Dépense de consommation « pré-engagée » (b)	310,2	329,2	348,0	366,1	364,7
Revenu « arbitrable » (c)=(a)-(b)	816,0	850,3	892,5	914,5	929,1
Évolutions (en %)					
Du revenu disponible brut	**3,4**	**4,7**	**5,2**	**3,2**	**1,0**
Du revenu « arbitrable »	2,5	4,2	5,0	2,5	1,6
De l'indice du prix de la dépense de consommation finale des ménages	1,8	2,1	2,0	2,9	− 0,6
De l'indice du prix de la dépense de consommation finale des ménages autre que « pré-engagée »	1,1	1,3	1,1	2,8	− 0,1
Du pouvoir d'achat du revenu disponible brut des ménages[1]	**1,6**	**2,6**	**3,1**	**0,4**	**1,6**
Du pouvoir d'achat « arbitrable » des ménages[2]	1,3	2,9	3,8	− 0,4	1,7
Du nombre d'unités de consommation	0,8	0,7	0,6	0,8	0,8
Du pouvoir d'achat du revenu disponible brut par unité de consommation	**0,8**	**1,9**	**2,4**	**− 0,4**	**0,8**
Du pouvoir d'achat « arbitrable » par unité de consommation	0,5	2,2	3,2	− 1,1	0,9

1. L'évolution calculée au sens de la comptabilité nationale est déflatée à l'aide de l'indice du prix des dépenses de consommation finale des ménages.
2. L'évolution calculée est déflatée à l'aide de l'indice du prix des dépenses de consommation autres que « pré-engagées » des ménages.
Champ : France.
Source : Insee, comptes nationaux, base 2000.

2. Du revenu primaire au revenu disponible des ménages

	En 2009		Évolution en valeur	
	Montant	Part dans le revenu disponible brut	2008	2009
	(en Mds d'euros)	(en %)	(en %)	
Rémunération des salariés (1)	1 014,4	78,4	3,1	0,1
dont : salaires et traitements bruts	*747,3*	*57,8*	*3,1*	*0,0*
Revenus des entrepreneurs individuels (2)	119,1	9,2	1,5	− 3,9
Revenus du patrimoine (3)	297,7	23,0	4,8	− 1,5
Revenu primaire (4) = (1) + (2) + (3)	**1 431,2**	**110,6**	**3,4**	**− 0,6**
Impôts sur le revenu et le patrimoine (5)	160,1	12,4	5,0	− 4,4
Cotisations sociales salariés et non-salariés versées (6)	128,2	9,9	2,4	1,6
Cotisations sociales employeurs versées (7)	267,0	20,6	3,3	0,4
Prestations sociales reçues en espèces (8)	398,0	30,8	3,5	5,3
Solde des autres transferts courants (reçus moins versés) (9)	20,0	1,5	− 0,9	− 11,4
Revenu disponible brut (RDB) (10) = (4) - (5) - (6) - (7) + (8) + (9)	**1 293,8**	**100,0**	**3,2**	**1,0**

Champ : France.
Source : Insee, comptes nationaux, base 2000.

3. Contributions à l'évolution du pouvoir d'achat des ménages

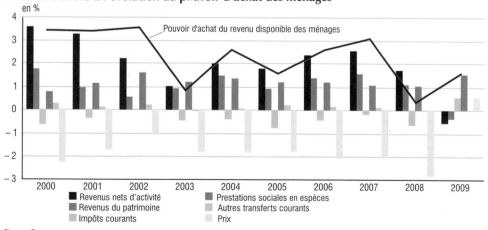

Champ : France.
Lecture : en 2009, les revenus nets d'activité contribuent pour − 0,5 point à la croissance de 1,6 % du pouvoir d'achat du revenu disponible brut des ménages.
Source : Insee, comptes nationaux, base 2000.

4.4 Niveau de vie et pauvreté

En 2008, selon l'enquête Revenus fiscaux et sociaux (ERFS), le **niveau de vie** médian des personnes vivant dans un ménage métropolitain s'élève à 18 990 euros par an, soit 1 580 euros par mois *(figure 1)*. Les 10 % des personnes les plus modestes de la population ont un niveau de vie inférieur à 10 520 euros (premier décile). Les 10 % des personnes les plus aisées ont un niveau de vie supérieur à 35 550 euros (dernier décile), 3,4 fois supérieur à celui du premier décile.

Le niveau de vie moyen des **actifs au sens du BIT** (actifs occupés et chômeurs) s'élève à 23 460 euros. Il est supérieur de 9 % à celui des inactifs. Toutefois, parmi les actifs, le niveau de vie moyen des chômeurs est beaucoup plus faible : inférieur de 35 % à celui des actifs occupés et de 27 % à celui des inactifs. Parmi les inactifs, ce sont les retraités qui ont le niveau de vie moyen le plus élevé avec 22 520 euros. Les enfants et les étudiants vivant chez leurs parents ont en moyenne un niveau de vie plus faible que les actifs, parce qu'ils apportent peu ou pas de revenus au ménage tout en augmentant le nombre d'unités de consommation de celui-ci. Les autres inactifs (femmes au foyer, personnes dans l'incapacité de travailler...) ont parmi les inactifs le niveau de vie le plus faible : 18 590 euros, soit 17 % de moins que les retraités et 13 % de moins que les étudiants. Mais ils bénéficient d'un niveau de vie moyen supérieur de 18 % à celui des chômeurs. Les niveaux de vie des inactifs sont toutefois particulièrement hétérogènes.

En 2008, 7,8 millions de personnes sont pauvres si l'on retient un seuil de pauvreté correspondant à 60 % du niveau de vie médian *(figure 2)* : le **taux de pauvreté monétaire** est de 13 %. Depuis 2005, il oscille entre 13 % et 13,4 %, ce qui correspond à une stabilité sur la période, compte tenu de l'incertitude qui pèse sur la mesure du taux de pauvreté par une enquête par sondage (de l'ordre de +/– 0,5 point). La moitié des personnes pauvres a un niveau de vie inférieur à 773 euros mensuels, soit 81,5 % du seuil de pauvreté.

Près d'un tiers des personnes vivant au sein d'une famille monoparentale sont confrontées à la pauvreté, soit une proportion 2,3 fois plus importante que dans l'ensemble de la population *(figure 3)*. Parmi les personnes vivant au sein d'un couple avec au moins trois enfants, 19,7 % sont confrontées à la pauvreté. Les types de ménage les moins touchés par la pauvreté sont les couples sans enfant : 6,7 % d'entre eux sont pauvres. ∎

Définitions

Niveau de vie : il est égal au **revenu disponible** du ménage divisé par le nombre d'unités de consommation (UC). Il est donc le même pour toutes les personnes d'un même ménage. Les unités de consommation sont calculées selon l'échelle d'équivalence dite de l' « OCDE modifiée » qui attribue 1 UC au premier adulte du ménage, 0,5 UC aux autres personnes de 14 ans ou plus et 0,3 UC aux enfants de moins de 14 ans. Ainsi, pour un couple avec deux enfants de 15 et 7 ans, le nombre d'UC sera : (1x1) + (2x0,5) + (1x10,3) soit 2,3.

Revenu disponible : il comprend les revenus déclarés au fisc, les revenus financiers non déclarés et imputés (produits d'assurance-vie, livrets exonérés, PEA, PEP, CEL, PEL), les prestations sociales perçues et la prime pour l'emploi, nets des impôts directs. Quatre impôts directs sont pris en compte : l'impôt sur le revenu, la taxe d'habitation, les contributions sociales généralisées (CSG) et la contribution à la réduction de la dette sociale (CRDS). Ce revenu disponible est ainsi proche du concept de revenu disponible au sens de la comptabilité nationale mais son champ est un peu moins étendu.

Population active, emploi, chômage au sens du BIT : voir *fiches 3.2, 3.3, 3.4*.

Taux de pauvreté monétaire : une personne (ou un ménage) est considérée comme pauvre lorsque son niveau de vie est inférieur au seuil de pauvreté. L'Insee, comme Eurostat et les autres pays européens, mesure la pauvreté monétaire de manière relative : le seuil est déterminé par rapport à la distribution des niveaux de vie de l'ensemble de la population. L'Insee, comme Eurostat, privilégie le seuil à 60 % de la médiane.

Pour en savoir plus

- « Les revenus et le patrimoine des ménages », édition 2010, *Insee Références*, avril 2010.
- « Les niveaux de vie en 2008 », *Insee première* n° 1311, septembre 2010.
- Voir aussi : vue d'ensemble, chapitre « Salaires et niveaux de vie ».

1. Niveau de vie annuel et indicateurs d'inégalité en 2008

niveaux de vie en euros

	1er décile (D1)	Niveau de vie médian (D5)	9e décile (D9)	Niveau de vie moyen	Rapport interdécile (D9/D1)	D5/D1	D9/D5
Actifs de 18 ans ou plus	**11 570**	**20 450**	**36 920**	**23 460**	**3,19**	**1,77**	**1,81**
Actifs occupés	12 430	20 950	37 650	24 110	3,03	1,69	1,80
Chômeurs	6 880	13 550	25 410	15 720	3,69	1,97	1,88
Inactifs de 18 ans ou plus	**10 240**	**17 780**	**35 360**	**21 530**	**3,45**	**1,74**	**1,99**
Étudiants	9 440	18 050	34 830	21 470	3,69	1,91	1,93
Retraités	11 410	18 770	36 470	22 520	3,20	1,65	1,94
Autres inactifs	7 920	14 720	30 550	18 590	3,86	1,86	2,08
Enfants de moins de 18 ans	**9 690**	**17 640**	**31 960**	**20 160**	**3,30**	**1,82**	**1,81**
Ensemble	**10 520**	**18 990**	**35 550**	**22 110**	**3,38**	**1,81**	**1,87**

Champ : personnes vivant en France métropolitaine dans un ménage dont le revenu déclaré au fisc est positif ou nul et dont la personne de référence n'est pas étudiante.
Lecture : D1 désigne la limite du décile inférieur du niveau de vie des individus, D9 celle du décile supérieur et D5 la médiane. Les 10 % les plus modestes de la population ont un niveau de vie inférieur ou égal à D1, le niveau de vie des 10 % les plus aisés est supérieur à D9, D5 partage la population en deux parts égales.
Sources : Insee ; DGFiP ; Cnaf ; Cnav ; CCMSA, enquête Revenus fiscaux et sociaux 2008.

2. Indicateurs de pauvreté de 2005 à 2008

Seuil de pauvreté à 60 % du niveau de vie médian	2005	2006	2007	2008
Taux de pauvreté (en %)	13,1	13,1	13,4	13,0
Seuil de pauvreté (en euros 2008, par mois)	901	914	934	949
Niveau de vie médian des personnes pauvres (en euros 2008, par mois)	731	749	764	773
Nombre de personnes pauvres (en milliers)	7 766	7 828	8 035	7 836
Intensité de la pauvreté (en %)	18,8	18,0	18,2	18,5

Champ : personnes vivant en France métropolitaine dans un ménage dont le revenu déclaré au fisc est positif ou nul et dont la personne de référence n'est pas étudiante.
Lecture : en 2008, 7,8 millions de personnes vivent en dessous du seuil de pauvreté de 949 euros par mois, soit 13,0 % de la population (taux de pauvreté). Parmi elles, la moitié à un niveau de vie inférieur à 773 euros par mois, soit un écart de 18,5 % au seuil de pauvreté : c'est l'intensité de la pauvreté.
Sources : Insee ; DGFiP ; Cnaf ; Cnav ; CCMSA, enquêtes Revenus fiscaux et sociaux 2005 à 2008.

3. Taux de pauvreté par type de ménage en 2008 (seuil à 60 % de la médiane)

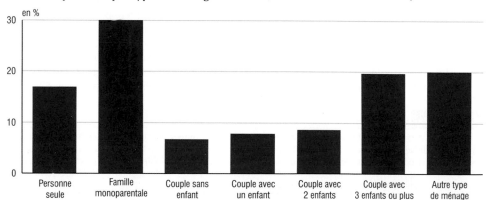

Champ : personnes vivant en France métropolitaine dans un ménage dont le revenu déclaré au fisc est positif ou nul et dont la personne de référence n'est pas étudiante.
Sources : Insee ; DGFiP ; Cnaf ; Cnav ; CCMSA, enquête Revenus fiscaux et sociaux 2008.

4.5 Protection sociale

En 2009, les dépenses de l'ensemble des régimes de **protection sociale** s'élèvent à 624,5 milliards d'euros, dont 597,6 milliards d'euros consacrés aux prestations de protection sociale *(figure 1)*. Ces dernières représentent 31,3 % du PIB, et progressent de 4,7 % en valeur par rapport à 2008 : elles accélèrent un peu par rapport au rythme des quatre années précédentes (+ 4,0 % en moyenne annuelle entre 2005 et 2008). Cette accélération est encore plus netto si l'on analyse cette dépense au regard de l'inflation, particulièrement faible en 2009.

Dans un contexte de crise économique, cette accélération s'explique très largement par le retour à la hausse des dépenses de prestations du risque emploi-chômage (+ 10,8 %) : les montants versés au titre de l'Aide au retour à l'emploi (ARE) et de l'Allocation spécifique de reclassement (ASR) progressent respectivement de 21,3 % et de 150,2 % en 2009. Les prestations liées au risque pauvreté-exclusion sociale connaissent également une croissance particulièrement vive cette année (+ 22,7 %) avec la généralisation du revenu de solidarité active (RSA) à l'ensemble du territoire métropolitain *(figure 2)*. Environ la moitié de cette hausse peut être mise sur le compte de la dégradation de la situation du marché du travail qui tire à la hausse le nombre d'allocataires.

Les autres risques, et notamment les risques vieillesse-survie et santé qui représentent à eux seuls plus des quatre cinquièmes des prestations sociales, dépendent moins de la conjoncture économique. Les prestations du risque maladie connaissent une hausse plus vive (+ 4,3 %) que les trois années précédentes : la mise en place de franchises, forfaits et déremboursements avaient fait peser une large partie de la croissance de la consommation de soins de santé sur les ménages, en lieu et place de l'assurance maladie. À l'inverse, le montant des prestations liées au risque vieillesse-survie ne progresse que de 4,0 % en 2009, soit la plus faible progression depuis le début de la décennie. Ce ralentissement résulte du durcissement, au 1er janvier 2009, des conditions de départ à la retraite anticipée pour carrière longue, qui a fait nettement baisser le nombre de départs en retraite (685 000 en 2009 après 767 000 pour le régime général). Il ne remet pas en cause la hausse tendancielle des dépenses de vieillesse-survie, liée au départ à la retraite des générations du *baby-boom* et à l'accroissement des montants moyens des pensions versées.

Après plusieurs années durant lesquelles le solde des comptes de la protection sociale s'était amélioré, l'année 2009 connaît une brusque dégradation. En plus de la légère accélération des dépenses, les ressources ralentissent fortement (+ 0,7 % contre + 4,5 % en moyenne annuelle entre 2000 et 2008, *(figure 3)*. Conséquence de la crise économique, les cotisations sociales effectives ne progressent que de 0,5 % en raison de la baisse de la masse salariale et de l'activité sur lesquelles elles sont assises. Les impôts et taxes affectés réagissent plus brusquement encore, avec un recul de 1,2 %. Cette évolution est contraire à la tendance de long terme : depuis la mise en place de la CSG en 1991, la part des impôts et taxes affectées dans le financement de la protection sociale s'est accrue (21,9 % en 2009 contre 3,5 % en 1990) au détriment de la part des cotisations sociales effectives (56,7 % en 2009 contre 70,9 % en 1990). Les contributions publiques restent sur un rythme de croissance proche de 2008 en raison de l'inertie des dépenses qu'elles recouvrent. Leur part dans le total des ressources est donc exceptionnellement en hausse car elles croissent relativement plus vite que les autres ressources. ∎

Pour en savoir plus

• « Les comptes de la protection sociale en 2009 », *Études et résultats*, Drees, 2010, à paraître.

1. Dépenses de protection sociale, hors transferts

en milliards d'euros courants

	2000	2005	2007	2008	2009
Santé	136,0	180,0	194,2	200,5	208,9
Maladie	*109,8*	*146,2*	*156,8*	*162,3*	*169,3*
Invalidité et accidents du travail	*26,2*	*33,7*	*37,4*	*38,2*	*39,6*
Vieillesse - survie	177,0	222,8	248,9	261,7	272,2
Maternité - famille	38,6	45,9	49,6	51,5	53,6
Emploi - chômage	28,9	37,3	33,8	32,8	36,4
Logement	12,6	13,8	14,5	15,6	16,0
Pauvreté - exclusion sociale	6,0	8,0	8,5	8,6	10,5
Total des prestations	**399,1**	**507,8**	**549,5**	**570,6**	**597,6**
Autres dépenses[1]	20,4	25,7	27,6	28,6	26,9
Total des dépenses	**419,6**	**533,5**	**577,1**	**599,2**	**624,5**

1. Frais de gestion, frais financiers et dépenses diverses.
Champ : France.
Source : Drees, comptes de la protection sociale.

2. Nombre de bénéficiaires des principales prestations sociales @

effectifs au 31 décembre, en milliers

	1990	1995	2000	2006	2007	2008	2009
Retraités de droit direct[1]	9 544	10 715	11 838	14 050	14 500	14 970	n.d.
Personnes bénéficiaires du minimum vieillesse	1 213	989	766	599	586	575	583
Familles bénéficiaires des prestations familiales	6 057	6 154	6 404	6 663	6 663	6 706	6 741
Personnes bénéficiaires du revenu minimum d'insertion (RMI)[2]	510	946	1 097	1 279	1 172	1 142	140
Personnes bénéficiaires de l'allocation aux adultes handicapés (AAH)	539	614	713	804	813	849	883
Personnes bénéficiaires de l'allocation de parent isolé (API)[2]	156	164	170	217	205	200	30
Nombre d'allocataires du RSA (foyers)	0	0	0	0	0	0	1 730

1. La série présente une rupture en 2003, en raison notamment d'une meilleure prise en compte des retraités nés à l'étranger dans le calcul du nombre de pensions.
2. Prestations remplacées par le RSA au 01/06/2009 sur l'ensemble du territoire métropolitain.
Champ : France.
Sources : Drees ; Cnaf.

3. Ressources hors transferts du compte de la protection sociale

en milliards d'euros courants

	2000	2005	2007	2008	2009
Cotisations totales	**284,9**	**349,0**	**377,8**	**389,1**	**392,0**
Cotisations effectives	246,6	305,0	333,2	342,5	344,2
Cotisations des employeurs	*160,5*	*193,9*	*210,8*	*217,2*	*216,9*
Cotisations des salariés	*70,1*	*89,2*	*98,4*	*99,8*	*101,0*
Cotisations des travailleurs indépendants	*14,8*	*19,3*	*21,2*	*23,2*	*23,7*
Autres cotisations effectives	*1,2*	*2,6*	*2,9*	*2,3*	*2,5*
Cotisations imputées[1]	38,4	44,0	44,5	46,6	47,8
Impôts et taxes affectés	**82,8**	**91,7**	**124,9**	**134,4**	**132,8**
Contributions publiques[2]	**48,4**	**70,8**	**56,9**	**58,7**	**60,8**
Produits financiers	**2,2**	**2,2**	**3,7**	**3,6**	**2,9**
Autres recettes	**9,0**	**10,8**	**15,8**	**16,9**	**18,2**
Total des ressources	**427,3**	**524,6**	**579,1**	**602,8**	**606,7**

1. Elles mesurent la contribution des employeurs publics ou privés au financement du régime d'assurance sociale qu'ils gèrent eux-mêmes pour leurs propres salariés ou ayants droits. Elles sont la contrepartie des prestations sociales versées par l'employeur (comme par exemple les retraites des fonctionnaires de l'État).
2. Versements de l'État et des collectivités locales aux régimes de la protection sociale ; les contributions publiques sont prélevées sur l'ensemble des recettes fiscales et ne constituent donc pas une recette affectée.
Champ : France.
Source : Drees, comptes de la protection sociale.

4.6 Consommation et épargne des ménages

En 2009, durant la récession, la dépense de **consommation des ménages** résiste : elle augmente de 0,6 % en volume après + 0,5 % en 2008 (*figure 1*). Elle contribue pour + 0,4 point à la croissance du PIB, alors que celui-ci baisse de 2,6 %. De son côté, le pouvoir d'achat du revenu disponible brut accélère (+ 1,6 % après + 0,4 % en 2008) sous l'effet d'un recul du prix de la dépense de consommation (– 0,6 % après + 2,9 %). Le **taux d'épargne** des ménages remonte donc de 15,1 % en 2008 à 16,2 % en 2009 (*figure 2*) : les ménages ont vraisemblablement adopté un comportement prudent face notamment à la dégradation du marché du travail. La hausse du **taux d'épargne financière** est encore plus marquée (6,8 % après 4,8 % en 2008).

La part des **dépenses « pré-engagées »** dans le revenu disponible brut diminue pour la première fois depuis 2002 : elle perd 0,4 point à 28,2 % (*figure 3*). En effet, les marges engrangées par les banques sur les dépôts de leurs clients, considérées comme des dépenses de consommation « pré-engagées » en services financiers, ont diminué sous l'effet de la baisse des taux d'intérêt.

Contrairement à l'année précédente, les achats d'automobiles soutiennent la consommation en volume en 2009. Ceux-ci progressent de 8,3 % : le marché des voitures neuves est soutenu par la mise en place de la prime à la casse fin 2008, qui peut de plus se cumuler au bonus écologique en cas d'achat de petits modèles. Ainsi, la part des modèles les moins onéreux progresse encore fortement, ce qui bénéficie aux marques françaises. Le rebond de la consommation en assurance-vie, qui correspond aux frais prélevés sur ces contrats d'épargne, contribue également à la hausse de la consommation

En revanche, pour un certain nombre de biens et services traditionnellement dynamiques, la consommation des ménages se replie en 2009 : l'équipement du logement, les services de transport et de télécommunications, les services sportifs et de loisirs. Elle diminue également pour les restaurants et cafés mais de façon moins importante qu'en 2008 (– 1,8 % après – 4,3 % en 2008), pour partie en raison de la baisse de la TVA intervenue au 1er juillet 2009. ∎

Définitions

Consommation des ménages : dans le système de comptabilité nationale, deux concepts de consommation finale sont distingués :
– la « dépense de consommation finale » (ou « dépense de consommation des ménages ») qui recouvre les seules dépenses que les ménages supportent directement. Elle exclut ainsi les remboursements de sécurité sociale et certaines allocations (logement). Par exemple pour la santé, seule la partie non remboursée des médicaments et des consultations est comprise dans cette dépense.
– la « consommation effective » qui recouvre l'ensemble des biens et services qu'utilisent effectivement (ou consomment) les ménages, quelle que soit la manière dont ils sont financés.

Taux d'épargne des ménages : le revenu disponible des ménages correspond au revenu, après impôt et prestations sociales, que les ménages peuvent affecter à la consommation ou à l'épargne. Le taux d'épargne est le rapport entre l'épargne des ménages et leur revenu disponible. Les acquisitions de logements et les dépenses de gros entretien ne sont pas comprises dans la consommation et constituent une utilisation de l'épargne pour accroître leur patrimoine.

Taux d'épargne financière : l'épargne des ménages peut être utilisée soit pour l'investissement, essentiellement sous forme d'acquisitions de logements, soit pour des placements financiers. On appelle capacité de financement des ménages le solde de l'épargne et de l'investissement ainsi que de quelques autres opérations en capital pour de faibles montants. Le taux d'épargne financière est le rapport de la capacité de financement au revenu disponible.

Dépenses « pré-engagées » : elles correspondent à celles qui sont supposées réalisées dans le cadre d'un contrat difficilement renégociable à court terme. Suivant les préconisations du rapport de la Commission « Mesure du pouvoir d'achat des ménages » (février 2008), ces dépenses comprennent : les dépenses liées au logement, y compris les loyers dits « fictifs » (montants que les propriétaires de leur logement verseraient s'ils devaient louer leur logement) et les dépenses relatives à l'eau, au gaz, à l'électricité et aux autres combustibles utilisés dans les habitations ; les services de télécommunications ; les frais de cantines ; les services de télévision (redevance télévisuelle, abonnements à des chaînes payantes) ; les assurances (hors assurance-vie) ; les services financiers (y compris les services d'intermédiation financière indirectement mesurés).

Pour en savoir plus

- « La consommation des ménages en 2009 », *Insee Première* n°1301, juin 2010.
- « Les comptes de la Nation en 2009 », *Insee Première* n° 1294, mai 2010.
- Voir aussi : fiche 4.3.

1. Évolution de la consommation des ménages par fonction @

en %

	Variations en volume au prix de l'année précédente				Coefficients budgétaires[1]
	2006	2007	2008	2009	2009
Alimentation et boissons non alcoolisées	0,6	1,6	0,2	0,5	13,6
dont produits alimentaires	*0,5*	*1,5*	*0,2*	*0,4*	*12,5*
Boissons alcoolisées et tabac	1,0	− 0,4	− 2,4	− 0,3	2,9
Articles d'habillement et chaussures	1,6	2,4	− 1,6	− 3,1	4,4
Logement[2], chauffage, éclairage	1,8	1,2	1,9	1,0	25,7
Équipement du logement	3,0	4,6	0,1	− 2,4	5,9
Santé (dépenses à la charge des ménages)	7,2	4,9	5,8	4,4	3,8
Transports	0,2	2,5	− 2,3	− 0,3	14,3
Communications	8,8	6,3	3,2	− 0,4	2,7
Loisirs et culture	6,2	6,6	2,5	2,9	9,1
dont appareils électroniques et informatiques	*17,9*	*19,5*	*8,7*	*13,3*	*1,9*
Éducation (dépenses à la charge des ménages)	5,7	1,9	0,9	2,2	0,9
Hôtels, cafés et restaurants	2,5	2,1	− 2,2	− 2,6	6,1
Autres biens et services	3,3	1,9	− 0,4	2,0	11,3
Dépenses de consommation des ménages	**2,4**	**2,5**	**0,5**	**0,6**	**100,0**
Dépenses de consommation des ISBLSM[3]	**2,9**	**4,6**	**0,9**	**0,0**	
Dépenses de consommation des APU[3]	**1,4**	**1,6**	**2,1**	**2,0**	
dont : santé	*2,3*	*2,6*	*2,0*	*3,2*	
éducation	*− 0,7*	*− 0,5*	*− 0,3*	*− 0,4*	
Consommation effective des ménages	**2,2**	**2,4**	**0,9**	**0,9**	

1. Le coefficient budgétaire représente la part de la dépense en valeur consacrée à un bien ou un service particulier (ou à une catégorie de biens ou services) dans la dépense de consommation des ménages.
2. Y compris les loyers dits « fictifs » (montants que les propriétaires de leur logement verseraient s'ils devaient louer leur logement).
3. Dépenses de consommation des institutions sans but lucratif au service des ménages (ISBLSM : unités privées dotées de la personnalité juridique qui produisent des biens et services non marchands au profit des ménages, comme les organisations caritatives, les clubs sportifs, etc.) et des administrations publiques (APU) en biens et services individualisables.
Champ : France.
Source : Insee, comptes de la Nation, base 2000.

2. Taux d'épargne des ménages

en %

	2000	2001	2002	2003	2004	2005	2006	2007	2008	2009
Taux d'épargne[1]	15,1	15,8	16,9	15,8	15,8	14,9	15,1	15,5	15,4	16,2
Taux d'épargne financière[1]	6,7	6,9	8,0	6,6	6,2	5,0	4,7	4,8	4,8	6,8

1. Voir *définitions*.
Champ : France.
Source : Insee, comptes de la Nation, base 2000.

3. Part des dépenses de consommation «pré-engagées» dans le revenu disponible brut

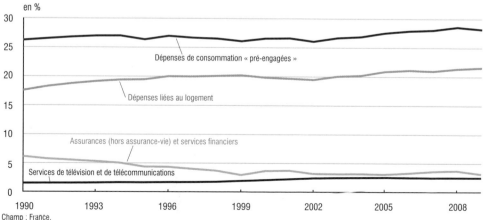

Champ : France.
Source : Insee, comptes de la Nation, base 2000.

Fiches thématiques

Conditions de vie

5.1 Logement

Au 1er janvier 2010, on compte un peu plus de 33 millions de logements en France, soit 1,2 % de plus qu'en 2009 *(figure 1)*. Le parc de logement est essentiellement composé de **résidences principales** (84 %). La place des **résidences secondaires** et des **logements occasionnels** est assez stable (environ 10 % depuis 2000), alors que celle des **logements vacants** tend à diminuer très légèrement (6,9 % en 2000 et 6,4 % en 2010). Les **logements** dans l'habitat **individuel** restent majoritaires (57 %).

La construction de logements neufs poursuit en 2009 le ralentissement amorcé durant l'année 2008, alors que depuis 2002, les mises en chantiers n'avaient cessé d'augmenter. Sur l'ensemble de l'année 2009, environ 305 000 logements ont été effectivement mis en chantier, soit 17 % de moins qu'en 2008.

En France métropolitaine, 57 % des ménages sont propriétaires de leur résidence principale en 2006, soit 7 points de plus qu'en 1984 *(figure 2)*. Plus d'un tiers des propriétaires n'ont pas fini de rembourser leur emprunt. Plus de 20 % des ménages se logent dans le secteur locatif privé et 17 % dans le secteur social.

En 2006, la quasi-totalité des logements métropolitains (99 %) disposent de l'eau chaude, de WC intérieurs et d'une installation sanitaire (douche ou baignoire).

En 1984, 15 % des logements ne disposaient pas de ce confort de base *(figure 3)*. Cependant, d'autres formes d'inconfort subsistent. En 2006, 1,6 million de logements ne disposent d'aucun moyen de chauffage (ou seulement de moyens sommaires), plus d'un million ont une installation électrique défaillante voire dangereuse, plus de 500 000 souffrent d'infiltrations d'eau ou d'inondations provenant d'une fuite dans la plomberie.

Globalement, la surface moyenne des logements a augmenté : 91 m² en 2006, contre 82 m² en 1984. Cette croissance est surtout imputable à l'augmentation de la surface moyenne des maisons individuelles, alors que celle des appartements reste quasiment stable. En moyenne, chaque logement est occupé par 2,3 personnes. En 1984, le nombre moyen de personnes par logement était de 2,7 et, d'après les projections réalisées par l'Insee, il devrait être de 2,0 en 2030.

Un ménage sur quatre déclare vouloir changer de logement ou y être contraint pour des raisons professionnelles ou personnelles. Parmi eux, plus de la moitié désirent occuper un logement plus grand. Globalement, en 2006, 6,5 % des ménages estiment que leurs conditions de logements sont insuffisantes ou très insuffisantes ; ils étaient 10,2 % en 1984. ∎

Définitions

Résidence principale : un logement occupé de façon habituelle et à titre principal par au moins une personne du ménage.

Résidence secondaire : logement utilisé occasionnellement, pour les week-ends, les loisirs ou les vacances.

Logement occasionnel : logement ou pièce indépendante utilisée occasionnellement pour des raisons professionnelles (par exemple, un pied-à-terre professionnel d'une personne qui ne rentre qu'en fin de semaine auprès de sa famille). La distinction entre logements occasionnels et résidences secondaires est parfois difficile à établir ; c'est pourquoi les deux catégories sont souvent regroupées.

Logement vacant : logement inoccupé, qu'il soit disponible ou non pour la vente ou la location.

Logement individuel : construction qui ne comprend qu'un seul logement.

Logement collectif : logement situé dans un immeuble collectif, c'est-à-dire dans une construction comprenant au moins deux logements.

Pour en savoir plus

- « L'accession à la propriété dans les années 2000 », *Insee Première* n° 1291, mai 2010.
- « Les logements sont plus confortables qu'il y a vingt ans et pèsent davantage sur le revenu des ménages » *in* « France, portrait social », édition 2008, *Insee Références*, novembre 2008.
- « Les logements en 2006 : le confort s'améliore, mais pas pour tous », *Insee Première* n° 1202, juillet 2008.
- Voir aussi : dossier « Les inégalités face au coût du logement se sont creusées entre 1996 et 2006 », fiches 5.2 et 6.6.

1. Répartition des logements @

	2000	2003	2006	2009	2010
Nombre de logements (en milliers)	**29 628**	**30 676**	**31 783**	**32 955**	**33 336**
Résidences principales	83,1	83,5	83,9	84,0	84,0
Résidences secondaires et logements occasionnels	9,9	9,8	9,7	9,6	9,6
Logements vacants	6,9	6,6	6,4	6,4	6,4
Total	**100,0**	**100,0**	**100,0**	**100,0**	**100,0**
Individuel	56,0	56,4	56,7	56,8	56,9
Collectif	44,0	43,6	43,3	43,2	43,1
Total	**100,0**	**100,0**	**100,0**	**100,0**	**100,0**

Champ : France.
Source : Insee, compte satellite du logement.

2. Statut d'occupation du parc de résidences principales @

en %

	1984	1988	1992	1996	2002	2006
Propriétaires	**50,7**	**53,6**	**53,8**	**54,3**	**56,0**	**57,2**
Accédants	24,4	26,1	23,5	22,2	21,0	19,6
Non accédants	26,3	27,4	30,3	32,1	35,0	37,6
Locataires	**39,0**	**37,2**	**37,7**	**38,1**	**37,9**	**37,5**
Secteur locatif privé	22,4	20,2	20,6	20,5	20,7	20,4
Secteur social	16,5	17,0	17,1	17,6	17,2	17,1
Autres[1]	**10,4**	**9,2**	**8,5**	**7,6**	**6,1**	**5,3**
Ensemble	**100,0**	**100,0**	**100,0**	**100,0**	**100,0**	**100,0**

1. Fermiers ou métayers, locataires de meublés, sous-locataires et logés gratuitement.
Champ : France métropolitaine.
Source : Insee, enquêtes Logement

3. Caractéristiques du parc de résidences principales @

	1978	1984	1988	1992	1996	2002	2006
Logements construits avant 1949 (en %)	51,3	43,0	39,1	36,8	35,6	33,2	30,6
Logements sans confort sanitaire[1] (en %)	26,9	15,0	9,6	6,2	4,1	2,6	1,3
Surface moyenne des logements (en m²)	77	82	85	86	88	90	91
Nombre moyen de personnes par logement	2,8	2,7	2,6	2,5	2,5	2,4	2,3
Ménages estimant que leurs conditions de logement sont insuffisantes ou très insuffisantes (en %)	13,4	10,2	8,9	8,1	6,0	7,2	6,5

1. Absence d'au moins un élément suivant : eau chaude, installation sanitaire, WC.
Champ : France métropolitaine.
Source : Insee, enquêtes Logement.

5.2 Dépenses de logement

En 2008, les **dépenses de logement** représentent 22,5 % du produit intérieur brut. Environ 8 % de ces dépenses sont prises en charge par la collectivité, sous forme d'aides au logement. Les **dépenses courantes de logement** accélèrent en 2008, en lien avec la hausse des dépenses d'énergie consécutive à celle des prix de l'énergie. Les dépenses courantes pour les logements (hors logements en collectivité) s'établissent à 279,2 milliards d'euros, soit 9 040 euros en moyenne par logement *(figure 1)*. Elles varient de 6 200 euros en moyenne pour un ménage locataire du secteur social à 11 500 euros pour un ménage accédant à la propriété.

Près de trois quarts des dépenses courantes concernent les loyers (réels ou imputés), 17 % les dépenses d'énergie et 10 % les charges. Les dépenses courantes de logement (nettes des aides personnelles) représentent une part croissante du budget des ménages : 25,3 % de la consommation des ménages en 2008 contre 20,2 % en 1988.

En 2008, 14,2 milliards d'euros d'**aides personnelles** ont été perçues par 5,6 millions de ménages pour financer leurs dépenses courantes de logement. Ces aides financent en moyenne 18,4 % des dépenses courantes des locataires du parc social, 14,2 % de celles des locataires du parc privé et 1,4 % de celles des propriétaires accédants *(figure 2)*. Le montant des aides personnelles perçues augmente fortement en 2008, en raison du prolongement de la prise en compte des ressources 2006 dans le calcul du montant des aides.

Les dépenses d'acquisition de logements et les gros travaux s'élèvent à 290 milliards d'euros *(figure 3)*. Pour la première fois depuis 1995, et après un net ralentissement en 2007, l'activité immobilière dans l'ancien se replie en 2008 : le recul du nombre de transactions s'accentue en 2008 et s'accompagne d'une décélération des prix. Le marché du neuf ralentit pour la 2e année consécutive : les volumes se contractent, mais les prix progressent encore vigoureusement. Dans ce contexte, la construction émanant des bailleurs sociaux soutient l'activité immobilière et joue un rôle contracyclique. Ce dynamisme ne suffit toutefois pas à compenser le recul de l'activité immobilière des ménages, lesquels sont à l'origine de 93 % des acquisitions et travaux.

Les pouvoirs publics ont versé 7,1 milliards d'euros pour aider l'investissement dans le logement. Ces **aides à la pierre** sont en forte progression, du fait de l'accroissement des aides et subventions en faveur du logement locatif social, et en particulier celles liées aux programmes de rénovation urbaine. Parallèlement, les aides octroyées aux ménages sous forme d'avantages fiscaux continuent d'augmenter substantiellement, grâce aux dispositifs d'aides à l'investissement locatif et à la mise en place du crédit d'impôt pour les intérêts d'emprunts liés à l'acquisition d'une résidence principale. ■

Définitions

Dépenses de logement : dépenses courantes que les ménages consacrent à l'usage de leur logement et dépenses d'investissement des propriétaires occupants ou des bailleurs.

Dépenses courantes de logement : loyers que doivent acquitter les locataires et loyers que les propriétaires occupants auraient à acquitter s'ils étaient locataires de leur logement, dépenses d'énergie pour se chauffer et s'éclairer et charges. Du fait de la présence de loyers fictifs, ces dépenses s'interprètent comme une mesure de la consommation de service de logement et non comme une dépense effective pour se loger.

Aides personnelles : aides versées aux ménages pour alléger les dépenses courantes des locataires ou les mensualités de remboursement des propriétaires accédants. Elles comprennent l'aide personnalisée au logement (APL), l'allocation de logement à caractère familial (ALF) et l'allocation de logement à caractère social (ALS).

Aides à la pierre : aides apportées à l'investissement des ménages et des sociétés qui construisent, acquièrent ou réhabilitent des logements.

Pour en savoir plus

- « Comptes du logement - premiers résultats 2009, comptes 2007 et 2008 », *Références*, Rapport CGDD, mars 2010.
- « La dépense en logement ralentit en lien avec le repli de l'activité immobilière », *Le point sur* n° 44, mars 2010.

1. Dépenses courantes de logement

	1984	1990	2000	2005	2006	2007	2008
Dépenses courantes totales (en milliards d'euros courants)	**84,7**	**124,7**	**196,8**	**243,2**	**255,6**	**266,7**	**279,2**
Loyers	52,2	86,8	143,0	177,6	186,5	195,6	202,9
dont : *locataires*	*17,1*	*27,5*	*43,8*	*53,1*	*55,5*	*57,8*	*59,7*
Énergie	23,4	25,1	34,9	41,7	43,6	44,0	48,3
Charges	9,1	12,8	18,9	23,9	25,4	27,1	28,0
Dépenses courantes moyennes par logement							
selon la filière (en euros courants)	**3 677**	**5 009**	**7 080**	**8 206**	**8 505**	**8 753**	**9 043**
Résidences principales	3 854	5 254	7 368	8 512	8 816	9 064	9 363
dont : *Propriétaires accédants*	*5 532*	*7 031*	*9 436*	*10 626*	*10 933*	*11 188*	*11 484*
Propriétaires non accédants	*3 765*	*5 335*	*8 197*	*9 739*	*10 109*	*10 390*	*10 744*
Locataires (secteur privé)	*3 131*	*4 533*	*6 344*	*7 435*	*7 692*	*7 956*	*8 118*
Locataires (secteur social)	*2 915*	*3 723*	*5 174*	*5 772*	*5 893*	*6 087*	*6 223*
Résidences secondaires	2 202	3 121	4 705	5 619	5 852	6 096	6 290

Champ : France, hors logements en collectivité (maisons de retraite, foyers, etc.).
Source : ministère de l'Écologie, de l'Énergie, du Développement durable et de la Mer, compte du logement.

2. Part des dépenses courantes couvertes par des aides au logement

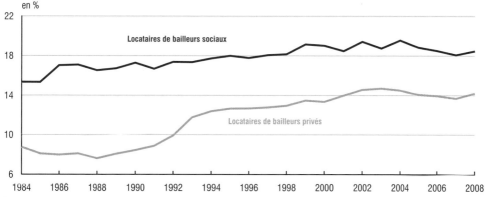

Champ : France, hors logements en collectivité (maisons de retraite, foyers, etc.).
Source : ministère de l'Écologie, de l'Énergie, du Développement durable et de la Mer, compte du logement.

3. Dépenses d'acquisition de logements et de travaux @

en milliards d'euros

	1984	1990	2000	2005	2006	2007	2008
Logements neufs	30,1	37,7	44,6	65,6	76,9	82,8	87,7
dont : *acquis par les ménages*	*25,4*	*31,6*	*38,2*	*57,0*	*66,2*	*70,1*	*72,5*
Travaux	16,3	23,0	30,4	38,1	40,5	43,2	45,3
dont : *réalisés par les ménages*	*14,5*	*19,9*	*27,0*	*34,8*	*37,0*	*39,2*	*41,2*
Logements d'occasion	19,0	44,8	84,1	144,9	162,6	172,1	157,0
dont : *acquis par les ménages*	*18,6*	*43,9*	*82,7*	*143,4*	*160,9*	*170,1*	*154,6*
Total des acquisitions et travaux	**65,4**	**105,6**	**159,1**	**248,6**	**279,9**	**298,0**	**290,0**
dont : *ménages*	*58,4*	*95,4*	*148,0*	*235,1*	*264,1*	*279,4*	*268,3*

Champ : France, hors logements en collectivité (maisons de retraite, foyers, etc.).
Source : ministère de l'Écologie, de l'Énergie, du Développement durable et de la Mer, compte du logement.

5.3 État de santé de la population

Comparé à celui de leurs voisins européens, l'état de santé des Français est globalement bon, même si d'importantes disparités au sein de la population subsistent entre catégories sociales. Bien qu'ayant une espérance de vie plus longue, les femmes se déclarent en moins bonne santé que les hommes, et ce à tous les âges (*figure 1*). Après 75 ans, seule une personne sur quatre se déclare en bonne ou très bonne santé.

Ceux qui ont une moins bonne situation sur le marché du travail s'estiment en moins bonne santé que les autres, et ce même en tenant compte des différences d'âge et de sexe. Ainsi, 84 % des hommes en emploi se jugent en bonne ou très bonne santé, contre 67 % de ceux au chômage (*figure 2*). Parmi les hommes en emploi, les cadres se déclarent plus fréquemment en bonne santé que les ouvriers. Les relations entre santé, travail et emploi sont complexes : d'un côté, des conditions de travail difficiles peuvent altérer la santé, de l'autre, les personnes qui ont des problèmes de santé ont plus de difficultés sur le marché du travail. Les inégalités de santé sont aussi visibles en termes d'**espérance de vie sans incapacité** : les cadres ont une espérance de vie plus longue que les ouvriers, et passent plus d'années sans incapacité que ces derniers. Elles reflètent pour partie des expositions aux risques et des comportements socioculturels différents.

En 2006, les principales causes de décès en France sont les tumeurs (30 %) devant les maladies de l'appareil circulatoire (28 %) qui ont reculé au second rang depuis 2004. La **mortalité « évitable »** reste relativement élevée par rapport à d'autres pays en Europe, notamment chez les hommes. En particulier, même si elle diminue, la consommation d'alcool demeure une des plus élevée d'Europe. L'**alcoolisation excessive avec risque ponctuel** concerne 34 % des hommes et 15 % des femmes, et touche plutôt les jeunes (*figure 3*). L'**alcoolisation excessive avec risque chronique** touche, quant à elle, 14 % des hommes et 2 % des femmes ; elle est maximale entre 55 et 64 ans.

Par ailleurs, le tabagisme demeure en majorité masculin, même si les hommes sont moins nombreux à fumer qu'il y a 30 ans, alors que le tabagisme féminin évolue peu depuis les années 1980. En 2008, 25 % des hommes et 19 % des femmes se déclarent fumeurs quotidiens. Les objectifs de la loi de santé publique de 2004 sont atteints (ils prévoyaient d'abaisser la prévalence du tabagisme quotidien à 25 % pour les hommes et 20 % pour les femmes en 2008).

Enfin, l'obésité ne cesse de progresser chez les adultes : 13,9 % des hommes et 15,1 % des femmes sont obèses en 2009, contre 10 % en 2000 (hommes et femmes). En revanche, pour les enfants de 5-6 ans, l'obésité a significativement reculé (3,4 % en 2000 ; 3,1 % en 2006). Toutefois, cette baisse s'est accompagnée d'un creusement des inégalités sociales : elle a été moins marquée pour les enfants scolarisés dans les écoles publiques situées en ZEP que pour les autres. ∎

Définitions

Espérance de vie sans incapacité : nombre moyen d'années que l'on peut espérer vivre sans incapacité, dans les conditions de santé du moment.

Mortalité « évitable » : mortalité dont les causes sont liées aux pratiques à risque et à la prévention primaire (décès provoqués par des pathologies liées à l'alcool ou au tabac, par les accidents de la route, les chutes accidentelles, les suicides, le VIH, …).

Alcoolisation avec risque : boire, de temps à autre, 6 verres d'alcool ou davantage lors d'une même occasion engendre un risque **ponctuel**. Les dangers encourus sont alors les accidents de la route, les violences, les comas éthyliques ou les rapports sexuels non protégés. Pour les buveurs réguliers de grandes quantités d'alcool, le risque devient **chronique**. Aux dangers précédemment cités s'ajoutent des maladies liées à l'abus d'alcool (cirrhose, cancer, psychose alcoolique, etc.). Ces risques sont évalués à partir du test AUDIT-C.

Pour en savoir plus

- « L'état de santé de la population en France, rapport 2009-2010 », site internet du ministère de la Santé.
- « Santé et recours aux soins des femmes et des hommes », *Études et Résultats* n° 717, Drees, février 2010.
- « La santé des femmes en France », *Études et statistiques*, La documentation Française, avril 2009.
- « La santé des enfants en grande section de maternelle en 2005-2006 », *Études et Résultats* n° 737, Drees, septembre 2010.

1. État de santé général déclaré bon ou très bon en 2008

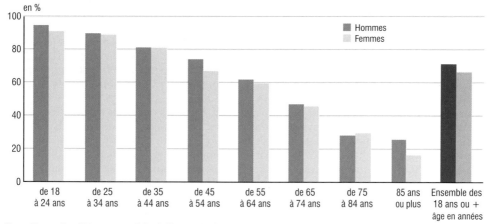

Champ : France métropolitaine, personnes âgées de 18 ans ou plus vivant à leur domicile.
Note : le libellé de la question est « Comment est votre état de santé en général ? Très bon, bon, assez bon, mauvais, très mauvais ».
Source : Insee, enquête SRCV 2008 (Statistiques sur les ressources et les conditions de vie).

2. État de santé général selon la situation sur le marché du travail en 2008
en %

	Part des personnes qui se jugent en bonne ou très bonne santé	
	Hommes	Femmes
Étudiant	96	94
En emploi	84	82
dont : Cadre	*91*	*93*
Profession intermédiaire	*85*	*86*
Employé	*83*	*79*
Artisan, commerçant	*81*	*79*
Agriculteur	*80*	*75*
Ouvrier	*79*	*70*
Au chômage	67	70
Retraité	50	41
Inactif, au foyer, invalide du travail, …	26	51
Ensemble des 18 ans ou plus	**73**	**67**

Champ : France, personnes âgées de 18 ans ou plus vivant à leur domicile.
Source : Insee, volet « ménages » de l'enquête Handicap-Santé 2008.

3. Prévalence des profils d'alcoolisation à risque et du tabagisme quotidien selon le sexe et l'âge en 2008
en %

	Part des personnes concernées selon l'âge							
	De 18 à 24 ans	De 25 à 34 ans	De 35 à 44 ans	De 45 à 54 ans	De 55 à 64 ans	De 65 à 74 ans	75 ans ou plus	**Ensemble des 18 ans ou plus**
Hommes								
Consommateur d'alcool avec risque ponctuel	37	48	43	39	26	18	8	**34**
Consommateur d'alcool avec risque chronique	11	8	10	14	23	18	14	**14**
Fumeur quotidien	33	33	33	25	20	10	6	**25**
Femmes								
Consommatrice d'alcool avec risque ponctuel	29	25	17	14	10	5	1	**15**
Consommatrice d'alcool avec risque chronique	3	2	2	2	4	3	1	**2**
Fumeuse quotidienne	29	26	27	25	14	6	3	**19**

Champ : France métropolitaine, personnes âgées de 18 ans ou plus.
Sources : Irdes, enquête Santé et Protection Sociale 2008 pour les chiffres sur la consommation d'alcool ; Insee, volet « ménages » de l'enquête Handicap-Santé 2008 pour les chiffres sur le tabagisme.

5.4 Dépenses de santé

En 2009, la **consommation de soins et biens médicaux** (CSBM) atteint 175,7 milliards d'euros *(figure1)*, soit une consommation par habitant de 2 724 euros. Le ralentissement de la CSBM amorcé en 2008 se poursuit en 2009 : + 3,3 % en valeur après + 3,7 % en 2008 et + 4,2 % en 2007 ; son rythme d'augmentation reste ainsi nettement inférieur à celui observé au début de la décennie. La **dépense courante de santé**, qui regroupe l'ensemble des dépenses du système de santé, s'élève quant à elle à 223,1 milliards d'euros en 2009, en hausse de 4 % par rapport à 2008. Elle augmente plus vite que la consommation de soins et biens médicaux, notamment en raison de la forte croissance des dépenses de prévention (grippe H1N1) et des dépenses de soins aux personnes âgées en établissement.

En raison de la contraction du PIB en 2009 résultant de la crise économique (– 2,0 % en valeur après + 2,7 % en 2008), la part de ces deux agrégats dans le PIB augmente significativement. La consommation de soins et biens médicaux représente 9,2 % du PIB en 2009, contre 8,7 % en 2008 et la dépense courante de santé en représente 11,7 % contre 11 % en 2008 *(figure 2)*. En 2009, la hausse des prix de la consommation de soins et de biens médicaux est faible (+ 0,3 %). Comme en 2008, ces prix sont freinés par la diminution des prix des médicaments, conséquence de la croissance du marché des génériques et, sur les dernières années, du développement des grands conditionnements pour les traitements de longue durée. Cette modération des prix s'explique également par l'absence de revalorisation des tarifs des consultations de médecins généralistes. L'évolution en volume de la consommation de soins et de biens médicaux est identique à celle de 2008 : + 3 %. Les postes qui progressent le plus en volume sont les médicaments (+ 5,2 % en 2009 et + 5 % en 2008) et les transports de malades (+ 3,6 % en 2009 et + 2,9 % en 2008).

En 2009, les dépenses hospitalières représentent 44,4 % de l'ensemble de la consommation de soins et biens médicaux. Leur part a diminué de 4,2 points depuis 1995, celle des soins ambulatoires se maintenant globalement sur la période (27,4 % en 2009). À l'inverse, la part des médicaments a augmenté, passant de 18,8 % en 1995 à 20,1 % en 2009.

La part de la Sécurité sociale dans le financement de la consommation de soins et de biens médicaux est prépondérante : 75,5 % en 2009 *(figure 3)*. La part restant à la charge des ménages, qui avait été orientée à la baisse jusqu'en 2004, a ensuite augmenté jusqu'en 2008. Elle atteint 9,4 % en 2009, soit une légère baisse par rapport à l'année 2008 (9,5 %), contre 8,3 % en 2004. L'augmentation observée entre 2005 et 2008 s'explique essentiellement par la mise en place de différentes mesures d'économies pour la Sécurité sociale : en 2005, participation forfaitaire d'un euro ; en 2006, modulation des taux de remboursement des patients pour les consultations de médecins, selon qu'ils respectent ou non le parcours de soins ; et en 2008 franchises sur les médicaments, actes d'auxiliaire médical et transports. ■

Définitions

Consommation de soins et de biens médicaux (CSBM) : ce terme désigne l'ensemble des dépenses hospitalières, de soins ambulatoires (soins de médecins et de dentistes, prestations des auxiliaires médicaux, analyses, cures thermales), de services de transports sanitaires et de biens médicaux (médicaments, prothèses, etc.). La CSBM comprend aussi bien les dépenses remboursées par la Sécurité sociale que celles prises en charge par des organismes complémentaires de santé ou restant à la c harge des ménages.

Dépense courante de santé : cet agrégat regroupe la consommation de soins et de biens médicaux à laquelle s'ajoutent les soins aux personnes âgées en établissement, les indemnités journalières, les subventions au système de soins, la consommation de prévention individuelle et collective, les dépenses de recherche et de formation et les coûts de gestion de la santé.

Pour en savoir plus

• « Les Comptes nationaux de la santé en 2009 », *Études et Résultats* n° 736, Drees, septembre 2010.
• « Cinquante-cinq années de dépenses de santé - une rétropolation de 1950 à 2005 », *Études et Résultats* n° 572, Drees, mai 2007.

1. Consommation de soins et de biens médicaux @

en milliards d'euros courants

	1995	2000	2005	2006	2007	2008	2009
Soins hospitaliers	47,6	52,7	67,6	70,0	72,5	75,1	78,0
Soins ambulatoires	26,8	31,2	40,9	42,8	45,0	46,8	48,3
Médecins	*13,0*	*15,2*	*19,1*	*19,9*	*20,8*	*21,6*	*22,1*
Auxiliaires médicaux	*5,2*	*6,3*	*8,9*	*9,5*	*10,2*	*11,0*	*11,6*
Dentistes	*6,0*	*6,7*	*8,7*	*9,1*	*9,4*	*9,6*	*9,8*
Analyses	*2,4*	*2,8*	*4,0*	*4,1*	*4,2*	*4,3*	*4,5*
Cures thermales	*0,3*	*0,3*	*0,3*	*0,3*	*0,3*	*0,3*	*0,3*
Transports de malades	1,5	1,9	2,8	3,1	3,2	3,4	3,6
Médicaments	18,5	23,6	31,5	32,4	33,6	34,5	35,4
Autres biens médicaux[1]	3,7	5,7	8,4	9,0	9,6	10,2	10,5
Total	**98,0**	**115,1**	**151,2**	**157,3**	**164,0**	**170,1**	**175,7**

1. Optique, prothèses, orthèses, petits matériels et pansements.
Champ : France.
Source : Drees, comptes de la santé.

2. Parts de la consommation de soins et de biens médicaux et de la dépense courante de santé dans le produit intérieur brut (PIB)

en % du PIB

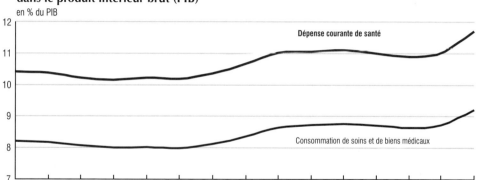

Champ : France.
Source : Drees, comptes de la santé.

3. Structure du financement de la consommation de soins et de biens médicaux @

en %

	1995	2000	2005	2006	2007	2008	2009
Sécurité sociale	77,1	77,1	77,0	76,3	76,2	75,5	75,5
État et collectivités locales	1,1	1,2	1,3	1,4	1,4	1,3	1,3
Organismes complémentaires	12,2	12,8	13,2	13,4	13,5	13,7	13,8
Mutuelles	*7,3*	*7,7*	*7,7*	*7,8*	*7,7*	*7,7*	*7,7*
Sociétés d'assurance	*3,3*	*2,7*	*3,1*	*3,2*	*3,3*	*3,5*	*3,6*
Institutions de prévoyance	*1,6*	*2,4*	*2,5*	*2,4*	*2,5*	*2,5*	*2,5*
Ménages	9,6	9,0	8,4	8,9	8,9	9,5	9,4
Ensemble	**100,0**	**100,0**	**100,0**	**100,0**	**100,0**	**100,0**	**100,0**

Champ : France.
Source : Drees, comptes de la santé.

5.5 Culture et loisirs

En 2009, les dépenses culturelles et de loisir représentent 9,1 % de la dépense de consommation des ménages *(figure 1)*. Après avoir augmenté d'un point dans les années 1990, cette proportion a diminué de 0,4 point entre 2002 et 2009. En 2009 cependant, la part de ces dépenses dans le bubget des ménages augmente à nouveau légèrement.

La part du budget consacrée aux loisirs et à la culture varie fortement selon le niveau de vie. Ainsi, en 2006, les 20 % de ménages les plus aisés y consacrent 11 % de leur budget contre 7 % pour les 20 % de ménages les plus modestes. Ces disparités se sont accentuées depuis 2001. L'écart entre la part des dépenses consacrées à la culture et aux loisirs des 20 % les plus aisés et des 20 % les plus modestes a augmenté de plus d'un point, avec une hausse pour les plus aisés et une légère baisse pour les plus modestes.

En dix ans, la structure des dépenses culturelles et de loisir a changé. Par exemple, la part consacrée aux disques, aux cassettes ou aux pellicules photo a diminué de près de 2,5 points depuis 2000 *(figure 2)*. Au cours de la même période, la consommation de journaux, livres et papeterie a baissé (– 2,2 points), même si elle se stabilise depuis 2006. À l'inverse, la part des dépenses consacrées aux services récréatifs et sportifs, aux voyages à forfait et aux week-ends a augmenté : + 2,7 points depuis 2000. Les ménages les plus modestes consacrent proportionnellement une part plus importante de leurs dépenses culturelles et de loisir

aux équipements de télévision et de hi-fi, au jardinage et aux animaux de compagnie. De leur côté, les ménages les plus aisés dépensent en moyenne une part plus importante en voyages à forfait, en week-ends ou en spectacles culturels.

Sur dix ans, la fréquentation des salles de cinéma a augmenté : les salles de cinéma ont enregistré une hausse de 36 millions d'entrées entre 1999 et 2008 *(figure 3)*. Cette hausse globale de la fréquentation n'empêche pas l'existence d'années creuses, comme 2003, 2005 et 2007. Ces variations peuvent être liées à la présence ou non d'un ou deux films à grand succès. Par ailleurs, la part des entrées en multiplexe est de plus en plus élevée : elles représentent moins d'un tiers des places vendues en 1999 contre plus de la moitié en 2008. La fréquentation des salles de cinéma n'est pas la même en fonction du lieu de résidence ; les personnes vivant en zone rurale vont moins au cinéma que les personnes vivant en agglomération de plus de 100 000 habitants.

En 2008, 80 % des personnes de 15 ans ou plus vivant en France sont parties en voyage à titre personnel, et 70 % en voyage personnel d'au moins quatre nuits. La plupart de ces voyages (80 %) ont pour destination la France métropolitaine. Les personnes vivant en France sont moins parties en voyage (hors déplacement professionnel) en 2008 qu'en 2005 puisque cette proportion était alors de 81 %. Ce recul s'observe que ce soit à destination de la France métroplitaine ou d'ailleurs. ■

Pour en savoir plus

- « Statistiques de la culture - Chiffres-clés », Deps, 2010.
- « Le recul du livre et de la presse dans le budget des ménages », *Insee Première* n° 1253, août 2009.
- « Les vacances des Français depuis 40 ans », Le tourisme en France, *Insee Références*, mai 2009.
- « Mémento du tourisme », édition 2009, DGCIS.
- « Les pratiques culturelles et sportives des Français : arbitrage, diversité et cumul », *Économie et statistique* n° 423, Insee, décembre 2009.
- Voir aussi : fiche 4.6.

1. Part des dépenses culturelles et de loisir dans la dépense de consommation des ménages en valeur

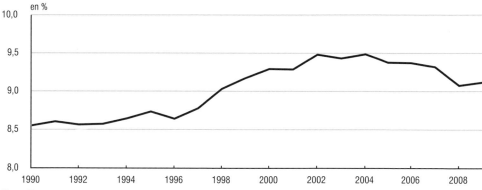

Champ : France.
Source : Insee, comptes nationaux base 2000.

2. Structure des dépenses culturelles et de loisir @

en %

	1990	2000	2005	2009
Télévision, hi-fi, vidéo, photo	14,7	10,8	10,8	10,9
Informatique (y compris logiciels, cédéroms)	1,9	7,7	7,4	7,1
Disques, cassettes, pellicules photo	5,9	5,5	4,9	3,0
Presse, livres et papeterie	20,2	15,8	14,1	13,6
Services culturels[1] (y compris redevance TV)	9,6	11,6	10,6	10,8
Jeux, jouets, articles de sport	8,8	8,5	9,3	9,8
Jardinage, animaux de compagnie	14,2	11,9	12,1	12,7
Services récréatifs et sportifs[2], voyages à forfait, week-ends, etc.	14,1	16,4	17,5	19,1
Jeux de hasard	6,7	8,6	9,6	9,3
Autres biens culturels et de loisir	3,9	3,4	3,6	3,6
Total	**100,0**	**100,0**	**100,0**	**100,0**

1. Cinéma, spectacles vivants, musées, abonnements audiovisuels, développements de tirages de photographies, etc.
2. Sport, location de matériel sportif, fêtes foraines ou encore parcs d'attractions.
Champ : France.
Source : Insee, comptes nationaux base 2000.

3. Entrées des salles de cinéma

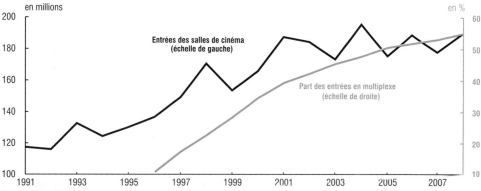

Champ : France métropolitaine.
Sources : Centre national du cinéma et de l'image animée (CNC) - ministère de la Culture et de la Communication, département des études, de la prospective et des statistiques (Deps).

5.6 Communications et relations sociales

En 2008, près des deux tiers des personnes de 15 ans ou plus vivant en France métropolitaine possèdent un ordinateur chez elles (*figure 1*). Cette proportion a beaucoup augmenté depuis 1996, où 15 % d'entre elles avaient un ordinateur à domicile. De même, 56 % des personnes de 15 ans ou plus ont désormais accès à internet chez elles, contre moins de 7 % en 1999. En 1996 comme en 2008, les cadres sont les mieux équipés et sont les plus nombreux à avoir accès à internet. Néanmoins, quelle que soit la situation sur le marché du travail ou la catégorie socio-professionnelle des personnes, leur degré d'équipement a beaucoup progressé. Les étudiants ou les professions intermédiaires ont même des taux d'équipement en ordinateur désormais quasi-équivalents à ceux des cadres. Les retraités d'aujourd'hui utilisent l'informatique : 31 % d'entre eux ont un ordinateur en 2008 contre 4 % en 1996 ; mais ils restent nettement moins équipés que les générations plus jeunes. De même, l'utilisation d'internet reste très liée à la génération : 61 % des personnes de 15 à 19 ans utilisent internet au quotidien en 2006, alors que ce n'est le cas que de 3 % de celles de plus de 80 ans.

Le marché du téléphone portable a pris de l'ampleur de façon continue depuis 1998 (*figure 2*). En 2007, 83 % des ménages sont équipés d'au moins un téléphone portable, renonçant parfois à leur ligne de téléphonie fixe. Toutefois, le nombre d'abonnés en téléphonie fixe est reparti à la hausse dès 2003 : la proportion de personnes ayant une ligne de téléphonie fixe passe de 87 % à 88 % entre 2007 et 2009. Cette hausse serait notamment due à la diffusion d'internet et à la multiplication des offres combinant le téléphone fixe et internet. De forts écarts entre générations subsistent pour l'utilisation d'un téléphone portable : en 2008, plus de neuf jeunes de 15 à 19 ans sur dix utilisent un téléphone portable, contre 27 % des plus de 80 ans. L'écart entre générations diminue toutefois chaque année : il a baissé de 7 points entre les plus jeunes et les plus âgés entre 2007 et 2008.

Un tiers des 16 ans ou plus vivant en France métropolitaine adhèrent à une association en 2008 (*figure 3*). Le taux d'adhésion n'est pas le même selon l'âge : 37 % des personnes de 60 à 74 ans sont membres d'une association, contre 26 % de celles de 16 à 24 ans. Ce sont les associations sportives qui drainent le plus d'**adhérents** : 12 % des personnes de 16 ans ou plus sont ainsi membres d'une association sportive et 17 % des jeunes de 16 à 24 ans. Viennent ensuite les clubs du troisième âge ou de loisirs pour personnes âgées : 14 % des 75 ans ou plus y adhèrent. Enfin, 7 % des actifs et retraités adhèrent à des activités de syndicat ou à des groupements professionnels.

Outre les adhérents aux associations, la France compte en 2008 huit millions de **bénévoles**. Ce sont les associations religieuses, sanitaires ou sociales, ainsi que celles de défense de droits et d'intérêts communs, qui comptent, en proportion, le plus de bénévoles parmi leurs adhérents. À l'opposé, les associations de troisième âge et les associations sportives ont les taux de bénévolat les plus faibles. ∎

Définitions

Adhérent à une association : personne qui fait partie d'une association pour la période en cours, qu'elle ait payé ou non une cotisation. Il peut s'agir de participations occasionnelles ou régulières, avec ou sans responsabilité particulière, ou seulement d'adhésion sans participation.

Bénévole : personne qui a travaillé sans être rémunérée ou qui a rendu des services dans le cadre d'une association ou d'un autre organisme (qu'elle en soit membre ou non).

Pour en savoir plus

- « La diffusion des technologies de l'information dans la société française », Crédoc, novembre 2009.
- « Le marché des services de communications électroniques en France en 2008 – Résultats provisoires », Autorité de régulation des communications électroniques et des postes (Arcep), juin 2009.
- « Un tiers de la population est membre d'une association en 2008 », *Insee Première*, à paraître.

1. Équipement en micro-ordinateur et accès à internet selon la situation sur le marché du travail

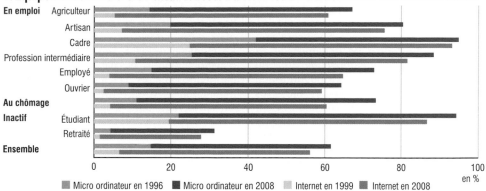

Champ : France métropolitaine, personnes de 15 ans ou plus.

Lecture : 15 % des personnes possédaient un micro-ordinateur en 1996. En 2008, elles sont 62 % dans ce cas.

Sources : Insee, enquêtes permanentes sur les conditions de vie (EPCV) 1996 et 1999 ; enquête Technologies de l'information et de la communication (TIC) 2008.

2. Services de téléphonie fixe et mobiles

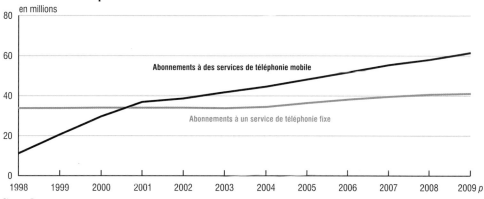

Champ : France.

Source : Arcep, Observatoire des communications électroniques.

3. Taux d'adhésion à différents types d'associations selon l'âge

en %

	16 – 24 ans	25 – 39 ans	40 – 59 ans	60 – 74 ans	75 ans ou plus	Ensemble
Ensemble des associations	**26,3**	**32,7**	**34,4**	**36,9**	**27,6**	**32,6**
Action sanitaire et sociale ou humanitaire et caritative	2,1	3,4	4,0	6,9	3,4	4,1
Sportive	17,1	14,1	12,7	10,7	4,0	12,3
Culturelle	4,6	5,4	6,0	8,7	3,6	5,9
Loisirs	2,7	3,2	5,0	7,9	4,5	4,7
Défense de droits et d'intérêts communs	0,7	3,3	3,0	2,3	1,5	2,5
Clubs 3ᵉ âge, de loisirs pour personnes âgées[1]	–	–	–	7,3	13,6	9,6
Activités de syndicat, groupement professionnel [2]	1,9	8,6	1,8	2,6	1,7	7,3

1. Pour les 59 ans ou plus.

2. Pour les actifs et les retraités.

Champ : France métropolitaine, personnes de 16 ans ou plus.

Lecture : 2,1 % des personnes âgées de 16 à 24 ans adhèrent à une association d'action sanitaire et sociale ou humanitaire et caritative.

Source : Insee, statistiques sur les ressources et les conditions de vie (SRCV-SILC) 2008.

5.7 Insécurité, délinquance

Selon l'**enquête Cadre de vie et sécurité** de 2009, 2,4 % des femmes et 3,4 % des hommes vivant en France métropolitaine déclarent avoir été victimes d'une agression physique à l'extérieur de leur ménage au cours des deux dernières années (en 2007 ou 2008, *figure 1*). Les agressions physiques ou verbales touchent légèrement plus les hommes que les femmes. Les premières victimes des agressions physiques sont les jeunes : 5,8 % des femmes et 7,6 % des hommes de 14 à 24 ans. Les vols sans violence et dans une moindre mesure les agressions verbales, sont également plus fréquents chez les plus jeunes. Par ailleurs, 3,0 % des femmes majeures déclarent avoir été victimes de violences physiques ou sexuelles au sein de leur ménage (contre seulement 1,4 % des hommes). Les violences subies au sein des ménages sont plus souvent des violences physiques que des violences sexuelles. 2,8 % des ménages déclarent avoir été victimes d'un cambriolage ou d'une tentative de cambriolage (*figure 2*). Ceux vivant en banlieue parisienne ou en banlieue d'agglomération sont les plus touchés. 1,6 % des ménages ont également été victimes de vols sans effraction. 3,2 % des ménages possédant une voiture ont subi un vol ou une tentative de vol de leur véhicule (5,6 % en banlieue parisienne). 11 % ont été victimes d'actes de vandalisme contre leur voiture ; les ménages résidant dans les villes centres d'agglomérations et dans l'agglomération parisienne étant les plus touchés. Bien qu'en diminution, les vols à la roulotte sont toujours surreprésentés dans l'agglomération parisienne : ils concernent un ménage sur dix.

En 2009, et pour la septième année consécutive, le nombre de **faits constatés** en France métropolitaine par les services de polices et les unités de gendarmerie diminue (– 1,0 %, *figure 3*). Les atteintes aux biens poursuivent leur recul (– 0,7 %) et concentrent moins des deux tiers des faits constatés contre les trois quarts il y a sept ans. En revanche, les atteintes volontaires à l'intégrité physique augmentent à nouveau (+ 1,8 %). Contrairement à l'année précédente, les escroqueries et les infractions économiques et financières ont baissé (– 2,5 %). En 2009, près d'1,2 million de **personnes** ont été **mises en cause**, en majorité des hommes (84 %). Plus d'une sur six est mineure ; les mineurs sont particulièrement impliqués dans les vols, les destructions ou les dégradations de biens. ∎

Définitions

Enquête Cadre de vie et sécurité : elle permet depuis 2007 de recenser et de caractériser précisément les faits subis par les ménages et les personnes au cours d'une période de référence :
- **agression physique** : violences physiques (hors ménage) et vols ou tentatives de vol avec violences physiques ;
- **agression verbale** : menaces et injures ;
- **vol sans violence** : vols ou tentatives de vols d'un bien personnel (portefeuille, portable, sac, papiers d'identité, etc.) dans un lieu public ou sur le lieu de travail ou d'études (par un pickpocket par exemple) sans violences physiques ;
- **violence au sein du ménage** : violences physiques ou sexuelles à l'intérieur du ménage ;
- **cambriolage ou tentative de cambriolage** : cas où des personnes se sont introduites avec effraction dans le logement, y compris les cas où il n'y a pas eu de vol ;
- **destruction ou dégradation volontaires du logement** : inscriptions sur les murs, clôture endommagée ou destruction totale d'éléments du logement (boîte aux lettres, vitres cassées, volets arrachés, etc) ;
- **vol à la roulotte** : vol d'objet(s), d'accessoire(s) ou de pièce(s) se trouvant dans ou sur la(les) voiture(s) du ménage ;
- **destruction ou dégradation volontaires de la voiture** : arrachage de rétroviseur, carrosserie abîmée, peinture rayée, pneu crevé, jusqu'à des actes plus graves comme la destruction totale (véhicule incendié ou irréparable).

Ces statistiques sont donc différentes des chiffres reflétant l'activité de la police et de la gendarmerie, qui recensent les faits faisant l'objet d'une plainte et ceux sans victimes directes.

Faits constatés : faits bruts portés pour la première fois à la connaissance des services de police et de gendarmerie et retenus en raison des crimes et délits qu'ils sont présumés constituer. Leur qualification peut être modifiée par l'autorité judiciaire.

Personne mise en cause : la notion de mise en cause ne correspond à aucun état juridique du Code de procédure pénale. S'il existe des charges contre une personne entendue par procès-verbal pour un fait ayant été constaté, celui-ci sera considéré comme élucidé et la personne sera comptée comme « mise en cause ».

Pour en savoir plus

• « Criminalité et délinquance enregistrées en 2009 », *Bulletin annuel* 2009, ONDRP, janvier 2010.
• « Les victimes de violences physiques et de violences sexuelles dans les enquêtes *Cadre de vie et sécurité* de 2008 et 2009 », Rapport de l'OND 2009, novembre 2009.

1. Victimes d'agression ou de vol en 2007 ou 2008

en %

Âge	Agression physique		Agression verbale		Vol sans violence		Violence au sein du ménage	
	Femmes	Hommes	Femmes	Hommes	Femmes	Hommes	Femmes	Hommes
14 - 24 ans	5,6	7,6	23,2	26,1	7,9	9,7	6,3 *	2,9 *
25 - 39 ans	3,6	3,9	20,1	18,9	2,2	2,8	4,1	1,2
40 - 49 ans	2,0	3,0	17,7	16,9	2,5	2,5	2,6	1,2
50 - 59 ans	1,6	2,7	13,5	12,6	2,8	2,3	2,3	1,7
60 - 69 ans	1,0	1,4	9,0	10,0	2,9	1,4	1,2 *	0,9 *
70 ans ou plus	0,6	0,6	4,5	4,5	2,1	1,3		
Ensemble	**2,4**	**3,4**	**15,0**	**15,7**	**3,3**	**3,4**	3,0	1,4

Champ : France métropolitaine, ensemble des personnes de 14 ans ou plus ; pour les données suivies de * le champ est France métropolitaine, ensemble des personnes âgées de 18 à 75 ans.
Lecture : en 2009, 3,6 % des femmes âgées de 25 à 39 ans déclarent avoir été victimes d'agression physique en 2007 ou en 2008.
Source : Insee, enquête Cadre de vie et sécurité 2009.

2. Ménages victimes de cambriolage, de vol de voiture ou d'actes de destruction ou de dégradation en 2007 ou 2008

en %

Type de commune	Cambriolage ou tentative de cambriolage	Vol dans le logement commis sans effraction	Destruction ou dégradation volontaires du logement	Vol ou tentative de vol de la voiture	dont : vol	Vol à la roulotte	Destruction ou dégradation volontaires de la voiture
Agglomération parisienne							
Ville de Paris	2,8	n.s.	1,4	2,0	*n.s.*	10,0	12,8
Banlieue	3,3	1,6	4,1	5,6	*1,5*	10,7	15,7
Agglomérations de plus de 100 000 habitants							
Ville centre	2,7	1,9	7,2	3,9	*0,6*	8,6	15,9
Banlieue	3,6	1,5	5,1	3,2	*0,5*	7,7	11,7
Agglomérations de moins de 100 000 habitants							
Ville centre	3,1	1,7	5,1	3,2	*1,0*	5,7	14,4
Banlieue	3,3	n.s.	4,3	3,2	*n.s.*	6,0	8,9
Communes périurbaines[1]	2,8	1,8	3,2	2,7	*0,8*	4,8	8,1
Pôles ruraux[2]	1,5	1,6	3,5	3,5	*0,8*	5,9	10,4
Rural isolé	1,3	1,6	1,8	1,3	*0,3*	3,0	5,6
Ensemble	**2,8**	**1,6**	**4,2**	**3,2**	***0,7***	**6,5**	**11,0**

1. Communes dont au moins 40 % de la population résidente ayant un emploi travaille quotidiennement dans un ou plusieurs pôles urbains ou dans des communes attirées par ces pôles, et qui forment avec eux un ensemble d'un seul tenant.
2. Petites unités urbaines de l'espace rural comptant 1 500 emplois ou plus.
Champ : France métropolitaine ; ensemble des ménages pour les cambriolages, les vols dans le logement et les destructions ou dégradations de logement ; ensemble des ménages possédant au moins une voiture, pour les vols de voitures, les vols à la roulotte et les destructions ou dégradations de voiture.
Lecture : en 2009, 2,8 % des ménages déclarent avoir été victimes de cambriolage ou de tentative de cambriolage en 2007 ou 2008.
Source : Insee, enquête Cadre de vie et sécurité 2009.

3. Faits constatés et personnes mises en cause selon la nature des infractions

	Faits constatés		Personnes mises en cause			
	2009 (en milliers)	Évolution 2009/2008 (en %)	2009 (en milliers)	Évolution 2009/2008 (en %)	Part des mineurs (en %)	Part des femmes (en %)
Atteintes aux biens	2 227,6	− 0,7	315,6	+ 1,8	34	17
Vols	*1 816,5*	*+ 0,6*	*236,5*	*+ 3,2*	*33*	*20*
Destructions et dégradations	*411,1*	*− 6,1*	*79,2*	*− 2,2*	*37*	*9*
Atteintes volontaires à l'intégrité physique (hors vol)	343,1	+ 1,8	245,2	+ 3,4	19	13
Escroqueries et infractions économiques et financières (hors droit du travail)	357,5	− 2,5	87,0	+ 3,0	5	29
Infractions révélées par l'action des services	372,3	− 3,3	374,9	− 3,0	11	8
Autres	220,7	− 2,6	152,1	− 1,4	10	25
Total	**3 521,3**	**− 1,0**	**1 174,8**	**+ 0,2**	**18**	**16**

Champ : France métropolitaine.
Source : Direction centrale de la police judiciaire, État 4001 annuel.

5.8 Justice

En 2008, 1,8 million de nouvelles **affaires** sont introduites au **fond** devant les tribunaux civils, soit 3 % de plus qu'en 2007 *(figure 1)*.

Parmi elles, un quart relève du droit de la famille. Les juges des affaires familiales ont prononcé près de 130 000 divorces en 2009 *(figure 2)*. Les divorces se pacifient : alors que les divorces par consentement mutuel et par demande acceptée sont de plus en plus fréquents, les divorces pour faute se raréfient.

Un autre quart des nouvelles affaires civiles est lié au droit des contrats, qui regroupent par exemple les problèmes liés aux baux d'habitation et professionnels (paiement de loyer, demande d'expulsion, etc.) ou encore les remboursements de prêts. Les affaires relevant du droit du travail et de la protection sociale regroupent quant à elles 15 % des nouvelles affaires civiles. Les nouvelles affaires introduites au fond devant les conseils de prud'hommes sont en large majorité liées à la contestation du motif d'un licenciement. Par ailleurs, 12 % des affaires civiles sont liées au droit des personnes : ouverture ou fin de gestion, fonctionnement d'un régime de protection pour les majeurs (tutelle ou curatelle) par exemple ; ces affaires ont nettement augmenté en 2008. Enfin, les affaires liées au contentieux des entreprises représentent 10 % des affaires civiles.

Il y a eu 638 000 condamnations pénales en 2008, un peu moins qu'en 2007 *(figure 3)*. Les condamnations pour infractions liées à la circulation routière représentent plus de 40 % des condamnations : près de la moitié d'entre elles concernent la conduite en état d'ivresse. Après avoir nettement augmenté en 2007, toutes les condamnations liées à la circulation routière diminuent en 2008, hormis celles pour grands excès de vitesse. 20 % des condamnations sont en rapport avec des atteintes aux biens (vols, recels, destructions, dégradations). Viennent ensuite les condamnations pour atteintes aux personnes (18 %) qui continuent d'augmenter en raison de la croissance du nombre de condamnations pour coups et violences volontaires, représentant désormais près de 12 % de l'ensemble des condamnations. Les condamnations pour non respect des lois sur les stupéfiants sont en forte hausse (+ 14 %), elles représentent désormais 7 % des condamnations. Par ailleurs, près d'un condamné sur 10 est mineur.

Au 1er janvier 2010, on compte 191 établissements pénitentiaires disposant de 55 000 places de détention. À cette même date, la population carcérale (détenus hébergés et personnes écrouées non hébergées) est de plus de 66 000 personnes, soit une surpopulation de 20 % *(figure 4)*. Le taux de détention, nombre de détenus pour 100 000 habitants, est de 94,2 alors qu'il s'élevait à 75,6 il y a 5 ans. 77 % des personnes écrouées ont été condamnées (les autres sont prévenues) : plus d'un tiers le sont pour une peine de prison de moins d'un an, plus d'un quart le sont pour cinq ans ou plus. Les personnes écrouées sont quasi exclusivement des hommes (97 %) ; un quart ont moins de 25 ans. La part des étrangers dans la population pénitentiaire (18 %) diminue légèrement depuis quelques années. En 2009, l'administration pénitentiaire a dénombré 115 suicides et 2 600 tentatives de suicides (soit 900 de plus qu'en 2008). ■

Définitions

Affaires : l'affaire ou procédure civile se définit comme tout conflit ou demande soumis à une juridiction et sur lequel elle doit statuer.

Fond : l'affaire est dite au fond quand elle est soumise à une juridiction pour trancher l'objet même du litige. Elle s'oppose à la procédure en référé où le juge ne prend que des mesures provisoires en principe justifiées par l'urgence.

Pour en savoir plus

- « Les chiffres-clés de la Justice, 2009 » et « Les chiffres-clés de l'administration pénitentiaire au 1er janvier 2010 », en ligne sur www.justice.gouv.fr
- « Les condamnations prononcées en 2008, infractions et peines prononcées », *Infostat Justice* n° 107, décembre 2009.
- « Les divorces prononcés de 1996 à 2007 », *Infostat Justice* n° 104, janvier 2009.
- Voir aussi : *fiche 5.7.*

1. Justice civile : nouvelles affaires introduites au fond

en milliers

	2002	2005	2006	2007	2008
Total	**1 675**	**1 829**	**1 793**	**1 759**	**1 811**
dont : *Droit des personnes*	*160*	*195*	*199*	*199*	*221*
Droit de la famille	*437*	*465*	*466*	*449*	*448*
Entreprises en difficulté	*149*	*195*	*183*	*180*	*175*
Droit des contrats	*431*	*436*	*428*	*432*	*435*
Droit du travail et de la protection sociale	*289*	*277*	*265*	*256*	*272*

Champ : France, nouvelles affaires introduites au fond (hors cours de cassation) : cours d'appel, tribunaux de grande instance (TGI), tribunaux d'instance, tribunaux de commerce et conseils de prud'hommes. À partir de 2004, le champ de la statistique civile des TGI s'est étendu à de nouvelles procédures.
Source : ministère de la Justice et des Libertés, Sous-Direction de la Statistique et des Études.

2. Divorces prononcés par type de divorce

en %

	1980	1990	1995	2000	2005	2006	2007	2008	2009
Consentement mutuel[1]	48	54	55	57	70	72	76	77	78
Faute	50	45	43	41	29	22	16	14	11
Rupture de la vie commune[2]	2	2	1	2	1	5	8	9	10
Total	**100**	**100**	**100**	**100**	**100**	**100**	**100**	**100**	**100**
Nombre de divorces (en milliers)	**79,7**	**105,9**	**120,0**	**114,6**	**153,6**	**137,6**	**133,2**	**131,3**	**129,5**

1. Consentement mutuel et demande acceptée.
2. Divorce par séparation de fait et altération définitive du lien conjugal à partir de la réforme de 2005.
Champ : France.
Note : la réforme des divorces intervenue en 2005 a modifié la répartition des divorces prononcés par type de divorce. Le raccourcissement de la procédure des divorces par consentement mutuel a produit un gonflement des divorces terminés en 2005. En revanche l'allongement de la procédure des divorces pour faute a réduit le nombre de divorces de cette catégorie. Par ailleurs, les divorces de nature indéterminée (un millier) ont été inclus dans les divorces pour faute du fait de leur longueur de procédure, qui s'apparente fortement à celle observée pour ce type de divorce.
Source : ministère de la Justice et des Libertés, Sous-Direction de la Statistique et des Études.

3. Justice pénale : condamnations

	2005	2006	2007	2008p	Évolution 2008/2007 (en %)
Toutes condamnations (en milliers)	**618,0**	**632,5**	**642,8**	**637,7**	**– 0,8**
Nature de l'infraction					
Atteinte aux personnes	108,2	108,9	113,3	116,4	+ 2,7
dont : *Coups et violences volontaires*	*62,7*	*64,9*	*70,1*	*73,4*	*+ 4,7*
Homicides et blessures involontaires	*13,7*	*13,0*	*12,3*	*12,2*	*– 0,8*
Atteintes sexuelles	*13,0*	*12,1*	*11,8*	*11,9*	*+ 0,8*
Atteinte aux biens	153,9	150,9	147,2	143,8	– 2,3
Matière économique et financière	22,7	20,8	20,1	19,5	– 3,0
Circulation routière et transports	248,1	265,9	274,5	263,9	– 3,9
dont : *Défaut d'assurance*	*36,8*	*39,8*	*37,7*	*31,8*	*– 15,6*
Conduite en état alcoolique	*118,3*	*130,2*	*132,0*	*126,3*	*– 4,3*
Grand excès de vitesse	*13,9*	*10,6*	*13,7*	*14,4*	*+ 5,1*
Conduite sans permis ou malgré suspension	*39,3*	*48,8*	*52,2*	*51,4*	*– 1,5*
Stupéfiants (trafic, détention, transport, cession, usage)	34,2	35,4	37,4	42,6	+ 13,9
Autres infractions	50,9	50,7	50,4	51,4	+ 2,0
Caractéristiques des condamnés (en %)					
Part des mineurs	8,9	9,0	8,9	9,2	
Part des femmes	9,4	9,3	9,4	9,4	
Part des étrangers	13,5	12,8	12,7	12,0	

Champ : France, condamnations hors composition pénale.
Source : ministère de la Justice et des Libertés, Sous-Direction de la Statistique et des Études.

4. Nombre de détenus dans les établissements pénitentiaires

au 1er janvier de chaque année

	2002	2005	2006	2007	2008	2009	2010
Ensemble[1]	**48 594**	**59 197**	**59 522**	**60 403**	**64 003**	**66 178**	**66 089**
Part des femmes (en %)	4,0	4,0	4,0	4,0	3,7	3,4	3,4
Part des moins de 25 ans (en %)	27,0	26,0	26,0	26,0	25,8	25,8	25,7
Part des étrangers (en %)	22,0	22,0	20,0	19,6	19,1	18,0	17,7

1. Population écrouée totale (détenus hébergés et personnes écrouées non hébergées).
Champ : France.
Source : ministère de la Justice et des Libertés, Sous-Direction de la Statistique et des Études.

Fiches thématiques

Cadrage européen

6.1 Démographie

Au 1er janvier 2010, l'Union européenne à 27 pays (UE) atteint le demi-milliard d'habitants *(figure 1)*. La population augmente de 2,7 ‰ en moyenne dans l'UE par rapport au 1er janvier 2009. Néanmoins, la situation est très contrastée suivant les pays : pour certains, notamment d'anciens pays de l'Est, la population diminue depuis plusieurs années (Bulgarie, Hongrie, Roumanie, etc.) ; c'est également le cas de l'Allemagne depuis 2003. Comme les années précédentes, la hausse de la population européenne s'explique majoritairement par le **solde migratoire** positif plutôt que par l'accroissement naturel de la population (**solde naturel**). À cet égard, la situation de la France est très particulière en Europe depuis plusieurs années car la situation y est inverse : c'est le solde naturel qui contribue le plus fortement à l'augmentation de la population.

La fécondité a progressé ces dernières années en Europe. Cette hausse est plus prononcée en Europe de l'Ouest que dans les anciens pays de l'Est, même si la fécondité stagne en Allemagne ou en Autriche depuis 10 ans *(figure 2)*. La situation des pays nouvellement entrés dans l'UE est plus contrastée : la fécondité baisse en Lituanie, en Pologne ou en Slovaquie alors qu'elle progresse nettement en République tchèque ou en Bulgarie. **L'indicateur conjoncturel de fécondité** moyen de l'UE à 27 a progressé, passant de 1,45 enfant par femme en 2002 à 1,57 en 2008. L'âge moyen à l'accouchement augmente partout en Europe et atteint 29,7 ans en 2008 ; la France se situe dans la moyenne européenne. Il est supérieur à 31 ans en Irlande, en Italie et au Luxembourg.

Dans les pays de l'Est, il a nettement augmenté ces 10 dernières années, mais demeure un peu plus faible qu'en Europe de l'Ouest (respectivement 28 ans contre 30 ans en moyenne). La part des naissances hors mariage est en hausse partout en Europe ; 52,5 % des bébés sont nés hors mariage en France en 2008. Ce taux est parmi les plus élevés d'Europe. Néanmoins, les naissances hors mariage sont encore loin d'être la norme dans certains pays comme la Grèce (6 % des naissances) ou l'Italie (18 %).

Le vieillissement de la population européenne se poursuit : la part des 65 ans ou plus dans la population augmente régulièrement depuis 10 ans, passant de 15,4 % en 1999 à 17,2 % en 2009. Seuls l'Irlande et le Luxembourg ne suivent pas cette tendance : dans ces pays, la part des 65 ans ou plus régresse légèrement sur les 10 dernières années. Le vieillissement de la population va s'accélérer dans les années à venir avec l'arrivée à 65 ans de la première génération du baby-boom d'après-guerre (génération 1946) dès 2011.

L'augmentation continue des **espérances de vie à la naissance** contribue au vieillissement de la population européenne. En 2008, l'espérance de vie des européens atteint 76,4 ans, soit 22 mois de plus qu'il y a 5 ans ; celle des européennes atteint 82,3 ans (+ 18 mois en 5 ans). L'espérance de vie des Françaises (84,3 ans) est la plus élevée de l'UE avec celle des Espagnoles. Par contre, l'espérance de vie des Français (77,6 ans) ne se situe que dans le deuxième tiers du classement, loin derrière celle des Suédois (79,2 ans), des Italiens (78,7 ans) ou des Chypriotes (78,5 ans). ■

Pour en savoir plus

- « First demographic estimates for 2009 », *Data in focus* n° 47/2009, Eurostat, décembre 2009.
- Voir aussi : vue d'ensemble (chapitre « Portrait de la population»), fiche 2.1.

1. Quelques indicateurs démographiques dans l'Union européenne

	Population au 1er janvier 2010 (en milliers)	Évolution entre 2009 et 2010 (en ‰)			Part des naissances hors mariage en 2008[2] (en %)	Part des 65 ans ou plus au 1er janvier 2009[3] (en %)	Espérance de vie à la naissance en 2008[4] (en années)	
		Accroissement naturel	Migrations[1]	Total			Femmes	Hommes
Allemagne	81 800	− 2,3	− 0,2	− 2,5	32,1	20,4	82,7	77,6
Autriche	8 375	− 0,1	2,5	2,4	38,8	17,4	83,3	77,8
Belgique	10 827	2,0	5,1	7,1	39,0	17,1	82,6	77,1
Bulgarie	7 564	− 3,6	− 2,1	− 5,7	51,1	17,4	77,0	69,8
Chypre	798	5,5	− 4,0	1,5	8,9	12,7	83,1	78,5
Danemark	5 535	1,4	3,9	5,3	46,2	15,9	81,0	76,5
Espagne	45 989	2,2	1,3	3,5	31,7	16,6	84,3	78,0
Estonie	1 340	− 0,2	0,0	− 0,2	59,0	17,1	79,5	68,7
Finlande	5 351	2,0	2,7	4,7	40,7	16,7	83,3	76,5
France	**64 667**	**4,3**	**1,1**	**5,4**	**52,5**	**16,5**	**84,3**	**77,6**
Grèce	11 295	0,7	2,4	3,1	5,9	18,7	82,4	77,7
Hongrie	10 013	− 3,4	1,6	− 1,8	39,5	16,4	78,3	70,0
Irlande	4 456	10,2	− 9,0	1,2	33,1	11,0	82,3	77,5
Italie	60 340	− 0,4	5,3	4,9	17,7	20,1	84,2	78,7
Lettonie	2 248	− 3,6	− 2,1	− 5,7	43,1	17,3	77,8	67,0
Lituanie	3 329	− 1,6	− 4,6	− 6,2	28,5	16,0	77,6	66,3
Luxembourg	502	4,0	13,2	17,2	30,2	14,0	83,1	78,1
Malte	413	2,2	− 3,8	− 1,6	25,4	14,1	82,3	77,1
Pays-Bas	16 578	3,1	2,5	5,6	41,2	15,0	82,5	78,4
Pologne	38 167	0,9	0,0	0,9	19,9	13,5	80,0	71,3
Portugal	10 638	− 0,5	1,4	0,9	36,2	17,6	82,4	76,2
République tchèque	10 507	1,0	2,7	3,7	36,3	14,9	80,5	74,1
Roumanie	21 462	− 1,6	− 0,1	− 1,7	27,4	14,9	77,2	69,7
Royaume-Uni	62 008	3,7	2,9	6,6	44,4	16,1	81,9	77,7
Slovaquie	5 425	1,5	0,8	2,3	30,1	12,1	79,0	70,8
Slovénie	2 047	1,4	5,8	7,2	52,8	16,4	82,6	75,5
Suède	9 341	2,3	6,7	9,0	54,7	17,8	83,3	79,2
Union européenne	**501 016**	**1,0**	**1,7**	**2,7**	**35,4**	**17,2**	**82,3**	**76,4**

1. Y compris ajustements de population.
2. Belgique, Chypre, Italie : données 2007.
3. Belgique, Royaume-Uni : données 2008.
4. Belgique, Italie, Royaume-Uni : données 2007.
Note : les nouvelles collectivités d'outre mer de Saint-Martin et Saint-Barthélémy ne sont pas incluses dans les données de la France reprises ici, mais le sont dans les données publiées par Eurostat car ces territoires font partie de l'Union européenne.
Source : Eurostat (extraction des données en août 2010), sauf France : estimations de population.

2. Indicateur conjoncturel de fécondité dans les pays de l'Union européenne en 2008

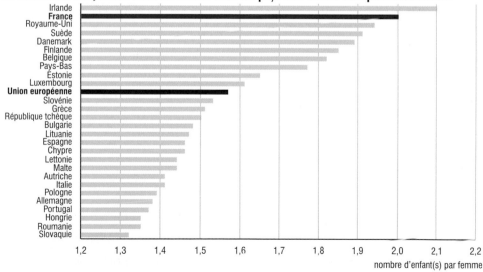

Source : Eurostat (extraction des données en août 2010).

6.2 Éducation

Les gouvernements européens se sont entendus au sommet de Lisbonne de 2000 pour promouvoir une société et une économie accordant un rôle croissant au développement des connaissances. Cinq questions prioritaires dans le domaine de l'éducation et de la formation professionnelle font l'objet d'objectifs chiffrés : la généralisation du second cycle de l'enseignement secondaire, la réduction des sorties précoces, l'amélioration des compétences de base en lecture, l'augmentation des flux de diplômés de sciences et de technologie et le développement de la formation des adultes.

En 2009, 79 % des jeunes Européens âgés de 20 à 24 ans sont titulaires d'un diplôme du second cycle du secondaire (*figure 1*). La cible visée pour 2010 est de 85 % sur l'ensemble de l'Union européenne. Cette proportion atteint 84 % en France, plus de 90 % en Pologne ou en République tchèque mais encore moins de 60 % au Portugal ou à Malte.

15 % des jeunes de l'Union européenne sont **sortants précoces** en 2008. L'objectif défini au sommet de Lisbonne est de faire passer cette proportion sous le seuil de 10 % d'ici 2010. En France, la proportion de sortants précoces est de 12 % ; elle dépasse 30 % au Portugal (chiffres provisoires), en Espagne et à Malte, tandis que cinq pays ont déjà atteint la cible de moins de 10 % (Pologne, République tchèque, Slovaquie, Lituanie et Finlande).

Entre 2000 et 2010, la proportion de jeunes de 15 ans ne possédant pas les **compétences « de base » en lecture** doit baisser de 20 % selon l'objectif fixé par le sommet de Lisbonne. En France, la proportion de jeunes présentant de faibles compétences en lecture est de 22 % en 2006 (*figure 2*). Elle est de 5 % en Finlande, comprise entre 15 et 16 % aux Pays-Bas, en Suède et au Danemark mais supérieure à 25 % en Espagne, en Italie et en Grèce).

En termes de capacités scientifiques, la cible qui était fixée, une augmentation de 15 % des flux de diplômés de l'enseignement supérieur en sciences et technologie en dix ans, a été atteinte dès 2003.

Enfin, un autre objectif vise à développer la formation tout au long de la vie. Ainsi, la cible définie au sommet de Lisbonne est de porter à 12,5 % d'ici 2010 la proportion d'adultes âgés de 25 à 64 ans qui ont suivi un cours ou une formation dans les quatre semaines précédant l'enquête, que ce soit dans les établissements d'enseignement (lycées, centres de formation d'apprentis, universités, etc.) ou en dehors de ces établissements (mairies, entreprises, etc.). Actuellement, cette proportion au sein de l'Union européenne est de 10 %. La proportion en France (7 %) est très inférieure à ce que l'on peut observer dans les pays scandinaves, en Grande-Bretagne ou aux Pays-Bas notamment.

Sur l'ensemble de ces indicateurs, quel que soit le pays de l'Union européenne, les femmes sont en meilleure position que les hommes, sauf pour les diplômés de l'enseignement supérieur en sciences et technologie où elles sont minoritaires. ∎

Définitions

Sortants précoces : jeunes âgés de 18 à 24 ans, ayant arrêté leurs études en premier cycle de l'enseignement secondaire ou en deçà ou n'ayant pas « réussi » le second cycle, soit parce qu'ils ont abandonné avant leur dernière année, soit parce qu'ils ont échoué au diplôme. En France, ce sont les jeunes de 18 à 24 ans (dénominateur) qui ne poursuivent pas d'études ni de formation et n'ont ni CAP, ni BEP, ni diplôme supérieur (numérateur). Ce taux est calculé à partir des enquêtes communautaires sur les forces de travail.

Compétences « de base » en lecture : elles permettent de mettre en relation un texte simple avec des connaissances de la vie courante et sont considérées acquises lorsque le score aux tests de littéracie du programme international pour l'évaluation des élèves (Pisa), soumis à des enfants de 15 ans, est d'au moins 407 points dans l'édition 2006 du test.

Pour en savoir plus

- *L'état de l'École*, édition 2010, Depp, à paraître.
- *Repères et références statistiques sur les enseignements et la formation*, édition 2010, Depp, en ligne sur le site www.education.gouv.fr
- « Progress towards, the Lisbon objectives in education and training » rapport 2009, Eurostat, en ligne sur le site http://epp.eurostat.ec.europa.eu

Éducation 6.2

1. Situation des pays vis-à-vis des objectifs européens de Lisbonne en matière d'éducation et de formation professionnelle

en %

	Jeunes (20-24 ans) titulaires d'un diplôme du second cycle du secondaire	Jeunes (18-24 ans) sortants précoces	Adultes (25-64 ans) ayant suivi un enseignement ou une formation au cours du mois précédant l'enquête
	2009 p	2008	2008
Allemagne	74	11,8	8
Autriche	86	10,1	13
Belgique	83	12,0	7
Bulgarie	84	14,8	1
Chypre	88	13,7	9
Danemark	70	11,5	30
Espagne	60	31,9	10
Estonie	82	14,0	10
Finlande	85	9,8	23
France	**84**	**11,8**	**7**
Grèce	82	14,8	3
Hongrie	84	11,7	3
Irlande	87	11,3	7
Italie	76	19,7	6
Lettonie	80	15,5	7
Lituanie	87	7,4	5
Luxembourg	76	13,4	9
Malte	52	39,0	6
Pays-Bas	77	11,4	17
Pologne	91	5,0	5
Portugal p	56	35,4	5
République tchèque	92	5,6	8
Roumanie	78	15,9	2
Royaume-Uni	79	17,0	20
Slovaquie	93	6,0	3
Slovénie	86	5,1 [2]	14
Suède[1]	86	11,1	32
Union européenne	**79**	**14,9**	**10**

1. Données de l'année précédente.
2. Réserves d'Eurostat.
Source : Eurostat, enquêtes sur les forces de travail.

2. Proportion de jeunes de 15 ans présentant de faibles compétences en lecture en 2006

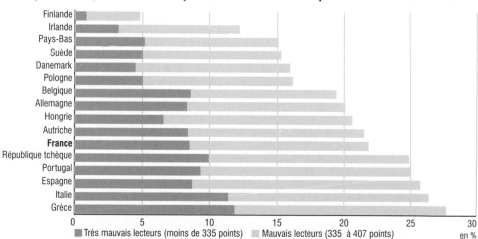

Lecture : selon les tests de littéracie de l'enquête Pisa de 2006, les enfants de 15 ans sont, en France, pour 8,5 % de très mauvais lecteurs (moins de 335 points) et pour 13,3 % de mauvais lecteurs (entre 335 et 407 points), soit un total de 21,8 %, contre 15 % en 2000.
Note : la moyenne sur l'Union européenne n'est pas disponible en 2006.
Source : calculs OCDE à partir des données du programme international pour l'évaluation des élèves (Pisa).

6.3 Emploi et chômage

En 2009, 64,6 % des habitants de l'Union européenne (UE) âgés de 15 à 64 ans ont un emploi (*figure 1*). Ce taux d'emploi est en nette diminution par rapport à l'année précédente en raison de la crise économique mondiale (– 1,3 point).

Le **taux d'emploi** des hommes (70,7 %) reste supérieur de 12 points à celui des femmes (58,6 %), même si l'écart tend à se réduire. Il était de 18 points en 1998. Ce différentiel de taux d'emploi s'observe dans tous les pays mais à des degrés variables. Il est de moins de 5 points en Finlande et en Suède depuis plusieurs années, ainsi qu'en Estonie et en Lituanie en 2009 parce que l'emploi masculin y a été beaucoup plus durement touché par la crise que l'emploi féminin. Il dépasse toujours 20 points en Grèce, en Italie et à Malte. Les objectifs de la stratégie européenne pour l'emploi, fixés lors des Conseils européens de Lisbonne (mars 2000) et de Stockholm (mars 2001), prévoient d'atteindre en 2010 un taux d'emploi global de 70 % et un taux d'emploi féminin de 60 %. La dégradation du marché du travail a entravé la convergence des taux d'emploi vers ces critères. En 2009, cinq pays atteignent ces objectifs : l'Allemagne, l'Autriche, le Danemark, les Pays-Bas et la Suède. La Finlande, le Royaume-Uni et Chypre avaient atteint ces objectifs en 2008, mais leur taux d'emploi est repassé juste en dessous des 70 % avec la montée du chômage. Ils remplissent toujours toutefois l'objectif en termes d'emploi féminin, tout comme la France, les trois pays baltes (Estonie, Lituanie, Lettonie), le Portugal et la Slovénie.

Au sein de l'UE, le taux d'emploi des jeunes adultes de 15 à 24 ans a fortement pâti de la crise en 2009 : il s'élève à 35,2 % contre 37,6 % en 2008. Cette moyenne masque de fortes disparités : alors qu'en Italie, en Grèce et dans certains pays d'Europe de l'Est (Bulgarie, Hongrie, Roumanie, Slovaquie) moins de 25 % des jeunes sont en emploi, ils sont plus de 50 % en Autriche, au Danemark et aux Pays-Bas.

Le taux d'emploi des seniors (55-64 ans) se situe quant à lui à 46 % en 2009, quand l'objectif européen est fixé à 50 % en 2010. Onze pays de l'UE ont dépassé ce seuil, et parfois nettement comme en Suède où 70 % des 55 à 64 ans ont un emploi. En revanche, dans neuf pays, dont la France, le taux d'emploi des seniors est en deçà de plus de 10 points de l'objectif.

Parmi les européens qui ont un emploi, 18,8 % travaillent à temps partiel en 2009. Le temps partiel reste plus féminin que masculin : il concerne près d'un tiers des femmes en emploi, contre moins d'un homme sur dix. La part du temps partiel est très disparate au sein de l'UE. Il est particulièrement fréquent aux Pays-Bas où il représente près de la moitié de l'emploi. Le temps partiel est important en Allemagne, en Autriche, en Belgique, au Danemark, au Royaume-Uni et en Suède où il compte pour environ 25 % de l'emploi. En revanche, il reste relativement peu répandu dans les pays de l'Est de l'Europe.

Avec 13,5 % de salariés en contrat à durée déterminée, la situation de la France est égale à la moyenne de l'UE. En Espagne, en Pologne et au Portugal, la part des contrats à durée déterminée dépasse 20 %, alors qu'elle est inférieure à 3 % en Estonie, en Roumanie et en Lituanie.

En moyenne annuelle, le **taux de chômage** de l'UE s'élève à 8,9 % en 2009 (*figure 2*), en nette augmentation par rapport à 2008 (7,0 %). L'Espagne est le pays où le taux de chômage est le plus élevé. Il a fortement augmenté avec la crise et atteint 18,0 % en 2009 après 11,3 % en 2008. Le chômage est également en forte hausse en 2009 en Lettonie (17,1 % après 7,5 %), en Estonie (13,8 % après 5,5 %), en Lituanie (13,7 % après 5,8 %) et en Irlande (11,9 % après 6,3 %). Le taux de chômage reste en revanche beaucoup plus faible aux Pays-Bas, en Autriche, au Luxembourg ou à Chypre par exemple. ■

Définitions

Taux d'emploi : voir *fiche 3.3*.
Taux de chômage : voir *fiche 3.4*.

Pour en savoir plus

- Tableaux en ligne sur le site http://epp.eurostat.ec.europa.eu/
- « L'Europe en chiffres - L'annuaire d'Eurostat 2010 », *Livres statistiques*, Eurostat, septembre 2010.
- « The social situation in the European Union 2009 », *Livres statistiques*, Eurostat, juillet 2010.
- Voir aussi : fiches 3.2, 3.3 et 3.4.

1. Taux d'emploi et indicateurs sur l'emploi en 2009

en %

	Taux d'emploi					Part de l'emploi à temps partiel[1]	Part des salariés en contrat à durée déterminée[2]
	15-64 ans			15-24 ans	55-64 ans		
	Hommes	Femmes	Ensemble				
Allemagne	75,6	66,2	70,9	46,2	56,2	26,1	14,5
Autriche	76,9	66,4	71,6	54,5	41,1	24,6	9,1
Belgique	67,2	56,0	61,6	25,3	35,3	23,4	8,2
Bulgarie	66,9	58,3	62,6	24,8	46,1	2,3	4,7
Chypre	77,6	62,5	69,9	35,5	56,0	8,4	13,5
Danemark	78,3	73,1	75,7	63,6	57,5	26,0	8,9
Espagne	66,6	52,8	59,8	28,0	44,1	12,8	25,4
Estonie	64,1	63,0	63,5	28,9	60,4	10,5	2,5
Finlande	69,5	67,9	68,7	39,6	55,5	14,0	14,6
France	**68,5**	**60,1**	**64,2**	**31,4**	**38,9**	**17,3**	**13,5**
Grèce	73,5	48,9	61,2	22,9	42,2	6,0	12,1
Hongrie	61,1	49,9	55,4	18,1	32,8	5,6	8,5
Irlande	66,3	57,4	61,8	35,4	51,0	21,2	8,5
Italie	68,6	46,4	57,5	21,7	35,7	14,3	12,5
Lettonie	61,0	60,9	60,9	27,7	53,2	8,9	4,3
Lituanie	59,5	60,7	60,1	21,5	51,6	8,3	2,2
Luxembourg	73,2	57,0	65,2	26,7	38,2	18,2	7,2
Malte	71,5	37,7	54,9	44,1	28,1	11,3	4,8
Pays-Bas	82,4	71,5	77,0	68,0	55,1	48,3	18,2
Pologne	66,1	52,8	59,3	26,8	32,3	8,4	26,5
Portugal	71,1	61,6	66,3	31,3	49,7	11,6	22,0
République tchèque	73,8	56,7	65,4	26,5	46,8	5,5	8,5
Roumanie	65,2	52,0	58,6	24,5	42,6	9,8	1,0
Royaume-Uni	74,8	65,0	69,9	48,4	57,5	26,1	5,7
Slovaquie	67,6	52,8	60,2	22,8	39,5	3,6	4,4
Slovénie	71,0	63,8	67,5	35,3	35,6	10,6	16,4
Suède	74,2	70,2	72,2	38,3	70,0	27,0	15,3
Union européenne	**70,7**	**58,6**	**64,6**	**35,2**	**46,0**	**18,8**	**13,5**

1. Parmi l'ensemble des personnes en emploi.
2. Parmi l'ensemble des salariés.
Champ : population des ménages, personnes de 15 ans ou plus.
Note : les données pour la France diffèrent de celles de la fiche 3.4 car l'âge est ici entendu « au moment de l'enquête ».
Source : Eurostat, enquêtes sur les forces de travail (extraction des données en août 2010).

2. Taux de chômage en 2009

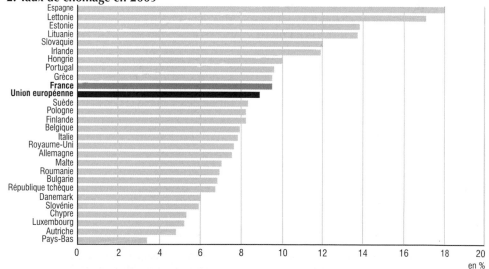

Champ : population des ménages, personnes de 15 ans ou plus.
Note : les données pour la France diffèrent de celles de la fiche 3.4 car l'âge est ici entendu « au moment de l'enquête ».
Source : Eurostat, enquêtes sur les forces de travail (extraction des données en août 2010).

6.4 Salaires et revenus

En Bulgarie, en Roumanie, dans les pays baltes, en Pologne, en République tchèque et en Slovaquie, un salarié à temps complet dans le secteur de l'industrie ou des services gagne un salaire brut moyen inférieur à 10 000 euros par an (*figure 1*, en 2008, sauf pour certains pays). Les pays méditerranéens sont dans une situation intermédiaire mais restent en dessous de la moyenne de l'Union européenne, avec un salaire brut annuel moyen compris entre 10 000 et 25 000 euros ; tandis qu'un salarié à temps complet gagne en moyenne un salaire supérieur à 30 000 euros dans les autres pays de l'Union. Si les pays du Sud et de l'Est de l'Europe ont pour l'instant un salaire brut moyen plus faible, la situation évolue dans le sens d'un rattrapage : ces pays voient en effet leurs salaires augmenter en moyenne quatre fois plus vite les autres pays de l'Union.

Le **niveau de vie** annuel moyen pour l'ensemble de l'Union européenne s'élève à 16 960 euros en 2008. Le niveau de vie d'une personne comprend les salaires et l'ensemble des autres revenus de son ménage (y compris les prestations sociales, et, en négatif, les impôts directs) et tient compte de la composition du ménage auquel elle appartient. Pour pouvoir comparer le niveau de vie moyen des pays européens, il ne suffit pas d'analyser le montant des revenus en euros car les niveaux des prix sont très différents d'un pays à l'autre. Il faut connaître la quantité moyenne de biens que l'on peut se procurer au sein de chaque pays, c'est-à-dire utiliser la **parité de pouvoir d'achat** (PPA) qui permet la traduction des valeurs en euros en valeurs comparables. Ainsi, le niveau de vie en PPA est 8 fois plus élevé au Luxembourg qu'en Roumanie (*figure 2*). Mis à part ces deux pays aux valeurs extrêmes, parmi les 25 autres pays de l'Union, la moyenne des cinq plus faibles niveaux de vie (en PPA) est 3 fois inférieure à la moyenne des cinq niveaux de vie les plus élevés.

Le **seuil de pauvreté** est fixé à 60 % du niveau de vie médian dans chaque pays. Il est de 18 550 euros par an au Luxembourg et de moins de 1 500 euros par an en Bulgarie et en Roumanie. En prenant en compte la parité de pouvoir d'achat, les écarts entre pays se réduisent, mais, malgré tout, neuf pays ont un seuil de pauvreté supérieur à 10 000 euros (principalement des pays d'Europe du Nord) tandis que dans huit autres pays, même le niveau de vie moyen est en dessous de cette valeur (pays d'Europe de l'Est et pays baltes). Le **taux de pauvreté** est de 17 % sur l'ensemble de l'Union européenne. Il n'y a pas de relation directe entre le niveau de vie moyen observé dans un pays et le taux de pauvreté de ce même pays : la pauvreté étant définie de manière relative, la répartition des revenus et les inégalités entre les personnes entrent également en compte. Ainsi, bien que la République tchèque, la Slovaquie ou la Hongrie aient des niveaux de vie moyen relativement faibles, leurs taux de pauvreté restent relativement modérés (inférieurs à 12 %). Au contraire, près de 20 % des Britanniques ont un niveau de vie inférieur à leur seuil de pauvreté alors que le niveau de vie moyen au Royaume-Uni est l'un des plus élevé de l'Union européenne. Les pays scandinaves, les Pays-Bas, le Luxembourg ou l'Autriche ont à la fois un niveaux de vie élevé et un taux de pauvreté faible. En revanche, les pays baltes, la Bulgarie, la Pologne ou la Roumanie conjuguent un niveau de vie faible et une pauvreté élevée. ■

Définitions

Niveau de vie, seuil de pauvreté, taux de pauvreté : voir *fiche 4.4*.

Parité de pouvoir d'achat (PPA) : taux de conversion monétaire qui permet d'exprimer dans une unité commune les pouvoirs d'achat des différentes monnaies. Ce taux exprime le rapport entre la quantité d'unités monétaires nécessaire dans des pays différents pour se procurer le même panier de biens et services.

Pour en savoir plus

- Tableaux en ligne sur le site http://epp.eurostat.ec.europa.eu/
- « L'Europe en chiffres - L'annuaire d'Eurostat 2010 », *Livres statistiques*, Eurostat, septembre 2010.
- « The social situation in the European Union 2009 », *Livres statistiques,* Eurostat, juillet 2010.
- « Combating poverty and social exclusion », *Livres statistiques*, Eurostat, janvier 2010.
- Voir aussi : vue d'ensemble (chapitre « Salaires et niveaux de vie ») ; fiches 4.1 et 4.4.

1. Salaire brut annuel moyen pour un temps complet en 2008 dans l'industrie et les services

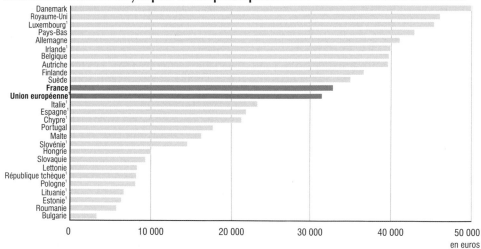

en euros

1. Irlande, Espagne, Lituanie, Luxembourg, Slovénie, Royaume-Uni : données 2007 ; Union européenne, Chypre, Italie, Pologne, République tchèque : données 2006 ; Estonie : données 2005 ; Grèce : données non disponibles.

Champ : salariés à temps complet, sauf Estonie, Italie, Lituanie, Pologne, Slovénie : salaire moyen en équivalents-temps plein de l'ensemble des salariés ; secteurs de l'industrie et des services nomenclature Nace Rév.2, sauf Estonie, Lituanie, Pologne, Slovénie, Chypre, Espagne, Italie, Irlande, Luxembourg, Royaume-Uni Nace Rév1.1 ; entreprises de 10 salariés ou plus dans la majorité des cas.

Note : le salaire brut inclut l'ensemble des rémunérations versées par l'employeur, avant retenue des cotisations sociales et des impôts dus par le salarié.

Source : Eurostat, (extraction des données en août 2010).

2. Niveau de vie et pauvreté dans l'Union européenne en 2008

	Niveau de vie annuel moyen		Seuil de pauvreté[1]		Taux de pauvreté (en %)
	En euros	En parité de pouvoir d'achat	En euros	En parité de pouvoir d'achat	
Allemagne	21 090	20 680	10 990	10 780	15
Autriche	21 380	20 920	11 410	11 160	12
Belgique	19 990	18 450	10 790	9 960	15
Bulgarie	2 660	5 760	1 300	2 820	21
Chypre	18 930	21 580	10 060	11 470	16
Danemark	26 030	18 950	14 500	10 550	12
Espagne	14 580	15 710	7 770	8 370	20
Estonie	6 330	8 670	3 330	4 560	20
Finlande	22 070	18 410	11 890	9 920	14
France	**20 000**	**18 470**	**10 540**	**9 730**	**13**
Grèce	12 770	14 080	6 480	7 150	20
Hongrie	4 830	7 230	2 640	3 960	12
Irlande	26 760	21 490	13 770	11 060	15
Italie	17 730	17 240	9 380	9 120	19
Lettonie	5 940	8 920	2 900	4 350	26
Lituanie	4 940	8 240	2 500	4 170	20
Luxembourg	35 450	30 740	18 550	16 090	13
Malte	10 590	14 010	5 740	7 590	15
Pays-Bas	22 300	21 900	11 710	11 500	11
Pologne	4 940	7 970	2 490	4 020	17
Portugal	10 290	12 000	4 890	5 700	19
République tchèque	6 810	10 910	3 640	5 830	9
Roumanie	2 330	3 780	1 170	1 910	23
Royaume-Uni	26 530	23 570	13 210	11 730	19
Slovaquie	5 180	7 310	2 880	4 060	11
Slovénie	11 710	14 820	6 540	8 270	12
Suède	21 800	18 850	12 340	10 670	12
Union européenne	**16 960**	///	**8 800**	///	**17**

1. Le seuil de pauvreté est ici fixé à 60 % du niveau de vie annuel médian du pays concerné.

Champ : population des ménages.

Note : les données pour la France diffèrent de celles présentées dans la fiche 4.4. Ici, le seuil et le taux de pauvreté sont calculés à partir d'une autre source statistique et sur un champ différent, de manière à disposer de statistiques comparables entre pays européens.

Source : Eurostat, EU-SILC (extraction des données en août 2010).

6.5 Protection sociale

En 2007, les **dépenses de protection sociale** représentent 26,2 % du produit intérieur brut (PIB) de l'Union européenne *(figure 1)*. Comme la France, l'Autriche, la Belgique, le Danemark, les Pays-Bas et la Suède consacrent de l'ordre de 30 % de leur PIB à ces dépenses, contre moins de 15 % dans les pays Baltes ou en Roumanie.

Exprimée en **parité de pouvoir d'achat** (PPA), la dépense moyenne par habitant pour la protection sociale est six fois plus élevée aux Pays-Bas qu'en Roumanie ou en Bulgarie. Globalement, plus le niveau de vie du pays est élevé, plus les dépenses de protection sociale y sont élevées. Mais d'autres éléments interviennent également : structures démographiques, taux de chômage, facteurs institutionnels ou économiques. Par exemple, le niveau des prestations sociales de santé dépend à la fois du niveau des dépenses de santé et du mode de financement de ces dépenses (part des dépenses financées par des assurances privées ou directement laissées à la charge des ménages).

Près de la moitié des **prestations sociales** sont liées à la vieillesse et à la survie (principalement des pensions de reversion). L'Italie et la Pologne se démarquent puisque plus de 60 % de leurs prestations sociales sont consacrées à ce poste. Ces deux pays sont pourtant dans des situations différentes : la part des personnes âgées est supérieure à la moyenne européenne en Italie alors qu'elle est nettement inférieure en Pologne. Les dépenses de maladie et de soins de santé forment le second poste de dépenses de prestations sociales (29,1 %). Les autres fonctions représentent des montants plus modestes et très variables selon les pays. Les prestations liées à la famille et aux enfants sont relativement plus élevées en Irlande (14,7 %) et au Luxembourg (16,6 %), où la proportion d'enfants de moins de 15 ans est forte. L'Espagne et la Belgique consacrent près de 12 % de leurs prestations sociales au chômage alors que cette proportion est inférieure à 2 % en Estonie, en Italie ou en Lituanie. La structure des prestations sociales en France est proche de la moyenne européenne, même si la part des dépenses liées à l'invalidité ou à la vieillesse y est un peu plus faible, au profit des dépenses liées à la maladie, au chômage, à la famille et au logement.

La protection sociale est financée à 58,5 % par les cotisations sociales et à 38,0 % par des recettes fiscales, sous forme de **contributions publiques** ou d'impôts et taxes affectés *(figure 2)*. Près des trois quarts des pays de l'UE financent majoritairement leur protection sociale par des cotisations sociales. C'est surtout le cas de l'Estonie, de la République tchèque, de la Belgique et de la Slovénie où plus des deux tiers de la protection sociale est financé par ce biais. À l'inverse, plus de 50 % de la protection sociale est financé par des contributions publiques au Danemark, en Irlande et au Royaume-Uni. ∎

Définitions

Dépenses de protection sociale : elles comprennent la fourniture des prestations sociales, les coûts administratifs et autres dépenses (par exemple les intérêts payés aux banques). La fourniture de prestations en représente l'essentiel.

Parité de pouvoir d'achat (PPA) : voir *fiche 6.4*.

Prestations sociales : elles couvrent l'ensemble des interventions d'organismes publics ou privés, prenant la forme d'un système de prévoyance collective ou mettant en œuvre un principe de solidarité sociale, et visant à couvrir les charges résultant pour les personnes ou les ménages d'un ensemble défini de risques sociaux identifiés (vieillesse, maladie, invalidité, maternité et famille, chômage, logement, exclusion sociale). En particulier, ces prestations sociales n'ont pas de contrepartie équivalente et simultanée de la part des bénéficiaires, contrairement au cas des assurances privées.

Contributions publiques : les contributions publiques sont des versements de l'État et des collectivités locales aux régimes de protection sociale. Elles sont prélevées sur l'ensemble des recettes fiscales et ne constituent donc

---

Pour en savoir plus

- Tableaux en ligne sur le site http://epp.eurostat.ec.europa.eu/
- « L'Europe en chiffres - L'annuaire d'Eurostat 2010 », *Livres statistiques*, Eurostat, septembre 2010.
- « Combating poverty and social exclusion», *Livres statistiques*, Eurostat, janvier 2010.
- Voir aussi : vue d'ensemble (chapitre « Salaires et niveaux de vie ») ; fiche 4.5.

1. Prestations sociales par groupe de fonctions en 2007

	Répartition des prestations sociales par principaux groupes de fonctions (en % du total des prestations)						Dépenses totales de protection sociale (en % du PIB)	Dépense moyenne par habitant (en PPA[1])
	Vieillesse, survie	Maladie, soins de santé	Invalidité	Famille, enfants	Chômage	Logement, exclusion sociale		
Allemagne	43,2	29,8	7,7	10,6	5,8	2,9	27,7	122
Autriche	49,0	26,0	8,0	10,2	5,3	1,5	28,0	132
Belgique	45,3	26,5	6,6	7,1	11,7	2,8	29,5	133
Bulgarie	51,5	27,1	8,3	8,6	2,0	2,5	15,1	22
Chypre	46,7	25,2	3,7	10,8	4,8	8,8	18,5	64
Danemark	38,1	23,0	15,0	13,1	5,6	5,1	28,9	132
Espagne	41,3	31,2	7,6	6,0	11,7	2,2	21,0	85
Estonie	43,8	33,4	9,3	11,6	1,2	0,8	12,5	33
Finlande	38,5	26,3	12,6	11,6	7,8	3,2	25,4	112
France	**45,3**	**29,9**	**6,1**	**8,5**	**6,1**	**4,2**	**30,5**	**127**
Grèce	52,0	28,1	4,9	6,2	4,5	4,4	24,4	88
Hongrie	43,9	25,5	9,6	12,8	3,4	4,9	22,3	53
Irlande	27,3	41,1	5,5	14,7	7,7	3,6	18,9	108
Italie	61,1	26,1	6,0	4,7	1,8	0,3	26,7	104
Lettonie	46,8	29,7	7,0	11,0	3,3	2,2	11,0	24
Lituanie	47,0	30,7	10,4	8,7	1,9	1,3	14,3	33
Luxembourg[2]	37,2	26,0	12,3	16,6	4,9	2,9	19,3	203
Malte	52,4	29,2	6,3	5,9	2,8	3,4	18,1	54
Pays-Bas	40,3	32,5	9,1	6,0	4,3	7,8	28,4	142
Pologne	60,2	22,1	9,6	4,5	2,2	1,4	18,1	37
Portugal	50,1	28,3	10,0	5,3	5,1	1,2	24,8	72
République tchèque	43,9	33,9	8,1	9,2	3,5	1,4	18,6	57
Roumanie	47,3	23,8	10,0	13,2	2,2	3,5	12,8	21
Royaume-Uni	44,9	30,6	9,8	6,0	2,1	6,5	25,3	114
Slovaquie	43,8	30,8	8,5	10,0	3,6	3,3	16,0	41
Slovénie	46,8	32,1	7,8	8,7	2,3	2,4	21,4	73
Suède	41,0	26,1	15,3	10,2	3,8	3,7	29,7	138
Union européenne	**46,2**	**29,1**	**8,1**	**8,0**	**5,1**	**3,6**	**26,2**	**100**

1. En parité de pouvoir d'achat (voir *Définitions*), la moyenne de l'Union européenne étant à 100.
2. Les données relatives au Luxembourg ne sont pas entièrement comparables car une part importante des prestations est versée à des personnes vivant en dehors du pays (travailleurs frontaliers notamment). Sans compter ces versements, les dépenses par habitant baisseraient d'environ 18 %.
Source : Eurostat, Sespros (extraction des données en août 2010).

2. Part des cotisations sociales dans les recettes de protection sociale en 2007

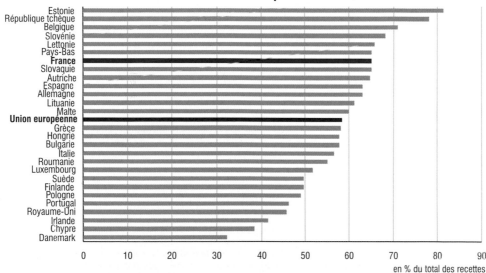

en % du total des recettes

Note : cotisations des employeurs et des personnes protégées (salariés, travailleurs indépendants, retraités ou autres personnes).
Source : Eurostat, Sespros (extraction des données en août 2010).

6.6 Consommation et conditions de vie

En 2008, le logement constitue le premier poste de dépenses de consommation des ménages de l'Union européenne (28,2 %, *figure 1*), devant les transports (13,4 %), l'alimentation (12,9 %), la culture, les loisirs et les communications (11,9 %) et les hôtels, cafés et restaurants (8,6 %). Les autres postes de consommation (25,0 %) sont principalement l'équipement de la maison, l'habillement, et dans une moindre mesure l'alcool, le tabac et les dépenses de santé ou d'éducation supportées par les ménages.

Après s'être stabilisé, voire avoir légèrement diminué jusqu'en 2002, le poids des **dépenses de logement** augmente à nouveau depuis. Il varie fortement selon les pays : de l'ordre de 20 % dans certains pays d'Europe du Sud (Chypre, Espagne, Grèce, Malte, Portugal) et en Lituanie, à plus de 30 % dans les pays scandinaves, en Allemagne, en France et en Slovaquie. Ces écarts sont délicats à expliquer car ils renvoient tout à la fois à des différences culturelles, économiques et climatiques.

Depuis 1998, le transport a dépassé l'alimentation pour devenir le deuxième poste de dépenses de consommation des ménages de l'UE. Si le poids de l'alimentation dans le budget des ménages diminue dans l'ensemble des pays européens, les disparités qui subsistent reflètent fortement les écarts de niveaux de vie moyens entre les différents pays. Ainsi, dans la moitié des pays européens (et notamment la quasi-totalité des pays entrés récemment dans l'UE), l'alimentation est encore le deuxième poste de consommation ; en Lituanie, elle reste même

le premier poste de dépenses. La part des dépenses consacrées à l'alimentation dépasse toujours 20 % en Lituanie, Pologne, Roumanie et Bulgarie alors que dans les pays les plus riches de l'Union européenne, cette part est tombée en dessous de 15 % depuis plus d'une dizaine d'années.

Les dépenses consacrées à la culture, aux loisirs et aux communications progressent plus rapidement que la moyenne des dépenses, portées par le dynamisme du secteur des communications, avec notamment la généralisation de l'équipement informatique et de l'accès internet au domicile.

La part des dépenses des ménages dans les hôtels, cafés et restaurants est significativement plus élevée dans les pays du Sud de l'Europe, en raison du tourisme.

Les conditions de vie dans les différents pays de l'Union européenne sont très inégales, par exemple, en ce qui concerne la possibilité de partir en vacances. En 2008, 37 % des habitants de l'Union européenne déclarent être dans l'incapacité de s'offrir une semaine de vacances *(figure 2)*. Ils sont largement minoritaires dans les pays scandinaves, aux Pays-Bas et au Luxembourg : entre 10 et 20 % des habitants. Ils sont plus nombreux dans les pays d'Europe de l'Ouest : entre 20 et 40 % des habitants. En revanche, ils sont nettement majoritaires en Pologne, au Portugal, à Malte et en Hongrie : entre 60 et 70 % des habitants. En Roumanie, ce sont même 75 % des habitants qui déclarent ne pas pouvoir se payer une semaine de vacances dans l'année. ∎

Définitions

Dépenses de logement : elles incluent ici l'ensemble des dépenses relatives au logement (loyers, chauffage, eau, électricité, gaz, entretien courant de l'habitation, meubles, articles de ménage, etc.) y compris les loyers dits « fictifs », c'est-à-dire les montants que les ménages propriétaires auraient à verser s'ils devaient louer leur habitation.

Pour en savoir plus

- Tableaux en ligne sur le site http://epp.eurostat.ec.europa.eu/
- « L'Europe en chiffres - L'annuaire d'Eurostat 2010 », *Livres statistiques*, Eurostat, septembre 2010.
- « The social situation in the European Union 2009 », *Livres statistiques*, Eurostat, juillet 2010.
- « Combating poverty and social exclusion », *Livres statistiques*, Eurostat, janvier 2010.
- « Living conditions in Europe », Eurostat, décembre 2008.

1. Répartition de la dépense de consommation des ménages dans l'Union européenne en 2008, en valeur

en %

	Logement[1]	Transports	Alimentation et boissons non alcoolisées	Culture, loisirs, communications	Hôtels, cafés et restaurants	Autres
Allemagne	31,1	13,8	11,4	12,2	5,7	25,8
Autriche[2]	27,7	12,8	10,5	14,2	11,3	23,5
Belgique	29,6	12,0	12,8	12,0	5,8	27,8
Bulgarie[2]	24,0	18,0	21,8	11,5	8,9	15,8
Chypre	18,0	15,6	16,2	9,7	11,1	29,4
Danemark	32,9	12,8	11,2	13,1	6,1	23,9
Espagne	22,7	11,5	14,0	11,3	17,7	22,8
Estonie	24,9	15,5	19,0	10,4	6,0	24,2
Finlande	30,3	11,7	12,4	14,3	6,6	24,7
France	**31,3**	**14,7**	**13,6**	**11,8**	**6,2**	**22,4**
Grèce	21,7	10,4	16,5	8,7	13,2	29,5
Hongrie	24,8	15,5	17,5	11,3	5,1	25,8
Irlande	28,4	12,3	9,6	10,2	13,1	26,4
Italie	28,7	12,9	14,7	9,4	10,0	24,3
Lettonie[2]	26,1	12,5	18,1	12,1	4,7	26,5
Lituanie	18,2	18,7	22,9	10,6	3,7	25,9
Luxembourg	29,6	19,2	8,5	9,8	7,0	25,9
Malte	20,0	12,9	17,9	16,5	13,4	19,3
Pays-Bas	29,0	12,3	11,3	14,9	5,2	27,3
Pologne	28,1	9,3	20,1	10,8	2,8	28,9
Portugal[2]	20,8	14,1	16,2	9,5	10,5	28,9
République tchèque	26,9	11,5	16,3	14,2	6,8	24,3
Roumanie[2]	28,0	16,1	27,9	7,0	5,1	15,9
Royaume-Uni	26,6	15,1	9,1	13,4	10,5	25,3
Slovaquie	31,1	7,6	17,7	13,2	6,6	23,8
Slovénie	24,2	16,2	14,4	12,8	7,2	25,2
Suède	31,8	13,1	12,3	14,7	5,5	22,6
Union européenne	**28,2**	**13,4**	**12,9**	**11,9**	**8,6**	**25,0**

1. Voir *Définitions*.
2. Autriche, Lettonie, Roumanie : données de 2007 ; Portugal, données de 2006 ; Bulgarie, données de 2005.
Source : Eurostat, comptes nationaux (extraction des données en août 2010).

2. Personnes n'ayant pas eu les moyens de se payer une semaine de vacances en 2008

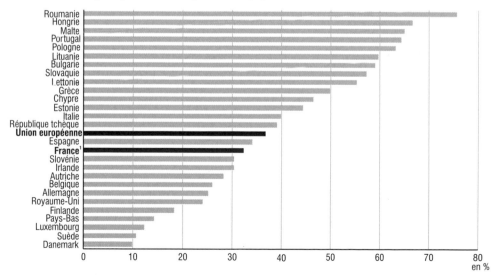

1. France métropolitaine.
Note : part des personnes qui vivent dans un ménage dont la personne de référence a déclaré que son ménage est dans l'incapacité de se payer une semaine de vacances annuelles loin du domicile.
Source : Eurostat, EU-SILC (extraction des données en août 2010).

Annexes

Indicateurs d'inégalités sociales

Le rapport « Niveaux de vie et inégalités sociales »[1] a été présenté le 18 décembre 2006 à l'Assemblée plénière du Conseil national de l'information statistique (Cnis). Il rassemble les réflexions d'un groupe de travail créé sur proposition de cette dernière. Présidé par Jacques Freyssinet, le groupe avait pour mission de réfléchir à la mise en place d'un système cohérent d'informations annuelles sur les inégalités sociales, les revenus et la pauvreté, facilement accessible au grand public comme aux initiés.

Parmi les propositions faites par le groupe pour répondre à cette commande figurent deux listes d'indicateurs repérés comme centraux pour l'étude des inégalités : une liste comprenant une cinquantaine d'indicateurs dits « de base », puis une liste restreinte à une dizaine, dits « indicateurs privilégiés ». Ces indicateurs complètent ceux retenus par l'Observatoire national de la pauvreté et de l'exclusion sociale (Onpes) dans son rapport annuel. Certains figurent par ailleurs dans la liste d'indicateurs statistiques sur la pauvreté et l'exclusion sociale approuvée par le Conseil européen de Laeken en 2001.

Le souhait du groupe de travail était de parvenir à la mise en place d'une « publication annuelle sur support papier, présentant les indicateurs retenus, y compris les principales désagrégations pertinentes, mis en séries chronologiques. Les commentaires associés étant à finalité essentiellement de guide méthodologique simplifié ».

« France, portrait social », dont l'objet est plus largement de rappeler les principales évolutions constatées au cours de l'année écoulée ou de la période récente dans le domaine social, ne peut répondre à la totalité de cette demande. Nous avons néanmoins souhaité aller dans son sens en intégrant ce chapitre rassemblant les données relatives aux principaux indicateurs d'inégalités mis en exergue par le rapport « Niveaux de vie et inégalités sociales ». Tous n'y figurent pas, les données étant parfois indisponibles ; les auteurs du rapport ont en effet parfois anticipé sur la production effective d'une source statistique, voire proposé des indicateurs dont le calcul suppose la mise en place d'une nouvelle source *(encadré)*. Dans certains cas, nous avons suggéré des indicateurs alternatifs, ils sont portés en bleu dans les tableaux. Par ailleurs, pour plusieurs indicateurs, le rapport du Cnis préconise de réaliser des désagrégations supplémentaires (par exemple calculer le taux de sous-emploi par catégorie socioprofessionnelle). Ces désagrégations n'ont pas été produites ici mais sont pour la plupart disponibles sur le site de l'Insee.

Les tableaux qui suivent présentent donc les estimations des indicateurs de base actuellement calculables pour les années 2003[2] à 2008, voire 2009. En effet, pour un certain nombre d'indicateurs, notamment ceux relatifs à l'emploi, les valeurs pour 2009 sont disponibles et donc également produites. En revanche, pour d'autres indicateurs, toutes les années ne sont pas renseignées, la collecte de l'information pouvant ne pas être annuelle. Les dix indicateurs « privilégiés » par le groupe de travail figurent en caractères gras dans les différents tableaux thématiques.

---

1. Ce rapport est téléchargeable sur le site du Cnis : http://www.cnis.fr/doc/rapports/RAP_0070.htm
2. Pour certains indicateurs, une donnée antérieure à 2003 a été fournie.

Parmi la liste des indicateurs de base du système d'information sur les inégalités sociales, quelques-uns n'ont pas pu être calculés et d'autres ont dû être modifiés à la marge.

Indicateurs non calculables avec les sources actuellement disponibles

Récurrence du chômage : nombre de mois de chômage sur les 5 dernières années. Cet indicateur pourrait être calculé à partir du fichier historique de Pôle emploi, sous réserve de travaux méthodologiques préalables.

Exposition aux principaux risques professionnels : le groupe de travail n'ayant pu faute de temps approfondir le thème des indicateurs de qualité de l'emploi, les indicateurs afférents n'ont pas été définis dans le rapport. Le groupe souhaitait alors que le thème soit repris et approfondi au niveau de la formation compétente du Cnis.

Espérance de vie à 60 ans par catégorie sociale et mortalité prématurée : pour calculer des ratios par catégorie socioprofessionnelle, l'Insee se base généralement sur l'échantillon démographique permanent (EDP). Les dernières données produites portent sur la période 1991-1999 et sur l'espérance de vie à 35 ans. Elles montrent que le rapport d'espérance de vie à 35 ans entre cadres et ouvriers est de 1,18 pour les hommes et 1,06 pour les femmes. En l'attente de travaux complémentaires (par exemple l'utilisation des données de l'état civil), les espérances de vie à 60 ans et les taux de mortalité prématurée ont été ici calculés de façon brute, et non par catégorie sociale.

Indicateurs modifiés

Niveaux de sortie du système éducatif : l'indicateur proposé à l'origine n'inclut que le niveau 0 de la classification internationale type des enseignements (CITE), c'est-à-dire les personnes n'ayant jamais fait d'études. Pour des raisons d'effectifs liés à la source utilisée, le niveau d'éducation a été étendu aux niveaux 1 et 2 de la CITE (personnes ayant un niveau inférieur ou égal au brevet des collèges) et les premier et dernier déciles de niveau de vie ont été étendus respectivement aux trois premiers et aux trois derniers déciles.

Formation continue : l'indicateur proposé est le « nombre de jours moyen de formation continue ». Ce nombre moyen a été estimé à partir des données disponibles dans l'enquête Emploi. Néanmoins, l'indicateur ainsi construit reste expérimental et doit être considéré comme tel, c'est-à-dire avec prudence. De ce fait, un indicateur alternatif, *a priori* plus solide, sur la proportion d'individus ayant eu accès à la formation continue, est également proposé.

Consommation : le rapport du Cnis ne prévoit pas d'indicateur précis sur ce thème, mais conseille l'utilisation des enquêtes Budget des familles. Trois indicateurs ont été produits, correspondant à des rapports de coefficients budgétaires entre ménages de cadres et ménages d'ouvriers. Les trois postes de consommation choisis ont connu des évolutions récentes différentes : diminution des écarts sociaux (alimentation), creusement des écarts (logement : coefficient budgétaire plus important chez les ménages les plus modestes ; culture et loisirs : coefficient budgétaire plus faibles chez les ménages les plus modestes). Pour les évolutions des structures de consommation selon les catégories sociales, on peut se reporter au chapitre « Consommation et conditions de vie » de l'édition 2007 de « France, portrait social ».

Liste des indicateurs de base du système d'information

Revenus

Variable retenue	Indicateur de base	2003	2004	2005	2006	2007	2008
Niveau de vie	Masse détenue par les 20 % les plus riches (en %)	37,6	37,6	37,9	38,4	38,2	38,3
Niveau de vie	Masse détenue par les 50 % les plus riches (en %)	68,8	68,8	69,0	69,3	69,3	69,1
Niveau de vie	Masse détenue par les 80 % les plus riches (en %)	90,7	90,7	90,9	91,0	91,0	91,0
Niveau de vie	Rapport interdécile D9/D1[1]	3,35	3,30	3,35	3,41	3,39	3,38
Niveau de vie	**Rapport moyenne du dernier décile / moyenne du premier décile[2]**	**6,07**	**6,10**	**6,53**	**6,64**	**6,60**	**6,67**
Niveau de vie	Rapport médiane famille monoparentale / médiane couple sans enfant	0,68	0,69	0,66	0,65	0,65	0,65
Niveau de vie	Rapport médiane région la plus riche / médiane région la plus pauvre[3]	-	1,46	1,45	1,34	1,34	1,32
Niveau de vie	Rapport médiane cadres / médiane ouvriers non qualifiés	2,00	2,01	1,95	1,98	1,95	1,91
Niveau de vie avant redistribution[4]	Rapport interdécile D9/D1[1]	5,04	4,96	5,03	5,04	5,04	5,05
Niveau de vie	Rapport médiane ménages retraités / médiane ménages d'actifs[5]	0,91	0,93	0,91	0,94	0,92	0,92
Niveau de vie	**Taux de persistance de la pauvreté monétaire[6] (en %)**				**7,9**		

1. D1 désigne la limite du décile inférieur du niveau de vie, D9 celle du décile supérieur. Le niveau de vie des 10 % les plus modestes de la population est inférieur ou égal à D1, le niveau de vie des 10 % les plus aisés est supérieur à D9.
2. Rapport entre le niveau de vie moyen des 10 % des personnes les plus aisées et le niveau de vie moyen des 10 % des personnes les plus modestes.
3. Pour le calcul de cet indicateur, afin d'avoir des effectifs suffisants, trois années des enquêtes Revenus fiscaux ont été empilées. Cette enquête ayant été refondue en 2002, l'indicateur n'est disponible qu'à partir de 2004.
4. Le niveau de vie avant redistribution est le niveau de vie composé uniquement des revenus d'activité, des revenus du patrimoine (revenus fonciers et revenus de valeurs et de capitaux mobiliers, tels qu'ils apparaissent dans la déclaration fiscale) et des transferts en provenance d'autres ménages, sans prendre en compte les prestations sociales et les prélèvements directs.
5. Les ménages de retraités sont les ménages où la personne de référence est retraitée, les ménages d'actifs sont les ménages où la personne de référence est active.
6. La persistance de la pauvreté est ici définie comme le fait d'être pauvre au moins 3 années sur 4. Une personne est pauvre une année donnée si son niveau de vie est inférieur au seuil de pauvreté de l'année en question. Le seuil de pauvreté est ici égal à 60 % du niveau de vie médian de l'ensemble des personnes. À partir de 2007, les revenus sont collectés par voie administrative et non plus comme auparavant par voie d'enquête. Le changement de mode de collecte conduit donc à une rupture de série qui ne permet pas de comparer les revenus dans le temps pour un même individu. En conséquence, le taux de persistance de la pauvreté ne pourra être calculé que lorsqu'on disposera de quatre années de la nouvelle série d'enquêtes.
Champ : France métropolitaine, personnes dont le revenu déclaré au fisc est positif ou nul et dont la personne de référence n'est pas étudiante ; sauf dernier indicateur : France métropolitaine, personnes présentes en 2003-2004-2005-2006.
Note : le niveau de vie est défini dans la *fiche 4.4* (« Niveau de vie et pauvreté ») de cet ouvrage.
Sources : Insee ; DGI, enquêtes Revenus fiscaux et sociaux rétropolées 2003 et 2004 - Insee ; DGFiP ; Cnaf ; Cnav ; CCMSA, enquêtes Revenus fiscaux et sociaux 2005 à 2008 ; sauf dernier indicateur : Insee, dispositif SRCV-SILC.

Patrimoine

Variable retenue	Indicateur de base	1997	2003
Patrimoine détenu	Masse détenue par les 10 % les plus riches (en %)	46,0	46,0
Patrimoine détenu	Masse détenue par les 50 % les plus riches (en %)	92,0	93,0
Patrimoine détenu	**Rapport patrimoine moyen du dernier décile / patrimoine moyen du premier décile[1]**	**1 631,6**	**2 134,5**

1. Le premier décile regroupe les 10 % de ménages détenant le patrimoine le plus faible, le dernier décile les 10 % de ménages détenant le patrimoine le plus élevé. Compte tenu de la forte concentration du patrimoine, cet indicateur est très volatil.
Champ : France métropolitaine.
Note : le patrimoine détenu comprend les biens immobiliers, les actifs financiers ainsi que le patrimoine professionnel pour les travailleurs indépendants.
Sources : Insee, enquêtes Patrimoine 1998 et 2004.

Salaires

Variable retenue	Indicateur de base	2002	2003	2004	2005	2006	2007	2008
Salaire annuel[1]	**25-55 ans : rapport interdécile D9/D1**	**7,88**	**9,64**	**9,08**	**8,80**	**7,78**	**7,07**	**7,08**
Salaire annuel[1]	**25-55 ans : rapport médiane hommes / médiane femmes**	**1,24**	**1,23**	**1,23**	**1,22**	**1,22**	**1,22**	**1,22**
Salaire annuel[1]	25-55 ans : rapport médiane cadres / médiane ouvriers non qualifiés	3,10	3,35	3,23	3,23	3,09	3,03	3,05
Salaire annuel[1] + allocations chômage	Rapport interdécile D9/D1 [2]	7,36	7,14	7,42	7,43	7,45	7,07	6,89

1. Il s'agit ici du revenu salarial, c'est-à-dire de l'ensemble des salaires nets perçus par chaque individu au cours de l'année. Pour une définition plus complète du revenu salarial, se reporter au chapitre « Salaires et niveaux de vie » de la vue d'ensemble de cet ouvrage.
2. D1 désigne la limite du décile inférieur de revenu salarial des salariés, D9 celle du décile supérieur. Le revenu salarial des 10 % des salariés les plus modestes (en termes de revenu salarial) est inférieur ou égal à D1, le revenu salarial des 10 % les plus aisés est supérieur à D9. L'estimation du D1 étant moins robuste, l'évolution D9/D1 doit être prise avec précaution. Par ailleurs, en 2003, 2004 et 2005, le premier décile a eu tendance à être sous-estimé.
Champ : France, salariés de 25 à 55 ans (1er et 2e indicateurs) ; France, salariés de 25 à 55 ans du secteur privé et semi-public (3e indicateur) ; France métropolitaine, personnes vivant dans un ménage dont le revenu déclaré au fisc est positif ou nul et dont la personne de référence n'est pas étudiante (4e indicateur).
Sources : Insee, DADS et fichiers de paie des agents de l'État (1er et 2e indicateur) ; Insee, DADS (3e indicateur) ; Insee ; DGI, enquêtes Revenus fiscaux et sociaux rétropolées 2002 à 2005, Insee ; DGFiP ; Cnaf ; Cnav ; CCMSA, enquêtes Revenus fiscaux et sociaux 2005 à 2008 (4e indicateur).

Emploi

Variable retenue	Indicateur de base	2004	2005	2006	2007	2008	2009
Transition emploi vers chômage entre T-1 et T[1]	Probabilité de passer au chômage en étant en emploi un an avant : rapport ouvriers non qualifiés / cadres	4,6	4,3	4,7	3,6	4,8	5,6
Transition chômage vers chômage entre T-1 et T[1]	**Probabilité d'être au chômage en étant au chômage un an avant : rapport ouvriers non qualifiés / cadres**	**1,2**	**1**	**1,1**	**1,4**	**1,4**	**1,3**
Transition chômage vers emploi entre T-1 et T[1]	Probabilité de passer en emploi en étant au chômage un an avant : rapport ouvriers non qualifiés / cadres	0,9	1,1	0,8	0,8	0,7	0,7
Taux de chômage	**Rapport ouvriers non qualifiés / cadres**	**3,8**	**3,8**	**4,3**	**4,9**	**5,1**	**5,5**
Taux de chômage	Part des chômeurs de longue durée (en %)	40,9	41,5	42,3	40,4	37,9	35,4
Récurrence du chômage	Nombre de mois de chômage sur les cinq dernières années	Voir *encadré*					
Sous-emploi[2]	Taux de sous-emploi parmi l'emploi total (en %)	5,2	5,2	5,3	5,6	4,8	5,5
Conditions de travail : exposition aux risques professionnels		Voir *encadré*					

1. Les trois premiers indicateurs ont été calculés en utilisant les enquêtes Emploi en panel, avec une pondération longitudinale spécifique. Pour le rapport ouvriers non qualifiés/cadres, la catégorie socioprofessionnelle est celle de l'emploi occupé l'année n-1 pour les personnes en emploi l'année n-1, et celle du dernier emploi occupé pour les chômeurs l'année n-1. Dans le cas des transitions chômage vers chômage, certaines personnes n'ayant jamais travaillé n'ont pas de catégorie socioprofessionnelle. Par ailleurs les probabilités de transition des agriculteurs ou des indépendants ne figurent pas dans ce tableau.
2. Définition du sous-emploi : voir *fiche 3.3*. À partir de 2008, la formulation de la question sur le souhait de travailler plus d'heures utilisée pour le calcul du sous-emploi, ainsi que la définition du sous-emploi, ont été modifiées pour se rapprocher du concept BIT. D'une part, le souhait d'effectuer un plus grand nombre d'heures est désormais exprimé, comme pour la mesure du chômage BIT, pour une semaine donnée et non plus à un horizon indéterminé. D'autre part, ne sont plus comptées dans le sous-emploi les personnes à temps partiel souhaitant travailler plus d'heures, recherchant un emploi, mais n'étant pas disponibles. Cette modification rend délicate la comparaison avec les années précédentes.
Champ : France métropolitaine, population des ménages, personnes de 15 ans ou plus (âge au 31 décembre).
Note : indicateurs en moyenne annuelle sur les quatre trimestres de chaque année.
Sources : Insee, enquête Emploi.

Éducation

Variable retenue	Indicateur de base	2003	2004	2005	2006	2007	2008	2009
Compétences de base	Note moyenne en français aux évaluations d'entrée en sixième : rapport cadres / ouvriers	-	1,28	1,27	1,30	1,30	1,26	-
Compétences de base	Note moyenne en mathématiques aux évaluations d'entrée en sixième : rapport cadres / ouvriers	-	1,32	1,28	1,25	1,26	1,27	-
Niveaux de sortie	25-35 ans : rapport effectifs en CITE 4-6 / effectifs en CITE 0-1[1]	9,1	9,6	9,2	10,4	10,6	11,6	-
Niveaux de sortie	**25-35 ans, CITE 0-2[1] : rapport effectifs dans les trois premiers déciles de niveau de vie / effectifs dans les trois derniers déciles de niveau de vie**	**4,6**	**4,9**	**5,1**	**5,5**	**5,4**	**5,0**	**-**
Formation continue	Nombre de jours moyens de formation continue[2] : rapport 25-29 ans / 55-59 ans	7,0	7,5	7,0	6,0	4,2	3,9	5,0
Formation continue	Nombre de jours moyens de formation continue[2] : rapport cadres / ouvriers	1,6	1,7	1,3	1,4	1,3	1,3	1,5
Formation continue	Part des personnes ayant suivi au moins une formation depuis 3 mois : rapport 25-29 ans / 55-59 ans	3,0	3,2	3,0	2,8	2,3	2,2	2,1
Formation continue	Part des personnes ayant suivi au moins une formation depuis 3 mois : rapport cadres / ouvriers	3,0	2,8	2,6	2,8	2,8	2,6	2,4

1. La Cite est la classification internationale type des enseignements de l'Unesco. Les niveaux 0-1 correspondent à un niveau d'éducation inférieur ou égal au primaire ; les niveaux 0-2 à un niveau inférieur ou égal au brevet des collèges ; les niveaux 4-6 à un niveau d'éducation strictement supérieur au baccalauréat.
2. Le nombre moyen de jours de formation est estimé en multipliant le taux d'accès à la formation sur un mois par la durée de la dernière formation (divisée par le nombre de mois sur lesquels elle s'étend s'il est supérieur à un), voir *encadré*.
Champ : France métropolitaine, élèves entrés en sixième (compétences de base) ; France métropolitaine, personnes âgés de 25 à 35 ans vivant dans un ménage dont le revenu déclaré au fisc est positif ou nul et dont la personne de référence n'est pas étudiante (niveaux de sortie) ; France métropolitaine, population des ménages, personnes âgées de 15 ans ou plus ayant terminé leurs études initiales depuis au moins un mois (formation continue).
Sources : Depp (compétences de base) - Insee ; DGI, enquêtes Revenus fiscaux et sociaux rétropolées 2003 à 2005 - Insee ; DGFiP ; Cnaf ; Cnav ; CCMSA, enquêtes Revenus fiscaux et sociaux 2005 à 2008 (niveaux de sortie) - Insee, enquêtes Emploi (formation continue).

Logement

Variable retenue	Indicateur de base	2002	2003	2004	2005	2006	2007	2008
Taux d'effort[1] net des aides	Parc privé : rapport premier décile de niveau de vie / dernier décile de niveau de vie	2,54	-	-	-	2,56	-	-
Taux d'effort[1] net des aides	Parc social : rapport premier décile de niveau de vie / dernier décile de niveau de vie	1,5	-	-	-	1,7	-	-
Surpeuplement[2]	**Part du surpeuplement : rapport premier décile de niveau de vie / dernier décile de niveau de vie**	**9,5**	**-**	**-**	**-**	**11,8**	**-**	**-**
Confort du logement	Part des ménages sans aucune difficulté[3] de confort de logement (en %)	-	-	41,7	45,2	44,6	47,0	46,8
Sans domicile	Nombre de sans abri[4]	-	-	-	-	-	13 900	-

1. Le taux d'effort rapporte la somme des montants de loyer et de charges locatives, payés par l'ensemble des locataires à la somme des revenus perçus par ces ménages.
2. Le caractère surpeuplé d'un logement est déterminé en fonction de critères dépendant du nombre de pièces et de la surface. Le nombre de pièces nécessaire au ménage est décompté de la manière suivante : une pièce de séjour pour le ménage, une pièce pour chaque couple, une pièce pour les célibataires de 19 ans et plus, et pour les célibataires de moins de 19 ans : une pièce pour deux enfants s'ils sont de même sexe ou s'ils ont moins de sept ans ; sinon, une pièce par enfant. La superficie nécessaire au ménage est de 25 m² pour une personne seule vivant dans un logement d'une pièce et de 18 m² par personne pour les autres ménages.
3. Difficultés de logement parmi les neuf suivantes : surpeuplement, pas de salle de bains, pas de toilettes, pas d'eau chaude, pas de chauffage, logement trop petit, difficulté à chauffer, logement humide, logement bruyant.
4. Les personnes sans abri, qui dorment dehors ou dans un lieu non prévu pour l'habitation, constituent une partie de la population des personnes sans domicile dont l'Insee a estimé l'effectif à environ 86 000 en 2001.
Champ : France métropolitaine.
Sources : Insee, enquêtes Logement (taux d'effort, surpeuplement) ; dispositif SRCV (confort) ; recensement de la population (sans abris).

Santé

Variable retenue	Indicateur de base	2002	2003	2004	2005	2006	2007	2008	2009
Espérance de vie à 60 ans	**Rapport : catégorie socioprofessionnelle la plus élevée / catégorie socioprofessionnelle la plus faible**			*voir encadré*					
Espérance de vie à 60 ans	Hommes (en années)	20,8	20,8	21,5	21,4	21,8	21,9	22,0	22,2
Espérance de vie à 60 ans	Femmes (en années)	25,8	25,6	26,5	26,4	26,7	26,9	26,9	27,0
Mortalité prématurée	Rapport : catégorie socioprofessionnelle la plus élevée / catégorie socioprofessionnelle la plus faible			*voir encadré*					
Mortalité prématurée[1]	Hommes (pour 100 000 individus)	299	299	283	286	285	283	282	-
Mortalité prématurée[1]	Femmes (pour 100 000 individus)	134	134	131	130	132	131	133	

1. Il s'agit des taux bruts de mortalité, c'est-à-dire du nombre de décès au cours de l'année d'individus âgés de moins de 65 ans, sur la population totale des moins de 65 ans.
Champ : France.
Sources : Insee, estimations de population et statistiques de l'état civil (résultats provisoires arrêtés fin 2009).

Autres

Variable retenue	Indicateur de base	2001	2002	2003	2004	2005	2006	2007	2008
Consommation					*voir encadré*				
Consommation	Coefficient budgétaire (alimentation[1]) : rapport cadres / ouvriers[2]	0,73	-	-	-	-	0,78	-	-
Consommation	Coefficient budgétaire (logement[3]) : rapport cadres / ouvriers[2]	0,88	-	-	-	-	0,66	-	-
Consommation	Coefficient budgétaire (culture et loisirs) : rapport cadres / ouvriers[2]	1,27	-	-	-	-	1,42	-	-
Culture	Part de la population ayant lu un livre au cours des 12 derniers mois : rapport cadres / ouvriers	-	2,39	2,3	2,31	2,49	-	-	-
Participation à la vie politique	Nombre de sénateurs : rapport hommes / femmes	8,7	-	-	4,9	-	-	-	3,6
Justice	Part des condamnés pour une peine de 5 ans ou plus : rapport nationalité étrangère / nationalité française	-	0,85	1,00	1,07	1,16	1,22	1,27	1,42
Handicap[4]	Fréquence des handicaps (au moins un handicap) : rapport ouvriers / cadres	-	1,6	-	-	-	-	-	2,6

1. Produits alimentaires et boissons non alcoolisées.
2. Catégorie socioprofessionnelle de la personne de référence du ménage.
3. Logement, eau, gaz, électricité et autre combustible.
4. Les deux millésimes de l'indicateur concernant le handicap sont issus d'enquêtes différentes (HID et « Handicap-Santé » volet ménages). Ils ne sont donc pas directement comparables. 1999 : personnes déclarant au moins une déficience (motrice, sensorielle, organique, mentale), indices calculés à âge et sexe comparables ; 2008 : personnes déclarant au moins un « handicap », le handicap étant défini comme la conjonction d'une déficience et d'une limitation fonctionnelle, cela peut être un handicap moteur, sensoriel, locuteur ou cognitif (comportemental ou mental).
Champ : France métropolitaine, population des ménages (consommation) ; France métropolitaine, population des ménages, personnes âgés de 15 ans ou plus (culture) ; France métropolitaine (vie politique) ; France, condamnés à une peine privative (justice) ; France métropolitaine (handicap 1999), France métropolitaine, personnes de 15 à 64 ans, vivant en ménages ordinaires, hors écoliers, étudiants, personnes n'ayant jamais travaillé (handicap 2008).
Sources : Insee, enquêtes Budget des familles 2001 et 2006 (consommation) ; enquêtes permanentes sur les conditions de vie, de 1999 à 2005 (culture) ; ministère de l'intérieur (vie politique) ; ministère de la Justice, SDED (justice) ; Insee, enquête HID 1999/enquête Handicap-Santé 2008, volet ménages (handicap).

France, portrait social - édition 2010

Chronologie

Année 2009

Janvier

1er Entrée en vigueur des populations légales millésimées 2006 : ce sont les premières populations légales produites avec le recensement en continu. Elles ont été calculées par l'Insee conformément aux concepts définis dans le décret 2003-485 du 5 juin 2003, leur date de référence est le 1er janvier 2006. À cette date, la population de la France (métropole et Dom) s'élève à 64 628 151 habitants.

5 Suppression effective de la publicité entre 20 heures et 6 heures sur les chaînes publiques de télévision.

Ouverture effective du pôle Emploi, fusion de l'Anpe et des Assedic.

12 Remaniement ministériel les 12 et 15 janvier.

20 Début de la grève générale en Guadeloupe à l'appel du collectif contre l'exploitation outrancière (Lyannaj' kont' pwofitasyon - LKP). Le mouvement s'étend à la Martinique le 5 février 2009. Les principales revendications sont la baisse des prix des produits de base et la revalorisation des bas salaires. Le 5 mars 2009, un protocole d'accord met fin à la grève avec un certain nombre de mesures parmi lesquelles : des baisses de prix, l'octroi d'un revenu temporaire d'activité aux salariés touchant moins de 1,4 Smic, l'instauration de primes pour les foyers les plus modestes. Le 10 avril 2009 est annexé un accord garantissant une hausse de 200 euros sur les bas salaires.

29 L'avenant à l'accord national interprofessionnel sur l'indemnisation du chômage partiel signé le 15 décembre 2008 est agréé par arrêté. Il porte le taux d'indemnisation à 60 % du salaire horaire brut (contre 50 %). L'indemnité horaire minimale de chômage partiel passe, à compter du 1er janvier 2009, à 6,84 euros (contre 4,42 euros). Parallèlement, un décret augmente l'allocation spécifique de chômage partiel ; le taux horaire de l'allocation d'aide publique est ainsi porté à 3,84 euros pour les entreprises de moins de 250 salariés et à 3,33 euros pour les autres.

Février

4 Première loi de finances rectificative pour 2009. Le texte ouvre des crédits nécessaires au titre du plan de relance de l'économie.

9 Loi de programmation des finances publiques pour les années 2009 à 2012 visant à définir les orientations pluriannuelles des finances publiques.

17 Par décret, le montant du revenu minimum d'insertion (RMI), applicable depuis le 1er janvier 2009, est fixé à 454,63 euros par mois pour une personne seule.

19 Dans un arrêt, la cour de cassation juge que le bénéfice d'une majoration de carrière pour avoir élevé un ou plusieurs enfants est incompatible avec la Convention européenne de sauvegarde des droits de l'homme et des libertés fondamentales.

Mars

5   Le comité pour la réforme des collectivités locales, présidé par Édouard Balladur, remet son rapport au Président de la République. Il propose notamment : l'achèvement de la carte de l'intercommunalité, la création de 11 métropoles, le regroupement de régions ou de départements et la création de la collectivité territoriale du « Grand Paris ».

Loi organique relative à la nomination des présidents des sociétés France Télévisions, Radio France et de la société en charge de l'audiovisuel extérieur de la France.

Loi relative à la communication audiovisuelle et au nouveau service public de la télévision. La principale réforme opérée par cette loi concerne la suppression de la publicité sur les chaînes publiques de télévision entre 20 heures et 6 heures du matin (suppression effective depuis le 5 janvier 2009).

Installation du Haut Conseil du dialogue social devant notamment donner en 2013 un avis sur la liste des organisations syndicales reconnues représentatives au niveau national.

25   Loi de mobilisation pour le logement et la lutte contre l'exclusion ; elle prévoit notamment l'augmentation des constructions HLM, le renforcement de la politique du 1 % logement et l'amélioration de l'accession sociale à la propriété.

27   Instauration par décret d'une prime de 500 euros pour certains salariés qui ont perdu leur emploi entre le 1er avril 2009 et le 31 mars 2010 et qui n'ont pas accès à l'indemnisation par le régime d'assurance chômage.

29   Référendum pour la départementalisation de Mayotte. Le « oui » l'emporte largement (95,3 % des voix). Mayotte devrait devenir, en 2011, le 101e département français et le 5e département d'outre-mer.

Avril

1er   L'allocation aux adultes handicapés (AAH) est portée de 652,60 euros à 666,96 euros par mois. Cette hausse de 2,2 % s'inscrit dans le cadre du plan de revalorisation de l'AAH de 25 % pour la période 2008-2012. L'AAH sera de nouveau revalorisée de 2,2 % au 1er septembre 2009.

8   Le contrôleur général des lieux de privation de liberté remet son premier rapport annuel. La situation actuelle des lieux de privation de liberté (garde à vue, locaux et centres de rétention, établissements pénitentiaires, établissements de santé mentale) y est analysée. En outre, ce rapport présente une analyse des registres de garde à vue et une analyse du respect du droit à l'intimité des personnes dans les lieux de privation de liberté.

15   Dans une délibération, la Halde recommande au gouvernement de supprimer les conditions de nationalité pour l'accès aux trois fonctions publiques et aux emplois des entreprises publiques et privées, à l'exception de ceux relevant de la souveraineté nationale et de l'exercice de prérogatives de puissance publique. Elle suggère également de recenser l'ensemble des emplois fermés afin d'examiner au cas par cas les justifications apportées pour le maintien des conditions de nationalité.

20   Seconde loi de finances rectificative pour 2009. Parmi les mesures de cette loi, on peut citer :
– un crédit d'impôt pour les ménages les plus modestes pour les revenus de 2008 ;
– extension du statut de l'auto entrepreneur aux bénéficiaires de l'Accre (aide aux demandeurs d'emploi créant ou reprenant une entreprise) ;

– versement d'une prime de 150 euros aux familles qui ont bénéficié en 2008 de l'allocation de rentrée scolaire ;
– encadrement des conditions de rémunération des dirigeants d'entreprises aidées par l'État ou bénéficiant du soutien de l'État.

24 Présentation du plan d'urgence pour l'emploi des jeunes par le Président de la République. Ce plan annonce qu'une enveloppe de 1,3 milliard d'euros sera mobilisée d'ici juin 2010 dans le cadre du plan de relance afin d'aider 500 000 jeunes. Il prévoit notamment le versement de primes aux employeurs embauchant des jeunes en contrat de professionnalisation et l'extension du dispositif zéro charge au profit des entreprises engageant des apprentis. Par ailleurs, les stages devraient ouvrir droit à gratification à compter de deux mois et non plus de trois mois.

26 Apparition au Mexique d'un nouveau type de grippe H1N1 dénommée grippe A. Des cas de malades sont recensés dans de nombreux pays, dont la France. Le 30 avril 2009, l'Organisation mondiale de la santé (OMS) déclare la pandémie imminente et porte l'alerte au niveau 5 sur une échelle de 6. Le 11 juin 2009, l'OMS déclare la pandémie mondiale en déclenchant le niveau 6 d'alerte. Le gouvernement français maintient cependant au niveau 5 son plan national.

Mai

7 Remise au Président de la République par le commissaire à la diversité et à l'égalité des chances d'un rapport préconisant 76 mesures concernant l'accès des jeunes à l'emploi, la promotion de la diversité et la politique de la ville.

13 Remise au Président de la République du rapport annuel de la Haute autorité de lutte contre les discriminations et pour l'égalité (Halde) pour l'année 2008. Environ 7 800 réclamations ont été enregistrées par la Halde en 2008, soit 25 % de plus qu'en 2007. L'origine est le critère le plus souvent invoqué (29 % des réclamations), devant l'état de santé et le handicap (21 %). La moitié des réclamations sont liées à l'emploi.

Remise du rapport de Jean-Philippe Cotis, directeur général de l'Insee, sur le partage de la valeur ajoutée, le partage des profits et les écarts de rémunération. Les principales conclusions sont que la part des salaires dans la valeur ajoutée est relativement stable sur longue période mais qu'elle varie fortement selon les entreprises. Le rapport indique que les salaires nets progressent peu depuis vingt ans mais que les très hauts salaires connaissent une forte accélération dans la dernière décennie. Le rapport souligne cependant que les inégalités salariales sont plus fortes dans beaucoup d'autres pays. Concernant la répartition du profit, le rapport estime que 57 % va à l'investissement, 7 % aux salariés - en sus de leur salaire - et 36 % aux détenteurs du capital, avec des situations très hétérogènes selon les entreprises.

Juin

1er Entrée en vigueur en France métropolitaine du Revenu de solidarité active (rSa). Il remplace le revenu minimum d'insertion (RMI), l'allocation parent isolé (API) et certaines aides forfaitaires temporaires comme la prime de retour à l'emploi. Il est attribué aux personnes dont les ressources sont limitées. Les personnes qui ont un emploi perçoivent un complément de revenus et peuvent cumuler leur salaire et une partie du rSa.

2 Remise au Président de la République du rapport de Richard Descoings, directeur de l'Institut d'études politiques de Paris, sur la réforme des lycées qui préconise notamment de redéfinir le rôle du lycée, d'accompagner l'orientation des élèves, de rééquilibrer les voies et les séries, de rénover les enseignements et de réfléchir aux modes d'évaluation.

5 Installation du Haut Conseil de la famille qui a pour mission d'animer le débat public sur la politique familiale.

7 Élections européennes en France (le 6 juin dans certains départements et collectivités d'outre-mer). Ce scrutin est notamment marqué par une forte abstention (59 % contre 57 % au niveau européen).

12 Création de la Haute autorité pour la diffusion des œuvres et la protection des droits sur Internet (Hadopi), chargée du volet préventif et pédagogique de la lutte contre le piratage. Des courriels et des lettres recommandées d'avertissement pourront être adressés aux abonnés à internet lorsqu'un téléchargement illégal sera constaté. Plusieurs dispositifs d'encouragement de l'offre légale de contenus culturels sur Internet pourront également mis en place. Le projet de loi initial prévoyait que l'Hadopi puisse aussi couper l'accès à internet. Le 10 juin 2009, le conseil Constitutionnel a jugé ce dernier point inconstitutionnel estimant Inapproprié qu'une autorité administrative soit dotée de ce pouvoir. Selon le Conseil constitutionnel, la coupure de l'abonnement ne peut incomber qu'à un juge.

23 Remaniement ministériel : 14 ministres et secrétaires d'État changent d'attribution, 8 quittent le Gouvernement, tandis que 8 nouvelles personnalités y font leur entrée.

Juillet

1er Le taux de TVA sur la restauration est fixé à 5,5 % au lieu de 19,6 % précédemment. En contrepartie, les restaurateurs s'engagent à répercuter la baisse de la TVA sur au moins 7 produits sur une liste de 10 produits et à créer 40 000 emplois supplémentaires sur les deux prochaines années.

Le Smic horaire brut est relevé de 1,3 %, sans « coup de pouce » gouvernemental. Il passe de 8,71 euros à 8,82 euros.

21 Promulgation de la loi portant réforme de l'hôpital et relative aux patients, à la santé et aux territoires. L'un des objectifs principaux de cette loi est de réformer l'organisation territoriale de la santé via la création des Agences régionales de santé qui seront compétentes à la fois en matière sanitaire et médico-sociale.

28 Remise du rapport de la conférence d'experts sur la création d'une contribution climat énergie (CCE).

Août

3 Promulgation de la loi relative à la mobilité et aux parcours professionnels dans la fonction publique ; Celle-ci comporte notamment des dispositions visant à favoriser la mobilité des fonctionnaires ; des dispositions visant à assurer la continuité du service tout en permettant son adaptation (recours à l'intérim et à des agents contractuels, réorientation professionnelle des agents dont les services sont réorganisés) ; la possibilité de mise en disponibilité d'office d'un fonctionnaire dont le poste est supprimé et qui a refusé trois offres d'emploi public « correspondant à son grade et à son projet personnalisé d'évolution professionnelle, et tenant compte de sa situation de famille et de son lieu de travail habituel ».

5 Promulgation de la loi de programmation relative à la mise en œuvre du Grenelle de l'environnement. Ses mesures prévoient des incitations financières à entreprendre des travaux de rénovation thermique, de rénovation de logements HLM, de développement du transport non routier pour les marchandises, de développement de l'agriculture biologique, la création d'une contribution climat-énergie (dite « taxe carbone ») et la création d'un carnet de santé du salarié énumérant les expositions à des substances dangereuses qu'il a pu subir durant sa vie professionnelle.

10 Promulgation de la loi réaffirmant le principe du repos dominical et visant à adapter les dérogations à ce principe dans les communes et les zones touristiques et thermales ainsi que dans certaines grandes agglomérations pour les salariés volontaires.

14 Publication du rapport du Conseil d'État intitulé « Droit au logement, droit du logement ». Le Conseil d'État y ouvre une série de pistes pour remédier à la pénurie de logements : il recommande notamment une meilleure articulation des documents d'urbanisme et ceux relatifs à l'habitat, ainsi que la fixation d'un seuil de 20 % de logement sociaux pour tout programme immobilier de plus de dix logements.

Septembre

1ᵉʳ Remise du rapport du comité de réforme du code pénal et du code de procédure pénale au Président de la République. Le rapport préconise notamment la suppression du juge d'instruction. Les pouvoirs d'enquête seraient ainsi confiés au seul procureur de la République.

10 Présentation des modalités de la taxe carbone (contribution climat-énergie) retenues par le Président de la République. La taxe carbone devrait entrer en vigueur le 1ᵉʳ janvier 2010. Elle devrait s'appliquer aux énergies fossiles (pétrole, gaz, charbon, GPL), mais ne pas frapper la consommation d'électricité. Son montant de départ, fixé à 17 euros par tonne de CO_2, devrait augmenter progressivement afin d'encourager les ménages et les entreprises à adapter en conséquence leur consommation d'énergies fossiles. Son coût devrait être intégralement compensé, pour les ménages, par une réduction de l'impôt sur le revenu ou le versement d'un chèque vert. Parallèlement, les entreprises devraient bénéficier en 2010 de la suppression de la part de la taxe professionnelle pesant sur l'investissement.

14 Remise du rapport de la Commission sur la mesure des performances économiques et du progrès social, présidée par le professeur Joseph E. Stiglitz. Cette Commission avait pour mission de déterminer les limites du PIB en tant qu'indicateur des performances économiques et du progrès social et de rechercher des indicateurs plus pertinents de la mesure du bien être des populations et de la « soutenabilité » des modes de développement.

16 Présentation du rapport des comptes de la Sécurité sociale 2009 à la Cour des comptes, en prélude à l'examen au Parlement. Le déficit de l'ensemble des branches de la Sécurité sociale a atteint 11,6 milliards d'euros en 2008. Selon la Cour, une dégradation forte des comptes est inévitable, dès 2009. Le produit des cotisations et impôts affectés au régime général (salariés du secteur privé) devrait stagner, voire diminuer, et la croissance des dépenses devrait se poursuivre au rythme antérieur pour les branches retraite (5 %), maladie (3 %) et, dans une moindre mesure, pour la branche famille.

24-25 Réunion du G20 à Pittsburgh regroupant pays industrialisés et pays émergents. La déclaration finale adoptée par les chefs d'État et de gouvernement préconise notamment le renforcement du rôle du FMI, l'encadrement des « bonus », la mise sous surveillance des « paradis fiscaux » et affirme la priorité à la lutte contre le chômage.

29 Présentation par le président de la République, d'un plan de 500 millions d'euros en faveur de l'insertion et de l'autonomie des jeunes de 16 à 25 ans : extension du revenu de solidarité active (rSa) aux jeunes de moins de 25 ans ayant travaillé au moins deux ans, revalorisation du statut des apprentis, doublement de l'aide à l'acquisition d'une complémentaire santé, octroi progressif d'un dixième mois de bourse.

30 Présentation en Conseil des ministres du projet de loi de finances pour 2010 visant à accompagner et conforter la sortie de crise. Le projet prévoit un déficit de 116 milliards d'euros (141 en 2009) ; il engage une réforme de la structure de la fiscalité (suppression de la taxe professionnelle et création d'une taxe carbone).

Octobre

2 Présentation par le Premier ministre des 21 mesures du Plan de prévention de la délinquance, adopté lors du Comité interministériel de prévention de la délinquance : développement de la vidéo-protection, sanctuarisation des établissements scolaires, lutte contre les violences intrafamiliales.

7 Présentation en Conseil des ministres par le secrétaire d'État au Développement de la région capitale du projet de loi sur le Grand Paris visant à renforcer l'attractivité économique de la région parisienne : il détermine des zones de développement économique et urbain autour de grands pôles stratégiques, avec des objectifs de croissance (4 %) et de création d'emplois (800 000) pour l'Ile-de-France en une décennie.

14 Présentation en Conseil des ministres du projet de loi sur le financement de la Sécurité sociale pour 2010 qui prévoit un déficit de 30,6 milliards d'euros (23,5 milliards en 2009) et met en place comme mesures : hausse du forfait hospitalier de 16 à 18 euros, baisse des taux de remboursement pour une centaine de médicaments, contrôles renforcés des arrêts maladie. Le projet de loi comporte aussi une réforme de la majoration de durée d'assurance vieillesse des mères.

Adoption de la loi relative à l'orientation et à la formation professionnelle tout au long de la vie. Elle prévoit notamment la mise en place de la portabilité du DIF (droit individuel à la formation) et la création du FPSPP (Fonds paritaire de sécurisation des parcours professionnels).

16 Signature de deux décrets (JO du 18) portant création d'un traitement de données à caractère personnel relatif aux atteintes à la sécurité publique. Ces deux nouveaux fichiers concernent des personnes dont les activités peuvent porter atteinte à la sécurité publique. Ils contiennent des informations relatives à l'identité, aux relations de la personne, ses déplacements, son « origine géographique » ou ses « activités politiques, philosophiques, religieuses, syndicales ».

21 Présentation en Conseil des ministres par le ministre et le secrétaire d'État à l'Intérieur et aux Collectivités territoriales de 4 projets de loi sur les collectivités territoriales, prévoyant notamment le remplacement des conseillers généraux et régionaux par un nouveau type d'élu local, le conseiller territorial, et la création d'une nouvelle structure pour les zones urbaines atteignant 500 000 habitants, la « métropole ».

27 Publication par la Cour des comptes d'un rapport intitulé « La conduite par l'État de la décentralisation ». Il présente un bilan des différentes vagues de décentralisation depuis le début des années 1980.

Novembre

2 Présentation par le président de la République du plan cancer 2009-2013. Ce plan est doté de 730 millions d'euros sur quatre ans et met l'accent sur le dépistage et la réduction des inégalités géographiques et sociales devant la maladie.

3 Début de l'expérimentation du CV anonyme dans 49 entreprises pour une durée de 6 mois : il s'agit d'éviter les discriminations à l'embauche liées à la couleur de la peau, la consonance étrangère du nom de famille, le lieu de résidence, l'âge, et ainsi de préserver l'égalité des chances de tous les candidats.

6 Décret portant création du comité interministériel du handicap (JO du 10). Le Comité est chargé de définir, coordonner et évaluer les politiques conduites par l'État en direction des personnes handicapées et doit permettre de renforcer la cohérence interministérielle de la politique du handicap.

10 Communication en Conseil des ministres du secrétaire d'État au Logement et à l'Urbanisme, sur une refondation du dispositif de prise en charge des sans-abri et des mal-logés qui prévoit la création d'un service public de l'hébergement et de l'accès au logement avec, dans chaque département, un service chargé de l'accueil et du suivi individualisé de chaque personne sans-abri.

16 Présentation en Conseil des ministres du projet de loi de finances rectificative pour 2009. Le collectif budgétaire décide d'affecter les 2 milliards non dépensés par rapport aux prévisions de la loi initiale, au remboursement de la dette de l'État envers la Sécurité sociale. Les principales mesures fiscales concernent la lutte contre les « paradis fiscaux » et contre « l'économie souterraine ».

Décret sur la prolongation de l'aide exceptionnelle à l'embauche accordée aux très petites entreprises (appelée « zéro charges ») jusqu'au 30 juin 2010.

19 Remise au président de la République du rapport de la Commission Rocard-Juppé fixant les priorités de dépenses du grand emprunt, prônant un effort public de 35 milliards d'euros susceptible de générer 60 milliards d'investissement et privilégiant les secteurs de l'université et de la recherche, de l'innovation et de la croissance verte.

25 Promulgation de la loi pénitentiaire (JO du 25). Elle renforce le droit des détenus avec notamment une domiciliation dans l'établissement pénitentiaire permettant d'obtenir papiers d'identité et prestations sociales et d'exercer son droit de vote. Elle réaffirme le principe de l'encellulement individuel, avec un moratoire permettant d'y déroger pendant 5 ans.

30 Le rapport annuel de l'Observatoire national des zones urbaines sensibles est rendu public. 33,1 % des 4,5 millions d'habitants de ces quartiers vivent sous le seuil de pauvreté (908 euros mensuels), 44,3 % pour les moins de 18 ans. Le taux de chômage est de 16,9 % mais atteint 41,7 % pour les jeunes garçons, fortement touchés par l'échec scolaire.

Décembre

1er Entrée en vigueur du traité de Lisbonne modifiant les règles de fonctionnement des institutions européennes : généralisation de la procédure de codécision impliquant Parlement européen et Conseil de l'Union européenne pour l'adoption des textes législatifs, création de 3 nouveaux « hauts responsables » (Président du Conseil européen, Haut représentant de la politique étrangère européenne, Secrétaire général du Conseil).

Le président du groupe UMP à l'Assemblée nationale, a présenté, le 1er décembre, une proposition de loi tendant à favoriser la représentation équilibrée des femmes et des hommes au sein des conseils d'administration et de surveillance, en instaurant un quota de 50 % de femmes.

7-18 Conférence des Nations Unies sur le changement climatique à Copenhague, avec un engagement des pays participants à limiter le réchauffement à 2 degrés, à faire part, avant le 31 janvier 2010, de leurs objectifs en matière de réduction de gaz à effet de serre pour 2020, et décision sur une montée en charge des aides attribuées par les pays industrialisés aux pays les plus vulnérables.

10 Présentation devant le Conseil supérieur de l'éducation par le ministre de l'Éducation nationale d'un nouveau projet de réforme des lycées qui met l'accent sur l'orientation des élèves et la prévention du décrochage scolaire et prévoit notamment de rendre optionnelle l'histoire-géographie en terminale.

30 Loi du 30 décembre 2009 de finances pour 2010 qui prévoit un déficit de 117,4 milliards d'euros (contre 141 milliards prévus pour 2009), soit 8,5 % du PIB et une dette publique approchant 84 % du PIB à la fin de l'année 2010. La taxe professionnelle est remplacée par une contribution économique territoriale (CET). Le Conseil constitutionnel invalide toutes les dispositions sur la taxe carbone.

Année 2010

Janvier

10 Les électeurs de Guyane et de Martinique se prononcent contre le changement de statut de département d'outre-mer régi par l'article 73 de la Constitution en un régime de plus large autonomie prévu par l'article 74 de la Constitution.

15 Présentation devant le Conseil d'orientation sur les conditions de travail (COCT) par le ministre du Travail du 2ᵉ Plan santé au travail (période 2010-2014) avec pour objectifs de diminuer de 25 % les accidents du travail (700 000 par an dont plus de 44 000 accidents graves) et de stabiliser le nombre des maladies professionnelles qui a presque doublé en 10 ans. Le plan cible en particulier les troubles musculo-squelettiques (TMS), les risques cancérogènes mutagènes et reprotoxiques (CMR), les risques psychosociaux.

20 Présentation en Conseil des ministres du projet de loi de finances rectificative pour 2010 : prise en compte de 35 milliards d'euros d'investissement financés par le grand emprunt ; prévision d'un déficit budgétaire de 149,2 milliards d'euros contre 117,4 prévus dans la loi de finances initiale ; hypothèse de croissance plus favorable (dette publique ramenée à 83,2 % du PIB). Le texte instaure également la création d'un nouveau dispositif d'exonération sociale pour les agriculteurs et un système exceptionnel de taxation des bonus des traders.

21 Publication du rapport sur l'amélioration de la compétitivité des professions libérales qui présente 33 propositions pour une nouvelle dynamique de l'activité libérale.

Février

9 Promulgation de la loi relative à l'entreprise publique La Poste et aux activités postales. À compter du 1ᵉʳ mars 2010, La Poste doit abandonner son statut d'entreprise publique pour celui de société anonyme à capitaux publics. La Poste reste cependant, pour une durée de 15 ans, opérateur du service universel postal.

10 Publication du rapport annuel de la Cour des comptes qui insiste sur l'aggravation du déficit et de la dette publics. La Cour préconise des réformes rapides et, notamment, la réduction des niches fiscales, faute de quoi la dette publique pourrait atteindre 100 % du PIB en 2013.

11 Le Conseil européen réunissant à Bruxelles les chefs d'État et de gouvernement de l'UE apporte son soutien aux mesures prises par la Grèce pour réduire son déficit budgétaire de 4 %

dès 2010 et affirme que les États de la zone euro prendront les mesures nécessaires au maintien de la stabilité financière de cette zone.

16 Adoption de la proposition de loi visant à créer une allocation journalière d'accompagnement d'une personne en fin de vie. Cette allocation est destinée, en partie, à compenser la perte de revenus de personnes accompagnant à domicile un parent ou un proche en fin de vie, notamment pendant le congé de solidarité familiale.

23 Rapport du Médiateur de la République. Saisi de 76 286 affaires (16 % de plus qu'en 2008), le Médiateur fait le constat d'une coupure entre citoyens et administration : déficit d'accueil et d'information, réformes continuelles dont l'usager ne perçoit pas l'utilité, surabondance de textes législatifs et réglementaires.

25 Adoption de la loi relative au service civique. Le service civique s'adresse aux jeunes et leur offre la possibilité de s'engager au profit d'un projet collectif d'intérêt général en France ou à l'étranger. La loi entrera en vigueur à compter de la publication des décrets d'application sur le service civique et au plus tard au 1er juillet 2010.

27 Tempête Xynthia sur l'Ouest de la France. Quatre départements (Charente-Maritime, Deux-Sèvres, Vendée, Vienne) sont déclarés en état de catastrophe naturelle.

Mars

4 Clôture des États généraux de l'industrie, lancés en octobre 2009 : annonce du renforcement du poids de l'État dans les conseils d'administration des entreprises publiques, du financement de la politique industrielle par le grand emprunt, de la création d'un livret d'épargne industrie, d'un fonds d'investissement public sur les brevets industriels.

14 Premier tour des élections régionales.

21 Second tour des élections régionales.

22 Remaniement ministériel : le ministre du Travail, des Relations sociales, de la Famille, de la Solidarité et de la Ville et le Haut commissaire à la jeunesse et aux solidarités actives quittent leurs fonctions, 3 secrétaires d'État changent de ministère de tutelle, le ministre du Budget, des comptes publics et de la fonction publique est nommé ministre du Travail, de la Solidarité et de la fonction publique.

26 Les Assemblées régionales nouvellement élues procèdent à l'élection de leurs Présidents et des exécutifs régionaux.

23 Annonce du report de la mise en œuvre de la taxe carbone qui devait entrer en vigueur le 1er juillet : le gouvernement invoque la nécessité d'une harmonisation des dispositifs de fiscalité écologique dans l'Union européenne pour ne pas handicaper la compétitivité des entreprises françaises.

30 Remise au Premier ministre par le Conseil d'État de son étude relative aux possibilités juridiques d'interdiction du port du voile intégral. Le rapport estime qu'une interdiction générale et absolue du port du voile intégral porterait atteinte aux droits fondamentaux, « sans pouvoir être justifiée par des nécessités d'ordre public ».

31 Présentation en Conseil des ministres par le ministre de l'Immigration d'un projet de loi relatif à l'immigration, l'intégration et la nationalité. Outre la transposition de directives européennes adoptées dans le cadre du Pacte européen sur l'immigration et l'asile, le projet entend faciliter les reconduites à la frontière et crée une interdiction de retour sur le territoire français de 3 à 5 ans pour les étrangers expulsés.

Avril

1er Création des 26 agences régionales de santé (ARS) après nomination des directeurs généraux en Conseil des ministres du 31 mars. La mission des ARS est d'améliorer le pilotage du système de santé en coordonnant tous ses acteurs : hôpital, médecine de ville, maison de retraite, caisse d'assurance maladie, direction des affaires sanitaires et sociales.

6 Remise à la ministre de l'Enseignement supérieur et de la Recherche du rapport Marescaux sur les instituts hospitalo-universitaires (IHU). Les 5 IHU prévus sont des plateformes de soins, de recherche et d'enseignement, qui seront intégrés aux Centres hospitaliers universitaires (CHU) et financés par le grand emprunt.

11 Réunion des ministres des finances de l'Eurogroupe (pays de la zone euro). Un plan d'aide à la Grèce de 3 ans est adopté : si la Grèce en fait la demande, les États de la zone euro peuvent lui prêter jusqu'à 30 milliards d'euros la première année, et le Fonds monétaire international (FMI) 10 milliards. En contrepartie, la Grèce doit prendre une série de mesures pour réduire son déficit.

12 Début du processus de concertation en vue de la réforme des régimes de retraite par une série de rencontres bilatérales avec les syndicats et les organisations patronales.

14-20 Éruption du volcan islandais Eyjafjallajökul qui dégage un nuage de cendres provoquant la fermeture progressive des espaces aériens européens. Le 20, reprise progressive du trafic aérien.

14 Remise au Premier ministre du 8ème rapport du Conseil d'orientation des retraites (COR) sur les perspectives financières des systèmes de retraite à moyen et long termes. Les prévisions à l'horizon 2050, appuyées principalement sur les données démographiques, indiquent entre 70 et 114 milliards d'euros de déficit selon les hypothèses de chômage et de croissance envisagées.

21 Présentation en Conseil des ministres d'un projet de loi de finances rectificative 2010. Ce texte prend en compte les décisions prises par les États membres de la zone euro le 11 avril 2010 précisant les modalités d'un éventuel plan de soutien à la Grèce. Le projet de loi permet à la France d'engager 3,9 milliards d'euros en 2010 en crédits de paiement.

Présentation en Conseil des ministres du plan « Rebond pour l'emploi », à destination des chômeurs en fin de droits. Sont prévus : une enveloppe de 700 millions d'euros pour les personnes en fin de droits en 2010, avec accompagnement des personnes dans une démarche de retour à l'emploi, ou garantie du versement d'une allocation pendant six mois maximum.

22 Remise au Premier ministre du rapport Jamet sur les finances départementales. Ce rapport dresse un état des lieux de la situation financière des départements. Il analyse plus particulièrement le poids de la gestion de trois prestations sociales confiées aux départements (rSa - Revenu de solidarité active, APA - Allocation personnalisée d'autonomie, PCH - Prestation de compensation du handicap).

Mai

1er Manifestation à l'appel des principales organisations syndicales (FO et la CFE-CGC ne participent pas au cortège unitaire) : 350 000 manifestants en France, selon la CGT, et 195 000 selon le ministère de l'Intérieur.

2-19 Le 2, les ministres des Finances de la zone euro et le Fonds monétaire international (FMI) s'accordent sur le montant de la garantie (440 milliards d'euros) accordée à la Grèce pour lui éviter la cessation de paiement. Le 19, présentation en Conseil des ministres par la ministre de l'Économie d'un projet de loi de finances rectificative : il fixe à 111 milliards la garantie maximale apportée par la France au Fonds européen de stabilité financière (FESF) pour la zone euro.

3   Réunion d'un comité interministériel consacré aux premiers projets financés par le « grand emprunt national » : adoption des dix premières conventions entre l'État et des opérateurs publics (dont Oséo, l'Ademe et l'Agence nationale de la recherche - ANR) représentant 6,85 milliards d'euros sur les 35 milliards du programme.

9-10   Réunion exceptionnelle d'un Conseil des ministres des finances de l'Union européenne (ECOFIN) conclu par l'annonce d'un « règlement établissant un mécanisme européen de stabilisation financière », plan de sauvetage de 750 milliards d'euros pour contribuer à la stabilisation financière de la zone euro et éviter la contagion de la crise grecque.

12   La Cour des comptes rend public un rapport thématique intitulé « L'éducation nationale face à l'objectif de la réussite ». Constatant notamment que l'organisation du système scolaire ne permet pas d'atteindre les objectifs d'égalité des chances assignés par la loi, la Cour plaide pour une réforme mettant un terme à l'uniformité de l'offre scolaire pour aller vers une diversification permettant de l'adapter localement aux besoins des élèves.

19   Présentation en Conseil des ministres du projet de loi portant interdiction de dissimuler son visage dans l'espace public.

20   Remise du rapport de Paul Champsaur, président de l'Autorité de la statistique publique, et de Jean-Philippe Cotis, directeur général de l'Institut national de la statistique et des études économiques, sur les finances publiques. « Il serait illusoire de compter sur un surcroît d'inflation, et tout aussi risqué de s'en remettre à la seule croissance. Un ajustement important de nos finances publiques est donc nécessaire », estiment les auteurs dans la conclusion du rapport, qui porte sur les trente dernières années et sur les dix prochaines.

27   Journée nationale de manifestations et de grève à l'appel de l'intersyndicale (CGT, CFDT, UNSA, FSU, Solidaires, CFTC) « pour l'emploi, les salaires et les retraites ».

28   Le Conseil Constitutionnel censure partiellement des dispositions relatives aux pensions des anciens combattants des ex-colonies (montant différent de celles versées aux ressortissants français ayant le même lieu de résidence).

Juin

1er   Publication au Journal officiel d'un décret du 31 mai 2010 instituant des mesures de soutien exceptionnelles pour certains chômeurs en fin de droits. Ce décret stipule que les demandeurs d'emploi immédiatement disponibles, sans aucune activité professionnelle, épuisant leurs droits à l'allocation d'assurance entre le 1er janvier et le 31 décembre 2010, peuvent bénéficier d'un parcours d'insertion professionnelle renforcé proposé par Pôle emploi. Ce parcours permet d'accéder à des formations rémunérées ou à un contrat aidé, ou, à défaut, à une aide exceptionnelle d'un montant maximum de 15,14 euros par jour.

15   Le rSa devrait entrer en vigueur au 1er janvier 2011 dans les Dom, selon un projet d'ordonnance portant extension et adaptation dans les Dom, à Saint-Barthélemy, à Saint-Martin et à Saint-Pierre-et-Miquelon, de la loi du 1er décembre 2008 généralisant le rSa.

16   Présentation en Conseil des ministres du projet gouvernemental de réforme des retraites. Ce projet prévoit notamment le relèvement de l'âge légal de départ à la retraite à 62 ans d'ici à 2018, et de l'âge de la retraite à taux plein à 67 ans en 2023. Il prévoit aussi l'augmentation de la durée de cotisation jusqu'à 41 ans et 6 mois en 2020 ainsi que le passage en 10 ans du taux de cotisation des fonctionnaires de 7,85 % à 10,55 %. Dans le cadre de la réforme, le ministre annonce également l'annualisation du calcul de l'allègement général de cotisations sociales sur les bas salaires, dit réduction Fillon, dans le but de réaliser une économie annuelle de 2 milliards d'euros.

23-25 Le 23, publication du rapport de la Cour des comptes s'alarmant de la dérive des finances publiques. Le 25, remise du rapport « Réaliser l'objectif constitutionnel d'équilibre des finances publiques » du groupe de travail présidé par Michel Camdessus, gouverneur honoraire de la Banque de France. Le rapport propose notamment l'institution d'une loi-cadre de programmation pluriannuelle des finances publiques fixant un plafond des dépenses.

24 Manifestation à l'appel de l'intersyndicale (CGT, CFDT, CFTC, UNSA, FSU et Solidaires) contre le projet de réforme des retraites . près de deux millions de manifestants selon les syndicats, 800 000 selon la police.

30 Présentation en Conseil des ministres par le ministre du Budget de la deuxième vague de la révision générale des politiques publiques (RGPP) avec une économie attendue de l'ordre de 10 milliards d'euros par an à l'horizon 2013 : avec notamment le non remplacement de 100 000 postes de fonctionnaires sur la période 2011-2013 et un programme de 100 mesures de simplification des démarches administratives.

Juillet

9 Promulgation de la loi relative aux violences faites aux femmes, aux violences au sein des couples et aux incidences de ces dernières sur les enfants. La loi vise à faciliter le dépôt de plaintes par les femmes et prévoit une ordonnance de protection délivrée par le juge aux affaires familiales et permettant la mise en place de mesures d'urgence (éviction du conjoint violent, relogement, en cas de départ du domicile conjugal). Elle crée également le délit de harcèlement au sein du couple et celui de contrainte au mariage.

13 Remise d'un rapport sur la promotion de la diversité et la lutte contre les discriminations, réalisé par le cabinet Deloitte, à la demande du Centre d'analyse stratégique. Ce rapport dresse une liste de 15 propositions pour renforcer la diversité sur le marché de l'emploi en France.

Présentation en Conseil des ministres du projet de réforme sur les retraites, avec pour objectif de supprimer le déficit des régimes de retraite en 2018 (report de l'âge de départ à la retraite de 60 à 62 ans, hausse des cotisations des fonctionnaires, encouragement à l'embauche des seniors, point d'information sur sa retraite à 45 ans, etc.).

22 Promulgation de la loi organique relative à l'application de l'article 65 de la Constitution sur le Conseil supérieur de la magistrature (CSM). Ce texte met en œuvre les dispositions prévues par la loi constitutionnelle du 23 juillet 2008 de modernisation des institutions de la Ve République : renforcement des compétences du CSM et possibilité offerte aux justiciables de le saisir directement d'une demande de poursuites disciplinaires contre un magistrat.

27 Promulgation de la loi de modernisation de l'agriculture et de la pêche (JO du 28). Ce texte affiche quatre objectfs principaux : stabiliser le revenu des agriculteurs, renforcer la compétitivité de l'agriculture, mettre en place une véritable politique de l'alimentation et lutter contre le « gaspillage » des terres agricoles.

Août

3 Présentation en Conseil des ministres des projets de loi ordinaire et organique sur le département de Mayotte. Le premier fixe notamment les règles d'organisation et de fonctionnement du département afin qu'il exerce en mars 2011 les compétences dévolues au département et à la région. Le deuxième permet le maintien, à titre transitoire, du régime fiscal spécial de Mayotte.

Présentation en Conseil des ministres du décret sur les statuts de l'établissement public de Paris-Saclay, destiné à développer son pôle scientifique et technologique.

Organismes cités dans l'ouvrage

Anvar   Agence nationale de la valorisation de la recherche

Arcep   Autorité de régulation des communications électroniques et des postes

ASP   Agence de services et de paiement, née de la fusion du Cnasea et de l'AUP

BIT   Bureau international du travail

CCMSA   Caisses centrales de la mutualité sociale agricole

CEA   Commissariat à l'énergie atomique

CEREN   Centre d'études et de recherches économiques sur l'énergie

Cnaf   Caisse nationale des allocations familiales

Cnav   Caisse nationale d'assurance vieillesse

Cnes   Centre national d'études spatiales

CNRS   Centre national de la recherche scientifique

CRÉDOC   Centre de recherche pour l'étude et l'observation des conditions de vie

Dares   Direction de l'animation de la recherche, des études et des statistiques
            (Ministère de l'Économie, de l'Industrie et de l'Emploi - Ministère du Travail,
            de la Solidarité et de la Fonction publique)

Depp   Direction de l'évaluation, de la prospective et de la performance
            (Ministère de l'Éducation nationale - MEN)

Deps   Département des études, de la prospective et des statistiques
            (Ministère de la Culture et de la Communication)

DGESIP   Direction générale pour l'enseignement supérieur et l'insertion professionnelle
             (Ministère de l'enseignement supérieur et de la recherche)

DGFiP   Direction générale des Finances publiques
            (Ministère du Budget, des Comptes publics et de la Réforme de l'État)

DGRI   Direction générale pour la recherche et l'innovation
            (Ministère de l'enseignement supérieur et de la recherche - MESR)

Drees   Direction de la recherche, des études, de l'évaluation et des statistiques
            (Ministère du Travail, de la Solidarité et de la Fonction publique -
            Ministère de la Santé et des Sports -
            Ministère du Budget, des Comptes publics et de la Réforme de l'État)

Eurostat   Office statistique des communautés européennes

Irdes   Institut de recherche et de documentation en économie de la santé

Ifremer   Institut français de recherche pour l'exploitation durable de la mer

Ined   Institut national d'études démographiques

Inra   Institut national de la recherche agronomique

Insee   Institut national de la statistique et des études économiques

Inserm   Institut national de la santé et de la recherche médicale

OCDE   Organisation de coopération et de développement économique

ONDRP   Observatoire national de la délinquance et des réponses pénales

SDSE   Sous-direction de la statistique et des études (Ministère de la Justice)

SEEIDD   Service de l'économie, de l'évaluation et de l'intégration du développement durable (Commissariat général au Développement durable - CGDD, Ministère de l'Écologie, de l'Énergie, du Développement durable et de la Mer)

SIES   Système d'information et études statistiques
(MESR - Ministère de l'Enseignement supérieur et de la Recherche)

SOeS   Service de l'observation et des statistiques (Ministère de l'Écologie, de l'Énergie, du Développement durable et de la Mer)

Édition 2009

Les bacheliers « de première génération » : des trajectoires scolaires et des parcours dans l'enseignement supérieur « bridés » par de moindres ambitions ?
Jean-Paul Caille et Sylvie Lemaire

Métiers et parcours professionnels des hommes et des femmes
Monique Meron, Laure Omalek et Valérie Ulrich

Les salaires des seniors du privé : plus élevés en moyenne, mais de moindres perspectives d'augmentation
Nicolas Bignon et Marion Goussé

Édition 2008

En France, qui recourt aux services à domicile ?
Claire Marbot

Le bonheur attend-il le nombre des années ?
Cédric Afsa et Vincent Marcus

Mourir avant 60 ans, le destin de 12 % des hommes et 5 % des femmes d'une génération de salariés du privé
Rachid Bouhia

Édition 2007

La destinée sociale varie avec le nombre de frères et soeurs
Dominique Merllié et Olivier Monso

La composition du patrimoine des ménages entre 1997 et 2003
Pauline Girardot et Denis Marionnet

En quoi la prise en compte des transferts liés à la santé modifie-t-elle l'appréciation du niveau de vie ?
François Marical

Édition 2006

Les inégalités de réussite à l'école élémentaire : construction et évolution
Jean-Paul Caille et Fabienne Rosenwald

Moins d'artisans, des professions libérales en plein essor
Magali Beffy

La mobilité résidentielle des adultes : existe-t-il des « parcours-types » ?
Christine Couet

Ne pas avoir eu d'enfant : plus fréquent pour les femmes les plus diplômées et les hommes les moins diplômés
Isabelle Robert-Bobée

Édition 2005-2006

En dix ans, moins d'enfants handicapés mais davantage d'adultes parmi les résidants en établissements
Nathalie Dutheil et Nicole Roth

La Fonction publique : vers plus de diversité ?
Julien Pouget

L'acquisition de la nationalité française : quels effets sur l'accès à l'emploi des immigrés ?
Denis Fougère et Mirna Safi

Édition 2004-2005

Que deviennent les bacheliers après leur baccalauréat ?
Sylvie Lemaire

La formation professionnelle des chômeurs
Aurore Fleuret et Philippe Zamora

L'activité professionnelle des personnes handicapées
Selma Amira et Monique Meron

Édition 2003-2004

La vie familiale des immigrés
Catherine Borrel et Chloé Tavan

La dynamique des salaires et du coût du travail de 1996 à 2000
Fabrice Romans et Géraldine Séroussi

Les systèmes de retraite en Europe à l'épreuve des changements démographiques
Laurent Caussat et Michèle Lelièvre

Édition 2002-2003

La place du projet professionnel dans les inégalités de réussite scolaire à 15 ans
Fabrice Murat et Thierry Rocher

Les équipements publics mieux répartis sur le territoire que les services marchands
Géraldine Martin-Houssart et Nicole Tabard

Les statistiques de la délinquance
Bruno Aubusson, Nacer Lalam, René Padieu et Philippe Zamora

Dix ans de vacances des Français
Céline Rouquette

Édition 2001-2002

Le programme « nouveaux services – emplois jeunes » : premiers éléments pour une évaluation
Vanessa Bellamy

Avoir un emploi et être pauvre. Bas salaires, sous-emploi et chômage, quels liens avec la pauvreté ?
Jean-Michel Hourriez

Vers une baisse du nombre moyen d'enfants par femme ? Une simulation à comportements inchangés
Isabelle Robert-Bobée

La retraite ou le temps des loisirs
Hélène Michaudon

Édition 2000-2001

La persistance du lien entre pauvreté et échec scolaire
Dominique Goux et Éric Maurin

Le recours aux services payants pour la garde de jeunes enfants se développe
Anne Flipo et Béatrice Sédillot

Inégalités de revenus et redistribution : évolutions 1970-1996 au sein des ménages salariés
Pascale Breuil-Genier

L'évolution de la redistributivité du système socio-fiscal entre 1990 et 1998 : une analyse à structure constante
Fabrice Murat, Nicole Roth et Christophe Starzec

Édition 1999-2000

Les allocataires du revenu minimum d'insertion : une population hétérogène
Cédric Afsa

Parcours professionnels et retraite : à quel âge partiront les actifs d'aujourd'hui ?
Christine Lagarenne, Corinne Martinez et Guillaume Talon

La répartition du travail domestique entre conjoints reste très largement spécialisée et inégale
Cécile Brousse

Édition 1998-1999

La dépendance des personnes âgées : recours aux proches et aux aides professionnelles
Pascale Breuil

Niveau d'éducation en Europe : le rattrapage français
Louis Chauvel

Les formes particulières d'emploi en France : un marche-pied vers les emplois stables
Laurence Bloch et Marc-Antoine Estrade

Édition 1997-1998

Dépenses de santé et réforme de l'assurance maladie
Gérard Lattès et Patrick Pauriche

Les familles monoparentales : aidées mais fragilisées
Nicolas Herpin et Lucile Olier

Les sociétés britannique et française depuis vingt-cinq ans
Phillip Lee, Patrick Midy, Allan Smith et Carol Summerfield

Dans la même collection

Parus

Cinquante de consommation en France

Les salaires, *Insee Références Web*, édition 2010

La France et ses régions, édition 2010

L'économie française, édition 2010

À paraître

Le commerce en France, édition 2010

L'industrie en France, *Insee Références Web*, édition 2010

Tableaux de l'économie française, édition 2011

Les revenus et le patrimoine des ménages, édition 2011

Emploi et salaires

Imprimerie JOUVE – 1, rue du Docteur Sauvé, 53100 Mayenne

Dépôt légal : octobre 2010